KB081943

갈광질광(不知所措)
인간 세상 이야기 4

https://blog.daum.net/sang7981?page=3(2021. 7. 21)

갈팡질팡 인간 세상 이야기 4

발　행 | 2024년 01월 15일
저　자 | 김용수
펴낸이 | 한건희
펴낸곳 | 주식회사 부크크
출판사등록 | 2014.07.15.(제2014-16호)
주　소 | 서울특별시 금천구 가산디지털1로 119 SK트윈타워 A동 305호
전　화 | (02) 1670-8316
이메일 | info@bookk.co.kr

ISBN | 979-11-410-6663-5

www.bookk.co.kr
ⓒ 김용수 2024
본 책은 저작자의 지적 재산으로서 무단 전재와 복제를 금합니다.

갈팡질팡 인간 세상 이야기 4

김용수 지음

이 책 쓰면서

인간 세상은 이유 없이 개에게 탓하곤 한다. 겨울 담장에 소복이 솟아오른 말고 흰 눈이 견심(犬心)인 듯한 데 말이다. 인간들은 허구한 날 모든 것이 개 같은 세상 탓이라고 하지 않았던가 싶다.

한마디로 이런 세상 어떻게 사느냐고 하면서 애꿎은 네발짐승을 탓하는 것이 현실이다. 그런데도 이런 심각한 논박에 있어서 아주 흥미로운 점이 있다. 인간들은 개 같은 세상이라고 빗대면서 뭐 묻은 개가 뭐 묻은 개를 탓한다고 한다. 그렇지만 그 주체가 자신들이란 점은 애써 외면하고 싶어 한다는 점이 볼썽사납기도 하다. 어쨌든 이 세상에 사는 개들이 뭐라 한 적은 없지 않은가? 단지 이 세상에 개들은 주인이 가난뱅이든 부자든 상관없이 주인이니까 꼬리치고 맴맴 돌고 멍멍 짖는다. 아울러 어떤 경우이든 개는 주인이 기분에 따라 부르는 명칭이 이름이 된다.

주인이 즐겁다고 메리(Merry)라 부르면 메리(즐거운 강아지)가 되고, 행복할 때 해피(Happy)라 부르면 해피(행복한 강아지)가 되어 주인의 기분을 충족 시켜 준다. 우리 주변에서 어찌 개만 한 충복(忠僕)이 따로 있겠는가 싶은 대목이기도 하다. 그 언제부터인가 우리는 개는 반려견(伴侶犬)이요 고양이를 포함한 귀여운 동물을 애완동물(愛玩動物)이라는 세상에 살고 있다. 사실 핵가족 시대에 머무는 인간에겐 쓸쓸한 단면이지만 인간에게 개만큼 소중한 벗도 없다. 어쨌든 이 시대를 이끄는 인간이기에 지혜롭고 슬기롭게 살아가야 할 숙제도 인간에게 주어진 듯하다. 이런 이유로 인간이 살아온 그 험난한 여정을 과거와 현재 속의 맑고 맑은 강아지의 눈빛으로 바라봄이 새로운 의미를 주는 듯이 비쳐온다.

아마도 속절없이 흘러가는 세월은 격세지감(隔世之感)이란 말속에 삶의 흔적을 옮기는 듯하다. 사실 요즘 도심 골목에선 기발한 아이디어로 등장하는 애견 숍의 간판이 눈길을 끈다. 예를 들면, “멍멍아 야옹 해봐” 등인데, 사실 멍멍이가 어떻게 야옹야옹하겠는가? 우리 주변이 그럴 정도로 삶 속에 여유가 생겨서 그런 세상으로 변해갔으면 하는 바람이 살짝 담겨 있는 표현일 것이다. 여하튼 이보다 좀 더한 이야기가 야릇한 기분을 쏟아내기도 한다. 애견 숍 용품이나 사각 진열대에 갇힌 강아지들이 껌을 질겅질겅 씹어대는 시절이 찾아온 것이 요즘이기도 하다. 어쩜 그래서일지도 모르겠다는 생각이다. 불현듯 근래에 벌어졌었던 해외 토픽감이 머릿속을 스쳐 간다.

미국의 어느 견주(犬主)가 강아지와 산책을 하던 도중에 호숫가를 빙 돌게 되었다. 그런데 하필 이때 불쑥 나타난 새끼 악어가 강아지를 덥석 물어버린 것이다. 그 당시에 당황한 개 주인은 일말의 망설임도 없이 악어의 주둥이를 벌리고 강아지를 구해냈다는 영화 속 장면 같은 신문 기사 내용이었다.

우리 일상 속에서 개의 위상이 차지하는 비중이 장난이 아님은 분명히 알 수 있는 대목이기도 하다. 물론 서구 문명국가에서는 집안에 갇혀 있는 강아지의 스트레스를 고려해서 일주일에 두세 번 산책시켜야 할 의무가 있다고는 한다. 사실 이 정도면 옛 어른이 말씀하신 개 팔자가 상팔자요 개가 주인인 시절이 맞을 것이다. 아울러 우리 주변에서 복슬강아지가 귀여움을 독차지하고 있는 것은 부인할 수 없는 사실임이 분명하다.

아주 어린 시절에 강아지에 대한 추억도 남다르기는 마찬가지이다. 그 당시엔 흙 마당에서 뒹굴며 주인의 뒤를 졸졸 쫓아가는 누렁이가 대부분이었다. 사실 어찌 누렁이만 있었겠는가? 간혹 검둥이도 있었고, 흰둥이도 메리(즐거운 강아지), 해피(행복한 강아지)라고 주인이 부르는 대로, 한글을 쓰는 땅 위에서 외국어 이름을 사용하는 친구이기도 했다.

한마디로, 요즘의 귀여운 복장과 웰빙 문화의 혜택을 받으면서 영양 상태까지 완벽한 강아지와는 어찌 비교할 수 있겠는가 싶다. 사실 그 당시 아주 열악한 주거상태에서 귀여운 친구가 누렁이었다는 기억이 또렷하다. 어쩌면 비교가 안 되는 생활문화의 여건에서 어쩔 수 없지 않겠느냐고 반문할지도 모르겠다. 혹은 그것이 개의 일생이요 개 팔자라고 말이다. 이쯤에서 잠시 주목해야 할 점이 있다. 지금의 귀엽고 토실토실한 강아지가 그러하듯, 당시의 복 돌이 복순이도 누렁이란 이름으로 혹은 검둥이와 흰둥이란 이름을 오가며 주인에게 충성(忠誠)을 다하는 충견(忠犬)이었다는 점이다.

매일매일 학교 갔다 집에 오면 반갑다고 마당을 뱅뱅 돌며 꼬리 치고 반겨준다. 그런데 어찌 이쁜인가 싶은 순간에는 누렁이 생(生)의 마지막이 찾아온다. 어느 날 사라진 강아지는 혹서의 계절 여름철에 주인의 영양보충을 위한 보신탕(補身湯)으로 변해 있었다. 이를테면 인류를 위한 최후의 봉사로 어느 가정에서인가 건강의 일선에서 최후의 생(生)을 마쳤던 것이었다.[1]

2024년 1월

海東 김용수 씀

차례

Ⅰ. 들어가는 글/11

1. 아프칸 난민, 한국 오지 마라 ······ 13
2. 인터넷 혹은 리바이어던 ······ 15
3. 포스트 코로나 시대 선거와 좌파 바람 ······ 17
4. 국방부 앞마당은 스파이들의 놀이터? ······ 19
5. 윤창호법 위헌과 괴물의 시간 ······ 21
6. 국민연금 개혁 안하면 90년생부터 한푼도 못받는다 ······ 23
7. 누가 야윈 돼지를 날뛰게 했는가 ······ 24
8. 오징어 게임을 향한 복잡한 시선 ······ 26
9. 희망의 인문학 ······ 28
10. 윤석열 후보의 위험한 혐오 선동 ······ 30
11. 즐겁지만은 않은 디지털 신세계 ······ 32
12. 투가 제일 문제였다 ······ 34
13. 미성년자 논문 공저 ······ 36
14. 충무공 이순신 장군과 심청전 심학규의 공통점은? ······ 38
15. 동물 농장의 일기 ······ 40
16. 베테랑의 실수 ······ 42
17. 눈을 부릅뜨고 역사를 보라 ······ 44
18. 텅텅 비고 허허벌판....공공 기관뿐인 도시에 정착할 삶은 없다 ······ 46
19. 저거들의 블루스 ······ 51
20. 원류 국산 주류 식자료였던 밀, 99% 수입에 의존하게 된 이유 ······ 53
21. 반지성주의와 개돼지론의 공통점 ······ 56
22. 대학입시용 논문, A4 1장당 18달러 논문 대필 시장 ······ 58
23. 안보 제일주의 길 잃은 이상주의 ······ 63
24. 포털뉴스 정부 정책 시작부터 권위주의? ······ 65
25. 총기 문제와 미국의 실패 ······ 67
26. 조선은 풍수 때문에 망했다 ······ 69
27. 나중에 정권에 이은 자가당착 정권 ······ 71
28. 교수 식당이 대학을 죽인다 ······ 74
29. 메타(Meta) 우리에게 필요한 가짜 ······ 76
30. 어린이여, 활동가가 되자 ······ 78
31. 형사미성년자 나이에 대한 현실적 제언 ······ 80
32. 복지를 읽기 어려운 사람들 ······ 82

33. 기업가 정신과 노예 운동 ························84
34. 대통령 부인과 옷의 정치 ························86
35. 죽거나 말거나 ························88
36. 대중은 진보하는데, 진보정당은 퇴보? ························90
37. 면종복배를 헌법 전문에 넣자 ························92
38. 실패가 예정된 사정정국 ························94
39. 예정된 방송장악 수준? 제도 개혁이 우선이다 ························96
40. 군 작전권을 넘긴 비밀협정 ························98
41. 마늘꽃도 못보고 짓는 마늘 농사 ························100
42. 헤어질 결심, 군 위안부, 김건희님의 다운로드 ························102
43. 재벌 유통기업의 '노예의 길' 을 선택할 것인가 ························106
44. 사람 중심의 방역이 필요하다 ························108
45. 용산이 흉지? ························110
46. 가난한 유권자는 언론과 그루밍의 피해자였나? ························112
47. 탄압과 보복 ························115
48. 두 여성이 들썩인 영국 ························117
49. 인플레이션 감축법이 드러낸 한국의 정책 역량 ························119
50. 민주노총만 지켜주는 노란봉투법? ························121
51. 제3의 정치 세력이 필요하다 ························123
52. 태평성대가 저물어가는 시대의 외교전략 ························127
53. 프로 당구협회와 가치 영역 ························130
54. 열 번 찍어 안 넘어가는 나무 있다 ························132
55. 미신 타파하던 조선 정치인들의 미신 ························134
56. 그 길이 쉽기 때문이 아닙니다 ························136
57. 여과부 없애면 지역균형발전? ························138
58. 아마겟돈의 가능성 ························140
59. 기어이 동행하자시면 ························144
60. 다른 시선이 보고 싶다 ························146
61. 온라인 플랫폼 자율규제의 실상 ························148
62 무한책임은 책임 없음과 같다 ························150
63. 빅브리더의 신어와 대통령의 자유 ························152
64. 농업문제라 쓰고 농협문제라 읽는다 ························154
65. 사진과 총, 캄보디아에서의 대통령 부인 ························156
66. 미래의 이름으로 현재를 착취할 때 ························160
67. 명당이 따로 있는 게 아니다 ························162
68. 개혁과 기득권 ························164
69. 연금전문가들은 왜 의견이 갈릴까 ························166

70. 국민연금 세대간 형평론, 무엇이 문제인가 ······172
71. 윤석열 정권, 미국은 겁내고 국민은 겁주나 ······174
72. 사라진 동물들의 목소리 ······176
73. 선진국이라기엔 부끄러운 한국과 대통령의 품격 ······178
74. 세대 간 계약의 공정성 ······180
75. 희망은 과거로부터 온다 ······183
76. 과거의 망령은 꺼져라 ······185
77. 동성애를 조장해드립니다 ······187
78. 이상한 저출생 대책 회의 ······189
79. 연금개혁으로 파국을 막아낼 것인가 ······191
80. 대한민국 의사는 무엇으로 사는가 ······194
81. 바이든의 미소에 속고 있다 ······196
82. 화장실을 보면 알 수 있다 ······198
83. 제대로 번복하고 반복하기 ······200
84. 국민연금 기금수익, 과장 해석과 기대 ······202
85. 다양한 가족 구성권 더 적극적으로 논의해야 ······204
86. 폭력적 성장에 감춰진 돌봄노동 ······206
87. 건강이 신이 되어버린 사회 ······208
88. 대한민국 어린이는 오늘 안녕한가요 ······210
89. 교통, 복지 넘어 균형 발전까지 ······213
90. 정당은 증오·혐오를 선동하는 공장인가 ······215
91. 전환기의 도전과 위험한 반동정치 ······219
92. 공공성을 강화하라 ······221
93. 결혼·출산 파업… 인구 절벽 넘어 국가 소멸로 치닫는다 ······222
94. 타락한 진보는 깨끗한 보수조차 못된다 ······228
95. 진정한 보수에서 새진보의 실마리 찾기 ······230
96. 형평사 100년, 차별과 인권을 되씹다 ······234
97. 노동 없는 자유 민주주의 ······236
98. 피의자의 일방적 진술이 넘쳐나는 세상 ······238
99. 이상한 상점이 오래가도록 ······240
100. 하인을 거느리는 가족국가 ······242
101. 피해자 탓하는 정권 ······244
102. 혁신과 평등, 진보의 좁은 길 ······246
103. 민주주의의 위기 ······248
104. 인구절벽과 비수도권 대학 구조조정 ······250
105. 이상하기 짝이 없는 정치논리 ······252
106. 복지까지 시장화하겠다는 위험천만한 대통령 ······254

107. 의료위기 부르는 기형적 의료체계 ……256
108. 진영공화국의 고착 막아, 나라의 살길 틔워야 한다 ……258
109. 민주화 역사의 기생충이 될 것인가 ……264
110. 밀실 거래가 아닌 사회적 논의로 ……266
111. 균형 잃은 사회복지와 국민연금 ……268
112. 한 달 가짜 인생을 살다 ……270
113. 영장 자판기라는 오명 ……272
114. 관계를 유지하는 사소한 예의 ……274
115. 모기와 평화 협정 맺기 ……276
116. 재현의 권력과 권력의 재현 ……278
117. 차라리 인류애라고 해라 ……280
118. 내면이 단단한 어른, 몸만 큰 어린아이 ……282
119. 쇼를 하라 ……284
120. 국민 여러분, 아프면 큰일 나요 ……286
121. 노동 보고서 반복되어 온 형식과 언어 바꿔야 ……288
122. 1605년 안동 대홍수 ……290
123. 불가능에 도전하는 교도관들 ……292
124. 누구를 위한 관료제인가 ……294
125. 퇴직연금을 연금화하려면 호갱은 면하게 해야 ……297
126. 동방예의지국의 비밀 ……300
127. 유머와 폭력 ……302
128. 국가의 보험사기 ……304
129. 나를 일깨운 책으로 비즈니스 ……306
130. 디리스킹의 세계와 냉전장화하는 한반도 ……308
131. 학습된 무기력을 떨쳐버리고 ……311
132. 의사소통이 불가능한 사회 ……313
133. 통일부 흔들면 미래도 잃는다 ……315
134. 사이렌이 울리면 ……317
135. 개탄스러운 사람들과 미래가 짧은 분들 ……319
136. 유급 병가, 그땐 맞고 지금은 틀리다 ……321
137. 전체주의 싫어하는 대통령님께 ……323
138. 잘 징징거린다는 것 ……325
139. 이데올로기와 물질적 이해관계 ……327
140. 도시라는 회집체 ……329
141. 물이 흘러가는 곳마다 ……331
142. 시민이 동료 시민에게, 어떤 역사를 만들겠습니까 ……333
143. 청탁금지법, 엄격하게 적용해야 하는 이유 ……335

144. 우리는 어떤 죽음을 맞게 될까 ······337
145. 독한 살충제 ······339
146. 한국이 망해가고 있다는 합계출산율 0.7명 ······341
147. 민생으로 돌아가라? ······343
148. 인간보다 더 사람다운 이태원 ······345
149. 세계적 대혼란 시대를 돌아보며 ······347
150. 정의가 시작될 자리 ······349
151. 가족보다 식구 ······351
152. 왜 근로조건 기준은 인간 존엄성인가 ······353
153. 돌봄, 예산 복원 넘어 전환의 의제로 ······355
154. 무해함에 햇살 비추어 ······357
155. 변해야 하는 것과 변하지 않아야 하는 것 사이에서 ······359
156. 손잡고 더불어 ······361
157. 떴다방 정치의 시대에 ······363
158. 소통 부재와 집단사고 ······366
159. 쾌락의 역설 ······368
160. 윤희에게 ······370
161. 미움받을 용기 ······372
162. 블랙플라이데이 단상 ······374
163. 돈의 정치학, 요물과 콩고물 ······376
164. 눈에는 눈, 이에는 이가 과연 정의일까 ······378
165. 지금 영성이 필요한 이유 ······380
166. 결혼 생각하지 못하는 사회, 이대로 둬선 안 된다 ······382
167. 여자도 군대 갔다면, 달라졌을까 ······383
168. 필수 의료, 무엇을 바라야 할 것인가 ······385
169. 더 밝게 반짝이는 별빛을 그리며 ······387
170. 자연과 동물에 사죄 ······389
171. 이젠 홍익자연이다 ······391
172. 공을 앞세우지 말라 ······393
173. 나고 자란 곳에서 배우고 일하는 나라가 되면 ....in 지방하겠습니다 ······395
174. 기부 강요하는 사회 ······400
175. 문화예술의 힘과 역할 ······402

Ⅱ. 나가는 글/404

참고문헌/408
주석/412

Ⅰ. 들어가는 글

쉰이라는 나이를 '천명(天命)을 안다' 라고 표현한 공자님의 말씀처럼 오십이 됐다고 해서 모두가 어느 날 갑자기 식견이 확 늘거나 하진 않지만 그 나이쯤 되면 누구나 한 번쯤은 생각한다.

"나는 뭔가?", "잘 살아오기는 한 건가?", "앞으로 어떻게 살아야 할까?" …….

이런 질문을 던지고 삶의 의미를 되짚어 보는 시간에는 살아온 삶에 대한 반추의 과정이 동반되게 마련이다. 1970~80년대에 청년기를 보내면서 산업화의 격랑에 휘말리고 민주화 운동에 적극적으로 참여하고, 세상을 바꿀 수 있다는 희망을 가져본 세대에게 이런 생각들은 특히 더 간절하다. 점점 커져 가는 빈부의 차이, 여전히 얼어붙은 남북 관계……와 같은 젊은 날 고민했던 거시적인 문제들은 가뿐히(?) 넘겨 버릴 수 있을지 몰라도, 실제 삶에 해당하는 일상의 무게는 버겁기만 하다. 자꾸 주변부로 밀어내려고만 하는 사회, 경제적 부담, 가족 간의 소통, 주변의 시선들……, 어느 것 하나 녹록한 게 없다. 긴 인생, 자칫 낙오...하는 거 아냐, 라는 염려가 가슴 끝을 파고들기도 한다.

무한 경쟁 사회에서 돈이 모든 것을 해결해 준다는 논리로는 삶이 점점 더 공허해질 뿐이다. 작가와 함께하는 시간 여행을 통해 지금의 나를 만든 시간들이 무엇이었는지, 내가 잊고 있던 가치의 참 모습이 어떠했는지 찾아야 한다.

1960년대 가족 공동체 · 농촌 공동체가 온전하게 작동하던 시절 그 무렵부터 외할매와 함께 지내며 그 쏟아붓는 듯하던 사랑을 받았던 기억, 외갓집 초가지붕에 새 이엉을 얹기 위해 마을 사람들이 와서 도와주던 그날의 풍경, 동네 아낙들 앞에서 맛깔스런 솜씨로 이야기보따리를 풀어 놓던 외할매, 그리고 큰댁에서 사촌 형제들과 자치기, 연날리기에 하루해가 짧았던 에피소드 들은 모두가 따뜻하고 그리운 정이 넘치는 풍경들이다. 이웃 간에 문을 꼭 걸어 잠그고 사는 각박한 현대인들에게 "우리가 예전에는 이렇게 살았었지." 라고 환기시킬 수 있는 그런 모습들이다. 마치 낡은 앨범을 후루룩 넘길 때 색 바랜 흑백 사진들이 흰색과 검은색, 뿌연 회색으로 점점이 지나가다 다시 천천히 넘겨보면, 그 안에 지금은 옛 모습을 찾기 힘든 아버지, 어머니, 할머니, 할아버지, 삼촌, 고모 들이 풋풋함과 촌스러움으로 수줍게 손 흔드는 모습을 만날 때처럼 향수를 자극하는 아련하고도 따뜻한 기억들이다.

초등학교에 입학하고 나서 중 · 고등학교 시절을 보낼 때까지, 경험한 꼭 그 나이에 걸맞은 학창시절 에피소드들은 복고 박물관을 구경한 것 같은 기분이 들 만큼 생생하다. 일흔 명이 넘어 콩나물시루를 방불케 했던 교실 풍경, 신간 만화 『카르타』 표지가 걸려 있던 만화방 유리창, 50원 하던 자장면의 잊을 수 없는 맛, 고구마 삐득이 먹던 기억……. 최근 쎄시봉 열풍을 보며 그때를 추억하고, 한 시대를 풍미했던 검정 교복, 책가방, 교련복, 도시락, 버스, 택시, 흑백텔레비전, 엘피판……과 같은 작은 소품의 풍경들을 떠올리며 희미한 웃음을 짓던 독자라면 누구나 작가가 복원한 옛 기억에 무릎을 칠 것이다. 그리고 이 무렵 이야기들은 마치 영화 「친구」에 나오는 사내애들을 보는 기분이 들만큼 유쾌하고 청춘의 힘이 끓어 넘친다. 희섭이네 골방 아지트에서 우정을 논하고, 친구들과 음악회를 개최하며, 문예반 활동으로 좌충우돌하는 모습들은 경쟁에 찌든 요즘 사회와는 다른 낭만이 느껴지기도 한다.[2)]

어쩜 요즘 사람들 대부분은 지쳐 있는 삶으로 일생을 보낸다고 한다. 이런 측면에서 한층 더한 점은 외롭다고 하면서 이 세상을 정신없이 살아간다고도 한다. 이를테면, 외롭고 쓸쓸한 삶으로 힘겨운 나날을 보내고 있다. 하지만 무언가 허전한 공간에 무언가 충족시켜줄 친구가 필요하다. 게다가 현실은 더욱 복잡하고 다변화하는 사회로 진입하면서 첨단화된 기계문명과 로봇 시대를 맞이하고 있다.

요약하건대 한마디로 인간미가 사라지고 있다. 어쩌면 이러한 시대에 친구의 조건으로 반려견(伴侶犬) 아니 애완동물(愛玩動物)의 이름으로 등장하는지도 모르겠다. 아무튼 멍멍이와 야옹이가 구원투수처럼 등장하는 모습이 씁쓰름하기도 하다. 이즈음에선 이 시절의 인간들이 분명 잊지 말아야 할 사실이 있다. 흔히 개처럼은 살지 말라고 하면서 개에게 부끄러운 일은 없어야 한다고도 한다. 하지만 현실은 어떤가 하고 뒤돌아보고 싶은 요즘이 아닌가 싶으니 말이다.

우리 주변에서 사심 없이 충심(忠心)이 무엇인가 보여주는 것이 충견(忠犬)이다. 우리 곁을 항상 지켜주는 과거의 누렁이와 요즘의 복슬이가 별반 다른 것이 무엇이란 말인가? 최소한 적어도 개에게 쪽팔린 삶은 마다해야 할 것이다.

오늘도 이 땅 위에는 유일한 둥근 지붕 아래 출퇴근하는 사람들도 있지 아니한가? 우리 모두의 일상에서 개에게 부끄러운 짓이 사라지길 원하는 간절한 바람이 꿈틀거린다. 봄이 오는 길목에서 이 밤의 깊고 짙어가는 고요한 세상에 안식을 맡겨본다.[3)]

1. 아프간 난민, 한국 오지 마라

조국을 떠나 절박한 심정으로 다른 나라의 문을 두드리며 하소연할 아프가니스탄 국민들이여. 아무리 조급해도 대한민국으로는 오지 마세요. 사는 게 먼저이니 다른 건 나중에 생각하고 싶겠지만, 인생 최대의 실수가 될 수 있어요. 동방예의지국, 글로벌 선진국 등의 수식어에 희망의 끈을 걸어둔 것이라면 당장 끊으세요. 한국에서는요, 난민 수용에 인도적인 태도가 필요하다는 논의에 반론이 언제나 이 수준이죠. "너희 집에서 받아주면 되겠네."

당신들은 근본주의자의 피해자이지만, 한국인들은 철조망에 매달리며 필사의 탈출을 하는 장면을 뉴스로 볼 때만 동정해요. 여기로 오겠다는 순간, 당신들은 '어찌 되었든 탈레반하고 종교가 같은 사람들'에 불과하죠. 저들처럼 테러를 저지를 것이고, 저들처럼 여성을 노예처럼 대한다면서 수군거리겠죠. 그런데 핵심은요, 저들처럼 행동하지 않은들 소용없다는 거죠. 한국 헌법에는 종교의 자유가 명시되어 있지만 이슬람은 기본값이 아니랍니다. 낯섦은 공포로 이어지고 혐오를 정당화하죠. 이슬람의 '이' 자만 들어도 막말을 뱉는 사람 정말 많아요. 난민을 받으면 한국이 이슬람 '화'가 된다는 말도 안 되는 주장이 부유하는 곳에서 사람 취급받길 기대하지 마세요. 인간의 존엄성조차 버릴 순 없잖아요.

그럼에도 희망을 품고 한국으로 온다면 유의할 것이 있어요. 먼저, 뗏목을 타고 와야 해요. 20인승 정원 크기의 배에 200명 정도 타고 오다가 100여명이 바다에 빠져 죽는 게 한국인들이 생각하는 난민의 모습이죠. 예멘 사람들이 제주도에 체류하면서 난민으로 인정받기 원한 적이 있었는데 이들이 스마트폰을 사용하는 게 특종, 단독보도, 르포라면서 신문에 나올 정도죠. 그러니 한국에 오시면 근처 산에 올라가 봉화로 소식을 전하셔야 해요.

난민지위를 신청하고 대기하는 기간에는 극단의 금욕주의를 실천하세요. 무조건 참으시고 무조건 입을 다무셔야 해요. 사람이 모이면 발생하게 되는 일상 속 사소한 갈등조차 한국인들은 이슬람 종교의 폭력성이 드러났다면서 여기저기 소문내죠. 돼지고기 안 먹는다고 하면 난민 주제에 별 요구를 다 한다면서 빈정거릴 거예요. 기도도 절대 하지 마세요. 한국에선 이주노동자들끼리 모여서 연대하기 위해 작은 사원 하나 만드는 것도 어려워요. 도시미관을 해치는 교회는 우후죽순인데 말이죠. 아! 개종을 하겠다고 하면 일사천리로 일이 풀릴지도 모르겠네요. 여긴 차별을 금지하는 게 차별이라는 망상조차 인정받는 곳이니, 살려면 인간의 기본권은 다 버리고 '뼛속까지' 한국인이 되셔야 해요.

학자들은 삼면이 바다라는 지리적 특성, 그나마 한쪽은 분단으로 막혀버린 정치적 상황, 단일민족이라는 역사성 등을 언급하며 한국인의 배타성을 분석하는데, 좀 우스워요. 한국인들은요, 공정하게 차별하지 않거든요. 총기사고와 미국 백인을, 훌리건의 폭력과 영국 백인을 연결시키지 않죠. 그런 사람들이 한국에서 마약을 반입하고 성범죄를 저질러도 이를 특정한 인종, 지역, 문화, 종교로 확대하지 않아요. 하지만 당신들은 코만 풀어도 어떻게든 그 이상의 것과 연결되어 공동체에서 배제되어도 마땅한 이유로 둔갑할 거예요. 그러니 오지 마세요. 믿기 힘들다면, 이 글에 달린 댓글을 보세요.[4]

2011년 말부터 2012년 말까지 대한민국 아프간재건지원단(오쉬노 부대)을 이끌었던 최완규 전 단장(예비역 준장)은 〈시사IN〉 과의 통화에서 다음과 같이 말했다. "같이 파병 갔던 전우들과 연락을 주고받고 있는데 다들 정말 안타까워하고 있다. 요즘 뉴스에 달린 댓글들을 보면 온통 이슬람을 악마화하고 있는데, 현지에서 그 문화를 직접 겪어본 사람으로서 도저히 동의할 수 없다. 어느 사회나 그렇듯 그 안에는 복잡한 맥락이 있는데 그걸 이해하지 못한 채 밖에서만 바라보면 타자화하기 쉽다."

최 전 단장은 이번에 입국한 380여 명이 한국 정부에 협력했던 현지인들 중 극히 일부에 불과하다고 말했다. "한 명이라도 더 데려올 수 있다면 집에 초대해 함께 지내고 싶은 심정이다. 난민도 마찬가지다. 난민이든 공로자든 말장난에 불과하다. 우리 입장에서는 '수용' 이지만 아프간인들 입장에서는 목숨을 건 '대피' 다. 인도적인 지원도 국격에 맞게 해야 한다." 외교부 관계자는 〈시사IN〉 과의 통화에서 "'난민' 이든 '특별공로자' 든 380명 이외 추가로 국내 이송할 계획은 아직 잡혀 있지 않다" 라고 말했다.[5]

2. 인터넷 혹은 '리바이어던'

도구와 인간의 관계에 대한 철학자 하이데거의 통찰은 탁월하다. 일단 그는 인간과 외부세계의 관계를 서로 분리돼 있거나 고립된 것으로 보지 않는다. 인간이 그를 둘러싼 환경과 만나는 순간, 그 환경은 객관적 사물의 세계에서 인간의 환경으로 바뀌고 인간 역시 그것에 의해 구성된다는 것이다. 하이데거는 이런 세상을 '생활세계'라 부르는데, 인간에게 있어 객관적 외부세계는 차라리 존재하지 않는다고 할 만큼 죽은 사물의 세계에 불과하다.

이런 생활세계를 구성하고 또 그것에 의해 구성되는 인간에게 도구는 중요한 매개자 역할을 한다. 왜냐하면 인간은 도구를 통해 저 죽은 객관의 세계를 생활세계로 탈바꿈시키기 때문이다.

하이데거는 도구를 '손 안에 있는 것'(Zuhandens)으로 정의함으로써 '눈앞에 있는 것'(Vorhandens)으로서의 사물과 구별한다. 키보드를 치는 동안 우리는 화면에 뜨는 글만 주목할 뿐 키보드의 존재는 잊어버린다. 키보드를 의식하는 순간 그것은 더 이상 도구이기를 멈추고 내게서 떨어진 하나의 사물이 된다. 인간이란 곧 그의 도구인 것이다.

마윈 축출을 빅테크 혹은 플랫폼 기업의 국가에 대한 도전이라는 시각에서도 해석할 수 있다. 토마스 홉스의 『리바이어던』 이래로 근대 국가는 '폭력의 합법적 독점'이란 개념을 토대로 설명돼 왔다.

현대 사회에서 국가는 좀 더 광범위한 독점을 필요로 한다. 화폐(금융)와 정보(데이터)가 국가를 국가답게 만든다는 핵심이다. 이런 관점에서 본다면, 마윈의 알리바바그룹은 시진핑 체제에 위협 그 자체였다. 1999년 설립 이래 전자상거래·온라인 결제·B2B 서비스·클라우드 컴퓨팅 등의 영역에서 엄청난 속도로 커가며 데이터와 금융을 장악했다(사진=EPA).

현대에 가장 주목받는 학자 브뤼노 라투르도 한창 작업 중이던 컴퓨터가 고장난 상황을 예로 들어 세계와 인간이 관계 맺는 방식을 설명한다. 컴퓨터가 고장난 순간 우리는 여태 그것을 쓰면서도 없는 듯 취급하던 컴퓨터를 갑자기 의식하고 고치고자 하는데, 세계는 이런 방식으로 끝없이 재구성된다는 것이다. 그는 이런 구성 과정을 '번역'이라 부른다.

도구는 인간과 환경의 관계뿐 아니라 인간 상호 간의 관계에서도 필수적이다. 인간은 그냥 방에 앉아서가 아니라 직업이나 취미 등의 행위를 통해서, 그리고 그 행위를 수행하기 위해 익힌 도구를 통해서 사회와 관계 맺기 때문이다. 그리고 그 도구를 어떻게, 얼마나 적극적으로 이용하는가에 따라 그의 정체성도 결정된다. 스마트폰으로 의사소통하는 사람과 뛰어가서 말을 나누는 사람의 사회적 관계는 다를 수밖에 없다.

도구는 죽은 세계를 살아가는 환경으로 바꾸고 우리 정체성을 형성하는 바탕이지만, 또한 인간을 자유롭게 해주는 수단이기도 하다. 인간은 도구를 가지고 주어진 한계를 넘어 자기를 확장한다. 인간은 예전에 할 수 없었던 일을 하기 위해 도구를 고안했지만, 그것을 사용함으로써 자신을 벗어난다. 인간의 도구는 인간 해방의 도구이기도 한 것이다.

인터넷은 인간이 고안해낸 가장 거대하고 효율적인 도구라 할 만하다. 사실 인터넷은 수많은 일을 쉽게 처리하게 해주는 도구를 넘어 이제는 잠시라도 그것을 떠나서는 살 수 없는 '생활세계'가 되어버렸다. 또 그것은 해방의 도구로, 우리는 인터넷플랫폼, 검색사이트, SNS 등을 통해 원하는 대로 물건을 사고 의견을 표출하면서 자유를 구가한다. 그러나 <기계, 권력, 사회>의 저자 박승일씨는 '자유가 곧 통제'인 것이 인터넷의 특성이라고 정의한다. 우리는 누가 시키지도 않았는데 자신의 의견과 취향을 인터넷에 제출하고 그것이 다시 유도하는 대로 생각을 형성해 간다. 수많은 이용자의 참여로 작동하는 인터넷이 그 이용자들을 관리하는 '자율적 주체'로 활동하는 것이다. 우리는 정부, 기업, 자본 등이 의도적으로 그것을 통제한다는 음모론을 자주 떠올리지만, 그런 생각도 사실은 착각이다. 우리 모두가 데이터와 알고리즘이 시키는 대로 움직이고 있기 때문이다.

정치적 의사 형성과 경제 활동은 물론 인간 지성과 관계마저 '도구'에 위임하는 이 상황은 홉스가 말한 '리바이어던'을 떠올리게 한다. 그는 시민을 보호하는 선하고 거대한 주체로 그것을 묘사했지만, 스스로를 증식하며 자동으로 통치하는 인터넷은 선도 악도 아닌 '맹목'일 것이다. 마음만 먹으면 당신은 언제든 빠져나올 수 있다고? 천만에, 나는 절대 그럴 수 없을 거라고 본다.[6]

3. 포스트 코로나 시대 선거와 좌파 바람

세계보건기구(WHO)가 코로나19 팬데믹을 선언한 지 벌써 1년6개월이 넘었다. '위드 코로나' 로 일상을 회복하려는 나라들도 하나둘 이어지고 있지만 전염병의 공포와 봉쇄로 인한 경제난은 여전하다. 팬데믹이 이어지면서 사회적 균열은 점점 더 심각해졌고 경제적 불평등 문제는 정치의 최대 해결 과제로 떠올랐다. 불안과 불평등의 포스트 코로나 시대를 살아가는 세계의 시민들은 어떤 정치세력을 선호할까.

지난달 26일 치러진 독일 총선을 이런 관점에서 주목해보자. 독일 선거에서는 중도좌파 사회민주당이 중도우파 성향의 기민·기사당 연합을 꺾고 2005년 이후 16년 만에 정권교체의 발판을 마련했다. 이로써 독일도 중도좌파 정당이 연정을 이끌고 있는 스페인과 이탈리아와 같은 그룹에 끼게 됐다. 앞서 13일 노르웨이 총선에서도 노동당이 이끄는 중도좌파 진영이 승리하며 2013년 이후 8년간 이어온 중도우파 집권을 끝냈다. 이에 따라 스웨덴, 덴마크, 핀란드에 이어 노르웨이까지 북유럽 4개국 모두에 좌파 정권이 들어서게 됐다.

독일 총선의 결과만으로 유럽 중도좌파의 부활을 선언하기는 이르다. 아직은 조심스럽고 불균질한 좌파의 귀환이 이뤄지고 있다. 지난달 25일 아이슬란드 총선에서는 좌우연정을 구성하는 정당들의 의석이 늘었지만 연정을 주도하는 좌파 녹색운동은 의석을 잃었다. 독일 선거에서도 사민당은 25.7%를 얻어 24.1%의 기민·기사당을 겨우 1.6%포인트 앞섰다. 한때 40%가 넘는 독일 시민들의 지지를 받던 그 사민당은 이제 없다.

독일 총선이 유럽 좌파 진영에 긍정적인 신호를 준 것은 분명하다. 팬데믹으로 인한 불안의 시대를 살아가는 시민들에게는 더 큰 정부, 복지 지출 확대, 사회적

단결을 강조하는 좌파 정당들이 더 큰 인기를 얻을 수 있음이 확인됐다. 우파들의 무기였던 이민 문제나 법과 질서는 이번 독일 총선에서는 이슈가 못됐다. 사회적 불평등 문제가 그 자리를 차지했다. 올라프 숄츠 사민당 총리 후보는 플랫폼노동자 등 필수 노동자들의 임금과 작업환경 개선을 강조했다. 노르웨이 노동당의 선거 구호는 '이제 서민의 차례다' 였다. 존중과 존엄이란 단어, 평범한 직업과 삶에 초점 맞추기는 소득뿐 아니라 지위의 재분배를 강조하는 포스트 코로나 시대 좌파 정치의 특징을 보여준다고 영국 일간 가디언은 진단했다.

팬데믹 시대 좌파 바람을 좀 더 분명하게 보여주는 곳은 중남미다. 초등학교 교사 출신인 페드로 카스티요 좌파 자유페루당 후보가 당선된 지난 6월 페루 대선은 상징적이다. 중남미 국가들은 경제 불황과 사회적 불평등 문제로 오랫동안 시름해왔다. 여기에 코로나19까지 겹치면서 열악한 복지 시스템과 공공보건 의료체계에 대한 시민들의 불만은 고조됐다. 카스티요는 "불평등은 끝났다" 며 경제적 평등을 약속했다.

4만여표 차이에 불과했지만 카스티요의 승리는 2000년대 중남미를 휩쓸었던 '핑크 타이드(좌파 바람)' 의 부활을 알리는 신호탄으로 받아들여졌다. 이미 아르헨티나, 볼리비아, 쿠바, 멕시코, 니카라과, 베네수엘라 등이 좌파 블록을 형성하고 있다. 물론 지난 4월 에콰도르 대선에서는 금융인 출신 우파 후보가 당선되는 예외적 사례도 있었던 만큼 핑크 타이드 역시 일관된 흐름으로 보기는 어렵다는 반론도 존재한다.

포스트 코로나 시대 정치의 트렌드를 보여줄 선거들이 기다리고 있다. 유럽에선 내년 4월 프랑스 대선이 대표적이다. 현재 프랑스 대선전은 에마뉘엘 마크롱 대통령과 극우 국민연합의 마린 르펜 대표, 좌파 사회당 소속 안 이달고 파리 시장의 3파전 구도가 형성돼 있다. 마크롱 정부의 중간평가 성격이었던 지난 6월 광역 지방선거에서 사회당은 선전한 반면 집권당의 성적은 저조했고 국민연합은 완패했다. 오는 11월 칠레 대선과 내년 5월 콜롬비아 대선까지 지켜보면 중남미 핑크 타이드 재연의 윤곽도 드러날 것이다.

한국도 내년 3월 대선을 치른다. 이번 대선이 팬데믹 시대 시민들의 요구에 부합하는 선거가 될 수 있을지는 회의적이다. 선거가 몇달 앞으로 다가왔지만 소득과 지위의 재분배 같은 포스트 코로나 시대 진보 의제에 대해서는 논의조차 이뤄지지 않고 있다. 대장동 의혹, 고발 사주 의혹 등으로 역대 가장 지저분한 선거를 치러야 할 판이다. 시민들 입장에서 좌파냐 우파냐는 중요하지 않다. '너무 팍팍해서 못살겠다' 는 외침에 누가 화답하느냐가 중요하다.[7]

4. 국방부 앞마당은 스파이들의 '놀이터?'

"답변이 제한된다." 국방부 브리핑룸에서 열리는 정례 브리핑 시간에 매일 듣는 말이다. 이유는 "군사적 사항" "한·미 간 논의가 필요한 사항" "안보에 민감한 사항" "관례적으로 비공개" 등 가지가지다. 내용이 이미 알려진 사안에 대한 질문에도 이처럼 형식적 반응이 나오는 경우가 잦다.

또 있다. 북한군 동향에 대한 질문에 대해서는 "한·미 연합자산을 통해 예의주시하고 있다"고 앵무새처럼 반복할 따름이다. 그러고 나서 북한의 도발이 현실화되면 "빛 샐 틈 없는 한·미 동맹을 통해 강력 응징할 것"이라는 답변이 나온다. 예의주시만 했을 뿐, 도발을 막지 못했다는 말로도 들린다.

그나마 답변이 제한된다고 말하기 멋쩍은 경우에는 "검토 후 답변드리겠다"고 한다. 이것도 차후 답변이 '함흥차사'인 경우가 대부분이다. 핑계는 좋다. '답변이 제한'되는 것은 북한군이 알고 있더라도 군이 공식적으로 밝히는 것 자체가 북한군에게 확인시켜주는 의미가 있기 때문에 어쩔 수 없단다.

대한민국 장군 숫자가 군사기밀인 시절도 있었다. 북한군에게는 장성 숫자도 중요한 정보라는 이유에서였다. 사실은 장군 숫자가 노출될 경우 "별이 너무 많다"는 비판이 나올 것을 우려했다는 게 더 합리적 이유다.

군은 서울 용산구 국방부 청사 인근에 주상복합 등 고층 건물이 줄줄이 들어서자, 인근 아파트 옥상에 공개적으로 대공포를 설치하기도 했다. 당시 한낮 도심에서 UH-60 헬기가 대공포 여러 대를 공중으로 옮기는 모습을 시민들은 신기하게 바라봤다. 도심 건물의 대공포 배치 상황은 군사 2급 기밀이다. 이론적으로는 시민이 목격한 아파트 옥상의 대공포 진지 위치를 외부에 발설하면 군사기밀보호법 위반으로 처벌이 가능하다.

군의 '꿩 대가리 숨기기'와 같은 인식과 태도를 지적하려다 보니 서론이 길어졌다. '꿩 대가리 숨기기'는 꿩이 위험에서 자신을 보호해야 할 때, 머리만 수풀에 처박고 몸통은 훤히 드러나게 두는 우스운 꼴을 두고 하는 말이다. 군 당국이 군사기밀이나 보안이라고 하는 것들의 상당수는 '꿩 대가리 숨기기'와 다를 바 없다.

다시 국방부 청사로 돌아가 보자. 지금 국방부 청사는 고층 건물의 숲으로 둘러싸여 있다. 한 유명 기업체 사옥의 웬만한 층수에서는 국방부 청사 현관이 맨눈으로도 훤히 들여다보인다. 그 옆의 고층 주상복합건물에서도 마찬가지다. 웬만한 장비로도 국방부 청사 현관에 서는 자동차 번호판의 확인이 가능한 수준이다. 국방부 장관의 출근시간부터 외부 회의 참석을 위한 외출, 퇴근시간까지 체크하는 데 아무런 문제가 없다. 국방부 청사를 들락거리는 군 고위간부들의 동선도 마찬가지다. 첩보영화에서처럼 망원렌즈를 이용하면 얼굴 사진도 얼마든지 촬영이 가능하다. 한·미 연합훈련 때는 국방부와 합참에 근무하는 군인과 직원들이 케이직스(합동지휘통제체계) 장비를 옮기기 위해 승합차에 실어나르며 부산을 떠는 모습도 다 보인다.

그뿐만이 아니다. 미국 등 우방국의 안보 책임자들이 오는 모습도 관찰이 가능하다. 움직임을 비밀로 하는 게 원칙이라는 미국 정보기관인 중앙정보국(CIA) 국장도 예외일 수 없다. 청사 안에서 누가 누구를 만나는지 추론도 가능하다.

좀 더 나가보자. 중국, 러시아는 물론 서방국가 정보기관까지 대리인을 내세워 국방부를 관찰할 수 있는 인근 고층 건물에 사무실을 유지하고 있을 개연성이 있다. 스파이 소설에서나 나오는 상상이라고 치부하는 사람도 있겠지만, 북한의 시도 역시 배제할 수 없는 게 현실이다. 공교롭게도 미국 방산업체 관계자 상당수는 국방부 인근 고층 주상복합빌딩의 아파트에 거주하고 있는 것으로 알려졌다.

촬영을 넘어 국방부 청사 도청은 불가능할까. 레이저 센서로 유리창 진동을 통해 실내 음성을 감청하는 것도 이미 수십년 전 기술인 시대다. 국가정보원의 도청 감지차량이 가끔 국방부 청사 주변을 돌아다니는 것으로 원천적인 도청 방지가 가능할지 의문이다.

국방부에 대책을 묻는다면 어떤 대답이 나올까. 사실 국방부는 옮길 때가 됐다. 국방부가 '꿩 대가리 숨기기' 식으로 노출된 것도 문제지만, 전시작전 지휘의 비효율성 문제가 훨씬 더 크기 때문이다. 이제는 국방부 이전이라는 '고양이 목에 방울 달기'에 나서야 할 시점이다.[8)]

5. 윤창호법 위헌과 ‘괴물의 시간’

지금으로부터 92년 전의 일이다. 1929년 11월4일 새벽 3시, 경주에서 자동차가 전복되는 큰 사건이 발생했다. 경주군청에 근무하던 이귀돌(李貴乭·22)이 친구 세 명과 기생 두 명을 데리고 불국사로 유람을 갔다 돌아오는 길이었다. 운전자는 강본자동차부(岡本自動車部)의 일본인 강본무문(岡本武文·22)이었고, 사고의 원인은 음주운전이었다. 운전기사도 취하도록 술을 마셨고, 기생 서석란은 위기감을 느껴 남은 술을 자동차에 숨기기까지 했다. 이 사고로 이귀돌이 사망했고, 6명이 중경상을 입었다. 근대사 초기의 음주운전 관련 사망기록이자, 대형 인명 피해 사고기록이었다.

1930년 8월5일에는 또 다른 음주운전 사건이 발생했다. 이번에는 오토바이 운전자였다. 오토바이가 황금정, 지금의 을지로로 돌진해 김원순(金元淳·77) 노인이 사망하고, 3명이나 부상당했다. 놀랍게도 운전자는 동대문경찰서 현직 순사 리덕용(李德用·25)이었다. 그는 불구속 수사 도중 사라졌다. 사람들은 경관 신분으로 다수 인명 피해를 낸 것을 비관하여 자살이나 하지 않았나 우려를 했었다. 리덕용은 사건 이후 중국 봉천(지금의 중국 선양)으로 도피했다가 영사관 경찰서의 수배로 체포되어 공분을 샀다. 근대사 속 음주운전 사건들은 가해자의 행위에 초점이 맞춰져 있었다. 피해자와 그의 가족의 삶이 어떤 고통의 수렁으로 빠져들었는지는 기록되지 않았다.

한반도에서 자동차의 역사는 1903년에 고종 황제 즉위 40주년을 기념하는 행사용 차량으로 ‘포드 A’를 도입하면서 시작되었다. 그 이후 교통사고는 지금까지 이어지고, 피해자들의 희생과 고통도 끊이지 않고 있다. 음주는 인류와 오랜 기간 함께해온 생활문화의 일부였다. 자동차는 근대 과학기술의 산물이었다. 오랜 음주문화와 근대의 자동차가 결합하면 ‘살인기계, 괴물’이 탄생한다. 음주로 인해 스스로를 제어하지 못하는 상황이 발생하듯이, 인간이 조작하는 기계 또한 음주로 인해 ‘미친 금속덩어리’로 돌변한다. 문화의 변화와 법 개정을 통해 희생자의 관점에서 기계문명을 제어하려는 노력은 종착지 없는 여행과 같다.

지난 11월25일 헌법재판소는 2회 이상 음주운전 위반자에 대한 가중처벌을 규정한 윤창호법을 위헌이라고 결정했다. 재판관 7 대 2의 의견으로 위헌판결이 내려졌다. 핵심 쟁점은 ‘책임과 형벌 간의 비례원칙 위반’이었다. 헌법재판소는 음주운전 2회 위반 규정과 관련해, 과거 음주운전 위반이 10년 이상 전에 발생한 것이라도 처벌 대상이 되는 것이 '시간 제한 없는 후범 가중처벌'에 해당한다고 보았다. 이선애·문형배 재판관이 제출한 소수의견은 피해자 편에서 바라본 진실을 보여준다. 두 재판관은 "우리나라에서 40%가량이 음주운전 단속 경력이 있는 재범에 의한 교통" 사고로 "국민 일반의 생명, 신체, 재산을 위협"한다는 사실을 지적했다. 두 재판관은 "재범 음주운전 범죄를 엄히 처벌하고 예방하고자 하는 형사정책적 고려"를 강조하며 '책임과 형벌 간의 비례원칙 위반' 판단에 대한 반대의견을 명시했다.

돌이켜보면, 윤창호법은 제정되었으나 음주운전 재범 사례가 지속되었던 것이 큰 문제였다. 경찰청 통계에 따르면, 2021년 1월부터 10월 사이에만 2회 이상 음주운전자가 4만2317명이었다. 헌법재판소 재판관이 우려하는 '중벌에 대한 면역성과 무감각'이 계속되었고, 음주운전 재범자가 2019년 이후 3년 동안에 15만여 명이나 누적되는 지경에 이르렀다. 윤창호법 위헌 판결도 '형벌적 수단'의 한계를 인정한 사례로 볼 수 있기에 안타깝기만 하다.

윤창호씨는 2018년 9월25일 부산 해운대구 미포오거리에서 음주운전자가 몰던 BMW차량에 의해 사고를 당한 후 사망했다. 윤창호법은 그의 죽음을 안타까워했던 10명의 친구들이 법안의 초안을 작성하고, 국회의원들에게 제정 제안을 했고, 시민들에게는 서명을 받아 입법에 성공했다. 윤창호씨의 친구들은 그를 떠나보낸 후 '애도'의 마음을 특별법 제정이라는 실천운동으로 전환했다. 그 결실이 윤창호법이었으며, 시민 입법의 대표적인 성공 사례였다.

법 제정은 음주운전이라는 위반자·가해자를 배려하는 방식이 아니라, 음주운전 피해자의 고통에 공감하는 방향으로 나아가야 한다. 법으로 음주운전을 제거할 수는 없다. 하지만 음주운전 문화가 변화하는 계기를 마련할 수 있다. 윤창호법 위헌 판결을 놓고 여론이 분분한 지금이야말로 법과 음주운전에 대한 문화적 태도가 함께 바뀌어야 할 전환기이다. 국회의 신중하고도 빠른 보완 입법으로 '괴물의 시간'은 오래 지속되지 않아야 한다.[9]

6. 국민연금 개혁 안하면 90년생부터 한푼도 못 받는다

국민연금 제도를 개혁하지 않으면 1990년생 이후 세대는 연금을 한 푼도 받지 못할 수 있다는 분석이 나왔다. 한국경제연구원은 한국과 주요 5개국(G5)의 연금 제도를 비교해보니 우리 공적 연금이 '덜 내고 더 빨리 받는' 형태로 운영돼 기금 고갈이 머지않았다고 13일 밝혔다. 보험료율은 9.0%로 G5 평균 20.2%의 절반에도 미치지 못하는데 연금 수령 개시 연령은 62세(2033년 65세)로 G5의 65~67세(향후 67~75세)에 비해 훨씬 빠르다. 이대로 가면 기금 적립금이 2055년 소진돼 그때 수령 자격이 생기는 1990년생부터 국민연금을 받지 못한다.

또 고령화가 급속도로 진행되는 가운데 노인 빈곤 문제는 세계 주요국 중 최악으로 치닫고 있다. 한국의 65세 이상 고령 인구의 비율은 2045년에 37.0%로 세계 1위인 일본(36.8%)도 추월한다. 그러나 중위 소득의 절반 이하 소득자 비중을 나타내는 노인 빈곤율은 2020년 40.4%로 경제협력개발기구(OECD) 37개 회원국 중 가장 높다.

문재인 정부는 국민연금 개혁안을 내놓고 국회에 떠넘겼다가 지지부진하자 아예 손을 대지 않았다. 국민들에게 인기가 없고 선거에 부담이 된다고 판단해서 폭탄 떠넘기듯 국가 과제를 차기 정부에 넘긴 것은 무책임의 극치다. 여야 양 대정당 대선 후보들은 아직까지 연금 개혁안을 내놓지 않고 '연금개혁위원회 구성' 방침만 거론하고 있다. 안철수 국민의당 후보만 "연금 개혁을 피하면 범죄"라면서 국민연금과 공무원·군인연금 등의 공적 연금 일원화 방안을 제시했다. 국민연금은 개혁을 늦출수록 미래 세대에 더 큰 재앙으로 다가온다. 대선 후보들이 실제로 2030세대를 위한다면 연금 개혁 방안에 대해 치열하게 토론하고 집권 초 대수술에 나서야 할 것이다. 진정한 지도자는 대중 인기에만 영합하지 않고 나라 미래를 위해 국민을 설득할 수 있어야 한다.[10)]

출처: 연합뉴스

7. 누가 야윈 돼지들이 날뛰게 했는가

역사가 늘 명확하지는 않다. 역사에는 거짓으로 포장된 숨은 관계가 있기 마련이다. 하지만 그런 것이 갑자기 정체를 드러낼 때가 있다. 한국 현대사에서는 1948년 여순반란사건이 그랬다.

"여수 시민들은 10월 20일 새벽 1시부터 들려오는 난데없는 요란한 총소리에 잠에서 깨었지만 설마 군인들이 일으킨 봉기라고는 생각하지 않았다. 지하에서 숨죽여 지내던 남로당 조직원들도 여수 14연대의 시가전 연습이려니 생각했다. 순천의 남로당원들은 14연대가 여수를 거쳐 왔기 때문에 대응책을 논의할 시간적 여유가 있었지만 여수 남로당원들은 당황할 수밖에 없었다."

"아침부터 여수 도심에는 인민대회를 알리는 벽보가 붙고 '미군 철수' 등 구호도 나붙었다. 오후 3시 여수 중앙동 로터리에서 인민대회가 열렸다. 여수 좌익계의 이름 있는 거두들이 모두 나왔다. '우리는 유일하며 통일된 민족적 정부인 조선인민공화국을 보위하고 충성할 것을 맹세한다' '무상몰수 무상분배에 의한 민주적 토지개혁을 실시한다' 등 혁명과업 6개항이 채택됐다."

여순사건 연구로 박사학위를 받았고, 이승만 반공체제 확립에 비판적인 김득중 국사편찬위 연구사의 '빨갱이의 탄생'에서 인용한 글이니 과장은 없을 듯하다.

인민위원회는 여수에서 8일간, 순천에서 3일간 통치했다. 반란군과 좌익세력은 여수에서 72명, 순천에서 48명의 경찰관을 죽였다. 민간인도 386명을 죽였다. 손양원 목사의 두 아들이 기독교 우익 학생이라는 이유만으로 한 좌익 학생에 의해 당한 잔혹한 죽음이 대중적으로는 잘 알려져 있다. 다만 오늘날 개신교인들마저 그게 어느 때 일인지 잘 모른다는 게 흐리멍덩해진 역사 인식의 현주소다.

반란이 평정된 뒤 반란군과 그 협조자들은 군사재판을 통해 처형되거나 수감됐다. 원한 감정이 들끓었던 반란 현장의 군사재판에서 작성된 기록이 기준을 충족하지 못하는 경우가 종종 있었을 것이며 그마저도 6·25전쟁을 거쳐 70년이 넘게 지난 지금까지 온전히 보존됐으리라 기대할 수 없다. 그런데도 서류상 체포의 근거가 남아 있지 않다는 등의 이유로 재심에서 무죄를 선고한 대법원 판결은 시공을 초월한 듯 태연해 보인다.

국회에서는 '여수 순천 10·19사건 진상규명 및 희생자 명예회복에 관한 특별법'이 통과됐다. 명예회복을 요구할 쪽은 반란군과 그 협조자의 후손밖에 없다.

당시의 살벌했던 분위기 속에서 억울한 희생자가 없지 않았을 것이다. 다만 대법원이 길을 터준 기록 소실이나 기록 부실만으로 억울함을 판정하는 건 역사의 복잡한 실상을 도외시하는 것이다.

남조선노동당은 대한민국 정부 수립을 위한 총선을 방해하기 위해 제주에서 4·3사건을 일으켰다. 4·3사건 진압 거부를 핑계 삼았지만 실제로는 정체가 드러날 위기에 처한 14연대 남로당 세포들이 지도부와 상의도 없이 일으킨 것이 여순반란사건이다. 남로당 지도부마저 6·25 남침에 맞춰 전 군에서 동시에 일어났다면 하고 아쉬워한 성급한 반란이었다.

여순사건은 반란군이 인민위원회라는 통치기구를 설치하고 학살을 자행했다는 점에서, 반란 관련자의 처벌은 대체로 군사재판에 의해 이뤄졌다는 점에서 제주 4·3사건과는 구별된다. 여순반란사건의 단죄마저 흐려지면 대한민국 군대와 사법체제를 넘어 대한민국 자체의 정당성이 도전받게 된다.

여순 반란군의 잔당이 산으로 도망쳐 지리산 빨치산이 됐다. 그 대장이 이현상이다. 이현상의 자살로 남로당의 맥은 남한에서 끊겼다. 남로당의 계보를 이으려고 한 것이 민혁당이고 통혁당이고 통진당이라고 긍정적으로 평가한 정해구 교수를 정책기획수석으로 임명한 것은 문재인 대통령이다. 문 대통령 자신이 통진당 해산을 격렬히 비난했고 통진당 해산에 유일하게 반대한 김이수 헌법재판관을 헌법재판소장에 임명하려 했다.

부모가 김원봉의 수하였음이 자랑거리인지도 모르겠으나 부모가 정말 김원봉의 수하였는지조차 의심스러운 김원웅 광복회장은 '소련군은 해방군, 미군은 점령군' 이라고 했다. 점령이라는 행정적 용어와 해방이라는 프로파간다도 구별하지 못하는 자가 감히 역사를 거론한다. 선조들은 이런 모습을 두고 주역을 인용해 '야윈 돼지가 날뛰어 난장판을 만드는 꼴' 이라고 했다. 누가 야윈 돼지들이 날뛰게 했는가.[11)]

여순반란 당시 여수 시가지에 진입하고 있는 국군 진압부대원들

8. 오징어게임을 향한 복잡한 시선

왜 하필 아날로그 시절의 아이들 놀이에 집단살인이란 잔혹 코드를 이식했을까? 어릴 적 골목길에서 오징어놀이에 해 지는 줄 몰랐던 내게 넷플릭스의 '오징어게임'은 참 당황스런 드라마다. 기억을 더듬기만 해도 절로 미소 짓게 하는 '무궁화꽃이 피었습니다' 놀이. 여기에 어떻게 데스게임을 연결시킬 수 있을까? 친구에게 구슬을 몽땅 잃고 절치부심 복수전을 벼르던 기억이 난다. 하지만 구슬을 모두 잃으면 총으로 쏴 죽이는 드라마 속 생존게임 설정은 그야말로 상상불허다.

상상 밖 설정이 어쩌면 전 세계적 흥행 돌풍의 핵심일지도 모르겠다. 내 감정과 별개로 오징어게임 열풍은 이미 역대급이다. 지난달 미국 넷플릭스 TV드라마 부문 1위에 오른 뒤 전 세계 넷플릭스를 석권했다. 드라마를 이해하려고 많은 외국인이 한국어를 배운다고 한다. 드라마 속 인물들이 입은 촌스러운 체육복과 티셔츠가 날개 돋친 듯 팔린다. 미국 빌보드차트를 석권한 BTS와 아카데미상 4개 부문을 수상한 '기생충'과 어깨를 겨룰 것이란 평가가 나온다. 벌써 드라마계 아카데미상으로 불리는 에미상 후보로도 거론된다. 한국의 콘텐츠로서 '국뽕'급 칭찬이 아깝지 않을 정도다.

하지만 9부작 드라마를 보는 내내 내 머릿속은 어지러웠다. 콘텐츠 제작 능력의 우수성이나 드라마가 던지는 의미심장한 메시지와 별개로 게임 설정과 방식에 대한 불편함이 너무 컸다. 꼭 어릴 적 놀이에 그런 잔혹 코드를 심어야 했을까? 드라마 열풍 이면으로 이미 우려와 경고가 나오고 있다. 태국 경찰은 최근 '오징어게임' 열풍 속에 청소년들이 폭력적인 게임을 모방할 수 있다고 경고했다.

국내의 한 유명 유튜브 채널에는 7살 아이가 오징어게임을 보고 그렸다는 이미지를 부모가 올려 아동학대 논란이 일고 있다. '무궁화꽃이 피었습니다' 게임에서 누군가 총을 쏘고 사람이 쓰러져 있는 이미지다. 욕하면서 배운다는 말이 있듯 아이 놀이에 심은 잔혹 코드는 청소년에게 더 큰 모방 욕구를 일으키지 않을까. 극한상황에 파괴되는 인간관계의 속성이 꼭 드라마에서처럼 적나라하게 드러나야 하는 걸까.

오징어게임은 이런 불편함과 함께 무언가를 자꾸 생각하게 하는 드라마다. 메시지에 대한 공감이 커서인 듯하다. 드라마는 생존경쟁에 내몰린 현대인들에 대한 여러 가지 문제의식과 인간관계에 대한 존재론적 의문을 끊임없이 던진다. 등장인물들은 하나같이 더이상 버티기 어려운 상황에 처한 사람들이다. 입원해야 하지만 목구멍이 포도청이라 힘든 일을 해야 하는 사람, 서울대 출신으로 수십억원의 빚을 져 헤어날 수 없는 증권맨, 악덕 사장을 다치게 하고 도주한 외국인 노동자 등. 이들은 유일한 해결책으로 수백억원에 달하는 우승 상금에 희망을 걸고 생존게임에 참가한다.

극중 가장 놀랍고 절망스런 장면은 첫 번째 게임 '무궁화꽃이 피었습니다' 가 끝난 뒤의 상황이다. 절반 가까운 사람들이 탈락해 잔인하게 살해되는 참극을 겪고도 나머지 사람들이 다시 게임에 참가하는 장면이다. 첫 게임 후 과반수가 게임 중단을 원해 집으로 갔지만 돌아와 게임을 계속한다. 생존 본능에 의해 복귀한 사회가 여전히 희망이 없는 지옥이었기 때문. 우승 상금이라는 한 가닥 희망을 찾아 결국 잔인한 생존게임장을 다시 찾은 것이다.

드라마는 사람들을 생존경쟁으로 내모는 현대사회에 대한 강력한 경고장이다. 전 세계적 흥행 돌풍도 국적을 떠나 모든 사람들이 메시지에 공감하기 때문일 터. '내가 저 상황에 처한다면 어떤 선택을 할까' , '내가 절친과 단둘이 생존게임을 벌일 상황을 맞는다면' 등 의문과 고민을 스스로 던지면서 말이다. 어쩌면 이런 의문들은 부질없을 듯싶다. 상황이 닥치지 않는 이상 누구도 답을 모를 테니까. 결국 드라마 속 극한상황이 오지 않게 하는 게 최선이 아닐까. 이는 국가와 정치인의 역할로 연결될 수밖에 없겠다. 한데 여야 정치인은 물론 우리 사회의 지도층 누구도 드라마를 보고 여기에 대해 고민하는 모습을 보여 주지 못하는 것 같다. 기껏 드라마에서 차용한다는 게 선거판에서 네 편 내 편 가르는 '깐부' 타령이다.

한국 콘텐츠에 세계가 열광하는데 폭력성이나 잔혹 코드가 대수일까란 생각도 든다. 극한상황에 대한 경고 메시지로 수용하면 될 듯싶기도 하다. 되도록 긍정적으로 드라마를 소화하려고도 한다. 그래도 어릴 적 놀이의 살인 코드 접목은 역시 어색하고 불편하다.[12)]

9. 희망의 인문학

가을의 서녘 하늘은 왠지 차가운 듯 따스하다. 아미타불(阿彌陀佛) 생각이 나서다. 무한한 목숨(無量壽)과 무한한 빛(無量光)인 그분은 오랫동안 수행하여 10겁(劫) 전에 이미 부처가 되어 서녘 저 '극락(안락)' 이라 불리는 정토에서 설법을 하고 계신단다. 이분을 만나려면 지금 여기서 서쪽으로 십만 억(현대의 숫자 계산으로 친다면 십만 조) 개의 정토를 밟고 지나서야 닿을 수 있단다. 내 발로 걸어서 가기에는 너무 아득하다. 포기하는 것이 맞다. 아, 이런 식이라면 도대체 우리는 언제 가고 싶은 곳에 가 닿을 수 있으랴.

그러나 아니다. 단 한 번이라도 그분의 이름을 외치기만 하면 마음속에서 바로 만날 수 있다. 간절한 믿음과 소망은 무한을 뛰어넘기 때문이다. 찰나 우주를 생각하면서 우리는 우주의 시공간 속에 있다. 무한을 마음속에서 경험한다. 눈 감고 누워서 유럽에도, 달에도 별에도 다녀오듯이 아미타불 거처의 방문턱이 닳아 빠지도록 왕래할 수 있다.

미륵보살은 56억7천만년 뒤에 오실 준비를 하고 계시는 미래불이다. 이 분이 오시기를 기다리려면 자그마치 56억7천만년을 기다려야 한다. 그동안 고독 속에서 "헤일 수 없이 수많은 밤을" 견뎌야 한다. 우리의 수명을 생각한다면 현생에서는 기다릴 생각을 말아야 한다. 아니 차라리 죽어서 그분을 만나는 게 나을 것 같다. 그러나 아니다. 간절한 소망과 믿음이 있다면 살아서 언제든지 그분을 접견할 수 있다.

유식불교에서는 보살이 마음(識)을 닦아 지혜(智)로 전환하여 성불하는 데 자그마치 세 단계의 아승기겁 '삼아승기겁(三阿僧祇劫)' 이 걸린단다. 아승기는 무량의 숫자이다. 겁이라는 것도 그렇다. 즉 단단한 바위산을 누군가 부드러운 천으로 100년마다 한번 씩 와서 스윽 스쳐서 닳아 없어지는데 걸린다는 시간이다. 도저히 상상할 수 없는 수행의 기간 아닌가. 그러나 그렇지 않다. 누구나 미망에서 벗어나 깨달음에 이르면 단박에 이 몸으로 그 영원을 건널 수 있다. 무한이라는 시공간 관념도 우리들의 덧없는 분별이고 환영이다.

공자는 아침에 도를 들으면 저녁에 죽어도 좋다(朝聞道夕死可矣)고 하였다. 진리(도)에 접하는 순간 이미 영원에 들어서게 되니 세속적인 의미의 죽음이 이 몸에 손댈 수 없다. 진리에 든다는 것은 영생이라는 무한의 시간에 눈 뜨는 것이다.

서양에서는 인간이 생로병사에서 경험하는, 해가 뜨고 지는 식의 지속적인 시간을 '크로노스' 라 하고, 선택과 결단, 자각으로 만들어지는 주관적, 의식적인 시간을 '카이로스' 라고 한다. 전자는 인간이 관리 불가능한 시간이고 후자는 우리들이 마음먹기에 따라 달라질 수 있는 시간이다. 불교에서 말하는 무량의 시간은 카이로스 차원이다. "가도 가도 끝이 없는 고달픈 길 나그네 길" 처럼 살아 있는 가운데서도 우리는 순간순간 아승기겁을 경험한다. '염념보리심, 처처안락국(念念菩提心, 處處安樂國)' 이라 했다. 한 생각 생각이 청정하면 머무는 곳마다 극락정토라는 말이다.

희망을 갖는다는 것은 고통스런 일이다. 아픔과 상처를 달고 살아가면서, 가끔 고개를 들어 맑고 푸른 하늘을 쳐다보는 연습이다. 우리는 비극의 한복판에서 희극을 생각한다. 그래 희망은 있는가. 있다고도 할 수 있고 없다고도 할 수 있다.[13]

가난한 사람들의 삶 속에 존재하는 무력은 다른 종류의 해독제를 필요로 한다. 그 안에 노동이 포함되기는 한다. 하지만 겉보기에는 제한이 없고 지나치게 희망적이지만 실상은 착취의 요소를 감추고 있는 '노동 그 자체' 를 말하는 것이 아니다. 가난한 사람들은 게으름이나 나태함이 아니라 무력 때문에 고통을 받는다. 무력에 대한 해독제가 발견된다면 노동은 해야 할 일이 있을 때 자연스레 뒤따르게 될 것이다(희망의 인문학, 117쪽).

10. 윤석열 후보의 위험한 혐오 선동

설연휴가 한창이던 지난 일요일. 윤석열 후보는 “국민이 잘 차려놓은 밥상에 숟가락만 얹는 외국인 건강보험 문제 해결”이라는 새로운 공약을 발표했다. 그는 “외국인 직장가입자 중 다수 피부양자 등록 상위 10인은 무려 7~10명을 등록했다”라고 지적하며 외국인 건강보험 급여 지급 상위 10명 중 8명은 중국이며, 이 중 6명이 피부양자라고 했다. 또한 “어떤 중국인은 피부양자 자격으로 약 33억원의 건보급여를 받았지만, 약 10%만 본인이 부담”했다며 “우리 국민이 느끼는 불공정과 허탈감을 해소할 방안을 면밀히 검토”하겠다고 했다. 국민이 애써 만든 건강보험 체계가 중국인들의 ‘숟가락 얹기’ 때문에 허물어지고 있으니 바로잡겠다는 거다.

윤 후보는 대놓고 중국인 등 국내 거주 외국인들을 비난했지만, 실제 내용은 왜곡하거나 극단적으로 과장했다. 먼저 외국인 보험가입자의 피부양자가 많다는 것은 거짓말이다. 2019년 12월 기준으로 내국인 직장 가입자는 1812만명에 피부양자가 1910만명으로 1인당 피부양자 수는 1.05명이다. 외국인 직장 가입자는 51만명에 피부양자가 20만명으로 1인당 피부양자는 0.39명이다. 외국인 피부양자가 내국인보다 2.7배나 적다. 그런데 피부양자를 많이 등록한 10명만 꼽아서 일반적인 사실인 것처럼 왜곡했다.

중국인을 꼽은 것도 지나친 과장이다. 국내 거주 외국인 중에서 절반쯤은 예전에 ‘조선족’이라 부르던 중국 교포를 포함한 중국인들이다. 다른 어느나라보다 압도적으로 많다. 게다가 중국 교포들은 50대 이상이 많기에 병원 진료가 잦을 수밖에 없다. 50세 이상 전체 외국인에서 중국인이 차지하는 비중은 65%나 된다. 건강보험 지급 순위에서 중국인이 차지하는 비중이 높을 수밖에 없다. 게다가 혈우병이라는 희소병을 앓아 많은 급여를 지급했던 사례를 두드러지게 보여주면서 외국인이 건강보험 재정을 축내고 있다는 인상을 심어주고 있다.

사실은 온통 거꾸로다. 외국인 처지에선 건강보험 가입이 불리하기 짝이 없다. 내국인보다 더 많은 보험금을 내야 하고 자격도 까다롭게 따진다. 내국인을 상대로 한 건강보험은 늘 적자투성이지만, 외국인 대상 건강보험은 언제나 엄청난 흑자를 기록했다. 흑자 폭은 2019년 7월부터 외국인 건강보험 의무가입제도를 시행하면서 부쩍 늘어났다. 2018년엔 2251억원이던 흑자가 2020년엔 5715억원으로 늘었다. 2020년 한 해 동안 외국인들은 1조4915억원의 보험료를 냈지만, 이들에게 지급한 급여는 9200억원뿐이었다. 2015년부터 6년 동안에만 외국인 상대로 국민건강보험공단이 거둔 흑자가 2조원이 넘는다. 엄청나게 수지맞는 장사를 한 셈이다.

2020년 국민건강보험의 적자는 2531억원이었다. 외국인이 아니었다면, 적자는 9000억원대가 되었을 거다. 외국인의 곤궁한 처지를 악용해 떼돈을 벌었다고, 내국인에게 쓰는 급여비용을 외국인에게 떠넘긴 셈이다. 숟가락을 얹은 건, 외국인이 아니라 내국인이라고 비난해도 뭐라 변명할 말이 없다.

사실 윤 후보가 제기한 문제는 국회에서도 논란이 되었던 사안이라 국민건강보험공단 홈페이지나 기사 검색만으로 간단하게 사실을 확인할 수 있다. 국민건강보험의 적자를 외국인들이 메워주고 있는데도, 아주 극단적인 단 하나의 사례, 또는 10명의 사례만을 꼽아서 국내 거주 중국인들 때문에 우리 국민이 불공정한 상황에서 불이익을 당해 허탈하다고 선동을 했다.

중국 교포를 포함한 국내 거주 중국인 대다수는 내국인이 피하는 더럽고 위험하고 힘든 일에 종사하면서도 제대로 된 대접을 받지도 못하며 살고 있다. 게다가 외국인이란 이유만으로 건강보험료도 훨씬 많이 내야 하는데, 거꾸로 유력 대선 후보에 의해 이런 모략까지 당하고 있다.

윤석열 후보의 이번 공약은 누군가를 미워하라고 손가락질하며 나머지를 자기편으로 끌어들이려는 뻔한 행태다. 그 누군가는 매번 약자 또는 소수자의 지위에 있는 사람들이다. 약한 사람들을 골라 갈라치기를 하면서 혐오를 선동하는 거다. 고전적인 파시스트 수법이다. 문제는 이런 메시지가 반복적이라는 거다. 여성가족부 해체, 멸공 놀이, 죽창가 운운하는 것도 비슷한 차원이다. 선거전략으로 일부러 그러는 거다. 2022년 대선에서 인종차별적 혐오를 선동하는 후보를 만나게 될 줄은 몰랐다. 세상은 이렇게 만만하지 않다.

아무리 대선 승리가 중요해도 거짓말을 반복하며 반인권적 인종차별을 부추겨선 안 된다. 정말이지 나라의 앞날이 걱정이다.[14]

11. 즐겁지만은 않은 디지털 신세계

메타버스는 실패할 수 없다. 사람들 말마따나 메타버스가 무엇인지 아무도 모르기 때문이다. 메타버스라는 이름을 걸고 어떤 변화가 일어나건 누군가는 성공이라고, 누군가는 실패라고 주장할 터이다(포퍼가 말한 '반증 가능성'이 없다). 메타버스는 성공할 수 없다는 말도, 똑같은 논리로 말이 된다.

페이스북이 회사 이름을 '메타'로 바꾸자 메타버스 세상이 열린다고들 했다. 메타의 주가가 최근 폭락하자 메타버스 세상이 안 온다고들 한다. 애플 글라스가 출시되면 또 무슨 말이 나올까? 메타버스가 무엇인지 합의된 개념이 없는 까닭에 세상은 앞으로도 일희일비할 것이다.

"메타버스가 기존의 커뮤니티와 무엇이 다르냐?" 자주 듣는 질문이다. 아바타 채팅은 메타버스일까? 그렇다면 지금의 화상회의는? 문자와 스티커를 사용하는 옛날식 채팅은? 메타버스 세상은 이미 실현되었고, 또한 앞으로도 실현되지 않으리라.

기존의 커뮤니티와 기존의 사회관계망서비스(SNS), 그리고 메타버스를 표방하는 새로운 서비스. 둘은 정말 차이가 없을까? 곰곰 생각하면 다른 점이 있다. 요즘의 서비스는 대체불가토큰(NFT)과 결합하는 추세다. 내 아바타에 가져다 붙일 가상의 액세서리를 NFT로 구입할 수 있다. "글쎄? 옛날 커뮤니티도 액세서리를 팔았는데. 옛날에 싸이월드 할 때 도토리로 이것저것 구입했는데."

비슷해 보인다. 그런데 다르다. '가상의 아이템에 내가 돈을 썼다' 면, 이 사실을 어떻게 입증할까. 옛날에는 커뮤니티의 서버에 기록했다. 지금은 블록체인에 기록한다. 특정 커뮤니티와 상관이 없다. 플랫폼과 협의만 된다면, NFT로 산 아이템을 이 커뮤니티에도 저 커뮤니티에도 들고 다닐 수 있다. 커뮤니티에 싫증이 나도, 커뮤니티가 서비스를 접어도 NFT로 산 아이템을 나는 잃지 않는다.

'내돈내산' 아이템을 날리지 않는다니 다행이다. 그럼 어떻게 될까? 안심하고 돈을 쓸 수 있다. 가상 아이템에 수천수백만원을 쓴대도 더는 기인 취급을 받지 않을 것이다. 시장은 이미 열렸다. 명품 브랜드가 수백만원짜리 NFT를 팔고 있다.

얼마 전 나는 '메타버스 시대의 전시' 라는 주제로 강연을 했다. "메타버스 시대의 전시는 기존의 온라인 전시와 어떻게 다른가?" 언뜻 보면 지금까지의 온라인 전시와 별로 다르지 않을 것이다. 그런데 NFT와 결합하면 상황이 변한다. 온라인이건 오프라인이건 전시에 가면 작품을 봤다. 앞으로는 작품뿐 아니라 그 작품을 산 사람도, 그 작품을 산 사람이 산 다른 작품도 볼 수 있다. 작가뿐 아니라 컬렉터도 전시의 주인공이 된다.

무엇이 메타버스인지, 무엇이 성공인지 실패인지 굳이 따지지 않아도 변화는 시작됐다. 아트워크의 거래 내역이 NFT로 기록되기 때문이다. 그런데 문제가 있다. 창작자로서 나는 이런 변화가 반가운가? 그림을 그리건 음악을 하건 창작자는 돈을 더 벌 수 있다. 값비싼 디지털 굿즈를 만들어 부유한 컬렉터에게 팔 수 있다. 그런데 이 일은 얼마나 즐거울까? 나는 왜 작가가 되고 싶었더라? 기억이 가물가물한 것은 기억력 감퇴 때문만이 아니리라.[15]

현실에서의 상호작용을 가상 공간에 구현한 여러가지 형태나 콘텐츠들을 통칭하는 신조어. 초월(beyond), 가상을 의미하는 meta[16]와 세계를 의미하는 universe의 합성어로, 1992년 출간된 소설 '스노 크래시' [17]속 가상 세계 명칭인 '메타버스' 에서 유래한다.

컴퓨터와 콘솔게임으로 모니터를 보며 즐기던 2차원 게임 방식에서 3차원 체험형 가상현실, 증강현실, 혼합현실, 확장현실로 형태가 급속도로 진화 중이다. 이건 단순히 엔터테인먼트 분야에 국한되지 않고 일선 기업과 산업 현장에도 적용되어 메타버스를 이용해 설계와 공정 작업 등 현장에서 보다 입체적이고 정밀한 작업을 수행할 수 있게 되었다.

12. 투수가 제일 문제였다

더 이상의 실점 없이 남은 이닝을 마무리 지어 경기를 '잘 져야' 할 패전처리 투수가 갑자기 흥분하며 폭투와 사구(死球)를 뿌려댄다. 경기는 더 엉망이 됐다. 사실 이 투수는 선발로 나와 줄곧 던졌다. 경기 초반에는 큰 기대를 받았고 구위도 괜찮았지만 중반 이후 무너졌다. 열성팬들이 계속 응원을 해줘서인지 본인은 좋은 피칭을 했다고 착각하는 것 같다. 경기를 졌는데도 말이다.

문재인 대통령은 임기가 다 끝나가는 시점에 많은 말을, 그것도 이닝을 끝내는 깔끔한 투구가 아니라 대량 실점으로 연결되는 사사구 같은 말들을 쏟아냈다. 몇 개만 짚어보자.

"국가의 백년대계를 토론 없이 밀어붙이면서 소통을 위한 것이라고 하니 무척 모순적이라고 느껴진다." (4월 29일 청와대 국민청원 답변) 윤석열 대통령 당선인이 추진하는 대통령 집무실 용산 이전을 비판한 발언이다. '탈청와대' 공약을 먼저 내놨던 문 대통령이 윤 당선인의 탈청와대를 헐뜯는 것은 설득력이 부족해 보인다. 대통령 집무실 이전을 국가의 백년대계로 규정한 것도 동의하기 어렵다. 이전 과정에 세금이 들어가는 것 빼고는 민생과 큰 상관이 없는 일이다. 집무실 이전보다는 '검수완박' (검찰 수사권 완전 박탈)이야말로 사법 체계의 대변화를 가져와 국민의 삶에 심대한 영향을 끼치게 되므로 국가의 백년대계라 할 수 있다. 이 백년대계를 더불어민주당이 어떤 토론도 설득도 없이 졸속으로 밀어붙였는데도 문 대통령은 제지하지 않았다. 법안 거부권도 행사하지 않을 것으로 보인다.

"모든 면에서 보면 늘 저쪽(보수진영)이 더 문제인데, 저쪽 문제는 가볍게 넘어가고 이쪽의 작은 문제가 더 부각되는 이중 잣대도 문제라고 생각한다." (4월 25일 JTBC 손석희 대담) 귀를 의심케 하는 발언이다. '이쪽' 과 '저쪽' 으로 편을 가르는 표현도, '재가 더 나빠요' 라는 어린아이 투정 같은 하소연도 대통령의 언어로 매우 부적절하다. 이중 잣대로 이쪽이 피해를 봐 왔다고 인식하는 것 자체가 현 정권이 내내 지적받아온 '내로남불(내가 하면 로맨스, 남이 하면 불륜' 이라는 뜻으로, 남이 할 때는 비난하던 행위를 자신이 할 때는 합리화하는 태도를 이르는 말이다)' 이다. 대담에서 문 대통령은 시종일관 억울함을 호소했다. 현 정권을 향한 거의 모든 비판을 부당하다고 여기는 것 같았다. 하나하나 따져보면 못한 게 없는데 '저쪽의 부당한 공격'으로 그간의 치적이 부정되고 폄훼되는 바람에 정권을 넘겨주게 됐다는 인식이다. 반성과 자책이 있어야 할 자리에 억울한 심사만 가득하다.

"편하게 국민을 들먹이면 안 된다. 국민을 이야기하려면 정말 많은 고민이 있어야 한다. 대한민국의 정의를 어떤 특정한 사람들이 독점할 수는 없다." (JTBC 손석희 대담) 현 정권 사람들이 늘 해오던 게 고민 없이 편하게 국민을 들먹이면서 정의를 독점하는 것이었다. 그래서 저런 말을 들으면 헛웃음이 나온다. 박홍근 민주당 원내대표는 "국민만 바라보며 중단 없이 나아가겠다"면서 검수완박 액셀을 밟았다. 민주당 지지층으로 한정된 국민만 바라보고, 나머지 국민은 거들떠보지도 않은 채 폭주를 거듭했다.

"아직도 이유를 밝혀내지 못한 일들이 남아 있다. 세월호(2014년 4월 16일 안산 단원고 학생 325명을 포함해 476명의 승객을 태우고 인천을 출발해 제주도로 향하던 세월호가 전남 진도군 앞바다에서 침몰, 304명이 사망한 사건. 구조를 위해 해경이 도착했을 때, '가만히 있으라'는 방송을 했던 선원들이 승객들을 버리고 가장 먼저 탈출했다)의 진실을 성역 없이 밝히는 일은 아이들을 온전히 떠나보내는 일이다." (4월 16일 세월호 참사 8주기 메시지) 집권 5년 동안 진실을 밝혀내지 못했으면 게을렀거나 무능한 것이다. 남 일 얘기하듯 '진실 규명'만 하염없이 외칠 게 아니라 자신의 태만과 무능함에 대해 사과해야 마땅하다.

아마 그동안 투수는 괜찮은데 타선의 득점 지원이 부족해서 경기가 어려워졌다고 생각하는 사람들이 꽤 있었을 것이다. 하지만 이제 확실해졌다. 투수가 제일 문제였다.[18]

검수완박은 '검찰 수사권 완전 박탈'의 줄임말로, 검찰이 수사권을 완전히 박탈받아 다른 권한이나 기관이 수사를 대신하는 것을 뜻한다. 이는 검찰의 수사권을 제한하거나 박탈시키는 제도적 변화를 의미한다.

형사사건은 보통 경찰의 수사 → 검찰의 기소 → 판사의 판결, 3단계로 처리된다. 검찰은 경찰과 재판부 사이에서 잘못된 수사를 바로 잡고 사건을 법원으로 보낼지 말지 결정하는데, 우리나라 검찰은 경찰보다 더 많은 수사 권한을 가지고 있다는 점에서 경찰이 검찰을 견제하기 어렵다는 지적을 꾸준히 받아왔다. 그래서 2021년에 문재인 정부는 검찰의 수사권을 6대 범죄(부패·경제·공직자·선거·방위사업·대형참사)에 대해서만 수사할 수 있게 제한했다. 하지만 6대 범죄의 범위가 모호해 전과 차이가 없다는 지적이 나왔고, 이에 검찰의 수사권을 완전 박탈하자는 내용이 논의되었다.

13. 미성년자 논문 공저

학계에는 "교수 집 강아지나 고양이도 논문 저자로 등재될 수 있다"는 말이 있다. 누구를 저자로 올릴지는 전적으로 지도교수에게 달렸다는 얘기다. 그렇다 보니 논문에 적힌 저자가 적절한지를 놓고 논란이 끊이지 않았다. 특히 고등학생이 저자로 이름을 올린 논문들을 놓고는 '이 학생이 정말 연구에 기여한 것이 맞느냐'는 의문이 많았다. 실제 교육부가 조사해 보니 저자 자격이 없는 미성년자들이 논문에 등재된 경우가 다수 적발됐다.

▷ 교육부가 2007~2018년 발표된 논문 가운데 대학 교원과 고등학생 이하의 미성년자가 공저자로 등재된 사례를 조사한 결과 미성년자 82명이 부당하게 저자로 등재된 사실이 확인됐다. 하지만 입학이 취소된 학생은 조국 전 법무부 장관의 딸 등 5명뿐이었다. 다른 학생들은 논문 실적을 대입에 활용하지 않았거나 입시 자료가 없다는 등의 이유로 학적을 유지했다. 이들의 이름을 논문에 올려준 교원 69명 중에서도 징계를 받은 사람은 10명에 불과했다. 대부분 징계시효가 지났기 때문이다. '솜방망이 처벌'이라는 비판의 목소리가 높다.

▷ 학문적 동기로 논문 작성에 참여한 고교생들도 있지만 '스펙'을 위해 이름을 올린 학생도 많았던 게 현실이다. 최근 발표된 한 연구물에 따르면 영어로 논문을 쓴 한국 고교생들을 조사해 보니 이들 중 3분의 2가 논문을 딱 1편만 쓴 것으로 나타났다. 입시를 위해 단발성으로 쓴 경우가 많을 것으로 추정할 수 있다. 학생생활기록부에 논문 기재를 금지한 2014년 이후 고교생 논문 건수가 급감한 점도 이를 뒷받침한다. 심지어 학원 강사에게 돈을 주고 대필한 논문을 입시에 이용한 학생들이 재판에 넘겨진 사례도 있다.

▷ 더욱이 교수들이 자신의 이익을 위해 논문 저자의 이름을 바꿔치거나 가로채는 사례까지 벌어지고 있다. 서울의 한 약대 교수는 연구실 대학원생들을 동원해 동물실험을 하고 논문을 쓰도록 하고서는 이 과정에 전혀 참여하지 않은 자신의 딸을 단독저자로 올렸다가 구속됐다. 제자가 쓴 논문을 교수가 표절하거나 아예 본인이 쓴 것처럼 저자를 바꿔서 발표했다가 물의를 빚은 경우도 있다.

▷ 국제의학학술지편집인위원회(ICMJE)는 학술적 개념과 계획 또는 자료의 수집·분석·해석에 상당한 공헌을 할 것 등 저자의 조건을 구체적으로 제시하고 있다. 굳이 이런 기준을 따지지 않더라도 누가 저자가 될 자격이 있는지는 지도

하고 심사하는 교수들이 누구보다 잘 안다. 사실대로 적어주기만 하면 연구자들은 피땀 흘려 연구한 성과를 인정받을 수 있다. 다른 욕심 때문에 그것조차 지키지 않는 교수들은 강력하게 처벌해 뿌리를 뽑아야 한다.[19]

論文(Paper, Thesis, Dissertation, Article)은 어떤 주제에 대해서 자신의 발견을 주장과 의견을 포함해 체계적으로 정리해서 올리는 글이다. 그 체계는 서론-본론-결론 구성되어 있다. 글쓰기의 과정은 '주장 선별하기 - 근거 마련하기 - 내용 조직하기 - 주장하는 글 작성 - 고쳐쓰기' 순서로 진행된다. 대학 학부과정의 리포트랑 구성이 흡사하다. 한 마디로 대학의 리포트는 논문의 기초를 다지는 것이다.

주장 내용 선정하기 과정에서는 실제로 주관적이면서도 사회문화적 맥락속에서 실현이 가능해야 하며, 그것을 뒷받침하는 근거는 객관적이며, 타당성이 있어야 한다. 주제와 통일성과 응집성 등 주장과 근거의 필수적 요건은 물론, 고쳐쓰기의 내용 검토 과정에 따라서 독자들의 수준에 알맞게 이해할 수 있도록, 짧고 간결하게 적당한 자료를 근거로 제시하면서 서론에서는 자신의 주장하는 글을 쓰게 된 동기나, 이 주장을 독자에게 알리며 설득시키려는 이유 따위를 적고, 본론에서는 그 주장에 대한 뒷받침하기 정당한 근거를 경험, 사례별로 인쇄/영상/디지털 매체 자료와 이들의 출처와 함께 객관적으로 제시한다. 그리고 결론에서는 본론에서 소개한 내용에 대해서 짧게 검토 후 정리, 요약, 마무리를 하는 내용과 함께 이 주장하는 글에 대한 느낀점이나 새로 알게된 점, 교훈, 참고 자료 등을 쓰면 된다!

14. '충무공' 이순신 장군과 '심청전' 심학규의 공통점은?

"야, 휠체어 타고 왔다고 안 일어나냐?"

장애인 체육 관계자가 모인 회식 자리였다. 건배사를 하겠다며 '자리에서 일어나 달라' 고 부탁한 참석자가 지체장애인 한 사람에게 이렇게 말했다. 그러자 이 장애인을 시작으로 웃음이 번졌다. "참, 너는 원래 못 일어나지" 라는 다음 대사 때는 웃음소리가 더 커졌다. 장애를 비웃은 걸까? 전혀 그렇지 않다. 때로 욕설이 돈독한 친구 사이를 드러내는 징표인 것처럼 이들도 이렇게 우정을 드러냈을 뿐이다.

이 에피소드가 생각난 건 2020 도쿄 올림픽 양궁 3관왕 안산 때문이었다. 안산은 14일 트위터에 전국장애인차별철폐연대 후원 사실을 공개하며 "비장애인이 불편함을 감수하는 게 당연한 세상이 오기를" 이라고 썼다.

아니다. 장애인 차별을 철폐하는 건 비장애인이 불편함을 감수하는 게 아니라 아무도 불편하지 않은 세상을 만드는 거다. 당장 안산조차 장애인 선수처럼 휠체어에 앉아 상체 힘만으로 활을 조준하는 불편한 경기 방식을 당연하게 받아들이지 못할 것이다. 배려만으로는 장애인 차별을 없앨 수 없다.

역사를 봐도 알 수 있다. 충무공 이순신 장군은 '심청전' 등장인물 심학규처럼 봉사(奉事)를 지냈다. 이제 봉사는 '시각장애인을 낮잡아 이르는 말' 이 됐지만 원래는 조선시대 종8품 관직 이름이었다. 시각장애인에게 이 자리를 '하사하는' 일이 많아 아예 시각장애인을 뜻하는 표현으로 굳은 거다. 벼슬을 내리는 국가적 배려도 관직명이 비하적인 뉘앙스로 바뀌는 것까지는 막지 못했다.

차별을 줄인 건 기술 발달이었다. 기술이 발달하면 물건값이 내려간다. 장애인복지법은 '더 좋은 쪽 눈' 교정시력이 0.2 이하인 사람을 시각장애인으로 규정한다. 만약 안경이 고급 자동차 한 대 가격이라면 지금보다 훨씬 더 많은 이들이 시각장애인으로 살아야 할 거다. 그러나 라식 같은 시력교정수술까지 발전한 이 시대에 맨눈 시력이 0.2 이하라는 이유로 '나는 시각장애인'이라고 생각하는 사람은 없다. 익숙해지면 인식도 바뀐다. 19세기에는 '신체적 결함이 드러난다'면서 구매 여력이 있는 부유층조차 안경을 꺼렸지만 이제는 서민도 '패션 아이템'으로 안경을 착용하곤 한다.

이런 기술이 나오기 전까지는 어떻게 해야 할까. 비장애인과 장애인을 구분하지 않고 서로 똑같은 마음으로 대하면 된다. 배려는 때로 차별일 때도 적지 않다. 휠체어 사용자에게 '너는 왜 안 일어나?' 라고 농담을 건네는 건 배려가 부족할지 몰라도 차별적이지는 않다. 차별하지 않으면 이해하게 된다. 비장애인에게 불편함이 없는 모든 일은 장애인에게도 불편함이 없어야 한다.

대한장애인체육회는 '장애인의 날'을 하루 앞둔 19일 서울시청, N서울타워 등을 장애 인식 개선 상징색인 보라색으로 물들이는 '#WeThe15' 캠페인을 진행한다. 전 세계 인구 15%가 장애인이라는 의미다. 이 캠페인을 보면서 우리가 떠올려야 하는 낱말은 '배려'라는 명사가 아니라 '똑같다'는 형용사다.[20]

15. 동물농장의 일기

동물농장이다. 들어가고 싶지 않다. 바깥에서 서성인다. 바깥이 없다. 바깥엔 또 다른 동물농장이다. 벌써 동물농장 안이다. 비극이다. 야생의 뻔뻔함이 판쳐서가 아니다. 싸움을 피할 수 없어서다.

동물농장의 이념은 '동물주의' 다. '네 다리는 좋고 두 다리는 나쁘다!' (반)혁명을 이끈 동물들의 자랑이다. 인간은 적이다. 고통의 뿌리란다. 몰아내면 고통이 사라질 거란다. 발가벗은 공정과 상식으로 농장을 통치할 것이다.

"그것이 일어나도록 내버려 두지 마라. 그것은 당신에게 달려 있다." 오웰의 말이다. '지금 여기' 에 그것이 일어났다. 무능했고 무기력했다. 비장하게 반성하는 이, 철저하게 계산하는 자들 천지다. 나는 그냥 멈춘다. 그래! 다시 한 번, 싸워보자!

악을 줄이면 선이 늘어날까? 그렇다. 아주 조금. 그리고 곧바로 다른 악이 자란다. 자연스레 선악의 저편을 향한 욕망이 생긴다. 물론 동물농장에서 누릴 만한 선악의 저편 세계는 좁고 얇다. 저편은 아주 잠깐, 깜짝 순간에만 경험할 수 있다. 놀이의 세계, 예술의 세계에서.

무능에 대한 반성은 무의미하다. 멈춰서 '할 수 있다' 를 되뇌며 잠시 딴짓으로 열을 식히면 족하다. 마침 여기저기서 열리는 테니스 동호인 생활체육대회에 참여한다. 적게는 100팀에서 많게는 200팀이 겨루는 경기는 하루 종일 이어진다. 동호인은 복식 경기를 하니 파트너가 중요하다.

파트너는 일방적으로 선택할 수 없다. 서로 통해야 한다. 선택과 결의의 기준은 두 가지다. ①서로 힘을 모아 승리할 수 있는 경기력, ②서로를 인정하고 배려하는 친밀성이다. 둘 다 가능한 파트너가 최상이다. 만약 하나만 가능하다면 무엇이 우선일까?

테니스 대회에 참여하는 태도에 따라 우선성은 달라진다. 테니스 경기가 다른 수단과 방법으로 하는 일종의 전쟁이고 이기는 것이 목적이라면 ①이 우선이다. 반면 경기가 유희와 놀이에 극적 긴장감을 곁들인 게임이라면 ②가 먼저다. 어떤 것이 먼저든 빛과 그림자가 있다.

①에 우선성을 두면 대체로 좋은 결과를 가져올 가능성도 높아진다. 다만 잘못될 경우 경기를 하는 동안 상대편만이 아니라 파트너와도 싸워야 한다. 파트너

눈치를 보거나 그의 핀잔이 걱정되는 순간 경기는 엉망이 된다. ①에 배타적 우선성을 부여한 선수에게 가장 테니스 실력이 모자란 사람은 언제나 파트너다. 파트너를 패배의 원인으로 지목하고 떠벌린다. 적과 동지 사이는 종이 한 장의 간격보다 좁아진다. 이들에게 아리스토텔레스가 말한다. “친구들이여, 친구라는 것은 존재하지 않는다네!”

②에 우선성을 두면 빠르게 높은 성적을 올리기 어렵다. 파트너와의 동행이 다음, 그다음 경기로 이어지기 어렵다. 좋은 친구는 늘지만 잘나가는 친구는 멀어지기 쉽다. 〈호모 루덴스〉의 요한 하위징아에 따르면 놀이로서 경기는 경쟁의 재현이거나 재현의 경쟁이다. 경쟁 없는 놀이는 재미조차 없다. “적들이여, 적이라는 것은 존재하지 않는다네!” 동물농장의 돼지 친구들에게 니체의 말을 전한다.

사냥을 함께하는 친구, 전쟁을 함께하는 친구는 생명의 동지다. 그만큼 끈끈하고 절절하다. 사냥과 전쟁은 이제 흔치 않다. 그 자리에 스포츠 게임과 정치적 경쟁이 들어선다. 그런데 실제로 스포츠마저 놀이와 게임이 아닌 사냥과 전쟁이 되면 친구는 줄다가 사라진다. 파트너조차 적으로 만들어 동물농장에서 추방한다.

정치는 수단과 방법을 안 가리는 전쟁이 된 지 오래다. 정의와 사랑이 부딪칠 때는 그래도 사랑을 선택하라던 〈돈키호테〉의 한 조각 낭만도 남아 있지 않다. 선거가 끝난 후에도 상대편에게 상대할 능력을 잘라 내려고 기를 쓴다. 경기력은 부족한데 이기고 싶은 욕망만 큰 선수(꾼)들의 특성이다. 이들에게 정치란 자기편 대장을 태양으로 섬기며 자기 먹을 것을 챙기는 행위다.

동물농장의 지배자 계급인 돼지들은 어느 순간 인간처럼 옷을 입고, 인간처럼 걸으며, 인간처럼 신문을 읽을 것이다. 동물주의는 빠르게 악질 인간주의로 되돌아간다. ‘모든 동물은 평등하다’는 돼지들의 강령은 ‘어떤 동물은 다른 동물들보다 더 평등하다’로 이미 변했다. 돼지 나폴레옹이 자기를 태양처럼 섬기는 돼지들을 파트너로 선택한 동물농장에서 곧 파티가 열린다. 저들의 태양 나폴레옹, 육즙이 흘러나오는 그에게 〈월든〉에서 나오는 소로의 말로 축전을 보낸다. “태양은 아침에 뜨는 별일 뿐이다.”[21]

16. 베테랑의 실수

코로나19가 물렁해지긴 한 모양이다. 곧 국제선 운항이 전면 재개된다고 한다. 실은 코로나19가 한창이던 시기에도 비행기는 바쁘게 대륙을 오갔다. 대한항공은 코로나19로 경영이 직격탄을 맞을 거라는 예상을 깨고 화물 운행을 발빠르게 늘려 2021년 영업이익 신기록을 세웠다. '위기를 기회로' 만든 이례적인 경영성과로 세계적인 항공매체 '에어트랜스포트 월드'가 '2021 올해의 항공사'로 대한항공을 선정했다. 모 일간지는 대한항공이 '항공업계의 오스카상'을 받은 것이라고 소개했다.

그러나 공항·항공 노동자들에게 코로나19는 위기일 뿐이었다. 인력 감축으로 일자리를 잃거나, 정리해고로 나간 동료의 몫까지 늘어난 업무로 뇌출혈로 쓰러지거나, 무리한 위험작업에 투입되어 사망하는 소식들이 '항공업계의 오스카상' 소식에 앞서거니 뒤서거니 한다.

지난 4월26일 대한항공의 자회사 (주)한국공항의 정비공이 비행기를 견인하는 토잉카를 수리하던 중 바퀴에 깔려 숨졌다. 토잉카는 비행기가 이륙하는 데 필수적인 장비다. "무조건 '1순위'로 빨리 고쳐야" 하는 것이 불문율이다. 사고 당일에도 토잉카 정비를 빨리 '쳐내기' 위해 2개 정비조가 투입되었다. 앞쪽에서는 에어컨을 정비하고, 뒤쪽에서는 바퀴 쪽을 살폈다. 에어컨을 정비하던 팀이 뒤쪽의 정비 상황을 알지 못한 채 에어컨 시동을 끄는 과정에서 바퀴가 움직였다. 시동을 끄면 바퀴가 자동으로 정렬되도록 제작되었기 때문이다.

중대재해를 예방하고 시민과 종사자의 생명과 신체를 보호함을 목적으로 제정된 법률. 약칭으로 〈중대재해 처벌법〉이라고도 한다. 산업 재해와 환경 재해 등으로 지속적인 인명사고가 발생하는 것에 대한 책임의 소재를 분명하게 하고, 재해 예방에 힘쓰며, 책임자에 대한 벌칙과 배상의 규모를 정하려는 취지로 2021년 제정되어, 2022년 1월 27일부터 시행되었다.

〈중대재해 처벌 등에 관한 법률(重大災害處罰 等— 關— 法律〉의 제정에는 한국 사회에서 지속적으로 발생한 각종 인명 사고에 대한 사회적 각성이 배경으로 작동했다. 2011년부터 발생한 가습기 살균제 사건, 2014년 4월 세월호 사건과 같은 대형 시민재해가 발생했음에도 2014년 5월의 고양 종합터미널 화재, 2018년 12월 태안화력발전소 압사사고, 2020년 4월 물류창고 건설현장 화재사고, 2020년 5

월 현대중공업 아르곤 가스 질식 사망사고와 같은 산업재해로 인한 사망사고가 반복되면서 중대재해를 방지하기 위한 최고 책임자의 각성과 제도적 예방의 필요성에 대한 사회적 공감이 형성되었다.

"회사에서는 중대재해법 막느라 변호사 10명을 고용했답니다. 그러면서 시동을 끈 노동자 처벌을 약하게 해주겠다고 하더군요. 우리 중에서도 베테랑 형님인데…." 노동자의 이야기를 듣는 순간 정신이 아득해졌다. 시동을 끈 노동자에게 어떤 추궁이 돌아올지 예상이 되었다. 차량 뒤쪽에서 작업 중인 상태를 인지하지 못했는가. 시동을 끄면 바퀴가 움직인다는 사실을 알지 못했는가. '베테랑' 노동자의 무수한 잘못들을 뒷받침할 서류들과 관행을 잡아내기에 굳이 변호사 10명씩이나 필요할까 싶다. 안전시스템이 부실한 작업장에서 '베테랑' 노동자의 노련함이란 사고 후엔 '고의적 실수'로 지목되기 쉬운 '허용된 관행' 투성이다.

그 10명의 변호사 중에 1963년 설립되어 50년이 넘게 운영되고 있는 전문적인 항공정비회사가 '동시작업'의 위험성에 따른 작업절차를 마련하지 않은 채 변변한 작업절차서 없이 작업을 지시해온 문제를 짚어낼 변호사가 있을까? 코로나19 시기에 정비인력이 140명에서 109명으로 줄어 '이러다 사고 나겠지' 싶은 위험을 알고도 동시작업을 해왔던 '관행'의 구조적 원인을 밝혀낼 변호사가 있을까?

2016년 이후 산재사고 사망자는 조금씩 줄었지만, 이번 사고와 같이 동시작업으로 인한 사망사고는 되레 늘고 있다. 최근 5년간 751명의 노동자가 동시작업으로 사망했다. 2020년 38명의 노동자가 사망한 한익스프레스 물류창고 화재사고도 동시작업이 원인이었다. 이들이 '작업초짜'여서 동시작업의 위험성을 모른 것이 아니었다. 일의 순서를 정하고, 안전한 작업방식을 정하는 것은 베테랑 노동자가 아니라 50년간 기업을 경영해온 베테랑 기업인이 할 일이다. 누가 누구의 실수를 논하는가?[22]

17. 눈을 부릅뜨고 역사를 보라

김대중(DJ) 정부가 출범한 해는 1998년이다. 위기가 몰아치던 때다. 외환위기. 나라가 망할 수 있다는 사실을 보여준 역사적인 대사건이다. 그 위기 속에서 역사적인 획을 그은 것은 DJ다.

무슨 획을 그은 걸까. 40년에 걸친 관치(官治) 고질을 수술했다. 그는 눈만 뜨면 외쳤다. "글로벌 스탠더드에 맞는 시장경제를 구축해야 한다"고. 그는 자유시장경제 전도사였다. 당시 개혁을 두고 국제통화기금(IMF)에 의한 수술이었다고도 한다. 하지만 DJ를 뺀 시장경제 개혁은 말할 수 없다.

왜 그런 주장을 했을까. 관치 체제. 개발연대로부터 이어온 경제 질서다. 정부가 자본과 자원 배분을 주도했다. 심지어 기술 개발조차도. 한국과학기술연구원(KIST), 한국전자통신연구원(ETRI)은 그 유산이다. 자본도 기술도 없는 경제 황무지였기에 그럴 수밖에 없다. 그런 체제에서는 규제와 간섭이 범람한다.

외환위기 이후는 다르다. 적자생존의 시대가 활짝 열린다. 무역·금융 장벽을 허문 개방 시대가 시작됐다. 보호주의 둑이 무너졌으니 누구도 정부 보호를 기대할 수 없다. 몰락한 은행과 수많은 기업들. 공포스러운 무한 경쟁을 알리는 신호였다. 경쟁력을 잃으면 누구든 까마득한 파산 벼랑에 서야 한다.

기업·산업·국가 경쟁력…. 그때부터 경쟁력은 신탁의 소리와도 같다.

관치 청산, 시장경제 구축을 향한 몸부림. 그것은 나라경제를 살리기 위해 채찍질을 한 DJ의 경제철학이다.

반도체·전자통신·자동차…. 이들 산업이 세계와 경쟁할 수 있는 힘을 지니게 된 것은 그 이후다. 규제완화·노동개혁은 변하지 않는 화두 역할을 한다.

그런 역사가 없었다면? 아마도 역사의 행로는 달라졌을지 모른다. 세계 9위의 경제력을 갖출 수 있었을까.

또 다른 신탁의 소리도 있다. "빚은 무덤을 만든다." 외환위기의 본질은 무엇일까. 빚으로 인한 무덤이다. 과도한 빚을 짊어지면 개인도, 기업도, 국가도 존속할 수 없다. 그 후 20년, 글로벌 금융위기·유럽 재정위기로 이어지는 공포 속에서 나라곳간을 허물지 않으려는 '피나는 노력'은 그로부터 비롯된다.

지금은 어떨까. 신탁의 소리에는 아무도 귀를 기울이지 않는다.

관치가 다시 판을 친다. 자고 나면 기업을 옥죄는 규제가 무더기로 만들어진다.

“기업을 하려면 감방 갈 각오를 하라” 고 한다. 기업인은 더 이상 존경의 대상도 아니다. “천재 한 명이 수많은 사람을 먹여 살린다” 고? 그런 말은 구시대의 화법으로 변했다.

시장경제·규제완화·노동개혁…. 그런 말도 들리지 않는다. 대통령부터 그런 용어는 입에 담질 않는다. 대체 무슨 생각을 하는 걸까.

그 결과는 무엇일까. 갈수록 쌓여가는 규제와 비용의 덫. 기업들은 해외로 빠져나간다. 아예 문을 닫는 기업도 수두룩하다. 산업단지를 밝히던 공장의 불도 꺼진다. 이런 판에 고용이 늘겠는가, 소득이 불어나겠는가. 성장과 고용의 둑은 처참하게 무너지고 있다. 허물어진 둑을 세금과 빚으로 메운다. 70만명이 넘는 공공아르바이트로 통계를 장밋빛으로 꾸민다고 증발한 일자리가 다시 만들어지는가. 공허한 소득주도성장 구호 속에 경제는 깊은 수렁에 빠져들고 있다.

나라곳간은 어떻게 변하고 있을까. 텅 빈 곳간에는 빚 증서만 가득하다. 나랏빚은 좁은 의미의 국가채무만 따져도 조만간 1000조원을 넘는다. 그 빚은 청년들과 어린 세대를 짓누르는 빚 재앙이 될 것이 빤하다.

국민은 그것을 모를까. 청년들의 좌절은 바로 그로부터 비롯된다. 현 정부에 등을 돌린 2030세대. 자신들의 미래를 알기에 더 이상 지지하지 않는다.

관치는 부활하고, 시장경제는 허물어지고 있다. 거꾸로 돌아가는 역사의 수레바퀴다. 도도히 흐르는 역사의 강을 막으면 어찌 될까. 흐름이 막힌 물은 범람한다. 경제도 마찬가지다.

“흥성(興盛)은 끊임없는 바른 행동(善行)에서 비롯되고, 멸망은 끊임없는 잘못된 행동(惡行)에서 비롯된다. 길흉은 스스로 부르는 것이다.” ‘정관정요’에 나오는 위징의 말이다.

우리의 앞날은 무엇일까. 대선이 가깝다. 눈을 부릅뜨고 역사를 제대로 봐야 한다.[23)]

할로윈데이 뜻 역사 유래 제대로 알아보자(Trick or Treat), 2023. 10. 29.

광주·전남의 혁신도시인 나주 시내 상가들이 텅 빈 채 썰렁한 모습을 보이고 있다. 나주 혁신도시의 산학연 클러스터가 미착공 상태로 남아 있다(김태희 기자).

"혁신도시는 하나의 큰 산업단지예요. 근무시간엔 조용했다가 점심시간, 퇴근시간에만 붐비는 모습이 똑같잖아요."

전남 나주시에 위치한 광주·전남 공동혁신도시의 한 공공기관에서 일하는 강민우씨(40·가명)는 직원들끼리 혁신도시를 공장이 밀집한 '산업단지'에 비유한다고 말했다. 그는 혁신도시가 공공기관 중심으로만 돌아가다보니 발전도 더디다고 했다. 강씨는 2014년 기관 이전과 함께 내려와 3년간 생활하다가 인사발령을 요청해 수도권으로 근무지를 옮기기도 했다. 지난해부터는 다시 혁신도시로 내려와 근무 중이다.

첫 발령 당시 강씨는 배우자와 두 자녀 등 온 가족이 나주에 왔지만 지금은 홀로 거주하며 주말부부로 지내고 있다. "처음엔 정착하는 것까지도 고민했지만, 3년 살아보니 도저히 안 되겠더라고요. 교통·문화·쇼핑 같은 모든 생활여건이 몇년째 그대로예요. 서울과 비교하게 되다보니 인프라가 계속 뒤떨어지는 거 같고요."

광주·전남 공동혁신도시는 인구 5만명으로 계획된 도시다. 현재 인구는 당초 계획의 78% 수준인 3만9000여명이다. 이곳은 도시의 자족 기능을 확보하기 위한 산학연 클러스터 용지나 공원용지, 도로, 주차장, 광장 등 도시지원용지 면적은 전체 혁신도시 중 가장 넓은 수준으로 계획됐다. 하지만 지난달 7일 기자가 찾아간 광주·전남 공동혁신도시는 강씨 말처럼 '자족형 도시'의 모습과는 거리가 있었다. 평일 오전 11시였지만 거리는 사람과 자동차의 모습을 보기 어려울 정도로 한산했다.

점심시간에는 3~4명씩 조를 지어 나온 공공기관 직원들이 거리와 식당, 카페를 채웠다. 공공기관 유니폼과 명찰을 착용하지 않은 사람의 모습을 보기 어려웠다. 점심시간이 지나자 거리는 언제 그랬냐는 듯 다시 고요해졌다.

인근에서 식당을 하는 김상진씨(가명)는 혁신도시를 "항아리 같다"고 말했다. "상권에서 가져갈 수 있는 몫이 항아리에 담아둔 것처럼 딱 정해져 있어요. 식당에 오는 사람들은 몇년째 공공기관 직원들뿐이니까 상권이 커질 수 없죠. 외부 사람들이 와야 하는데 그런 게 없어요."

전국 혁신도시는 모두 비슷한 문제를 겪고 있다. 인프라 구축은 제자리걸음이고 도시의 성장은 멈춰 있다. 혁신도시가 크면서 부족한 부분을 채울 것이라는 기대가 있었지만 현실이 되진 못했다.

가. 여전히 수도권에 가야 하는 이유 ‘인프라’

혁신도시 중 ‘그나마 성공했다’ 는 평가를 받는 곳은 부산이다. 부산혁신도시는 인구 335만명의 대도시인 부산의 중심부에 조성됐다. 따로 인프라를 만들 필요 없이 기존 대도시의 것들을 그대로 누릴 수 있었다. 애초에 다른 도시들처럼 인프라 부족을 고민할 필요가 없는 것이다.

홍정민씨(48·가명)는 다니는 공공기관이 부산으로 이전하기 전 서울과 경기 성남시 분당에서 살았다. 2014년부터 배우자, 초등학교 6학년·중학교 3학년 등 두 자녀와 함께 부산에 내려와 정착했다. 그는 “필요한 건 다 있기 때문에 지금 생활에 만족한다” 고 밝혔다.

“수도권은 교통체증부터 시작해 어딜 가나 사람이 많아 불편하잖아요. 반면 여기는 비교적 여유롭거든요. 바다가 있으니 아이들과 놀러 다니기에도 좋고 지하철, 백화점까지 모두 잘 갖춰져 있어요. 서울을 가야 할 필요는 굳이 못 느낍니다.”

부산혁신도시에 대한 긍정 평가는 이전 공공기관 직원들의 이주율로도 나타난다. 2020년 6월 기준 전국 10개 혁신도시의 평균 가족동반이주율은 65.3%인데, 부산혁신도시의 가족동반이주율은 77.5%다. 바다를 건너야 하는 제주혁신도시(81.5%)를 제외하면 전국 혁신도시 중 가장 높은 수치다.

반면 부산을 제외한 대다수 혁신도시에 거주하는 이들의 만족도는 그다지 높지 않았다. 허허벌판의 논밭을 매입해 조성한 도시가 많다보니 인프라 부족에 시달리고 있는 탓이다. 주변 도시와의 접근성도 떨어진다.

충북혁신도시에 사는 신은미씨(46·가명)는 주말만 되면 서울이나 수도권 도시로 간다. 신씨는 문화생활과 쇼핑을 즐기는 데 많은 시간과 돈을 투자하는데 지금 살고 있는 혁신도시에는 이런 것들이 없다고 했다. “혁신도시에서 8년 가까이 살았지만 매력을 느낄 만한 부분이 없어요. 공공기관 이전 때문에 억지로 내려와 혼자 살고 있는데, 직장만 아니면 당장이라도 수도권으로 이사갔을 거예요.”

‘교육 문제’ 는 공공기관 직원들이 혁신도시를 떠나는 가장 큰 이유다. 나주의 강민우씨는 “주변 동료들을 보면 자녀가 중학생만 되면 전부 주말부부로 살고 있다” 고 했다.

부산 생활에 만족하고 있는 홍정민씨조차도 “자녀 입시를 위해 내년에는 수도권으로 이사해야 하는지 심각하게 고민하고 있다” 고 말했다.

나. '공공기관' 프레임에 갇힌 혁신도시

이민원 광주대 교수는 혁신도시 조성사업을 "나무만 심어두고 숲이 되길 바란 것과 같다"고 평가했다. 공공기관을 이전하면 민간기업이 자연적으로 따라갈 것으로 '자신한 채' 정부가 사후관리를 하지 않은 것이 실패의 이유였다는 분석이다.

"혁신도시의 목적은 공공기관을 시작으로 연구소와 대학, 기업을 유치하는 것이었는데 제대로 이뤄지지 않았어요. 공모를 마친 이후의 도시 성장을 위해 고민하는 사람이 없으니까 도시가 성장하지 않은 겁니다. 지역공모 방식으로 이뤄진 혁신도시의 근본적인 한계예요. 중앙정부든 지방정부든 혁신도시는 이미 끝난 사업이라는 생각에 손을 뗀 거죠."

미분양·미착공 늪에 빠진 혁신도시 산학연 클러스터는 이런 문제를 여실히 보여준다. 광주·전남 공동혁신도시의 산학연 클러스터 부지 분양률은 올해 4월 기준 94%다. 대부분 분양이 완료된 상태지만 막상 현장에 가보면 텅 빈 부지가 많다. 분양률과 별개로 착공률은 44%로 절반 이하이기 때문이다. 한 공인중개사는 "공공기관으로 먹고사는 도시인데 어떤 기업이 들어오겠느냐"면서 "처음에만 기업들이 좀 따라왔지 이제는 온다고 하는 곳도 없다. 지역경제가 엉망"이라고 말했다.

다. 혁신도시, 부메랑이 되다

혁신도시는 한때 수도권 인구 집중을 늦추는 효과를 내기도 했다. 국내 인구는 2012년까지 수도권으로 유입됐지만, 2013년부터 2015년까지는 반대로 수도권에서 지방으로 인구가 순유출됐다. 이 기간은 공공기관이 혁신도시로 집중 이전되던 시기다. 실제 수도권의 순유출 인구인 5만8445명은 공공기관 이전 인원인 5만1700명과 비슷한 규모다. 그러나 국내 인구는 공공기관 이전이 마무리된 2016년 이후부터 다시 수도권으로 집중되고 있다. 김윤덕 더불어민주당 의원실을 통해 국토교통부에서 제공받은 자료에 따르면 수도권에서 전국 혁신도시로 유입되는 인구는 2016년 9406명에서 2017년 5775명, 2018년 4099명, 2019년 2115명으로 꾸준히 줄어드는 추세다. 2020년 들어서는 역전 현상이 나타나 1028명이 혁신도시에서 수도권으로 순이동했다.

기존 공공기관 부지가 아파트·주상복합 등으로 개발되면서 오히려 수도권 인구 증가 효과가 발생했다는 분석도 나온다. 감사원 자료에 따르면 공공기관 이전의 승인인원은 6500명이지만, 13개 공공기관 이전 소유 부지의 개발로 인한 인구 발생은 약 13만명으로 추정됐다.

특히 한전의 경우 2012~2019년 민간기업 73개가 혁신도시로 이전해 전체 고용 인원은 1135명 수준인 반면 서울 강남구 기존 한전 부지가 민간 개발돼 향후 준공 시점인 2026년의 해당 상주인구는 2만3813명으로 추산됐다. 감사원조차 "이전된 공공기관 기존 부지에 대한 사후관리가 부족했다" 고 시인했을 정도다. 이로 인해 지방 인구의 수도권 집중은 또다시 계속되고 있는 것이다.

게다가 혁신도시는 주변의 인구를 흡수하는 블랙홀이 되고 있다. 국토교통부에 따르면 2016~2020년 혁신도시가 위치한 광역지자체의 다른 도시에서 혁신도시로 이동한 순이동자는 전체 순이동자 대비 50.5%에 달한다. 지역별로는 경남 68.8%, 경북 55.6%, 강원 53.9%, 전북 48.5%, 대구 40.2% 등으로 나타났다. 정준호 강원대 교수는 "혁신도시 인프라가 지방 다른 소도시에 비해서는 상대적으로 좋은 편이다보니 기존 구도심 인구를 흡수하는 현상이 나타난다" 고 했다.

전문가들은 공공기관 이전에 따른 기업 이전, 인구 증가의 선순환 구조를 만들려면 집적 이익을 고려해야 한다고 지적했다. 11개 시·도가 공공기관을 나눠먹기식으로 가져갔기 때문에 그나마 누릴 수 있었던 효과도 얻지 못했다는 것이다. 마강래 중앙대 교수는 "지역 성장의 거점을 만든다는 시도는 좋았지만 지자체별 나눠주기식 배정, 입지 선정의 한계 등으로 인해 혁신도시는 거대한 택지개발에 그쳤다" 고 말했다. 강현수 국토연구원장도 "혁신은 대학이나 민간기업에서 하는 것이지, 공공기관만으로는 안 된다" 고 밝혔다.

근본적인 대책 마련이 필요하다는 지적이 나온다. 이민원 교수는 "공공기관은 도시 성장의 동력이 될 수 없다" 면서 "도시 성장을 위해서는 연구기관과 대학, 기업을 어떻게 만들지를 이제부터라도 함께 고민해야 한다" 고 말했다.

혁신도시가 탄생한 지 올해로 10년이 됐다. 노무현 정부는 2005년 공공기관 지방이전을 통해 균형발전을 도모하겠다는 구상을 최종 확정했다. 2014년부터 공공기관 이전을 시작해 전국 11개 시·도에 10개 혁신도시가 만들어졌다. 수도권 소재 공공기관 중 지방으로 이전한 기업은 153개에 달한다.

10조원에 달하는 사업비를 투입해 조성한 혁신도시는 추진 당시 계획했던 인구를 대체로 달성했다. 혁신도시의 전체 인구는 지난해 6월 말 기준 22만9401명으로 계획인구 26만7000명의 85.6%에 도달했다. 이는 2017년 대비 5만5124명, 2020년 대비 1만5584명 증가한 것이다. 그러나 공공기관 직원들의 가족 이주율과 민간기업 입주율 등은 기대에 못 미친다. 지난해 6월 기준 혁신도시 이전 공공기관 직원들의 가족동반 이주율은 66.5%에 그치고 있다. 기혼자만 따로 떼놓고 보면 이 수치는 53.7%로 떨어진다. 전체 직원 중 절반은 여전히 수도권에 본래 거주지를 둔 채 홀로 내려와 생활하고 있다는 의미다.

공공기관 이전과 함께 혁시도시에 내려온 민간기업들도 많지 않다. 감사원이 10개 혁신도시 내 민간기업 입주 현황을 분석한 결과를 보면, 혁신도시에는 2019년 12월 기준 총 1425개 기업이 입주해 있다. 입주기업의 이전 소재지는 수도권 224개(15.7%), 타 시·도 93개(6.5%), 동일 시·도 1009개(70.8%)였다.

입주기업의 규모(고용규모 기준)를 살펴보면 5인 미만 기업 57%(810개), 5~9인 미만 기업 20%(287개) 등 10인 미만 기업이 77%가량을 차지했다. 수도권 기업의 지방이전 효과를 불러오지 못했을 뿐만 아니라, 대다수는 지역경제에 미치는 영향이 작은 영세 업체를 유치하는 데 그친 것이다.

혁신도시와 비슷한 시기에 탄생한 '기업도시'는 상황이 더 심각하다. 당시 정부는 민간 기업 주도로 특화 산업을 도시에 육성해 자급자족형 복합 기능도시를 만들겠다는 목표 아래 전국 6개 지역을 '기업도시 시범지역'으로 선정했다.

영암·해남기업도시와 태안기업도시는 사업비를 제대로 조달하지 못해 지금까지도 추진 단계에 머물러 있다. 무안기업도시와 무주기업도시는 아예 사업이 백지화됐다. 실제 도시 조성까지 이어진 것은 원주기업도시와 충주기업도시 단 2곳에 그쳤다. 원주기업도시의 경우 저조한 지식산업용지 입주율로 어려움을 겪는 등 외부 인구 유입에는 실패했다.[24]

광주·전남의 혁신도시인 나주 시내 상가들이 텅 빈 채 썰렁한 모습을 보이고 있다(왼쪽 사진). 나주 혁신도시의 산학연 클러스터가 미착공 상태로 남아 있다(김태희 기자).

19. ‘저거들’의 블루스

한동훈 법무장관 딸 문제 덕분에 깊고 넓은 교육 불평등과 세밀하게 등급 매겨진 한국인 삶의 계급적 양식에 대해 또다시 생각하게 되었다. 여기에 작용하는 구조화된 ‘외부’의 힘은 ‘글로벌’이며 미국이다.

한국 최상층계급은 완전히 글로벌화된 경제와 문화정치의 꼭대기에서, ‘미국’과 ‘영어’를 마음껏 동원하여 지위를 얻고 기득권을 세습한다. 그 자녀들은 이중국적 취득, 영어 유치원, 국제학교, 조기유학, 미국 최상위 랭킹 대학 진학 등의 과정을 밟는다. 아이비리그의 학부, 로스쿨 혹은 메디컬스쿨 등이 단기 목표일 것이다. 이렇게 하는 데 드는 돈과 이용되는 사회자본이 얼마나 되는지, 보통 사람들은 짐작조차 어렵다.

그 바로 아래의 상층계급은 최상층을 흉내내거나 자식을 그렇게 만들려 뱁새처럼 가랑이가 찢어질 지경인 모양이다. <우리들의 블루스>라는 TV드라마에서도 그 일단이 묘사되었다. 어릴 때부터 똑똑한 친구였다는 남자 주인공(차승원)이 은행 지점장이 돼 고향에 와서는, 여전히 첫사랑의 좋은 기억을 가진 ‘여자사람친구’(이정은)에게 몇억원을 빌리려 그녀의 감정을 이용해먹으려 한다. 이런 당혹스러운 서사에다 작가는 ‘우리들의 블루스’라고 이름 붙여 놓았다. 누가 누구의 ‘우리들’인가?

잘은 모르지만 요새 시중 은행 지점장 연봉은 1억5000만원 이상은 된다 한다. 근로소득으로는 상위 2% 이상에 해당하는 최상층이다. 그런 그가 빚지며 가난하게(?) 살며 친구들에게 손을 벌리는 이유는 딱 한 가지다. 딸을 LPGA 선수로 만들고 싶어서란다. 딸의 ‘꿈’이란다. 오늘날 ‘꿈’에는 돈이 많이 드는 것이다. 이름 있는 해외 교육기관에서 버젓한 예술가나 엘리트 운동선수 하나를 키우려면 돈이 얼마나 들까? 누가 그런 걸 감당하고 있을까? 분명 남들 다 부러워하는 상류층인데 자식을 ‘글로벌 상층’으로 만들고 싶어 피폐하게 사는 중년남자들이 많다는 것은 진작 알려져 있긴 했다. 이제 그 비용은 더 높아져 평범한(?) 한국 법관, 교수, 의사, 대기업 임원 정도의 수입으로는 감당이 안 돼서, 저들 엘리트들은 ‘블루’(우울)한 모양이다.

예체능 분야는 그래도 재능이라는 특수한 능력이 작용하는 영역이지만, ‘보통’ 상층계급 사람들은 ‘공부’란 것으로 그 아래 등급에 있는 대한민국 ‘스카이포카', 로스쿨, 의전원 등에 자식을 보내려 또 다른 박 터지는 레이스를 한다. 바로 'SKY 캐슬'과 조국사태 때 드러난 상위 2~3% 이상의 K1리그다. 강남이라는 그들의 거주지와 직업, 자산 규모를 상기해 보라. 문재인 정권은 부동산정책으로써 범인들의 '범접 불허'를 확정해주었다. 그 아래에는 '서성한중경외시… 어쩌고' 하는 K2, 또 '인서울' 하기 위한 상위 20~30%의 대중 리그도 있다.

특권층들의 리그에서 벌어지는 일들은 추잡하고도 기묘하다. 그들은 영어도 잘하고 돈과 힘도 너무 많아서 감히 천조국의 대입과 학문장의 규범까지 침범할 지경이며, 또 거기서 파생한 저질·사이비 제도까지 마구 이용하고 있다는 사실이 이번에 드러난 것이다.

이제 다시 '공정'을 떠올려보자. 문재인이 '기회는 평등, 과정은 공정' 운운하기 전부터 이 말은 사기였고 이제 아무 의미가 없다. 모든 것을 가진 높은 분들이, 보통사람들은 어디에 있는지도 모르는 인적 물적 자원을 총동원하다시피 하며, '합법적으로 경쟁'하고 있기 때문이다. 보통사람들은 어디서 어떻게 뛰어야 되는지, 영어 에세이를 어디서 누구한테 배워야 하는지도 모르면서 공부 공부 공부, 자식을 유치원 때부터 학대한다. 부모의 투자와 기대에 못 미치는 자식들은 스스로를 질책하고 초등학교 때부터 정신과에 드나든다.

윤석열 대통령은 특권 교육과 교육 농단의 새로운 상징으로 떠오른 자를 법무장관에 임명했다. 그래서 이제 윤석열은, 5년간 입으로만 '공정' 떠들다 물러간 문재인을 정통으로 계승하는 길을 힘차게 걷기 시작했다.

우리는 어떻게 해야 할까. '그들'이 구축한 자식 사랑의 물질적 방법론과 교육열로 치장된 썩은 계급적 교육문화를 바꿀 수 있을까. '그들의 블루스' 가락에 어설픈 막춤 그만 추고, 아이들을 제대로 공부시키는 방법과 철학을 회복할 수 있을까. 그러려면 저들이 덫 쳐놓은 '수월성'이니 '글로벌 리더'니 하는 개소리와, 능력주의의 헤게모니에서 자식과 함께 빠져나와야 된다. 사람 하나하나에 그들이 매겨놓은 한국식 차별과 미국식 랭킹의 굴레를 벗고 '해방'하는 인간으로 아이들을 다르게 키우려 같이 분투해야 한다. 그럴 수 있을까? 윤석열 정권하에서?[25]

세상이 공정치 못하면 각종 비리들이 판치게 되고 매우 오염된 사회로 전락해 국민들이 살기 매우 힘들어지고 국가 막장 테크를 탈 수밖에 없다. 선진국들일수록 누구나 잘 먹고 잘 살 수 있도록 공정한 사회를 만들기 위해 온 힘을 다하고, 반대로 후진국들일수록 공정한 사회 따위 개나 줘 버리며 지배층들이 피지배층들을 마구 수탈하고 학살하는 등 온갖 만행을 저지르는 경우가 많다.

20. 원래 국산 주류 식재료였던 밀, 99% 수입에 의존하게 된 이유

밀 가격이 연일 사상 최고치를 경신하고 있다. 전 세계 밀 수출량의 약 25%를 차지하는 러시아와 우크라이나에서 전쟁이 장기화되고 인도는 최근 밀 수출을 금지했다. 한국은 밀 전부를 사실상 수입하고 있기 때문에 국제 밀 가격은 국내 판매가격에 곧바로 영향을 미친다. 칼국수를 비롯해 짜장면, 소면, 라면 등 밀가루를 원료로 하는 서민들의 밥상물가가 요동치는 이유다.

정부가 연일 밀가루값 안정을 위해 "가용한 정책수단을 총동원" 하겠다는 결의를 내보이고 있지만, 국제 밀 가격이 폭등하는 상황에서 할 수 있는 일은 매우 제한적이다. 수입선을 다변화해 공급망을 추가로 확보하거나, 가격 상승분의 일부를 재정으로 지원해 소비자 가격 인상폭을 최소화하는 정도가 전부다.

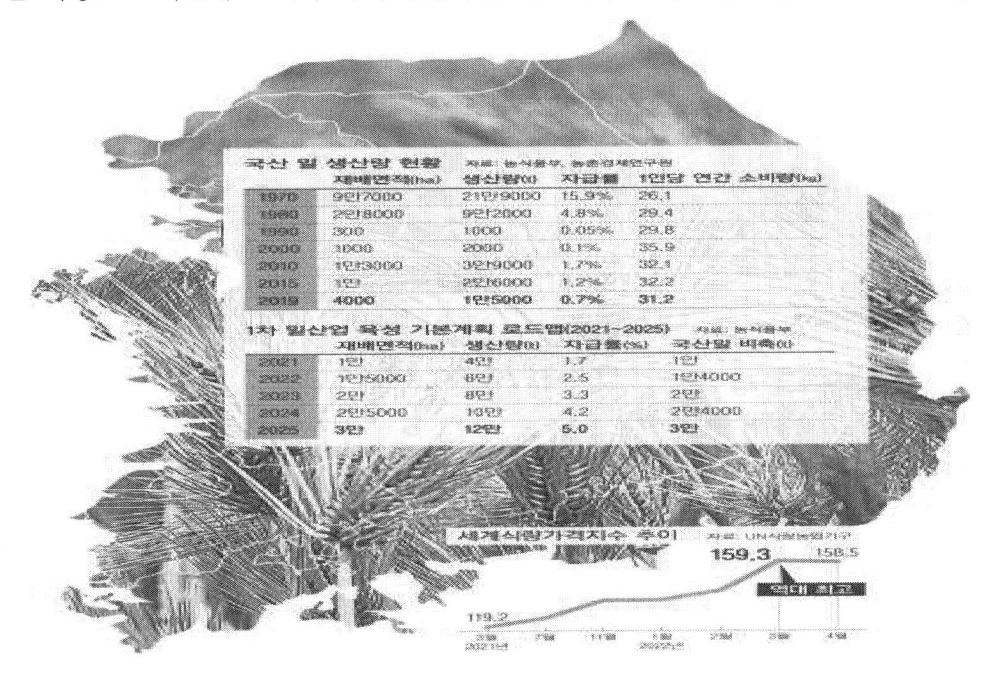

국산 밀 생산량 현황

	재배면적(ha)	생산량(t)	자급률	1인당 연간 소비량(kg)
1970	9만7000	21만9000	15.9%	26.1
1980	2만8000	9만2000	4.8%	29.4
1990	300	1000	0.05%	29.8
2000	1000	2000	0.1%	35.9
2010	1만3000	3만9000	1.7%	32.1
2015	1만	2만6000	1.2%	32.2
2019	4000	1만5000	0.7%	31.2

1차 밀산업 육성 기본계획 로드맵(2021~2025)

	재배면적(ha)	생산량(t)	자급률(%)	국산밀 비축(t)
2021	1만	4만	1.7	1만
2022	1만5000	8만	2.5	1만4000
2023	2만	8만	3.3	2만
2024	2만5000	10만	4.2	2만4000
2025	3만	12만	5.0	3만

가. 국산 밀 비극된 밀 원조

농림축산식품부 자료를 보면 2019년 기준 밀의 식량자급률은 0.7%다. 쌀은 말할 것도 없고 대두(26.7%), 옥수수(3.5%)에 비해서도 턱없이 낮다. 식생활 변화에 따라 수입한 식용밀만 250만t에 육박하며 쌀 소비량을 뒤쫓고 있지만, 국내 생산량은 1만t 수준에 불과하다.

국내 밀 생산이 처음부터 소수점대 자급률은 아니었다. 기원전 100년경 도입된 국산 밀은 조선시대를 지나 근대에서도 한국 주류 식문화 중 하나였다. 실제로 1970년까지도 전국 경작지 9만7000ha(헥타르)에서 연간 21만9000t의 밀을 생산할 정도로 밀 경작은 국내서 활발했다.

국산 밀 산업 붕괴의 출발점은 한국전쟁이었다. 전후 식량난을 겪고 있던 한국과 달리 당시 미국은 농산물이 남아돌았다. 미국은 자국 농민의 생산비 보장을 위해 밀을 수매했는데, 재고가 넘쳐 창고가 부족할 지경이었다. 미 정부는 타개책으로 저개발국에 잉여농산물을 지원하는 '농업수출진흥 및 원조법'(PL480)을 법제화했다. 잉여농산물 문제를 해결하고, 국외시장을 개척하기 위한 포석이었다.

기아에 허덕이던 한국에는 단비 같은 원조였지만 밀 생산 기반은 타격이 불가피했다. 1956년 20여만t 수준이던 미국산 밀 수입은 1968년에는 다섯배 넘게 수입되며 국산 밀을 시장에서 밀어냈다.

때마침 쌀 가격 급등에 따른 혼분식 장려 운동으로 밀 수입이 가속화되고, 1984년 '밀 수매제도'까지 폐지되면서 국내에서 밀밭은 서서히 자취를 감췄다. 1990년 집계된 국내 밀 재배면적은 300ha로 생산량은 1000t, 밀 자급률은 0.05%에 불과했다.

나. 자급률 높이기? 안정적 수입망 확보?

1990년대 들어 본격적으로 농산물 시장이 개방되자 한국의 곡물 자급률이 급락했다. 자급률이 90%를 넘는 쌀을 제외한 주요 곡물들의 자급률이 한 자릿수로 떨어졌다. 정부는 2016년 '밭 식량산업 중장기 발전대책'을 통해 2020년까지 밭 식량작물 생산량과 재배면적, 자급률을 각각 81만9000t, 1000ha, 15.2%까지 높인다는 계획을 세웠다. 하지만 생산량은 2010년 59만5000t에서 2019년 54만9000t으로 오히려 더 줄었다. 생산면적과 자급률 역시 하락세를 이어가고 있다. 수입의존도가 가장 높은 밀의 경우 생산량이 2010년 3만9000t에서 2019년 1만5000t으로 60% 가까이 급감했다. 국내산 밀이 힘을 못 쓰는 것은 수입산과의 가격 차이를 좁히지 못하고 있기 때문이다. 밀은 수입산 1kg이 329원인데 국산은 925원으로 3배 가까이 비싸다. 다른 작물과의 수익성 차이도 크다. 노동시간당 소득의 경우 밀을 재배하기보다 쌀을 재배하면 시간당 소득이 2배 가까이 높다. 밭 1000㎡당 밀 소득은 16만2000원으로 마늘(129만1000원)이나 양파(110만8000원)의 13~15% 수준에 그친다.

밀은 농사를 지을 경제적 유인효과가 크지 않은 데다 안정적인 공급처도 부족하고, 균질한 품질을 보장하기도 어렵다. 그러니 농촌현장에서 밀 경작을 선택하기란 쉽지 않다. 정부는 2020년 '밀 산업육성 기본계획'을 수립하고 2025년까지 밀 자급률을 5%까지 끌어올린다는 목표를 내놨지만 달성이 쉽지 않을 것이라는 전망이 나오는 배경이다. 새 정부도 밀 자급률 목표를 2027년 7%로 설정했지만, 단순히 전 정부의 2030년 자급률 9.9% 목표를 따라 했을 뿐이라는 지적도 나온다.

좀처럼 오르지 않는 밀 자급률을 높이기 위해 밭 직불금 등 적극적인 재정을 투입한 일본의 사례를 참조해야 한다는 주장이 있다. 일본은 정부가 밀을 독점 수입한 뒤 이윤을 붙여 민간에 공급하고 그 이윤을 밀 경작 농가에 지원하는 형태로 현재 17%대의 밀 자급률을 유지하고 있다. 하지만 이 경우 소매시장에서 소비자들이 사먹는 밀가루 가격과 관련 제품 가격이 그만큼 높아져 국내에서 동일한 정책을 도입하기란 쉽지 않다는 의견도 있다.

자급률 제고 노력과 별개로 전쟁이나 재난으로 인한 공급불안을 대비하는 것이 먼저라는 주장도 있다. 안정적으로 국내에 밀을 들여올 수 있는 공급망을 탄탄히 갖추는 게 현실적으로는 더 중요하다는 것이다. 한국은 세계에서 7번째로 곡물 수입량이 많은 국가지만 몇몇 주산국에 수입물량 대부분을 의존하는 경향이 크다.

밀은 미국과 호주, 우크라이나 등 3개국에서 약 80%를 수입하고 있다. 콩은 미국, 브리질에서 90%, 옥수수는 미국, 브라질, 아르헨티나 등 3개국에서 80%를 수입하고 있다. 이들 국가가 수출금지 등 무역제한 조치를 단행할 경우 가격 상승 위험에 대처할 방법이 많지 않다는 이야기다. 비상 상황에서도 공급선을 안정적으로 유지할 수 있도록 이들 국가와 협력관계를 강화하는 한편, 지속적으로 곡물 수입국 다변화를 도모해야 한다는 설명이다.

김종진 한국농촌경제연구원 연구위원은 "국제 곡물가격이 급등하면 긴급하게 공급선 추가 확보의 필요성이 강조되고, 국제 가격이 안정적일 때는 자급률을 높여야 한다는 목소리가 커진다"면서 "어느 한쪽만 정답이라고 평가하기 힘든 만큼 자급률을 높일 방안을 찾는 한편, 해외 농업개발을 통한 물량 확보, 수입선 다변화 등 밀 공급 안정을 위한 조치들도 병행돼야 한다"고 말했다.[26]

21. 반지성주의와 개돼지론의 공통점

반지성주의(anti-intellectualism)란 지식인이나 엘리트를 불신하고 적대하는 태도를 말한다. 주로 교육, 철학, 문학, 예술, 과학 등을 경멸하고 조롱하는 태도로 표출된다. 1963년 미국 역사학자 리처드 호프스태터가 『미국의 반지성주의』에서 처음 개념화했다. 반지성주의는 1950년대 미국 사회를 반공의 광기로 몰아갔던 매카시즘 광풍을 비판하기 위한 개념이었다. 집단의 정체성을 내세워 지성을 배제하고, 반대 세력은 악마화하는 반지성주의가 종국에는 사회를 나락으로 떨어뜨린다는 게 그의 분석이다. 역사적으로 반지성주의는 독재정치 체제에서 이견을 압살하기 위해 동원됐다. "각자가 보고 듣고 싶은 사실만을 선택하거나 다수의 힘으로 상대의 의견을 억압하는 반지성주의가 민주주의를 위기에 빠뜨리고 민주주의에 대한 믿음을 해치고 있다."

지난 10일 윤석열 대통령 취임사 중 '반지성주의'가 화제가 됐다. 미국 역사학자 리처드 호프스태터(1916~1970)가 창안한 이 개념은 1950~1960년대 매카시즘의 광풍이 몰아치던 미국 사회가 비합리적이고 반지성적이라며 이성을 수단으로 이를 극복해야 한다고 주장하는 과정에서 제시됐다.

윤 대통령이 "사람에 충성하지 않는다"며 반골검사로 전국적 인물로 떠오르는 과정에서 겪었던 불합리한 차별과 비판 등을 고려하면, 취임사에서 반지성주의를 언급하며 우리 사회가 그 문제점들을 극복해야 한다고 호소한 것은 일견 타당해 보이기도 한다. 하지만 반지성주의의 본질과 우리 국민의 자정 능력을 고려한다면 대통령 취임사에 들어갈 단어로는 경솔하고 부적절하다는 느낌을 지울 수 없다.

반지성주의에 대한 대응을 검사 스타일로 풀어 설명한다면, "임꺽정에게 사형을 구형한다"라는 문장으로 함축할 수 있다. 뜬금없이 웬 임꺽정이냐 하겠지만, 한국 문학을 통틀어 반지성주의를 가장 잘 구현한 작품이 바로 벽초 홍명희의 소설 <임꺽정>이다. 임꺽정은 어떤 특별한 대의나 선행이 없는 "그냥" 도적이기 때문이다. 의적으로서 훔친 재물들을 어려운 사람들에게 나눠 주거나 어려운 사람들을 도왔다는 내용은 찾아볼 수 없다.

하지만 임꺽정은 오랫동안 대중의 사랑을 받아왔다. 그가 저지른 패악질의 대상이 당대의 기득권층인 양반이나 벼슬아치였기 때문이다. 소설 <임꺽정>을 자세히 읽어보면 알 수 있지만, 임꺽정은 어려서부터 당대 기득권층에 다소 이해하기 어려운 적개심을 드러낸다. 이러한 적개심은 그가 도적으로 활동하면서도 계속돼 그의 먹잇감이 되는 상대방은 으레 양반, 관리, 관군 등 소위 조선 사회의 기득권층 또는 그들의 앞잡이였다.

다시 반지성주의로 돌아가서, 대통령의 말처럼 반지성주의가 우리 사회의 병폐라면 임꺽정은 당연히 엄벌로 다스려야 하는 죄인이다. 형법으로 그를 단죄한다면, 검사는 살인・강도・방화・협박은 물론 부녀자 성희롱과 추행・강간까지 일삼은 임꺽정에게 사형을 구형해도 지나치지 않다. 이게 바로 대통령이 웅변한 반지성주의 배격의 본질이다. 하지만 현실은 그렇게 간단하지 않다. 단순히 임꺽정이 극악무도한 범죄자에 불과했다면, 당대에는 물론이고 현재까지 근 100년 동안 일반 대중의 사랑을 받고 여러차례 드라마나 영화로 제작되기는 어려웠을 것이다. 앞서 말했듯이 비록 의적은 아니지만, 부조리한 기득권 세력에 소극적인 저항을 넘어 실질적으로 응징하는 모습에 대중들은 대리만족, 일종의 카타르시스를 느낀다. 사실 이렇듯 반지성주의를 대표하는 주인공이 등장하는 작품이 대중의 큰 사랑을 받을 수 있었던 데는, 우리나라 특유의 약자에 대한 관용이 있다.

대통령이 신봉하는 합리주의에는 이러한 대중의 본원적인 감정을 반지성주의로 몰고, 민중을 일종의 교화 대상으로 삼는 면이 있다. 마치 2016년 나향욱 교육부 정책기획관이 국민을 개돼지로 빗댄 사건을 떠오르게 한다. 당시 나 기획관 발언의 핵심도 사회 엘리트들이 하나의 신분으로 자신의 기득권을 공고히 하고, 나머지 일반 국민은 이들이 가르치고 이끌어가야 한다는 것이었다.

하지만 과연 이것이 진실인가? 대한민국 국민은 반지성주의에 경도돼 비합리적인 판단을 하기는커녕, 비록 느리지만 도도한 물결처럼 역사의 전환점에서 매우 이성적이고 합리적인 선택을 해왔다. 4・19 혁명으로 독재를 종식시키고, 민주화 운동을 통해 대통령 직선제를 쟁취했으며, 국정농단을 일삼으며 권력을 사유화한 대통령을 탄핵했다. 사실 윤 대통령 본인도 문재인 정부의 포퓰리즘과 내로남불 같은 반지성주의를 국민이 심판하면서 대통령에 오를 수 있었다.

윤 대통령은 이제 반지성주의를 심판하는 검사가 아니라 반지성주의조차 포용해야 하는 대통령이다. 협치와 포용의 상징이 돼야 하는 대통령이 반지성주의를 일종의 적폐로 규정해 취임사에서 사자후를 토한 것이 옳은 일이었는지, 대한민국과 한국인에 대한 역사의식 부족의 소치는 아닌지 다시 한번 되돌아보아야 한다. 검사 윤석열은 임꺽정에게 사형을 구형해야겠지만, 대통령 윤석열은 임꺽정에 대한 사면을 고민해야 하기 때문이다.[27)]

22. “대학입시용 논문, A4 1장당 18달러” …논문 대필 시장의 ‘국제분업 구조’

6만3000원만 있으면 원하는 논문 한 편이 뚝딱 완성되는 시장이 있다. 키워드 하나만 건네면 논문 작성에 필요한 시간과 노력이 무색하게 한나절 만에 완성된 논문을 받을 수 있다. 논문을 대신 써주는 ‘대필 작가(Ghostwriter)’ 는 선입금을 받으면 지구 반대편에서 의뢰인의 요구에 맞춰 집필을 시작한다.

한동훈 법무부 장관 자녀가 케냐 출신 대필작가의 힘을 빌려 논문을 작성했다는 의혹이 제기된 것을 계기로 그간 물밑에서 암암리에 이뤄지던 ‘논문 대필 시장’ 이 수면 위로 떠올랐다. 대필한 논문을 대학입시나 연구에 활용하는 것은 명백한 불법이다. 경향신문은 논문 대필 시장의 글로벌 생태계가 어떤지 알아보려고 10여 명의 해외 대필작가과 연락을 주고받았다. 학술논문 대필 의뢰에 응한 저자들은 대개 인도네시아, 말레이시아를 비롯한 제3세계 사람들이었다. 이들 중 케냐 · 파키스탄 국적의 대필작가에게 한 장관 자녀가 작성한 논문 두 편과 동일한 주제의 소논문을 각각 의뢰했다. 이를 통해 논문 대필 과정에서 이뤄지는 불법적인 행태를 직접 확인할 수 있었다.

가. “주제와 분야에 상관없이 하루 안에 가능”

먼저 케냐 국적의 대필작가 조셉(익명)을 온라인상에서 만났다. 케냐 소재 대학에서 경제학 석사를 마쳤다는 그는 사회관계망서비스(SNS)에 ‘학술 논문을 대필

한다' '질 좋은 결과물을 얻고 싶다면 메시지를 달라'는 홍보 문구를 버젓이 올려놓았다. 지난 23일, 조셉의 SNS 계정에 "고등학생 입시용 논문도 대필 가능한가요? 저는 한국인입니다"라는 메시지를 보냈다. 2시간만에 답변이 왔다. "물론입니다. 당신이 제게 논문 대필을 의뢰한 세 번째 한국인이네요."

'A4용지 1장당 18달러(2만3000원)'. 조셉은 "주제와 상관없이 논문 분량만으로 금액을 책정하며 선입금되는 대로 대필 작업에 착수한다"고 했다. 논문 주제는 이공계든 인문계든 상관 없었다. 그는 "어느 분야든 몇 시간 내로 5~8장 정도의 소논문 한 편을 완성해 줄 수 있다"고 했다. '할인이 가능하냐'고 문의하니 "처음 제시한 금액(72달러)에서 50달러(약 6만3000원)까지 깎아주겠다"고 했다. 한 장관 자녀가 작성한 글과 동일한 국가채무를 주제로 "소논문을 하루 이내에 보내달라"고 요구하자 9시간 만에 8쪽짜리 영문 소논문을 답신으로 보내주었다. 논문을 작성한 것은 조셉이었지만 완성본에는 대필을 의뢰한 기자 이름이 올려져 있었다.

조셉은 "직업을 구하지 못해 가족과 함께 대필 작업을 하고 있다"며 "생업으로 삼기에는 들이는 품에 비해 수익성이 턱없이 낮다"고 했다. 다음 기회에도 자신에게 의뢰를 부탁한다며 "더 좋은 퀄리티의 논문은 1~2주 정도의 시간과 좀 더 높은 금액을 주면 된다"고 덧붙였다. 기자가 "걸리면 어떡하냐?"고 묻자 "걱정하지 마라. 아무도 모른다"는 답이 돌아왔다.

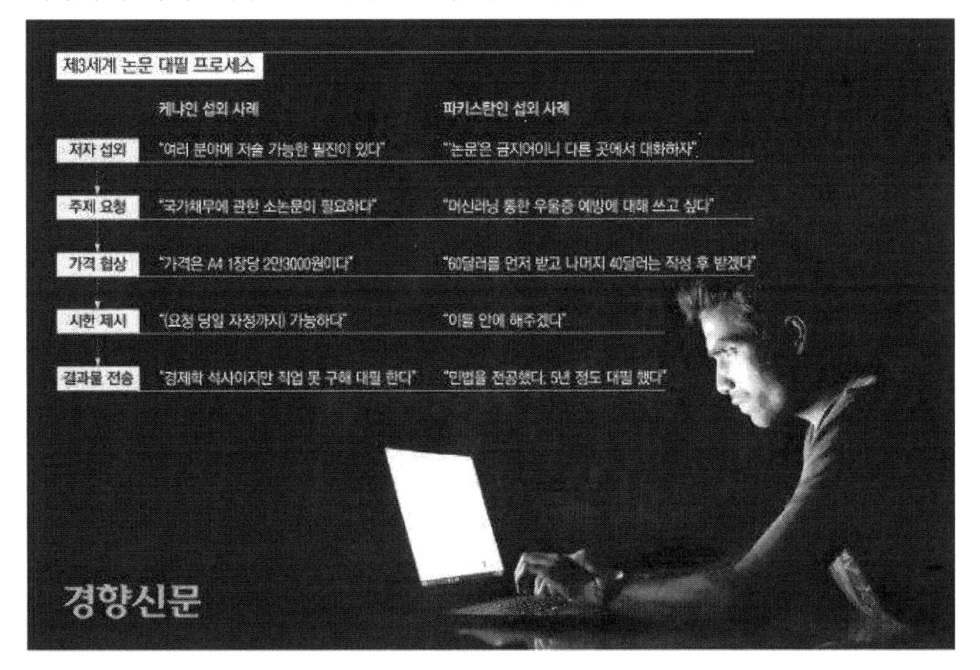

나. "한국인 학생들 의뢰 많아…대부분 '대학 진학용' 논문 의뢰"

논문 대필은 해외 프리랜서 사이트에서도 광범위하게 이뤄진다. 해외 프리랜서 플랫폼 '파이버'가 대표적인 예로 꼽힌다. 이 플랫폼은 학술 논문의 대필을 금지하고 있다. 그러나 논문 대필이 성사되기까지 그리 긴 시간이 필요하지 않았다.

이 플랫폼에서 파키스탄 출신 대필작가 사이프(익명)에게 ' 대입용 논문을 대필해줄 수 있느냐 '는 메시지를 남겼다. 그는 답변을 메시지가 아닌 사진으로 대신했다. 사진에는 휴대전화에 직접 손으로 적은 글씨가 있었다. " 파이버에서 대학, 논문, 대필 등의 단어를 입력하면 안됩니다. 연락처를 보낼테니 왓츠앱 메신저로 (논문 대필에 대해) 자유롭게 얘기해요."

그의 안내에 따라 다른 메신저 앱으로 넘어왔다. 그제서야 원하는 주제, 기한, 분량, 생각하고 있는 금액 등을 자세히 물었다. 주제에 대해선 "폭넓은 분야에 대해 다 쓸 수 있다"고 했다. 다양한 분야를 망라하는 '대필 팀'을 운영하는 덕이다. 사이프는 "7명이 한 팀이고, 대부분 파키스탄인"이라며 "정보통신기술, 사회과학, 자연과학, 법 분야 저술이 가능하다"고 했다.

사이프는 "해외에서 민법으로 박사학위를 땄고, 사이버 관련 법이 세부 전공"이라고 자신을 소개했다. 대필 일을 시작한지는 5년 정도 됐으며, 본인을 비롯해 파키스탄·이탈리아·호주 국적의 7명이 논문 대필 작업을 하고 있다고 설명했다. 이공계·사회경제학 등으로 각자 전공을 분담해 대필을 한다고 했다. 그는 "많은 한국인에게 논문 대필 의뢰를 받았으며, 대부분 '대학 진학용' 목적의 논문을 써달라고 부탁했다"고 귀띔했다. 한국인들이 주로 어떤 주제의 논문을 요구했는지 묻자 "주로 법 분야에 대한 서술을 요구하는 의뢰가 많았다"며 "라 로쉬 대학, 성 토마스 아퀴나스 대학, 멘로(Menlo) 대학, 하딘스 시몬스 대학 등 여러 곳의 진학을 도와줬다"고 했다.

사이프에게도 한동훈 장관의 딸이 지난 2월 한 온라인 컨퍼런스에 제출한 논문과 유사한 주제를 정해 부탁해봤다. 한 장관의 딸은 '머신 러닝 접근법을 사용한 우울증 비율 수행 분석'을 주제로 방글라데시 국적의 연구자와 함께 논문 저자로 이름을 올렸다. 분량은 이 논문과 같은 5장으로 의뢰했다.

23일 오후에 '24일 자정'을 시한으로 제시했고, 금액은 협상 끝에 100달러(약 12만6500원)로 정했다. 결과물을 돌려받지 못할까봐 걱정된다는 말에 그는 60달러(약 7만6000원)를 선금으로 받고, 최종 결과물을 전달해준 뒤 나머지 40달러(약 5만원)를 받겠다고 했다. 결과물은 시한보다 50분 일찍 도착했다.

논문은 요구사항을 충실히 담고 있었다. 한국이 경제협력개발기구(OECD) 가입국 중 자살률이 2위라는 통계 등을 인용했고, 인공지능 기술을 활용한 의학적 예측 알고리즘이 자살 위험을 감소시켰다는 실증 연구들을 소개했다. 논문은 캐나다 정부가 자살 위험을 감소시키기 위해 인공지능 기술 기업과 계약을 체결하고 호주에서도 같은 시도가 있었다는 것을 소개한 뒤 '한국 정부도 인공지능 기술과 비식별화 의료 데이터를 적극 활용해야 한다'는 제언으로 마무리했다.

다. "표절률 10~16% 아래로 맞춰드려요"

이렇게 전달받은 두 논문은 표절검사에 걸리지 않을까? 케냐 출신 조셉은 "논문을 보내주기 전에 논문 표절 방지 프로그램인 '턴잇인(Turnitin)'에 한 번 돌리고 발송하니 문제 없다"고 했다. 실제 두 논문을 표절 검사기에 돌려본 결과 표절률이 각각 6%, 4%에 그쳤다. 표절을 의심받는 수준인 10%~16%에 비해 절반 이상 낮은, 안정적인 수치다.

아예 '표절률까지 맞춰주겠다'고 제안한 대필작가도 있었다. 파이버 플랫폼에서 만난 파키스탄 대필작가 하마드는 "학술지마다 표절률을 다르게 제시한다"며 "우리가 작성해주는 논문은 의뢰인이 정해주는 표절률 최대치에 따라 다르게 작성된다"고 했다.

전문가들은 두 편의 논문을 두고 "고등학생이 썼다고 보면 괜찮은 소리를 들을 정도"라고 평가했다. 조셉에게 의뢰한 '국가채무' 논문을 본 고려대학교 강사 A씨는 "학술지에 기고할 수준은 아니라고 생각한다"면서도 "고등학생이 썼다는 것을 감안한다면 공부도 많이 했고 잘 정리했다고 평가할 수 있겠다"고 말했다.

한 장관의 처조카들로부터 '논문 표절 피해'를 당한 것으로 알려진 이상원 뉴멕시코 주립대 교수에게도 같은 논문을 평가해달라고 건넸다. 이 교수는 "고등학생이 작성한 레포트 수준의 글이라 정상적인 학술지에 등재하는 것은 어려울 것 같다"면서도 "오픈 액세스 저널인 'ABC Research Alert'을 비롯한 약탈적 학술지에는 등재가 가능할 것"이라고 말했다. 언급된 ABC Research Alert는 한 장관 딸도 논문을 올린 곳이다. 이 저널은 공식 홍보 영상에서 "온라인에 논문을 올려 놓으면 기다리는 시간이 전혀 없이, 50달러(약 6만3000원)에 게재가 가능하다"고 공공연히 홍보한다. 비용만 내면 고등학교 수준의 소논문이라도 심사를 거치지 않고 게재할 수 있다.

대필 논문의 낮은 표절율은 학계의 골칫거리다. 딱히 검증할 방도가 없기 때문이다. 이 교수는 "논문을 쓸 줄 아는 사람이 대필을 하게 되면 대체로 표절 검사 프로그램에 걸리지 않도록 교묘하게 빠져나간다"며 "그래서 논문 대필이 표절보다 훨씬 악질적"이라고 했다. 이어 "논문 대필을 비롯해 부정한 방식으로 대학에 진학해놓고 어떤 책임도 지지 않는다면 공정한 방식으로 최선을 다해 자녀를 교육시켰던 많은 학부모들에게 허탈감과 박탈감을 줄 수밖에 없다"며 "결과적으로 논문 대필과 표절 행위는 학계를 넘어 사회 신뢰의 근간을 무너뜨린다"고 했다.

라. 대필에서 드러나는 글로벌 착취 구조

연락이 닿은 대필 작가 중 제3세계 출신 고학력자 비중이 높은 것도 주목할 만하다. 자신의 지식을 해외 유수의 명문대로 가길 희망하는 타국 고등학생들을 위해 사용하는 셈이다.

A 강사는 "대필 작가 중에는 학술적 글쓰기를 배웠으나 이를 사회에서 실현할 기회를 받지 못해 대필에 참여하게 된 사람들도 분명히 있을 것"이라며 "한국인들이 1세계 국가인 미국으로 진입하고자 제3세계 국가의 지식과 노동을 끌어다 쓰는 소위 '착취' 구조로 보인다"고 평했다.

천정환 성균관대학교 국문학과 교수는 "(대필 저자들이) 글로벌 수직 학벌체제에서 한국과 중국 등의 '학벌 계급'을 위한 하청 노동을 하고 있는 상황"이라며 "케냐, 파키스탄, 말레이시아 등 영어를 사용하는 국가의 엘리트들도 영국이나 미국에서 교육을 받았을 가능성이 높다. 결국 글로벌 학벌 체제를 보여주는 것"이라고 분석했다.

이종우 교수노조 정책실장은 "이같은 불법 행위는 한국 사회만 아니라 전 세계적인 부익부 빈익빈을 가중시킬 우려가 높다. 소위 부유한 집안 자제들은 정보력을 이용해 상대적으로 대필 비용이 저렴한 제3세계 국가에게 지속적으로 대필을 요청할 것"이라며 "정직하게 입시에 임하거나 연구에 임하는 사람들 모두 '신뢰'에 대한 피해를 받을 수 있는 상황이다. 부끄럽고, 불쾌하다"고 했다. 이 실장은 "현재로서는 학생이 작성했다고 나온 논문이 실제 그가 작성한 것이 맞는지, 논문이 등재된 학술지가 혹여 약탈적 학술지는 아닌지에 대해 대학 입학처에서 보다 면밀하게 검토하기를 바랄 수밖에 없다"고 했다.[28]

23. 안보 제일주의에 길 잃은 이상주의

스웨덴과 핀란드가 나토에 가입한다. 두 나라의 가입은 특별한 의미를 지닌다. 제2차 세계대전 이후부터 고수해온 중립국 지위를 포기하는 것이기 때문이다. 일각에는 대한민국도 중립을 선언하자는 주장이 있었다. 중국과 일본, 미국과 러시아 사이의 작은 나라로서 누구의 편도 들지 않고 중립국으로 남으면 전쟁도 피해 갈 수 있지 않겠느냐는 것이다.

소국으로 열강 어디에도 끼어들지 않고 누구 편도 들지 않는 중립은 실리적이고 편리한 개념으로 보인다. 하지만 한 국가의 중립은 선언만으로 이루어지는 단순한 일이 아니다. 중립의 지위가 보이지 않는 갑옷처럼 전쟁을 막아주지도 않는다. 인간관계에서 중립을 지키는 것도 쉽지 않은데 하물며 얽히고설킨 국가 간 역학과 경제적 의존도를 떠나 중립을 선언하는 것이 어찌 쉬울까?

중립은 쉽게 말해 스스로 '왕따'가 되겠다고 선언하는 것과 같다. 무리에서 힘이 세고 싸움 잘하는 아이가 '나 건들지 마'라고 하는 것과 약한 아이가 하는 말은 무게가 다르다. '나는 누구의 편도 들지 않겠다'라는 말을 강자는 할 수 있다. 하지만 약자가 그렇게 말하면 당장 주변에서 "너 누구 편이냐?"며 추궁할 것이다. 국제 관계에서 중립이라는 것은 누구의 편도 들지 않는 동시에 내 편도 없다는 뜻이니 중립을 유지하기 위해서는 스스로 힘이 세든지, 주변 모두가 중립을 허락하든지 둘 중 하나의 조건을 갖춰야 한다.

스웨덴과 핀란드가 각각의 예다. 스웨덴은 19세기 나폴레옹 전쟁에서 영토의 일부를 잃은 이후 중립을 이어왔다. 스웨덴은 북유럽 안에서는 강국이지만 유럽 전체로 확대해 보면 지리적으로 떨어져 있는 데다 척박한 땅과 기후 때문에 주변 강대국의 관심에 비켜 있었다. 그 덕에 중립을 지키기가 비교적 수월했다. 각종 분쟁에는 군사 개입 대신 인도적 지원만 해왔다. 1950년 한국 전쟁 당시에도 의료지원단만 보냈다.

1960년대 올로프 팔메가 스웨덴 정치의 중심에 등장하면서부터 중립의 개념이 달라졌다. 스웨덴은 위기 상황에 침묵을 지키는 것이 아닌 상황에 적극 개입해 약자와 연대하는 적극적 중립 외교를 펼치기 시작했다. '힘없이는 중립 없다'는 신념으로 군사력 증대에도 힘썼다. 스웨덴식 중립은 누구의 편도 들지 않지만 인류애의 관점으로 할 말은 하며 열강에 대응하는 것이다. 어떤 상황에도 원칙적

중립을 견지하는 스위스식 기계적 중립과는 다르다. 지금도 스웨덴은 국제 외교 무대에서 각종 분쟁 중재에 앞장서고 있으며 이는 스웨덴의 자랑이기도 하다. 환경, 인권 등의 분야에 있어 스웨덴은 국가의 크기보다 훨씬 큰 발언권을 갖는다. 한때 스웨덴을 두고 '도덕 강대국'이라고까지 칭할 정도였다.

핀란드는 1939년 소비에트 연방과의 전쟁으로 영토를 잃고 난 후 중립을 견지했다. 여기에는 핀란드의 의지라기보다 소련의 의지가 더 크게 반영됐다. 미국이 나토를 통해 유럽 안에 동맹을 늘리며 숨통을 죄어오고 있었기 때문에 소련은 핀란드를 일종의 완충지로 두고 싶어 했다. 핀란드는 피비린내 나는 전쟁을 치른 이후라 다른 나라와 동맹을 맺지 않는 조건으로 중립의 지위를 유지했다.

지난 2월 러시아가 우크라이나를 침략한 이래 해법의 하나로 '핀란드화'가 등장했다. 국제정치학에서 핀란드화란 약소국이 강대국의 눈치를 보면서 종속적 자세로 주권을 유지하는 것을 뜻한다. 1948년 소련과 우호협력상호원조조약을 맺은 핀란드는 자국의 이익을 양보하며 러시아의 영향 아래 머물렀다. 꼭 비판적으로 볼 수만은 없는 것이 핀란드화는 초강대국과 국경을 맞대고 있는 작은 국가의 생존전략이기 때문이다.

적극적 중립을 펼쳐온 사민당 정권이 오랜 전통을 폐기하고 나토 가입을 선언한 것은, 핀란드가 러시아의 압력에도 불구하고 나토에 가입하는 것은 그만큼 러시아에 대한 불안이 크다는 방증이다. 핀란드는 과거 소련과 두 차례 전쟁을 겪으며 큰 피해를 입었다. 당시 생존자들이 지금도 살아 있으니 러시아에 대한 두려움이 나토 가입으로 이어진 것은 쉽게 납득할 수 있다.

스웨덴의 결정은 다른 의미에서 시사점이 있다. '중립'으로 상징되는 사민당의 노선 즉 당의 정체성은 어떤 희생을 치르더라도 지켜야 하는 무언가가 아니다. 스웨덴은 과거 자유시장주의와 사회주의 사이에서 두 가치를 절충한 사민주의를 펼쳤다. 수정주의니 개량주의니 하는 외부의 비판에 휘둘리지 않고 이상과 실리를 동시에 추구했다. 민주주의는 시대에 따라 진화한다. 야만의 시대에 안보보다 중요한 가치는 없고, 이상주의는 길을 잃었다.[29]

24. 포털뉴스 정부 정책, 시작부터 권위주의?

민주당이 포털뉴스 개혁안을 내놓자 윤석열 정부도 포털뉴스 정책을 마련하는 모양새다. 이미 대통령직인수위원회에서 포털뉴스는 중요한 언론의제 중 하나였다. 당시 거론되었던 포털뉴스 규제는 포털뉴스 제휴평가위원회 법정 기구화, 알고리즘 투명성 제고를 위한 제도 마련, 뉴스 편집권의 제한과 아웃링크(포털 내 뉴스 페이지가 아닌 언론사 홈페이지로 이동하는 방식) 추진으로 요약할 수 있다. 이런 과제를 구체화하기 위해 지난 5월24일 방송통신위원회가 '정책협의 기구'를 구성했다. 물론 정책공약 이행을 위한 추진조직을 만들었다는 것은 당연한 절차이다. 하지만 이번 정책협의 기구 구성은 지난번 민주당 개혁안과 마찬가지로 현실 파악과 뉴미디어 생태계, 포털뉴스 특징을 제대로 인식하지 못한 인상이 있다. 민주당과 윤석열 정부안 모두 언론의 자유를 제약하거나, 위험한 권위주의적 태도로 언론을 규제할 것 같은 우려가 들기도 한다. 윤석열 정부의 이번 포털뉴스 정책협의 기구가 위험한 이유는 세 가지 때문이다.

첫째, 무엇보다 포털뉴스 규제 관점이 초헌법적 발상을 하고 있다는 것이다. 엄밀히 말해 포털뉴스는 법적으로 규정되지는 않지만 '신문법' 제10조에 의하면 '인터넷뉴스서비스사업자'이다. 그래서 포털뉴스는 인터넷뉴스서비스사업자로서 준수사항을 지키고 있다. 뉴스의 유통기능을 담당하고 있는 준언론사적 지위를 가지고 있다. 그런데 정부가 뉴스 편집권을 제한하고, 알고리즘을 감시하고, 뉴스제휴 평가의 법적인 규정을 하겠다는 것이다. 심지어 인수위에서는 알고리즘이나 포털뉴스 제휴 위원회를 공적 기구화하고 위원 자격을 법으로 명시하겠다고 했다. 포털뉴스가 언론사가 아니라고 하면, 민간기업의 인공지능 알고리즘과 제휴평가 방식의 개선은 권고나 가이드라인 유도로 해결하면 된다. 그런데 정부가 나서서 공적위원회를 구성하여 규제 영역으로 만들겠다는 것은 초헌법적 과잉 규제이다. 그리고 포털뉴스가 언론 유통기능을 하는 사실상 언론사인 점을 고려하면 이것은 언론 자유를 침해하는 것이다. 포털뉴스를 바라보는 시작부터 잘못되었다.

둘째, 정책협의 기구에서 중립적 안을 마련할 때까지 이해관계자는 빼겠다는 것은 더 문제이다. 미디어 정책은 많은 이해관계자가 존재한다. 포털뉴스는 복잡한 이해관계가 걸려 있다. 이 때문에 더 많은 의견을 수렴해야 한다. 언론사, 포털사와 언론노조, 기자협회, 신문협회 등 언론 단체, 그리고 시민단체, 학계 등이 다양한 시각에서 논의하는 게 필수적이다. 그런데 이런 논의과정을 생략하고 정책안부터 만들겠다는 발상은 행정편의주의적이다. 정책학에서 지켜야 할 중요한 원칙 중 하나가 정책 결정의 민주성과 효율성의 조화이다. 지나친 효율성 추구로 민주주의 원칙이 훼손되어서는 안 된다는 것이다. 그런데 이번 방통위의 정책은 민주성과는 거리가 먼, 효율성만을 추구하는 방안이다. 1980년대 국가가 강압적으로 주도한 언론규제 움직임을 떠올리게 하는 '권위주의적 발상'에 다름 아니다.

셋째, 방통위는 보도자료에서 '포털뉴스 신뢰성·투명성 제고를 위한 협의체'를 구성한다고 밝히고 있지만, 정작 구성원은 비공개로 하고 있다. 문제는 시민들에게만 비밀이란 것이다. 협의체 위원 명단은 이미 언론계에서 회자하고 있다. 언론계나 정부 공무원들은 알고 있는데, 시민들만 모르는 현실이다.

포털뉴스 생태계란 한국 언론 환경의 특징을 파악하고 포털사와 언론사, 그리고 소비자가 상생할 수 있는 공정한 생태계를 구축하는 것이 필요하다. 이를 위해서는 다양한 선택지를 바탕으로 공론의 장에서 포털뉴스의 문제점을 진단하는 사회적 합의가 필수적이다. 그런 노력이 없다면 결국 정부 입맛에 맞는 정책을 만들어 포털뉴스를 장악(?)하려 한다는 의심을 받을 수밖에 없다.[30]

25. 총기 문제와 미국의 실패

딱 하루였다. 조 바이든 미국 대통령이 총기 규제를 위해 최선을 다하겠다고 한 약속에서 후퇴하는 데 걸린 시간이. 바이든 대통령은 지난 30일(현지시간) 백악관에서 취재진과 만나 "내가 해왔던 일과 내가 취할 수 있는 행정적 조치를 할 수 있고 계속 그런 조치를 할 것"이라면서 "그렇지만 나는 무기를 불법화할 수 없고, 신원조회 규정을 바꿀 수 없다"고 말했다. 그는 전날 초등학교에서 벌어진 총기난사 사건으로 어린이 19명과 교사 2명 등 21명이 숨진 텍사스주 유밸디를 방문했을 때 "뭐라도 하라"는 시민들의 항의에 "그렇게 할 것"이라고 말했다.

총격범이 무차별 총격으로 어린이 19명과 교사 2명 등 21명이 숨진 미국 텍사스주 유밸디의 롭 초등학교 앞에 마련된 추모 공간에 30일(현지시간) 희생자들의 자신과 화환, 추모 물품이 놓여 있다(유밸디|AP연합뉴스)

미국에서 총기를 규제하려면 의회가 법을 통과시켜야 한다. 그런데 미 의회는 일체의 총기 규제를 반대하는 공화당에 가로막혀 10년이 넘도록 유의미한 총기 규제 법안을 한 건도 통과시키지 못했다. 대통령이 행정명령으로 총기 규제를 해봤자 법원에서 제동이 걸리기 일쑤다. 바이든 대통령의 발언은 총기 문제에 관한 정치와 정부의 실패를 시인하는 무기력한 토로였다.

미국인들은 스스로를 예외적인 나라라고 생각하는 경향이 강하다. 국가의 기원과 역사 발전 과정, 정치 및 종교가 다른 서구 선진국과 다르다는 관념이다. 총기 역시 '미국 예외주의'의 대표적인 사례다. 근대국가는 폭력을 합법적으로 독점하는데 미국은 무기를 소유하고 휴대할 권리를 보장했다. 헌법에 "무기를 소유하고 휴대할 수 있는 인민의 권리는 침해돼서는 안 된다" 고 명문화했다. "무장이 잘된 규율 있는 민병대는 자유로운 나라의 안보에 필요하다" 는 이유에서다. 인민이 폭정과 외침에 맞서 자유를 지킬 수 있도록 하기 위해 폭력을 나누어준 것이다. 그런데 총은 자유를 지키는 데만 사용되지 않는다. 미국에선 하루 평균 110여명이 총기를 이용한 자살 또는 살인으로 죽는다. 연평균 4만620명이다. 미국의 총기 살인은 다른 선진국에 비해 26배 높다. 미국은 인구 100명당 120점이 넘는 총기가 풀려 있다. 유통 중인 총기의 수가 전체 인구수보다 많다.

미국에선 총이 정체성과도 결부돼 있다. 총기 소유자들은 총을 방어나 오락의 수단을 넘어 정치적·사회적·종교적 신념의 상징으로 여긴다. 살상력이 과도한 총기와 대용량 탄창 규제, 전과나 정신병력이 있는 이들의 총기 소유를 제한하기 위한 신원조회 강화 등 합리적인 규제 방안마저 번번이 거부당하는 이유다. 오히려 그들은 나쁜 놈들에 맞서려면 착한 이들이 총을 더 가져야 한다는 논리를 펼친다.

전미총기협회(NRA)로 대표되는 이익집단과 총기 소유자들의 강력한 로비는 정치인들을 옥죄는 현실적인 권력이다. 여론조사에선 총기 규제 의견이 항상 높지만 정치자금과 표의 결집력은 총기 소유자 집단이 강하다. 보수 절대 우위 구도의 대법원은 기존 총기 규제까지 허물려는 움직임을 보이고 있다.

대형 참사와 그에 따른 슬픔과 분노가 반복되지만 재발을 막기 위한 시도가 번번이 실패하면서 미국 사회는 냉소와 무기력에 빠져든 것으로 보인다. 집과 학교, 거리와 공원, 슈퍼마켓과 쇼핑몰에서 사람들이 총에 맞아 죽어가는데도 정부와 정치가 제도적 보완책을 만들지 못하고 있다. 총기에 관한 한 미국은 실패 국가로 향하고 있다.[31)]

26. 조선은 풍수 때문에 망했다

'풍수집의'는 다산 정약용의 저술이다. 다산 선생이 풍수지리를! 역시 풍수는 중요한가 싶지만 실은 반대다. 풍수집의는 풍수지리설에 현혹된 중생을 깨우치기 위한 책이다. 풍수는 조선 후기의 심각한 사회문제였다. 묏자리 다툼에서 비롯된 '산송'은 토지 소송, 노비 소송과 함께 조선시대 3대 소송이었다. 폭행치사 사건의 절반이 산송 때문에 일어났다. 산송의 본질은 산지 소유권 분쟁이지만 풍수 영향도 무시할 수 없다. 풍수는 사회 개혁을 위해 짚고 넘어가야 할 문제였다.

다산은 풍수를 열심히 연구했다. 책 많이 읽기로는 조선에서 둘째가라면 서러운 사람이다. 다산은 역대의 풍수론과 그 반론을 두루 검토하고 자기 의견을 덧붙여 풍수집의를 편찬했다. 풍수집의는 풍수 비판서다.

다산은 풍수를 불신했다. 풍수의 이치는 하나일 텐데 어째서 지관마다 말이 다를까. 집안이 번창할 때는 묏자리를 잘 잡은 덕이라더니 가세가 기울면 묏자리부터 탓하는 이유는 무엇일까. 어째서 지관은 자손만대 복을 누린다는 길지를 푼돈만 받고 남에게 넘겨줄까. 그렇게 좋은 땅이라면 무슨 수를 써서라도 자기가 차지해야 하지 않겠는가. 지관의 자손 중에 출세하는 사람이 없는 이유는 무엇인가. 최고의 길지에 왕릉을 쓴 역대 국가들이 예외 없이 멸망한 이유는 무엇인가. 다산은 이 책에서 당시 용하다는 지관들이 얼마나 엉터리인지, 그들의 이론이 얼마나 허무맹랑한지 낱낱이 폭로했다.

풍수가 본격적으로 유행한 시기는 조선 후기다. 당시 사대부들이 신처럼 떠받들던 송나라 성리학자 주희가 풍수를 신봉한 탓이기도 하다. 조상 묏자리를 잘

잡아야 후손이 잘된다는 믿음으로 산 사람이 살 집보다 죽은 사람이 묻힐 묏자리의 풍수를 중시했다. 이장이 잦아진 것도 이 때문이다. 두세 번은 보통이고 네댓 번 이장한 끝에 원래 자리로 돌아오는 어처구니없는 일도 벌어졌다.

왕릉 이장도 빈번해졌다. 선조의 목릉, 효종의 영릉, 인조의 장릉, 사도세자의 영우원, 정조의 건릉, 순조의 인릉, 효명세자의 수릉, 고종과 명성황후의 홍릉 등 길지를 찾아 이장했다. 당대 최고 지관들이 잡은 길지다. 하지만 기울어가는 국운을 붙들기엔 역부족이었다. 산 사람이 살 곳을 마련하려고 돈을 썼다면 모르겠다만, 죽은 사람 묻을 곳을 마련하려고 쓰는 돈은 전부 낭비다. 고비용 장례와 잦은 이장으로 민간은 가산을 탕진하고 왕실은 국고를 소모했다. 이 과정에서 소송이 남발되고 갈등이 폭발했다. 조선은 풍수 때문에 망했다.

풍수는 옛사람의 관념과 생활 연구에는 유용하지만 오늘날 적용하기는 무리다. 공간 개념과 활용 방법이 과거와 판이하기 때문이다. 조선시대 건물은 높아야 2층이었다. 산을 깎아 없애고 터널을 뚫는 건 상상도 못했다. 그 시대의 산물인 풍수를 여지껏 신봉할 이유가 없다. 풍수를 제대로 공부했다면 이 점을 모를 리 없다. 그런데 풍수에 현혹된 대중을 일깨워야 할 지식인이 오히려 풍수를 옹호한다. 하긴 풍수를 비판해봤자 생기는 게 없지만 풍수를 이용하면 생기는 게 많다.

대통령 집무실이 탈 없이 용산에 안착했다. 공원으로 변신한 청와대를 찾은 시민들의 반응도 긍정적이다. 처음 옮긴다고 할 적에는 이런저런 우려가 많았다. 기회를 놓칠세라 자칭 풍수가들이 나타나 한마디씩 보탰다. 용산이 좋으니 청와대가 좋으니 옥신각신했다. 우호적인 여론이 우세해진 지금은 슬그머니 말을 바꾼다. 용산이야말로 국민과의 소통에 유리한 길지란다. 향후 정부가 난관에 봉착하면 풍수쟁이들이 또 뭐라고 할지 모르겠다. 허무맹랑한 이야기를 여과 없이 전달하는 언론도 문제다. 풍수 이야기는 이제 그만하자.[32)]

27. '나중에 정권'에 이은 '자가당착 정권'

문재인 정권은 '나중에 정권'이었다. 차별금지법 제정도 성평등 정책도 성소수자 인권 보장도 장애인 권리 보장을 위한 예산 반영도 모두 나중으로 미뤘다. 그가 말한 "나중에"는 임기가 끝나기 전에 오지 않았고 문재인 정권은 끝내 '나중에 정권'으로 남고 말았다.

문재인 정권은 반드시 필요한 인권 관련 이슈도 논쟁이 있으면 건드리지 않았다. 그저 다수의 여론을 지켜보며 소수를 외면할 뿐이었다. 다양성을 존중하고 인권을 보장하기 위해 반드시 필요한 일이라고 하더라도 반대하는 사람들이 큰 목소리를 내면 '사회적 합의'라는 명분을 내세워서 아무것도 하지 않았다.

"사람이 먼저다"라는 표어를 내걸고도 어느 누구도 배제되거나 차별 당하지 않는 모든 사람이 동등한 사회 구성원으로 포함되는 사회를 만들기 위해 가져야 하는 명확한 가치와 강한 실행 의지는 찾아볼 수 없었다. "사회적 합의가 필요하다"는 말은 많이 하면서도 정치인이 그 사회적 합의를 만드는 역할을 하는 사람이라는 것은 망각했다.

사실 '사회적 합의'라는 표현은 핑계에 불과하다는 것을 우리는 안다. 검수완박(검찰 수사권 완전 박탈)의 국민여론은 찬성 36%, 반대 47%였지만 자신들이 가진 180석을 이용해서 밀어붙여 통과시켰다. 반면 차별금지법은 찬성 57%, 반대 29%여도 검토조차 하지 않는다(한국갤럽, 2022년 5월 6일).

여론에 의해서 크게 이슈화되지 않는 아주 오래된 이슈들(일제의 치안유지법을 기반으로 1948년에 만들어진 국가보안법의 폐지나 사형제 폐지와 같은 이슈들)은 일체 생각도 하지 않았다.

그는 큰 변화에 대한 책임을 지는 것이 두려웠는지 혹은 그 변화의 과정에서 감당해야 할 일들이 버거웠는지 무언가를 적극적으로 변화를 줘야 하는 것을 하지 않았다.

임기 중 가장 적극적으로 했던 것은 검찰 개혁과 부동산 정책으로 두 가지인데 도대체 무엇을 위해 왜 그런 방식으로 했는지 알 수 없을 정도로 실패했다.

문재인 정권은 지금도 충분히 끔찍한 세상이 더욱더 최악으로 나빠질 것을 막을 수 있는(혹은 속도를 최대한 늦을 수 있는) 마지막 기회를 날려버린 정권이다.

기후위기 대응과 정치제도 개혁 등 체제 전환으로 우리들의 삶과 사회의 모습

자체를 완전히 바꿔야 하는 중차대한 시기에 엄청나게 높았던 대통령 지지율과 무엇이든 할 수 있었던 180석을 가지고 아무것도 하지 않은 정권으로 기록될 것이다.

그렇다면 윤석열 정권은 어떠할까. "구조적 차별은 없다" 고 공언하면서, 인수위원회 구성과 내각 구성으로 스스로 구조적인 차별을 적나라하게 보여주고 있는 '자가당착 정권' 이다. 여성과 장애인에게 대놓고 "이곳에 너희들의 자리는 없어" 라고 말하는 듯 한 구조적 차별을 몸소 보여주는 기만적인 행태를 보인다.

사회적 소수자에 대한 차별적인 언행으로 '표몰이' 를 하는 정권이 당명을 '국민의힘' 이라고 사용하고 있다. 과연 이들이 생각하는 국민은 누구일까. 그들이 생각하는 '국민' 에 여성과 장애인은 없다는 것이 그들의 발언으로 계속 확인되고 있다.

시험주의 수준의 '공정' 담론으로 끊임없는 배제와 차별을 발생하게 하는 구조의 문제를 숨기고 모든 것을 개인의 노력과 실력의 문제로 만들며 공고한 사회적 차별의 문제를 납작하게 만들고 있다.

윤석열 대통령은 취임사에서 '자유' 라는 단어를 서른다섯 번 사용했다. 반면 '평등' 이라는 단어는 한 번도 사용하지 않았다. 자유는 차별, 억압, 속박, 폭력을 당하지 않는 상태를 말한다.

차별과 평등을 모르는 사람이 자유를 알 수 없다. 그가 강조한 자유가 누구의 자유인지 알 수 있는 부분이 많이 나왔다.

"자유민주주의와 시장경제 체제를 기반으로 국민이 진정한 주인인 나라로 재건하고" "인류 역사를 돌이켜보면 자유로운 정치적 권리, 자유로운 시장이 숨쉬고 있던 곳은 언제나 번영과 풍요가 꽃 피었습니다" "번영과 풍요, 경제적 성장은 바로 자유의 확대입니다" 등에서 확인할 수 있다.

이미 충분한 혹은 과도한 자유를 가지고 있는 사람들의 자유를 더 확장해야 번영, 풍요, 경제적 성장이 온다는 자유에 대한 그의 인식은 심각하게 자본가의 입장, 권력자의 입장이다. 자본가들이 아무런 제지받지 않고 노동자를 착취하고 부동산 투기를 할 수 있는 게 자유가 아니다.

다른 사람을 배제, 차별, 억압, 속박하고 폭력적으로 대할 수 있는 권력이 있는 사람들에게 더욱 더 그렇게 할 수 있도록 해주는 것은 자유가 아니다. 그것은 폭력이고 비문명이다. 인간은 그렇게 살지 않기 위해서 공동체를 이루고 사는 것이고 국가에게 그 역할을 위임한 것이다.

그 누구도 배제, 차별, 억압, 속박, 폭력을 경험하지 않을 수 있게 평등한 세상을 만드는 것이 자유의 확대이다.

자본가들을 귀찮게 하는 규제를 풀어줄 뿐 노동자들의 삶을 돌보지 않으며, 기후 위기에 대한 과학자들의 충고를 무시하고 원전에 투자해 모두의 생존을 위협에 처하게 하며, 세계적으로 저성장의 시대에도 평등과 분배가 아닌 경쟁과 성장을 말하는 윤석열 정권은 시작부터 우려스럽다.

정치의 현실은 희망적이지 않다. 정치가 우리를 위해 스스로 바뀔 것이라고 생각하기 어렵다. 선거제도 변화부터 체제 전환까지 직접 나서야 할 때이다.[33]

자가당착(自家撞著 , 自家撞着 , zì jiā zhuàng zháo)은 스스로 부딪치다. 자기가 한 말이 앞뒤가 맞지 않거나, 언행이 일치하지 않는 것을 말한다.

수미산은 높아 봉우리도 보이지 않고
바닷물은 깊어 바닥이 보이지 않네
흙을 뒤집고 먼지를 털어도 찾을 수 없는데
머리 돌려 부딪치니 바로 자신이로다

須彌山高不見嶺
大海水深不見底
碓土揚塵無處尋
回頭撞著自家底

— 《선림유취(禪林類聚) 〈간경문(看經門)〉》에 실린 남당정(南堂靜)의 시

이 시의 마지막 구절에서 '자가당착'이 나왔다. 이 성어는 본래 불가(佛家)에서 자기 자신 속에 있는 불성(佛性)을 깨닫지 못하고 외부에 허황된 목표를 만들어 헤매는 것을 경계하는 데 쓰인 말이었으나, 후에 뜻이 확대되어 자기가 한 말이 앞뒤가 맞지 않는 것을 비유하는 데 쓰이게 되었다.

28. 교수 식당이 대학을 죽인다

한국의 대학 건물 중 괴물 같은 명칭은 단연 교수 식당 내지는 교직원 식당이다. 밥 먹을 때도 신분 직함을 따져 장소를 갈라놓았으니, 갈라치기의 원조 격이다. 한적한 교수 식당에 비해 학생 식당은 늘 많은 사람으로 긴 줄을 서야 한다. 허기를 달고 사는 학생들은 낮은 가격의 학생 식당에서 끼니를 해결하고, 서너 시간 뒤 시장기로 뒤틀린 창자의 교향곡을 들으며 공부하고 연구한다. 미국 대학에 오니, 교수나 학생 구분 없이 내가 먹고 싶은 음식에 줄만 서면 되었다. 먹는 장소의 차별이 신분에 따라, 그것도 지성을 대표한다는 대학에 버젓이 존재하는 나라였다.

저명인사 초청 세미나. 컵과 음식물에 엑스 표시를 한 스티커가 강당 앞에 붙어 있다. 세미나실에서는 마실 것과 먹을 것을 엄격히 제한한다. 교수들이 대부분 강당 앞부분에 앉고, 학생들은 주로 뒷자리부터 메운다. 교수만을 위한 지정석을 표시하는 때도 있다. 미국은 세미나 시간에 따라 점심 또는 간식을 제공하기도 하고, 자기가 가져온 도시락을 자연스레 꺼내 먹는다. 포장지 뜯는 소리, 후루룩, 아작, 어떤 소리에도 누구 하나 신경 쓰지 않는다. 먹으면서 듣는 강의가 더 쏙쏙 들어온다. 세미나에 늦게 들어온 교수는 서 있거나, 바닥에 털썩 앉는다. 교수를 위한 자리는 따로 없다. 자리를 양보하는 학생도 없다.

세미나를 마친 뒤풀이. 한국 교수 몇 명과 초빙된 학자가 교수 식당의 같은 테이블에 앉고, 세미나에 참석한 대학원생들은 다른 공간에서 음식을 먹는다. 학문적 호기심이 있어도 따로 질문할 기회는 원천 차단된다. 그들만의 대화가 웃음소리에 섞여 들리지 않는다. 미국의 뒤풀이 장소는 같은 공간에 교수와 학생, 초빙학자가 섞여 있다. 교수는 학생들의 궁금한 질문을 위해 가까운 자리를 양보한다. 자유롭게 먹고, 마시고, 토론한다. 개인적 관심사를 질문하기도 한다. 학문이란 열리지 않으면 소통할 수 없는 것이다. 먹고 마실 때 목구멍 따라 맘도 열린다.

한국 대학의 위기를 말할 때마다 학령인구 감소에 따른 등록금 의존형 대학 재정 악화 또는 동결 등록금으로 인한 재정 압박 등 주로 돈과 관련한 원인만을 귀따갑게 들어왔다. 하지만 누구도 깊숙이 뿌리박힌 대학의 꼰대 문화가 대학 발전을 저해해왔다는 걸 지적하지 않는다. 교수 식당은 꼰대 문화의 대표적 예다. 스승의 그림자도 밟지 못하게 하는 고리타분한 생각이 먹는 공간조차 함께 쓰는 걸 허락하지 않는 것이다. 수직형 인간관계에서 사실 토론은 논의라기보다는 명령에 가깝다. 다른 생각을 제기하면 다른 시각으로 받아들이지 않고 명령 불복종 정도로 취급한다. 그래서 한국의 대학에서는 지도교수와의 논쟁은 거의 상상할 수 없다. 눈 밖에 나면 졸업은 요원하다.

심각한 문제 중 하나는 열악한 연구실 환경이다. 교수 한 명이 쓰는 사무실에는 텔레비전과 소파, 심지어 헬스 기구까지 설치한 곳도 있지만, 대부분 학생은 좁은 실험실에서 등을 맞대고 실험하면서, 식사도 해결한다. 연구원들의 실험실과 식사 공간은 연구자의 안전을 위해 엄격하게 분리, 운영하는 것이 원칙이나, 많은 대학이 공간 협소를 이유로 이를 지키지 않는 예가 비일비재하다. 미국 대학 교수의 사무실은 컴퓨터 책상과 몇 명이 앉아 대화를 나눌 수 있는 테이블과 의자 몇 개가 들어갈 수 있을 정도의 공간이다. 연구원 휴식 공간은 편하게 음식을 먹을 수 있도록 정수기, 냉장고, 마이크로웨이브, 식기세척기 등을 갖추고 있다.

대학의 발전은 대학의 문화와 깊게 연결되어 있다. 식사 문화 하나만 바꾸어도 교수와 학생 사이에 동질감이 나타난다. 젊은 연구자와 나이 든 연구자를 하나로 묶을 수 있다. 교수 식당을 없애라. 나온 김에 하나 더. 교수 화장실도 없애라. 배설하는 데 우선순위는 없다. 급한 사람이 먼저다.[34]

29. 메타(Meta), 우리에게 필요한 가짜

아무리 마셔도 다음날 숙취가 없고 간에 전혀 유해하지 않은 술이 향후 5년 내에 시판될 전망이다. 영국 런던 임피리얼칼리지의 데이비드 너트 교수는 숙취없는 인조합성 알코올 '알코신스(alcosynth)' 를 개발해 출시 준비에 들어갔다. 너트 교수는 오랜 연구를 통해 술 취하는 기분은 나게 하면서 숙취는 유발하지 않는 알코올 대체 분자를 합성해냈다. 이 성분은 일반 술과 똑같은 취기를 일으키지만 간 기능을 해치지 않고, 술자리를 마치고 45분이 지나면 술기운이 사라진다고 한다.

수세기에 걸쳐 '오크통 숙성' 이라는 전통 생산 방법을 고집하던 위스키 업계에 스타트업들이 새로운 도전장을 내고 있다. 미국의 엔들리스 웨스트(Endless West)는 오크통 숙성을 거치지 않는 '분자(分子) 위스키' 를 만든다. 이 스타트업에서 생산하는 위스키 '글리프(Glyph)' 의 가격은 병당 40달러로, 오크통 숙성 과정을 생략한 덕분에 24시간이면 제조할 수 있다. 가스 크로마토그래피(gas chromatography) 기법으로 위스키의 성분을 분석해 원하는 분자를 원액에 첨가해서 만든다.

미국의 로스트 스피리츠(Lost Spirits)는 위스키 원액에 나뭇조각을 넣고 빛과 열을 가해 위스키를 1200배 이상 빠르게 숙성하는 기술을 개발했다. 강한 할로겐 빛을 쏘아 나무의 고분자 물질을 분해해, 오크통 안에서 수십 년간 숙성되는 것과 같은 효과를 낸다. 이 스타트업의 위스키 '어보미네이션(Abomination)' 은 20년 숙성한 위스키와 같은 맛을 낸다. 6일 만에 만들어진 로스트 스피리츠의 어보미네이션은 2017년 유명 위스키 평론가 짐 머리로부터 94점을 받으며 전 세계 4,600개의 위스키 중 상위 5%라는 평을 받았다.

'클래시페이크(classy fake)' 는 '고급(classy)' 과 '가짜(fake)' 를 결합해서 만든 합성어로, 진짜를 넘어서는 가짜 상품을 의미한다. 우리는 진짜보다 더 가치있는 가짜에 열광한다. 동물보호에 대한 관심이 높아지면서 인조 가죽과 인조 모피를 선호하고, 지구환경을 위해서 식물성 고기를 소비한다. 세련된 것 보다는 아날로그적 감성을 결합한 레트로 제품을, 현실보다는 시공간을 넘나드는 메타버스 세상을 선호한다.

메타버스(Metaverse)는 '현실 세계' 를 의미하는 '유니버스(Universe)' 와 '초월’, ‘추상’을 의미하는 ‘메타(Meta)’의 합성어로 현실세계를 뛰어 넘는 ‘초월세계’를 의미한다. 즉, 지금의 것보다 뛰어나고 좋은 것을 의미한다. 메타버스를 현실에 존재하지 않는 가상세계나 공상세계로만 정의하는 것은 지나치게 협의적으로 해석하는 것이다.

메타는 지금까지 인류에게 주어진 가장 큰 두가지 제약, 즉 시공간의 제약을 뛰어 넘게 하고 있다. 20년을 기다려야 맛볼 수 있는 위스키를 6일 만에 만드는 것은 시간의 제약을 넘어서는 것이고, 아침에 제주 앞바다에서 잡은 싱싱한 해산물을 오후에 서울에서 바로 먹을 수 있는 것은 공간의 제약을 넘어서는 것이다.

시공간의 제약을 뛰어 넘는 실제보다 더 좋은 메타 시대가 성큼 다가오고 있다. 어쩌면 우리는 진짜 현실보다 가짜의 현실을 진정으로 원하는지도 모른다. 진짜를 넘어서는 가짜, 메타(Meta)는 우리에게 새로운 시대를 예고하고 있다.[35]

Gettyimage. 메타 퀘스트3의 MR 콘텐츠 ‘레고 브릭테일스’를 사용하는 모습(Meta)

마크 저커버그 메타(Meta · 페이스북 모회사) CEO는 10월 25일(현지 시각) “우리는 커뮤니티, 비즈니스에 좋은 분기를 보냈다”며 이같이 말했다.

3분기 실적을 발표하는 자리에서 임직원들이 함께 만들어낸 성과가 훌륭했다고 자평한 것이다. 그의 이런 자신감은 탄탄한 실적에서 비롯됐다. 메타는 이날 3분기 영업이익(Income from operations)이 전년 동기 대비 143% 급증한 137억4800만 달러(약 18조6000억 원)라고 밝혔다.

매출도 23% 늘었지만, 이익을 배 이상 크게 확대했다는 점이 기술 및 투자업계의 이목을 끌었다. 올해 3월 공언했던 “올해를 효율성의 해(Year of Efficiency)로 만들겠다“는 경영 목표를 현실로 증명했기 때문이다.

당시 저커버그 CEO는 “향후 몇 달 동안 조직을 평준화하고, 우선순위가 낮은 프로젝트를 취소하겠다”며 1만 명 이상을 해고하는 강도 높은 구조조정 정책을 취한 바 있다.[36]

30. 어린이여, 활동가가 되자

지난 5월4일 정치하는 엄마들은 어린이날 100주년을 맞아 '노키즈존 가고, 차별금지법 오라!'라는 슬로건을 들고 국회 앞에서 어린이들과 함께 기자회견을 열었다. 6월13일에는 '2030년 국가 온실가스 감축목표(NDC)를 2018년 대비 40%로 규정한 탄소중립기본법 시행령 제3조 제1항은 위헌'이라는 내용의 헌법소원 심판 청구서를 제출하면서, 헌법재판소 앞에서 어린이들과 기자회견을 열었다.

어린이와 함께 활동하면, 관련 기사들에는 꼭 이런 부류의 악플이 달린다. "아무것도 모르는 아이들을 정치적으로 이용하지 마라" "아기들 팔아서 저러고 싶을까" "아기들 이용하는 어른이 있다니 악마가 따로 없네" "2살이 헌법소원? 참 개소리도 가지가지다"…. 이번 헌법소원 청구인 중에는 태아도 있었으니, 기후위기가 뭔지도 모르는 아동을 청구인으로 내세워 부모들이 쇼한다는 말이 나옴직도 하다. 기후위기의 심각성을 인식하고 있다면 굳이 '쇼'라고 비아냥거리진 않았겠지만. 그런데 '정치적으로 이용, 아기를 팔아서, 아기들 이용하는 악마' 같은 발상은 대체 무슨 정서에서 기원한 것일까? 해묵은 정치 혐오밖에 떠오르는 답이 없다.

어린이와 함께 기자회견에 참여하고, 자녀의 이름으로 헌법소원을 청구하는 양육자들은 자녀들에게 좋은 유산을 남긴다는 확신을 가지고 활동한다. 우리의 행동은 조기교육을 시키는 부모, 영·유아 때부터 신앙생활을 함께하는 부모들과 다르지 않다. 우리도 자녀들이 더 나은 삶을 살기를 바라기 때문에 자녀에게 정치에 참여하는 방법을 가르치고, 활동가로 성장시키고자 노력한다. 나보다 더 긴 미래를 살아갈 내 딸과 모든 어린이를 위해 기후위기 문제에 대응해 보지만, 어린이들이 성장하는 속도는 빠르고 반면 사회의 진보는 한없이 더디다. 내가 더 나은 세상을 만들어서 딸에게 물려주기란 불가능해 보인다. 그래서 목소리를 내고 행동하는 삶의 방식을 딸에게 물려주려는 것이다.

물론 엄마의 바람일 뿐 딸에게 강요할 순 없다. 활동가는 강요해서 되는 것도 아니다. 하지만 5~6세 무렵 딸과 대화를 나눌 수 있을 때부터 쓰레기 문제, 난개발 문제, 동물 학대 등 우리 주변의 문제들에 대해 이야기 나눠본바 딸은 사회문제에 관심이 있고 문제를 해결하려는 의지도 갖추고 있다.

자녀와 함께 기자회견에 참여하는 부모들은 자녀를 피켓 대신 데리고 오는 게 아니다. 자녀는 도구가 아니라 이 사회를 함께 살아갈 동반자이고 동등한 사회구성원이다. 우리는 자녀들에게 '사람은 혼자서만 잘 살 수 없다'라는 메세지를 전달하려고 한다. 또한 어린이도 어른을 가르칠 수 있다고 말해 준다.

어떤 어른이 '사회문제에 신경 쓰지 마라. 너만 잘 살면 된다. 그러려면 경쟁에 집중해서 이겨라'라고 말한다면 그런 어른들에게 항의하는 어린이가 되었으면 한다. '어떤 존재도 혼자만 잘 살 수 없어요. 어른들이 그런 착각에 빠져서 세상을 망친 거예요. 저는 다른 존재들과 진짜로 잘 사는 방법을 찾을 거예요'라고. 엄마는 기자회견에 나가면서 자녀에게는 집에서 공부나 하라고 시키는 게 더 이상하지 않은가?

"개쓰레기들이군, 먼저 흑석초 4의 인터뷰 내용. '어른들은 우리 미래와 상관이 없습니다. 기후위기가 심각해진 미래에 어른들은 없을 거고, 우리는 고통스럽게 살아갈 것이기 때문입니다.' 이 말은 100% 누군가 주입한 문장이다. 어디서 유럽의 어린이들이 수년 전에 환경 데모한 것을 베껴서 돈 벌어볼 목적일 뿐이다." 우리는 기자회견에서 발언한 흑석초 4학년 어린이의 발언문 초안을 보았다. 연필로 꾹꾹 눌러쓴 자필 원고를. 발언자의 생각을 부모가 주입한 것이라고 주장한다면, 그걸 쓰레기라고 비난한다면, 대체 당신의 사고는 얼마나 자생적인지 묻고 싶다.

정치 혐오야말로 자본과 정치권력을 가진 기득권자들이 권력을 남용하는 데 가장 효과적으로 활용해 온 이데올로기 아닌가? 아직도 재벌 대기업은 신규 석탄발전소를 짓고 있고 한국 정부는 그걸 허가해 주고 있다. 환경 데모가 돈벌이 수단이 아니라, 정치 혐오가 그들의 돈벌이 수단이다. 불쌍하게 이용당하는 것은 어린이들이 아니라 정치를 혐오하는 바로 당신이다.

기자회견에 참여하고 헌법소원을 청구한 어린이들은 악플을 읽고 상처받는다. 악플은 어린이들의 정치 활동을 위축시킨다. 그러나 어린이들에게 말한다. 세상이 어떤 방향으로 변화하는지 지켜보자고, 엄마는 우리가 가리키는 방향으로 변할 거라 믿는다고, 그때는 한낱 악플 같은 건 기억도 나지 않을 거라고.[37]

악플은 사이버 범죄의 일종으로 인터넷상에서 상대방이 올린 글에 대한 비방이나 험담을 하는 악의적인 댓글을 말한다. 악플은 언어폭력으로, 근거를 갖춘 부정적 평가와는 구별해야 한다. 악플을 다는 사람을 악플러(악플+er)라고도 한다. 악플은 법적으로 제한되기도 하는데, 한국에서는 보통 정보통신망 이용촉진 및 정보보호 등에 관한 법률 또는 형법에 의해 규제되었다. 영어로는 일반 댓글은 코멘트(comment), 악플은 인터넷 트롤(internet troll) 또는 줄여서 트롤이라고 한다.[38]

31. 형사미성년자 나이에 대한 현실적 제언

요즘 형사정책에 있어서 가장 뜨거운 논쟁은 형사미성년자 '나이'의 현실화이다. 과거부터 이에 대한 논의는 계속되었다. 그러나 지지부진했다. 하지만 이번 논의는 존재 평면이 다르다. 형사미성년자 나이의 현실화를 국정과제의 하나로 정했기 때문이다. 법무부도 이에 맞추어 형사미성년자 나이 현실화를 논의하기 위한 태스크포스(TF)를 구성해 속도감 있게 움직이고 있다.

형사미성년자 나이 현실화 논의에 대해 많은 전문가들이 다양한 의견을 내놓고 있다. 모두 경청할 만한 주장들이다. 필자는 이에 대한 답을 찾기 위한 몇 가지 제언을 하고자 한다.

먼저 이 문제는 "지금 발생하고 있는 소년 범죄에 대응하는 '절차'와 '결과'가 정의에 합치하는가?"라는 지극히 현실적인 물음에서 시작할 수 있다. 형사미성년자는 '형벌'을 받지 않는다. '보호처분'만 가능하다. 형사미성년자가 '살인' 혹은 다수가 한 사람의 성적 결정의 자유를 침해하는 '특수강간'을 범해도 이에 대응할 수 있는 '결과'는 '2년 소년원' 송치처분이 전부다. 더 큰 문제는 보호처분 절차에 피해자가 원칙적으로 참여할 수 없다. 종국적으로 가해자가 어떠한 처분을 받았는지 알려 주지도 않는다. 피해자가 가해자에게 부과된 처분이 부당하다고 다툴 수도 없다. 피해자의 아픔과 슬픔을 전혀 담아낼 수 없다. 절차도 정의롭지 못하고 결과 역시 정의롭지 않다. 죄질에 관계없이 형벌 가능성을 완벽하게 닫아 놓아 발생한 상황이다.

다음으로 형사미성년자를 보호하기 위해 "형사미성년자 나이 현실화 논의는 신중해야 한다"는 입장을 따라가 보자. 이에 따르면 앞서 말한 '특수강간'을 범한 형사미성년자에게도 보호처분을 부과해야 한다. 이 의견이 설득력을 가지려면 '특수강간'을 범한 형사미성년자가 현재 보호처분으로 개선될 수 있어야 한다. 필자는 쉽지 않다고 본다. 더욱이 형벌을 받지 않는다는 소년법을 악용해 상습적으로 범죄를 일삼은 소년에게 소년이 예측한 그 모습 그대로 부과되는 보호처분이 효과가 있다는 믿음은 너무 낯설게 다가온다.

여기에 더 해 "형사미성년자 나이 현실화는 범죄율을 낮출 수 없다"는 의견이 있다. 범죄율을 낮추기 위해서는 선제적 예방정책, 신속하고 정의로운 형벌부과, 재범방지를 위한 효과적인 보안처분의 도입 등 종합적이고 체계적인 형사정책을 통해 가능하다. 그러므로 형사미성년자 나이 현실화는 범죄율을 낮추기 위한 수많은 정책 중 하나일 뿐이다.

형사미성년자 나이 현실화는 형벌만능주의로 가자는 논의가 절대 아니다. 형사미성년자 나이가 현실화되어도 '살인' 및 죄질이 나쁜 '특수강간' 등 예외적인 경우에만 형벌이 부과될 것이다. 죄질에 맞게 형벌 부과 가능성의 문을 열어두자는 것이다. 현실화되어도 여전히 절대 다수의 형사미성년자는 여전히 보호처분을 받을 것이다. 형사처분 가능성을 두고 수사기관의 형벌권 남용을 우려하는 의견이 있을 수 있다. 소년법은 소년형사사건을 심리하는 법원에 형벌이 아니라 보호처분에 해당하는 사유가 있는 경우 결정으로 사건을 소년부로 송치하도록 하고 있다. 형벌권 남용을 걸러낼 수 있는 장치를 이미 마련하고 있다.

결론적으로 형사미성년자 나이 현실화 논의의 '답'은 흉악한 범죄를 범한 형사미성년자에게 다음의 질문을 통해 찾을 수 있을 것이다. "보호처분 절차가 피해자 아픔을 담을 수 있는가?" "살인을 한 형사미성년자에게 소년원 2년 송치처분을 부과하는 것이 정의로운가?" "소년법을 악용해 반복적으로 범죄를 일삼는 형사미성년자에게 보호처분이 재범방지에 효과가 있는가?" 라는 지극히 현실적인 질문을 통해서 말이다.[39]

촉법소년 폐지에 대해서는 다양한 의견이 존재한다. 일부는 촉법소년들에게 더 엄격한 처벌이 필요하다고 주장하며, 범죄 행위에 대한 책임을 물어야 한다고 주장한다. 하지만 일부 전문가들은 촉법소년들이 미숙한 어린 나이로 범죄에 끌려간다는 점과, 범죄 예방 및 재범 방지를 위해서는 보호 및 지원 관점에서 접근해야 한다고 주장한다. 이들은 촉법소년들에게 범죄 행위 대신에 교육 및 사회적 지원을 제공하고, 그들을 성숙하고 유능한 시민으로 성장시키는 것이 중요하다고 강조한다. 촉법소년은 형법을 위반한 만 10세부터 적용된다.

32. 복지를 읽기 어려운 사람들

"고용보험은 강제로 플랫폼 라이더에게 징수해 놓고, 그걸 이유로 재난지원금을 지급하지 않는 건 앞뒤가 안 맞는 졸속행정입니다." 라이더유니온 커뮤니티에 올라온 조합원의 절규다. 배달 노동자들은 1월1일부터 고용보험이 적용됐는데, 고용보험가입자들에겐 특고 프리랜서 6차 재난지원금을 지원해주지 않아 일부 노동자들이 분통을 터트렸다. 근로기준법상 근로자 고용보험과 특고 프리랜서가 고용보험이 다르다는 걸 몰라서 발생한 해프닝이다. 배달할 때마다 배달앱에 '고용보험료' 라는 이름으로 보험료가 차감되는 걸 본 배달노동자가 특고 고용보험이 따로 있다는 걸 어떻게 알겠는가. 신규 신청자는 6월23일부터 신청이 가능한데, 너무 빨리 신청해 '신청대상자가 아닙니다' 라는 안내를 받고 고용보험 때문에 탈락했다고 믿는 사람까지 생겼다.

물론 고용노동부가 만든 공고문에는 특고 고용보험 가입자는 지원이 가능하다고 적혀 있다. 그러나 대부분 '6차 재난지원금' 으로 알고 있는 지원금의 정식 명칭은 '코로나19 특고프리랜서 고용안정지원금' 으로 재난지원금으로 검색하면 공식 홈페이지가 나오지 않는다. 사람들은 공식자료 대신 뉴스나 인터넷 글로 정보를 얻고 있다. 공식홈페이지를 찾더라도 고용노동부가 게시해 놓은 15쪽의 공고문을 차분히 읽고 이해하는 건 쉽지 않다.

필수서류 6장, 2020년 연소득자료, 2021년 10~11월 소득자료, 올해 3월 또는 4월 소득과 비교해 25% 소득감소를 입증할 전년도 소득자료까지 총 10장의 입증서류를 준비해야 한다. 문제는 계약서작성은 물론, 세금신고조차 하지 않는 지역 동네배달대행사 소속 노동자들이다. 제도 밖 노동자들은 사장의 서명이 필요한 노무제공사실 확인서나 통장입금내역 등 별도 서류를 준비해야 하는데, 서명을 거부하는 사장 때문에 신청을 포기하기도 한다. 이런 비공식 서류들은 공무원 노동자들을 끔찍한 노동으로 몰아넣는다. 공고문에는 20년도 소득을 통장입금내역으로 제출하려는 노동자들에게 '노무를 제공하고 발생한 소득에 형광펜 등으로 표시' 해 달라 부탁하고 있다. 무려 1년치 입금내역을 살펴보면서 노무 제공소득만을 골라 읽어야 하는 공무원 노동자의 절규다.

많은 라이더들의 문의에 복잡한 공고문을 읽고 해설해주는 영상을 찍어 유튜브에 올렸다. 영상에는 "누구는 똑똑해서 받고 누구는 멍청해서 못 받냐. 쉽게 쉽게 해 놔라" 는 댓글이 달렸다. 물론 차근차근 읽는다면 누구나 이해할 수 있다. 그러나 어떤 사람에게는 공고문을 읽고 서류를 준비하는데 하루도 걸리지 않는 반면, 내용을 이해하고 서류를 준비하는 데 일주일 이상 필요한 사람도 있다. 실제 지역조합원과 간담회를 개최했는데 참석자 전원이 긴급고용안정지원금의 존재조차 몰랐다. 국가 도움이 필요한 국민들 사이에 심각한 정보격차가 존재하는 것이다.

복지제도를 읽기 어려운 사람들의 문제를 해결하지 못한다면, 경제적 불평등 해결을 위한 제도가 오히려 불공정의 상징이 될 가능성이 높다. 이는 증세와 사회보험, 복지제도에 대한 불신으로 이어져 감세와 복지축소를 지지하는 여론을 강화시키는 악순환을 낳는다. 복지신청 서류에 형광펜으로 표시해 달라는 것보다 반짝이는 제도적 상상이 필요하다.[40]

복지제도는 사회 구성원들의 삶의 질을 개선하기 위한 모든 사회적, 제도적 노력을 통틀어 일컫는 말이다.

사회 복지 제도는 좁게 보았을 때, 장애인, 노인 등 사회적 약자들에게 최소한의 인간다운 삶을 보장하기 위한 보호와 지원에 중점을 두며, 넓게 보았을 때에는 사회적 약자뿐만이 아닌, 사회에 속한 모든 개개인의 행복과 생활향상을 목표로 한다. 본디 복지 제도는 구빈의 성격이 강했으나, 현대로 올수록 직업 안정, 의료, 교육에까지 관심을 넓히게 되었다. 복지제도, 복지 국가의 개념이 일반화되면서, 개인의 자본과 노력만으로는 충족하기 어려운 사회적 목표는 국가와 사회의 공동노력으로 이루어 나가야 한다는 시각이 반영되어 있다.[41]

33. 기업가 정신과 노예 노동

기업가 정신(entrepreneurship, 企業家精神)은 창업가정신(創業家精神)시장 경제에서 기업이 살아남기 위해서는 지속적으로 이윤을 내며 발전해야 한다. 동시에 기업은 이윤을 사회에 환원한다는 점에서 사회적 책임도 가지고 있다. 따라서 기업을 이끌어가는 기업가는 이윤을 창출하면서도 사회적 책임을 기억하는 두 가지가 전제되어야 한다. 미국의 경제학자 슘페터는 사업에서 야기될 수 있는 위험을 부담하고 어려운 환경을 헤쳐 나가면서 기업을 키우려는 뚜렷한 의지라고 설명한다. 여기에는 혁신, 창조적 파괴, 새로운 결합, 남다른 발상 등이 포함된다. 이런 전통적 요건에 오늘날에는 근로자 복지, 인재 양성, 사회적 책임의식 등이 더불어 강조되고 있다.[42]

2022년 6월21일 전남 고흥 나로우주센터에서 우주로 솟구친 누리호가 지구 고도 700㎞ 궤도에 성공적으로 안착했다. 2010년 누리호 개발을 시작한 후 12년3개월 만에 순전히 한국 항공 기술로만 이룬 쾌거라는 보도가 쏟아졌다. 세계에서 일곱 번째로 1t 이상의 실용위성을 독자 기술로 발사할 수 있는 우주 강국이 되었다며 환호했다. 한 유력신문은 러시아의 기술을 빌려 처음 나로호를 개발할 때 "너희가 뭘 아느냐" 는 식으로 무시를 받은 것을 생각하면 정말 가슴 벅찬 일이라며 감격했다. 누군가는 변동성과 불확실성이 지배하는 4차 산업혁명 시대를 헤쳐나가기 위해 주도적으로 기회를 포착하고, 위험을 감수하며, 도전을 통해 새로운 가치를 창출하는 기업가 정신을 발휘한 덕분이라며 이를 온 나라에 퍼트려야 한다고 주문했다.

다들 감격에 겨운 사이 직장인 익명 애플리케이션 '블라인드' 에는 '누리호의 성공에 가려진 불편한 진실' 이라는 글이 올라왔다. 한국항공우주연구원(항우연)은 정부 출원 연구원 중 거의 밑바닥 임금을 준다. 그나마 지난번 나로호 실패 이후 월급이 깎였고, 성공 후에도 원상회복이 없다. 새벽 2~3시까지 일해도 시간 외근무수당을 지급하지 않는다. 근태 기록을 저녁 8시 이후에는 찍을 수 없도록 조작해 놓았기에 추가 근무를 해도 근거가 될 기록 자체가 없다. 주말 근무해서 52시간을 초과하는데도 추가수당 대신 대체 휴일만 제공한다. 1년 지나면 이마저도 마일리지 소멸하듯 사라진다. 항우연 노조는 누리호 발사 성공에 대한 언론의 상찬은 자기끼리 벌이는 잔치일 뿐 정작 연구원은 기계 부품이자 소모품일 뿐이라는 자괴감에 빠져 있다고 한탄했다. 10년 이상 우주개발사업에 참여해온 기술 용역을 6개월마다 재계약하는 변동성과 불확실성이 높은 고용상황도 폭로했다.

기업가 정신이 이끄는 항우연인데 정작 연구원은 열악한 노동조건과 낮은 임금에 시달리고 있다니! 도대체 이러한 기괴한 조합이 어떻게 가능한가? 최근 고용노동부가 발표한 '노동시장 개혁 추진 방향'은 이에 대한 답을 준다. 지난 정부가 주 최대 노동 시간을 68시간에서 52시간으로 급격히 줄이면서 현장의 다양한 수요에 대응하지 못하게 되었다. 주 단위로 관리하는 연장 노동 시간을 월 단위로 관리하겠다. 노동계는 주 최대 노동 시간이 기본근로 40시간에 연장근로 52시간을 더해 최대 92시간까지 늘어난다며 반발했다. 정부는 주 52시간 틀 안에서 노동 시간 유연화를 추구할 것이라고 받아쳤다. 일이 적을 때는 주 5일 8시간씩 40시간 정상 근무하고, 많을 때는 초과 근무해서 주 64시간 일한다. 월평균을 내면 결국 주 52시간 일한 셈이 된다.

그럴듯하게 들리는 이 주장이 현재 노동 현장에서 포괄임금제란 이름으로 광범위하게 벌어지고 있는 편법을 합법화해주는 꼴이 될 거라는 비판이 나왔다. 포괄임금제는 법적으로 가능한 최장 노동 시간인 52시간 임금을 미리 계산해 월급을 준다. 원래 노동 시간을 정확히 계산할 수 없는 업종에 한정된 제도지만 실제로는 거의 모든 업종에 퍼져 있다. 야근을 밥 먹듯 해도 기록이 남지 않아 사실상 무한노동을 용인한다. 이러한 비판에도 정부 입장은 확고하다. 일상을 비상시국으로 만들어 노동자에게 초인적 노력으로 성과를 초과달성하라고 강제한다. 주 40시간 '정상 근무'하면 되지 않냐고 반문할 수 있지만, 기본임금이 너무 낮아 주 52시간 아니 그 너머 '비정상 근무'해야 가까스로 생존할 수 있다. '평범한 일상의 삶'을 포기당하고 죽어라 하고 장시간 노동할 수밖에. 기업가 정신이 지배한다는 4차산업 분야에서도 사실상 강제된 노예 노동이 판치는 이유다. 어떤 집단이든 기업가 정신을 발휘하려면 헌신할 수 있는 미래의 이상적 가치에 대한 믿음을 공유해야 한다. 노예 노동에 허덕거리면서 그러한 믿음을 공유할 턱이 없다.

34. 대통령 부인과 옷의 정치

나토 회담에서 '버젓이' 대통령 부인으로서의 임무를 수행하는 김건희 여사를 지켜보는 심정은 착잡했다. 대선운동 기간 동안 주가 조작, 논문 표절, 경력 위조 등의 범죄 피의자로 주목받게 되자 "영부인이 아닌 대통령 배우자로서의 조용한 내조"를 약속했지만, 그런 대국민 약속을 별다른 해명 없이 어기고 있기 때문이다. 역대 대통령 부인을 차례로 방문해 대통령 부인의 역할에 대한 조언을 들은 다음, 해외방문에 나서 활발한 문화외교를 펼치는 그의 주요한 이미지 메이킹 수단이 패션이라는 사실도 불편하다.

역대 대통령 부인 가운데 가장 젊고 맵시가 좋은 김건희 여사 패션은 늘 주목 대상이다. 여러 차례 겹쳐 입은 자줏빛 후드티와 인터넷 쇼핑몰에서 파는 하얀 슬리퍼에서 시작해 고가의 해외 명품 의상과 액세서리까지 자유롭고 세련된 이미지를 전파한다. 모든 언론이 그의 패션 아이템을 시시콜콜 보도하고, 급기야 박지원 전 국정원장까지 나서 "영부인의 패션은 국격을 보여준다"는 극찬과 함께, "하도 뭐라 하니까 주눅이 든 것 같다"는 동정론까지 펼치는 마당이다. 그러는 사이, 50일이 넘도록 답변서가 오지 않는 경찰 심문조서가 보여주듯 법망은 차별적으로 작동하고 있다.

대통령 부인의 옷은 지난 정권과 새로 들어선 정권의 정치 전략으로 사용되면서 이미지 정치의 민낯을 보여준다. 석 달 전만 해도 김정숙 여사의 패션과 옷값 공방이 한창이었다. 그는 공식석상에서만 180여벌의 의상, 200여점의 장신구를 착용했다고 한다. 표범 문양 브로치의 진위까지 논란이 됐다. 워낙 화려한 스타일이라 더 두드러졌던 대통령 부인의 옷값을 대통령의 월급으로 냈는지, 박근혜 전 대통령처럼 청와대의 특수활동비로 냈는지가 '내로남불' 논란의 핵심이었다.

이런 옷의 정치는 이제 구시대의 산물로 넘겨야 한다. 이는 여성을, 그것도 퍼스트레이디를 눈요기로 삼는다. 대통령 부인은 남편에 따라 아내의 지위가 결정되는 가부장제의 산물로서 선출되지 않은 권력이지만, 현실적으로 대통령 부부를 분리시키기 어렵다면 적절한 역할이 주어지는 일은 불가피하다. 대통령 부인이 갖는 대중성으로 인해 선한 영향을 미칠 수도 있다. 그렇다면 대통령 부인은 옷이 아니라 활동으로 부각돼야 한다. 김건희 여사의 경우 동물권에 대한 관심이 높다. 늘 반려견과 함께 등장하는 대통령 부부의 모습으로부터 이번 정권에서 적어도 동물의 권리는 높아지지 않을까 기대하게 된다.

대통령 부인의 옷 자랑이 시대착오적인 또 다른 이유는 최고의 셀럽 모델로서 패션산업을 육성한다는 가치 또한 바뀌고 있기 때문이다. 모피코트가 부의 상징에서 몰상식의 표현으로 변한 것처럼 이제 수많은 옷을 사고 입고 버리는 게 자랑이 아닌 시대가 되었다. 연예인이라면 몰라도 대통령 부인은 정치적 올바름을 실천해야 한다.

기후위기 시대의 젊은이들 가운데는 옷을 사지 않는 이들이 늘어난다. 내가 아는 20대 여성은 4년 전 미국에서 오리털 파카 한 벌을 폭탄세일로 1.5달러에 파는 것을 보고 더 이상 옷을 사지 않기로 결심했다. 그 옷과 가격표에 숨어 있는 동물 학대, 개발도상국 여성노동자들의 착취를 절감했기 때문이다. 옛날에 산 옷, 주변에서 주는 옷, 엄마에게 물려받은 옷을 입는데도 그는 늘 멋지다.

패션산업은 전 세계 온실가스의 10%, 수질 오염의 20%를 차지한다. 청바지 한 벌을 만드는 데 한 사람이 10년간 마시는 7000 l 의 물이 필요하다. 유럽 귀족의 옷과 군복이 합쳐진 형태인 남성 양복은 화이트칼라 직업을 양산하던 산업시대의 산물이며 이에 보조를 맞춘 여성 의상도 마찬가지다. 우아한 옷으로 지위를 자랑하던 파워엘리트의 시대는 지나갔다. 계절마다 새 옷을 사기보다 자신에게 어울리는 옷을 천천히 고르고 오래 입는 게 기후시대의 패셔니스타이다.

최근 슬로패션 운동이 활발하다. 여성환경연대가 내놓은 '슬로패션 가이드'는 "가장 지속 가능한 옷은 이미 옷장에 있는 옷이다" 라는 슬로건과 함께, 세탁기 최소한으로 사용하기(합성섬유 1kg 세탁 시 200만개의 미세플라스틱 발생), 옷 바꿔 입기(중고 거래)와 같이 입기(대여), 꼭 구입해야 한다면 천연섬유나 재활용섬유 그리고 공정무역 의류 선택하기 등을 권장한다.

한국 정치와 사회를 뒤흔드는 페미니즘의 물결에 비하면 대통령 부인의 이미지는 시대착오적이다. 화려한 옷 뒤에 숨을 필요 없다. 김건희 여사의 활동이 불가피하다면 오랜 시간 일했던 경험을 살려 혁신적 활동을 선보이면 좋겠다. 약속 파기에 대한 해명과 수사 협조도 요청 드린다. 모든 국민이 법 앞에 평등하다면, 그 역시 확정판결이 날 때까지 활동을 보장받아야 한다.[43]

대통령 부인과 옷의 정치/한윤정

35. 죽거나 말거나

Roe is gone. ‘로’는 갔다. 스스로 떠난 것이 아니라 강제 추방됐다. 미연방의 늙수그레한 대법관들이 모든 여성을 대변하는 ‘로’에게서 헌법이 부여했던 ‘임신중단(낙태)권’을 빼앗았다.

‘로 대 웨이드(Roe et Wade)’는 임신중단권을 임신부에게 부여한 1973년 판결의 명칭이다. ‘로’는 텍사스의 임신중단금지법에 위헌소송을 제기한 여성의 가성이고, 웨이드는 소송 대상 검사의 진성이다. 이때부터 ‘로’는 이름 없는 여성의 이름이 되었다.

감염과 합병증으로 건강과 생명을 잃은 여성들, 계획되지 않은 임신으로 생계수단을 잃은 여성들, 생명체를 품은 채 버려진 여성들, 비난과 절망 속에서 스스로 목숨을 끊은 여성들은 모두 ‘로’이다. 죽거나 말거나 이제 여기저기서 ‘로’의 배를 향한 발차기가 이어질 것이다.

영국에서도 생뚱맞은 발차기가 있었다. 윔블던 테니스 대회 조직위 짓이다. 우크라이나 침공을 이유로 다닐 메드베데프를 비롯해 최고의 기량을 갖춘 러시아와 벨라루스 선수들의 출전을 금지한 것이다. 정부와 권력자가 져야 할 책임을 개인에게 묻는 윔블던의 결정은 전형적인 국가폭력이다.

우크라이나 전쟁은 독재자 푸틴의 침공으로 시작되었다. 전쟁 초반 서방은 ‘푸틴이 미쳤다’는 말로 전쟁을 설명하곤 했다. ‘미친 푸틴’에 맞선 정상국가들의 연합으로 전쟁이 조기에 끝날 것만 같았다. 하지만 시간은 점점 ‘미친 푸틴’ 쪽으로 흐른다. 이해와 이익을 따지며 적지 않은 국가들이 ‘미친 푸틴’ 편에서 거래를 한다. 약삭빠른 지식인들 말처럼 세계화, 세계주의가 끝난 것일까?

우크라이나 무력 전쟁은 이념 전쟁이 아니라 패권 전쟁이다. 이 전쟁은 미·중 무역갈등, 곧 무역전쟁에서 발화되었다. 트럼프가 유발한 무역전쟁은 아직 진행형이다. 오히려 바이든이 민주주의 수호를 명분으로 확전을 꾀했다. 그렇게 고약한 상황에 빠진 무역전쟁을 푸틴은 무력전쟁으로 전환시킨다.

‘미친 푸틴’은 갑자기 ‘악마 푸틴’으로 바뀐다. 미국과 나토는 우크라이나 방어에서 러시아 패배와 푸틴 퇴출로 전략을 수정한다. 미국의 나팔수가 된 주류 언론들은 타협, 화해, 평화 서사를 버리고 보복, 응징, 승리로 가는 전쟁 서사를 택한다. 이 서사에서 ‘악마 푸틴’의 응징에 동참하지 않는 나라는 모두 전체주의 혐의를 받는다. 중국과 러시아의 전체주의에 맞서 민주주의 동맹을 강화해야만 한다는 담론의 최초 설계자는 바이든이다.

바이든은 집권 초기부터 민주주의 동맹을 주창했다. 트럼프로 상징되는 반민주 체계로의 세계적 퇴행을 차단하기 위해 '범세계, 범민주 세력의 연대'를 지향한 기획으로 보였다. 그래서 나는 지난해 12월 바이든이 만든 제1회 세계 민주주의 정상회의에서 한반도 종전선언이 있길 바랐다. 순진하고 어리석었다. 우크라이나 전쟁 이전에 바이든의 제안은 아무런 국제적 호응을 받지 못했다. 그러나 무역전쟁이 무력전쟁으로 바뀌면서 바이든의 동맹제안은 준엄한 명령이 되었다.

대부분의 나라, 특히 우리는 미국이 주도하는 민주주의 동맹에 참여할 수밖에 없다. 다만 전쟁이 아니라 평화를 위해 참여해야 한다. 블록화와 전쟁을 불사하는 동맹이 아니라 세계화와 평화를 키우는 동맹이 되도록 균형추의 역할을 수행하는 참가자여야 한다. 우선 민주주의 동맹과 나토를 동일시해선 안 된다. 전자가 평화를 내세우는 가치동맹이라면 후자는 전쟁도 불사하는 특수기구이다. 국가의 미래는 아랑곳하지 않고 불러준다고 따라갈 곳이 아니다.

민주주의는 주권과 인권을 동등하게 존중하는 정치체계다. 주권을 내세워 인권을 말살하거나 인권을 보호한다며 주권을 침해하는 것은 민주주의가 아니다. 그런데 정작 민주주의 동맹을 주도하고 있는 두 나라에서 이 균형이 깨지고 있다. '로'를 추방한 미국과 선수 개인의 인권을 침해한 영국의 결정은 비민주적이다. 더구나 세계화에서 블록화로의 역주행은 보편적 가치로서 민주주의의 심각한 훼손이다.

전체주의만이 아니라 민주주의 체계의 상층부조차 다른 사람의 건강과 생명, 그리고 미래를 위험에 빠뜨리는 일을 서슴없이 할까? 미지의 생명과 주권을 내세워 날 생명과 인권을 위협하는 이들이 내세우는 도덕은 원한감정에 사로잡힌 노예 도덕일 뿐이다. 타인의 몸과 삶에 저주를 퍼부을 수 있는 것은 그저 단순한 복수심 때문이다. 남들이 세운 복수의 칼날 위에 서 춤을 추는 대통령 부부, 국민은 죽거나 말거나![44]

36. 대중은 진보하는데 진보정당은 퇴보?

프랑스는 극우의 위협에 맞서 중도 보수로 뭉친다. 2002년 대선의 시라크와 2017년, 2022년 대선의 마크롱이 그 혜택을 가장 많이 본 대통령이다. 세 선거에서 승리를 결정한 것은 르펜 부녀였다고 해도 과언이 아니다. 극우의 유령이 유럽 정치판을 배회하기 시작한 지 이미 오래다. 이 과정에서 가장 손해를 본 세력은 좌파로 거론된다. 반극우파 전선을 통해 중도 우파가 강화된 반면 사회당이 몰락했기 때문이다. 2017년 대선 1차 투표에서 사회당은 5위에 그쳤고, 올해 대선에서는 무려 10위까지 전락했다. 총선에서도 2017년 사상 유례없는 몰락을 겪었고, 올해에는 독자 출마는커녕 좌파 연합 내의 주도권조차 상실했다.

사회당의 몰락이 좌파의 붕괴를 의미하는 것은 아니다. 급진 좌파인 불굴프랑스가 성장해 올해 대선에서 3위를 하고 총선에서는 좌파 연합인 인민연합을 주도해 집권 연합인 앙상블에 불과 0.1%포인트 부족한 25.7%의 득표율을 올렸다. 지난 총선은 연합을 통한 좌파의 승리였다고도 할 수 있다.

좌파 연합이 성공한 사례는 그리스나 스페인에서도 속속 이루어졌다. 이 사례들은 다양한 좌파들을 포괄한 진보 연합이 급성장하면서 집권까지 한 경우다. 같은 지중해 문화권에 속한 프랑스도 이제 유사한 경향을 보이는 것이라고 할 수 있다. 프랑스에서도 좌파 연합이 처음은 아니다. 절대 다수제인 총선은 주로 진영 싸움으로 치러졌으며, 사회당은 다양한 좌파 정당들과 연합을 형성했다. 하지만 사회당이 좌파 지형을 석권하는 상황에서 연합은 소규모로 이루어졌고, 사회당의 독주로 그 규모와 효과는 점차 줄어들었다.

2007년과 2012년 일시적 회복기를 거치면서 사회당은 연합에 더욱 미온적이었다. 극우에 대항해 보수 정당들의 연합이 단일 정당으로 전환하는 과정에서 이러한 대처는 매우 위험한 것이었다. 2017년 총선에서 사회당은 공산당과도, 불굴프랑스와도 연합하지 않았으며 결과는 4분의 1로 줄어든 7.4% 득표율과 10분의 1로 줄어든 29석이라는 의석수였다.

지난 6월 총선에서 연합의 주도권은 불굴프랑스로 넘어갔다. 2017년 총선에서 사회당보다 높은 11.0%의 득표율을 올렸고, 최근 두 번의 대선에서도 사회당을 앞질렀기 때문이다. 좌파의 주요 정당들을 망라한 선거 연합은 큰 성공을 거두었다. 연합에 참가한 정당들이 2017년 총선에서 각자 거둔 득표율과 의석수를 합하면 25.4%와 57석이었다. 반면 올해 총선에서는 의석수가 세 배 가까이 증가한 142석에 달했다. 다수 대표제에서 선거 연합이 거둔 성과임에 틀림없다.

향후 문제는 이 연합을 어떻게 발전시켜 나가느냐다. 인민연합은 단일 정당화를 두고 논쟁 중이다. 하지만 다양한 세력들의 입장이 서로 달라 정리가 쉽지 않은 것으로 보인다. 그리스 시리자와 스페인 포데모스도 연합을 통해 단일 정당으로 발전했거나 처음부터 다양한 정파들을 포괄한 정당이었다. 현재적 위기의 실체를 명확히 포착해 각자의 주장과 이념을 상호 인정하는 가운데 하위 목표로 재배치하는 것이 필요하다.

우선적으로 배제해야 할 것은 힘 관계에 따른 기계적 안배일 것이다. 각자가 대변하는 특정 집단을 아우르는 포괄적 집단을 설정해야 한다. '인민연합'이라는 명칭에서 드러나듯이 그것은 '인민'으로 호명되었다. 신자유민주주의 질서에서 엘리트 지배 구조의 폐해가 심각하다. 극우 포퓰리즘의 득세가 일시적 바람으로 끝나지 않는 것은 이러한 지배 구조의 반영이라고 할 수 있다. 정치는 인민으로 호명되는 대중을 떠나서 존재할 수 없다. 대중추수주의에 빠져서는 안 되지만 대중의 흐름을 파악해 이념과 주장을 재배치할 수 있어야 한다.

지난 대선에서 우리나라 진보 정당들도 연합을 시도했다. 그러나 논의조차 제대로 진행하지 못한 채 흐지부지되고 말았다. 지방선거에서는 그러한 시도조차 없었다. 특별한 변란이나 천재지변이 없는 한 역사가 발전하듯이 대중도 성격을 달리할 뿐 진보해간다. 촛불집회가 증명하듯이 대중은 진보하는데 대중을 대변한다는 진보 정당은 퇴보하고 있다.

단순 다수제를 근간으로 하는 우리나라는 절대 다수제를 채택한 프랑스보다 연합이 더욱 절실하다. 서로의 차이만 강조하거나 과거 이념에 묶여 있는 모습은 대중의 흐름을 제대로 파악하지 못하거나 외면하는 고루함과 아집일 뿐이다. 한국 사회 발전의 한 축을 떠받칠 진보가 연합을 통해 새로운 모습으로 살아나길 기대해본다.[45)]

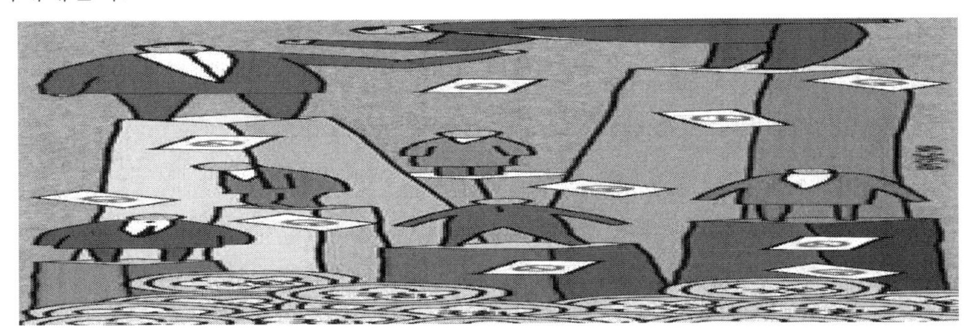

37. '면종복배'를 헌법 전문에 넣자

동료들과 여수·순천 지역 답사를 다녀왔다. 답사의 묘미 중 하나는 역시 이동 중 나누는 대화(수다?)다. 이런 저런 얘기를 나누다 내가 농담조로 말했다. "한국 역사를 생각하다 보면 난 우리 헌법 전문에 임기응변, 면종복배라는 말이 들어가야 한다고 생각해요." 다들 역사학도인지라 무슨 말인지 금방 알아듣고 깔깔댔다.

무슨 해괴한 소리인가 의아하실 것이다. 흔히들 우리 역사는 '고난에 찬 저항의 역사'라고 한다. 틀린 말은 아니지만 무엇으로 그 엄청난 도전에 저항했는지가 중요하다. 교과서에 등장하는 건 양만춘(안시성 전투), 을지문덕(살수대첩), 강감찬(귀주대첩), 이순신(임진왜란) 등 전쟁영웅들이다. 을지로, 충무로, 이순신동상, 낙성대 등으로 이들을 기리느라 분주하다. 그러나 무력저항에 대한 찬양만으로는 이런 승리에도 불구하고 장기간 조공국으로 지내온 한국사를 쉽사리 설명해내지 못한다. 수많은 침략과 외세의 간섭을 겪으면서도 우리가 살아남았다는 것, 살아남았을 뿐 아니라 세계 유수의 문명사회를 꾸준히 유지해왔다는 것, 여기에 한국사의 매력과 비밀, 그리고 한국인의 힘이 숨어 있다. 나는 그것을 임기응변과 면종복배라는 다소 과격한 말로 표현한 것이다.

첫째 임기응변(臨機應變). 한국에 온 내 일본인 친구들은 '아무 계획 없이 행동하는' 한국인들을 보며 처음에는 "도대체 이런 사회가 어떻게 굴러가지?"라고 생각한다고 한다. 하지만 한 달 정도 머물며 한국인들의 임기응변 신공을 접하고는 "나루호도(그렇구나)!" 한다는 것이다. 일본에 망명한 김옥균이 임기응변(臨機應變, 린키오헨)의 일본어 발음을 자꾸 '인키오헨'이라고 하는 것을 일본인이 지적하자, “그게 그거잖나. 자네는 인기오헨(因機應變)도 모르나!” 라며 응수한 적이 있다(2021년 4월15일자 본 칼럼). 매뉴얼에 집착하는 일본인들에게 아마도 김옥균은 ‘임기응변’ 이라는 말을 자주 했을 것이고, 그 말을 하다 실수하자 ‘임기응변’ 을 발휘한 것이다. 제조업이나 장인(匠人) 문화에는 임기응변이 어울리지 않지만, 엔터테인먼트나 IT 산업에는 딱이지 않을까?

다음으로 면종복배(面從腹背). 나는 이 말을 꼭 부정적인 의미로만 생각할 필요는 없다고 본다. 한국사에서 중국에 대한 대응은 이 한마디로 요약할 수 있다. 사대주의의 역사는 곧 면종복배의 역사다. 삼전도에서 삼궤구고의 예를 했건만 조선인들은 대보단(大報壇)을 쌓았다. 겉으로는 청나라에 순종하는 척했지만, 청의 적국이었던 명나라를 추앙하는 단을 쌓고 제사를 지낸 것이다. 서양과 일본의 위협 앞에서는 ‘속국’ 을 자처하며 중국의 지원을 요청했지만, 1880년대 청이 위안스카이를 파견하여 진짜 속국으로 만들려 하자, 개화파뿐 아니라 고종도 가만있지 않았다.

일제강점기 때도 마찬가지다. 통감 이토 히로부미는 고종과 한국 대신들이 자기 앞에서 하는 말과 실제 행동이 너무 다른 것에 ‘분개’ 했다. 그의 ‘매뉴얼’ 에는 없는 행동들 앞에 이토는 크게 당황했다. 병합 후에도 일제에 저항한 게 만주 독립군만은 아니었다. 일제에 협조하는 척하던 많은 한국인들 역시 속으로는 ‘천만에 말씀, 만만에 콩떡’ 이었다. 일본이 보기에 한국인 대부분은 이해할 수도 없고 믿을 수도 없는 ‘불령선인(不逞鮮人)’ 이었다.

‘비타협적인 저항과 투쟁’ 이라는 민족주의적 서사로 우리 역사를 얘기할 수도 있다. 혹은 ‘불변의 정의를 추구하는 고결한 지조’ 라는 성리학적 서사를 취할 수도 있다. 그러나 실제로 우리가 걸어온 길은 그런 게 아니다. 한국사의 특성과 강점은 다른 데 있다. 거기에서 한국 고유의 힘과 매력이 나온다. 면종복배라는 어감 때문에 거슬릴 수도 있겠지만 꼭 그럴 일만은 아니다. 그것은 생존과 번영을 위한, 혹은 힘만 믿고 까부는 강자를 ‘엿 먹이는’ 고도의 정치적 태도다. 임기응변, 면종복배 이런 말들이 점잖은 우리 헌법에 들어갈 리 없다는 것쯤, 나도 안다. 너무 더워 해본 망상이다.[46]

38. 실패가 예정된 사정정국

윤석열 대통령이 취임한 지 이제 겨우 두 달 조금 넘었을 뿐이지만 벌써 피로감을 느끼는 사람이 적지 않은 것 같다. 30%대 초반으로 추락한 지지율이 그것을 보여준다. 여론조사기관들이 분석한 지지율 하락 원인은 대동소이하다. 인사 실패, 경험·자질 부족, 경제·민생 소홀, 소통 미흡, 독단 등이다. 경험도, 능력도 없으면서 태도까지 잘못되었다는 것이다.

윤 대통령의 문제를 압축적으로 보여준 것이 지난 5일 도어스테핑이다. 윤 대통령은 인사 실패를 묻는 기자들 질문에 손가락질을 하며 “전 정권에서 지명된 장관들 중에 이렇게 훌륭한 사람을 봤느냐. 다른 정권 때와 한번 비교를 해보라. 사람들의 자질이나 이런 것”이라고 말한 뒤 자리를 떴다. 그날 박순애 교육부 장관에게 임명장을 주면서는 “임명이 늦어져서, 언론에, 또 야당에 공격 받느라 고생 많이 했다. 소신껏 잘하시라” 고 했다.

많은 사람이 그 장면을 보고 윤 대통령이 평정심을 잃었다고 생각했을 것이다. ‘여론과 싸우겠다’ 는 태도에 보수와 진보를 막론하고 진지하게 국정을 걱정하는 사람이 늘기 시작했다. 물론 여론이 금과옥조는 아니다. 다수 여론을 상대로 자신이 추구하는 가치와 정책을 설득하는 능력 또한 대통령에게 필요한 자질이다. 그러나 윤 대통령이 한 말은 설득의 언어가 아니다. 더구나 인사 실패는 너무나 명백해서 집권세력이 입이 열 개라도 할 말이 없는 사안이다. 윤 대통령이 사과하고 재발 방지를 약속해도 모자랄 판에 도리어 짜증을 내고 오기를 부린 것이다.

윤 대통령의 “이렇게 훌륭한 사람을 봤느냐” 는 말을 듣고 전직 대통령 이명박씨의 ‘도덕적으로 완벽한 정권’ 이 떠올랐다. 이런 무의식적 연상은 말과 실질 사이의 아득한 거리에서 오는 기괴함이 닮은 탓이 클 테지만, 윤석열 정부의 국정운영 방식이 갈수록 MB 정부 때를 닮아간다는 점도 영향을 미쳤을 것이다. 예를 들어 권성동 국민의힘 원내대표는 “KBS를 비롯해서 MBC 다 민주노총 산하의 언론노조에 의해서, 언론노조가 다 좌지우지하는 방송 아닌가” 라고 했는데, 이 말을 듣고 MB 정부의 방송장악을 떠올리지 않을 도리가 없다.

그러나 윤석열 정부와 MB 정부는 출발선 자체가 다르다. 이명박씨는 정동영 대통합민주신당(현 더불어민주당) 후보를 22.6%포인트라는 압도적 격차로 누르고 당선됐다. 반면 윤 대통령과 이재명 민주당 후보의 격차는 0.73%포인트에 불과했다. 이명박씨 집권 직후 치러진 총선에서 당시 여당은 과반 의석인 153석을 쓸어담았다. 반면 지금 국민의힘 의석수(115석)는 민주당(169석)보다 54석이나 적다. 이명박씨는 사업가 출신이지만 정치·행정 경험이 적지 않았다. 대통령에 당선되기 전 국회의원과 서울시장을 거쳤다. 반면 윤 대통령은 검찰총장을 그만두고 대선에 직행했다. 정치·행정 경험이 전무하다.

이명박씨는 한나라당(현 국민의힘) 사람이었다. 이씨의 대선 승리는 온전히 한나라당의 승리였다. 반면 윤 대통령은 대선 직전 국민의힘에 영입된 외부 인사이다. 여당과 대통령실 간에 유기적 결합도가 떨어질 수밖에 없다. MB 정부는 제법 탄탄한 기반 위에서 출발했는데도 실패한 정부로 기록됐다. 그럴진대 모든 면에서 역대 최약체 정부인 윤석열 정부가 MB 정부의 길을 밟아서야 승산이 있겠는가.

윤 대통령은 사정정국으로 힘의 열세를 만회할 생각인 듯하다. 그러나 김영삼 정부의 하나회 숙청, 문재인 정부 초반의 적폐청산에서 보듯 대대적인 사정은 다수 시민이 공감하는 대의와 명분, 시대정신을 깔고 있어야 성공한다. 지금 '탈북 어민 북송 사건'은 어떤가. 기껏해야 보수와 진보, 여권과 야권을 갈라치는 정파적 이슈일 뿐이다. 더구나 윤 대통령은 일찌감치 검찰 직할체제를 구축해 검찰을 앞세운 '선검정치'를 하겠다는 의도를 노골적으로 드러냈다. 지난주 SBS 여론조사에서 전 정권 수사에 대해 '정치보복'이라는 응답이 '정당한 수사'라는 응답보다 다소 높게 나왔다. 정치적 의도를 의심받는 사정은 성공할 수 없다. 윤석열 정부의 사정정국은 시작부터 실패하고 있다.

근본적인 문제는 다른 데 있다. 검사와 대통령은 다르다. 대통령은 책임을 묻는 자리가 아니라 책임지는 자리이다. 질문하는 자리가 아니라 답을 하는 자리이다. 지금 시민들이 묻는 것은 '윤 대통령의 생각은 무엇인가' 하는 것이다. 그런데 윤 대통령은 그에 대해서는 답하지 않고 전 정권 탓만 하고 있다.[47]

39. 예정된 방송장악 수순? 제도 개혁이 우선이다

권성동 국민의힘 당대표 직무대행 겸 원내대표가 방송통신위원장에 이어 KBS, MBC를 공격했다. '20대 대선 과정에서 불공정방송 모니터링을 했는데 당시 여권인 민주당에 유리하도록 이슈를 편향적으로 다루고 쟁점을 왜곡한 사례가 가득하다'고 발언했다. 비판의 이유는 지난 정권 당시 민주당 편향 방송을 했던 공영방송이 중립성, 독립성을 지키고 공정보도를 하라고 촉구하는 것이라 했다. 언론의 보도가 결과적으로 누구에게 더 유리했는지는 판단의 기준이 아니다. 진실은 중립적이지 않고 누군가가 더 옳을 수 있기 때문이다. 따라서 중요한 것은 진실이 왜곡됐는지 여부다. 그런 의미에서 선거 기간 불공정방송은 선거방송심의위원회가 있으니 심의를 요청했어야 마땅하고, 그 위원회 판단 결과가 어땠는지 따져보면 될 일이다.

권 직무대행의 발언에서 위원회 심의 결과 얘기가 없는 것은 무슨 의미일까? 또 이 모니터링에 참여한 인물들이 누구인지도 확인해볼 필요가 있다. 모니터의 결과는 있지만 이 모니터를 신뢰할 수 있는지는 별개의 사안이기 때문이다. 사실 지금 시점에서는 비판의 신뢰 여부보다는 공영방송을 향한 공격이 있었다는 점이 더 중요할 수 있다. 방송의 독립성을 지켜야 할 방송통신위원회의 위원장을 정권의 철학과 다르다고 임기와 무관하게 물러나라 요구하고, 이어 공영방송을 향해 파상공세를 펼치고 있기 때문이다. 공영방송 장악의 예정된 수순이 진행되는 것이 아니냐는 의혹이 생길 만하다.

공영방송 흔들기의 또 하나의 수단은 민주노총 끌어들이기다. 소위 보수 세력들은 걸핏하면 공영방송 KBS, MBC를 민주노총과 연결시킨다. KBS와 MBC의 다수 노조가 민주노총을 상급노조로 하는 전국언론노동조합 소속이라는 이유 때문이다. 하지만 법률은 헌법이 보장한 노동 3권을 행사하기 위해 단위노조는 물론 연합단체 결성을 허용했다. 소속을 문제 삼는 것은 법을 부정하는 행위다. 따라서 문제를 삼으려면 소속 문제가 아니라 그로 인해 언론보도가 왜곡됐는지를 따져야 한다. 구체적 보도를 놓고 심도 있게 따져볼 일을 정당의 대표 직무대행의 입을 빌려 선동식으로 파문을 일으키는 이유는 무엇일까?

권 직무대행의 발언이 있었던 자리에서 박성중 의원은 MBC 사장의 사퇴를 주장했다. 권 직무대행은 이를 개인적인 발언이라 했지만, 방점은 여기에 찍혀 있었던 것은 아닐까 의심스럽다. 지금 KBS, MBC 사장을 퇴출하기 위한 전방위 공격이 시작됐기 때문이다. KBS·MBC의 소수노조는 사장 임명 과정의 직무 유기 혐의로 KBS 김의철 사장, 남영진 이사장을 국민 감사 청구했고, 한상혁 방송통신위원장을 방송법 위반 혐의로 고발했다. 이에 발 맞춰 감사원도 움직이기 시작했고, 경찰도 수사에 나섰다고 한다. 구성원 다수의 의사에 반하여 정연주 사장을 퇴출시켰던, 그리고 구성원들을 해직, 전보 등으로 탄압했던 공영방송 침탈의 과거가 악몽처럼 떠오르는 것은 당연하다.

혹 국민의힘이 억울하다고 생각하고, 공영방송의 독립을 진정으로 염려하는 것이라면 의혹을 받을 만한 이 모든 행태를 중단하고, 정권의 향배와 관계없이 공영방송의 독립성을 보장하는 제도 개혁에 나서는 것이 옳다. 국민의힘은 민주당이 여야 시절 방송법 개정을 대하는 태도가 다르다고 비난했다. 하지만 이는 국민의힘에 적용해도 별반 다르지 않다. 국민의힘도 여야 시절 유불리에 따라 방송법 개정의 주장 내용이 달랐기 때문이다. 지금 중요한 것은 여야 모두 이제 공영방송이 공영방송답게 운영될 수 있도록 정치적 후견주의를 차단하는 법 개정에 집중해야 한다. 이미 공영방송의 사장, 이사 선출에서 정치권의 개입을 막거나 최소화하는 방안들은 제시되어 있다. 정치권의 결단만이 남아 있다![48]

공영방송 개혁은 개별 방송사 개혁과 전체 공영방송 시장 개편 두 축으로 진행될 것과 연말 주요 지상파에 대한 재허가 심사가 예정된 만큼 공영방송을 대상으로 공적 책임 관련 심사 평가, 경영 합리화 및 구조 개혁 평가 등을 강화할 것으로 보인다.

'2인 체제'로 문 연 방통위 이동관 신임 방송통신위원장(왼쪽)이 28일 경기 과천정부청사에서 열린 방송통신위원회 전체회의에 참석해 개의를 알리는 의사봉을 두드리고 있다. 방통위는 총 5인 체제이지만 현재 대통령 추천 몫으로 임명된 이 위원장과 이상인 상임위원 외엔 모두 공석인 상태로, 이날 회의 및 안건 의결은 2인 체제로 진행됐다(세계일보, 남제현, 이진경, 2023. 8. 28).

40. 군 작전권을 넘긴 비밀협정

한국전쟁에서 쓰던 수통이 오래도록 국군 보급품으로 남아 있던 적이 있었다. 그러나 수통에 비할 바가 아니다. 한국전쟁에서 유엔군 사령관에게 양도한 국군 작전통제권은 아직도 그대로 남아 있다.

지난 15일, 서울 양재동 행정법원에서 작전통제권의 국제법을 묻는 재판이 열렸다. 국방부 장관이 작전통제권 비밀협정 공개를 거부한 사건에서 재판은 시작했다. 국제법적으로 한국은 미국과 협정을 체결하는 방식으로 작전통제권을 한미연합군 사령관에게 이양했다. 온전하고 주권적으로 작전통제권을 행사하지 못하는 국제협정을 미국과 맺은 것이다. 1978년의 일이다. 그런데 이 협정자체가 비밀이다. 현재 알려진 것은 이 협정의 이름뿐이다. '군사위원회 및 한미연합군사령군 관련 약정.' 이 글의 첫번째 문제 제기이다.

대한민국 국회도 이 비밀협정을 알지 못한다. 그 어떠한 국회의원도 이 협정을 보고받지도, 심의하지도, 찬성 반대의 의사표시를 하지 못했다. 한국전쟁 때의 수통은 그래도 대부분 신형으로 교체되었다. 그러나 이 비밀협정은 그 어떠한 빛도 이르지 못하는 깊고 깊은 심연에 영구적으로 웅크리고 있다. 마치 한국 민주주의의 빛나는 성취를 비웃기라도 하듯이.

그래서 나는 국방부 장관에게 군사기밀해제 신청을 했다. 소심한 성격이라, 조심스럽게 비밀 협정의 오직 한 부분에 대해서만 공개신청을 했다. 그것은 한국이 작전통제권을 다시 돌려받는 데에 미국이 국제법적으로 동의권을 가지고 있는가이다. 한 번 더 풀어쓰면, 미국이 동의를 해 주어야만 한국이 작전통제권을 환수할 수 있는 내용의 조항이 있는지만이라도 공개하라고 국방부에 요청했다. 이것이 이 글의 두 번째 문제 제기이다.

미국은 작전통제권 환수에 국제법적 동의권을 갖고 있는가? 이 문제는 매우 심각하다. 나는 미국이 동의하지 않는 방식으로는 한국이 작전통제권을 환수할 수 없는 국제법적 구조라고 판단하고 있다. 그 까닭은 이러하다.

먼저 1994년, 당시 노태우 정부 시절 한국이 휴전 시의 작전통제권 일부를 돌려받을 때, 한국과 미국은 '교환각서'를 체결했다. 그런데 여기에는 위 비밀협정의 개정 '합의'라는 표현이 등장한다. 합의라는 것은 양 당사자가 모두 동의해야 성립한다. 한국은 1994년에 미국이 합의를 해 주었기에 비로소 평시 작전통제권 일부를 돌려받을 수 있었다. 그래서 나는 애초의 비밀협정에 작전통제권 환수에 미국 동의가 필요하다는 조항이 있을 것으로 본다.

둘째, 이미 사례가 있다. 1954년 미국과 체결한 또 하나의 작전통제권 이양 협정에 미국의 합의가 있어야 협정을 변경할 수 있다는 조항이 뚜렷하게 존재한다. 이 사실은 이 1954년 협정이 외교부 누리집에 공개되어 있기에 누구나 확인할 수 있다. 이 두 가지 객관적 사실에 근거하여, 나는 미국이 문제의 1978년 작전통제권 이양 비밀협정에 자신의 동의권을 규정했을 것이라고 생각한다.

짧은 글이지만, 나는 제기한다. 작전통제권을 한미연합사령부에 이양하는 비밀협정이 있다. 그리고 그 협정은 미국이 동의하는 방식이 아니면 한국이 작전통제권을 환수할 수 없는 국제법적 구조일 것이다. 그래도 한국에 좋은가? 이 글을 읽는 독자들 중에는 법은 그저 법일 뿐이고, 냉정한 국제 안보 현실이 더 중요하다고 생각하는 분들도 있을 것이다. 한미연합사 작전통제권 체제가 더 튼튼하다고 믿는 분들도 있다.

그러나 안보는 민주주의를 지키는 것이다. 작전통제권은 민주주의를 위한 도구이며 민주주의 통제를 받아야 한다. 미국에서는 중국과 대만 사이에 군사 충돌이 있을 경우 한국군의 대만 지원을 요구하는 주장까지 나온다. 그 배경에는 바로 한미연합사 작전통제권 체제가 있다.

한국의 민주주의는 미국과 안보 협력을 하는 방식을 통제할 수 있어야 한다. 한국은 그럴 정도로 발전했다. 대한민국 헌법은 대통령은 헌법과 법률이 정하는 바에 의하여 국군을 통수한다고 규정했다. 그리고 1990년 대한민국 국회는 국군조직법을 개정하여 합동참모의장이 국군을 작전지휘한다고 명확하게 규정했다.

대한민국 헌법과 법률에 그 어떠한 법적 근거도 없는 한미연합사가 영구적으로 작전통제권을 행사하는 체제라면 이는 민주주의라 할 수 없다. 한미연합사 체제가 유일하며 필연적인 안보협력 방식은 아니다. 작전통제권 비밀협정을 밝은 대낮의 광장으로 나오게 하자. 민주주의의 통제를 받게 하자. 진정한 안보를 위해서는 한국전쟁에서 쓰던 수통만 바꿀 일이 아니다.[49]

41. 마늘꽃도 못 보고 짓는 마늘농사

하루종일 밭을 매고 와서도 꽃에 물을 주는 농촌의 할머니들을 보고 있으면 아름다움이란 무엇인지를 생각하게 한다. 화분에 물을 주고 있는 여성농민에게 식물 기르는 일이 지겹지도 않냐 물었더니 "이쁘잖아. 촌에서 꽃을 볼 일이 없어" 라고 알쏭달쏭한 말을 건네신다. 기실 농사라는 것은 꽃과의 싸움이다. 굵고 단단한 소출을 내기 위해서 꽃은 적절하게 쳐내거나 아예 꽃 볼 일이 없도록 하는 것도 농사다.

과수농사에서 꽃을 솎는 적화작업이 일 년의 농사를 결정하듯, 마늘은 아예 꽃대가 올라오지 못하게 끊어버리는 농사다. 봄 한철 맛있게 볶아먹고 장아찌도 담그는 그 마늘종이 마늘 꽃대다. 영양을 마늘로 집중시켜야 하기 때문에 꽃을 길러내는 마늘종은 그냥 둘 수가 없다. 마늘종을 그대로 두면 마늘꽃이 피는데 아기 주먹만 한 동그란 꽃이 보랏빛으로 피어 퍽 예쁜 꽃이다. 고급 꽃품종인 '알리움' 이 마늘꽃이지만 꽃 보자고 짓는 농사가 아닌지라 농촌에서 보기 힘든 꽃도 마늘 꽃이다.

마늘은 종자의 특성상 꽃으로 퍼지는 종자번식이 아니라 마늘의 인편으로 영양번식을 하는 작물이다. 그래서 마늘 영양체로 종자를 활용하다 보니 바이러스 감염 문제로 육종가들의 골치를 아프게 해왔다. 하여 급한 대로 병을 피하는 방법이 외래종 마늘을 도입해 육성시키는 방법을 써왔다. 게다가 마늘은 온도에도 민감한 작물이다. 마늘 하면 의성, 단양의 육쪽마늘이 유명한데 이 마늘을 '한지형마늘' 이라고도 하고 재래종 마늘이라고도 한다. 서늘한 기운에서 잘 자라는 한지형 마늘은 육질이 단단해 껍질 까기가 여간 힘든 것이 아니지만 특유의 알싸한 맛과 두고두고 먹기에 좋아 김장에 쓰기 좋다. 그래서 여전히 '김장마늘' 하면 육쪽마늘이자 재래종마늘을 제일로 여긴다. 하지만 직접 손으로 마늘을 까서 먹는 시대가 급격히 저물면서 언제까지 재래종 마늘 농사가 이어질지 전망은 어둡다. 반대로 기후가 따뜻한 곳에서 들여온 속칭 '스페인마늘'인 대서종 같은 마늘을 '난지형 마늘'이라 한다. 껍질이 잘 까지기 때문에 깐마늘 시장에서 수요가 많고, 때마침 기후위기로 날이 뜨거워져 이제 한국에서도 난지형 마늘을 더 많이 기르고 있다.

여러 이유로 '홍산마늘'은 마늘계의 슈퍼스타이다. 2016년 품종등록을 한 홍산마늘은 '꽃마늘'로 보통의 작물처럼 꽃을 이용해 육종을 할 수 있어 기존의 마늘 육종이 갖는 고충을 덜어주었다. 안 그래도 씨마늘 수입에 많은 돈을 써야 했던 차에 귀한 품종이 육성된 것이다. 홍산마늘에 넓을 홍(弘)자를 갖다 붙인 이유가 한지와 난지를 가리지 않고 심을 수 있어서다. 여기에 크게 잘 자라는 데다 쏙쏙 잘 뽑히는 성질 때문에 수확에도 용이하다. 종종 오해를 받는 것이 홍산마늘 끝(인편)이 초록색이어서 소비자들이 꺼리기도 했지만 그 초록색에 약용성분이 더 많이 들어 있다며 적극적으로 알려낸 덕분에 외려 초록색은 '국산마늘'의 증거로 삼기에도 좋았다. 심어보니 좋았던 그 홍산마늘은 2020년 품종대상까지 거머쥐면서 국산 딸기 품종 '설향'에 버금가는 차세대 스타의 면모를 모두 갖춘 마늘이다.

하지만 홍산마늘 특화지역인 홍성군에서 큰 사고를 쳤다. 전국에서 홍산마늘 재배 비율이 가장 높은 홍성군은 선정적인 홍보영상을 제작 배포했다가 치도곤을 당하는 중이다. 본격적인 햇마늘 판매 시기에 물가안정을 이유로 마늘을 수입하겠다는 정부 때문에 부아가 치미는 와중에 마늘로 사고를 친 것이다. 홍보영상의 선정성 때문인지 농업 이슈가 드물게 중앙언론에까지 오르내린 주목 효과는 있었지만, 마늘 농가의 사정이 끝으로 몰려 있는 와중에 쓸데없이 이목을 낚아챈 것이다. 꽃 한송이 구경도 못하고 마늘 한 알 바라보며 땅에 머리 숙여 마늘 기르던 농민들과 홍산마늘 품종을 애써 육성해낸 육종가들 모두에게 큰 죄를 지었다. 백배사죄를 할 일이다.[50]

42. '헤어질 결심', 군 위안부, 김건희님의 다운로드

나는 박찬욱 감독의 작품 중 해외 연출작 외에는 모두 보았다. <복수는 나의 것>(2002)과 <헤어질 결심>을 가장 좋아한다. <복수는 나의 것>은 보기 힘들어서 두 번 보지 못했지만 꿈에 나타났으므로 '여러 번 봤다' 고 할 수 있다. 그의 가장 뛰어난 걸작이라고 생각한다. <헤어질 결심>은 세 번 보았다. 주·조연은 말할 것도 없고 독립영화 <들꽃> 시리즈의 스타 정하담 배우까지 멋진 배우들의 기막힌 연기, 언어의 차이가 작품의 깊이로 전환되는 각본과 연출, 이야기 구조…. 이 영화의 매력은 일일이 열거할 수 없다.

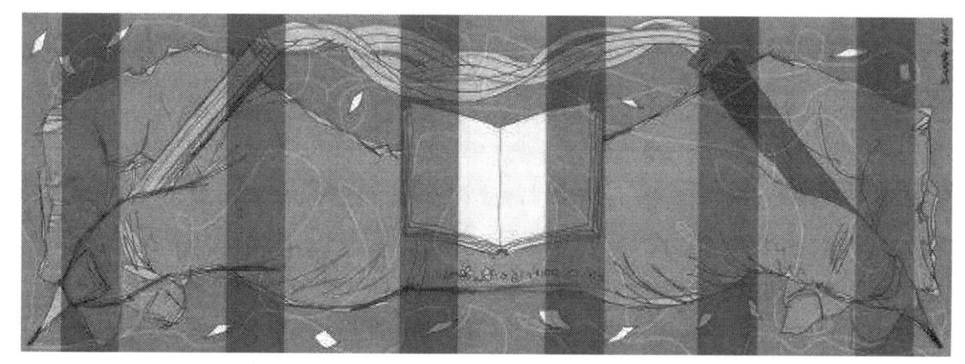

영화를 좋아하는 나는 작품 자체를 즐길 수 있는 날을 꿈꾸지만, 불가능한 일임을 안다. 정치적이지 않은 텍스트는 없다. 이 영화에서 여자 주인공(탕웨이)은 젠더 폭력 피해자다. 그녀가 남편을 죽였다면, 당연히 정당방위다. 남편은 지갑, 가방… 모든 물건에 자기 이름을 새기는 인간이다. 중국 출신 이주여성인 그녀는 8년 동안 의료진도 놀랄 만큼 표시 안 나게, 매일 맞고 살았다. 몸에는 남편의 여느 소지품처럼 이름이 새겨져 있다. 정당방위이므로 영화의 전제인 남편의 사인이 자살이냐 타살이냐는 줄거리는 '붕괴' 된다.

가정폭력 피해 여성의 문신은 흔하다. 폭력 남편들은 주로 몸의 민감한 부분에 자기 이름이나 욕설을 새긴다. 소유물, 낙인, 노예라는 뜻이다. 정육(精肉) 과정에서 상품에 도장을 찍는 행위와 같지만 문신과 도장은 다르다. 문신은 조각(彫刻)이다. '각' 에는 칼(刀)이 필요하다. 육체가 조각의 재료가 되는 것이다. 전문가의 시술도 아닌 피와 살이 튀는 인체 실험, 폭력이다.

이처럼 박학(薄學)한 지식조차 괴로울 때가 있다. 젠더 폭력으로서 문신. 이 멋진 영화를 나는 온전히 감상할 수 없었다. 관련 기억이 줄줄이 소환된다.

〈나는 부정한다〉는 홀로코스트 소재 영화로서 최근 출몰하는 역사부정론자들의 실화다. 이들은 "홀로코스트는 없었다" 며, "있었다" 는 증거를 요구하고 있다. 이 작품에서 홀로코스트 피해자인 나이 든 여성이 나치가 새긴 문신을 보이자 역사부정론자는 조롱한다.

가. 젠더 폭력의 증언, 문신

박수남 감독의 〈침묵〉은 일본군 위안부 피해자가 운동가로 성장하는 다큐멘터리로 유수의 영화제에서 많은 상을 수상했다. 관련 영화 중 가장 우수한 작품으로 꼽힌다. 〈침묵〉은 운동 조직 없이 활동하는 피해자들의 자조 모임, 당사자 운동을 다룬다. 이들의 언어는 피해자에 대한 고정관념을 거부, 극복한다. 듣는 이가 같은 처지의 동료일 때, 팩트가 드러날 가능성이 많기 때문이다. 다시 말해, 침묵한 이들은 피해자가 아니다. 이들의 이야기를 듣지 않는 사회다. 피해자가 아무리 말해도 한·일 양국은 침묵하거나, 그들의 말을 취사선택하여 피해자를 위계화시켰다. 〈침묵〉에도 문신이 나온다. 당시 일본군이 군 위안부의 팔에 이름을 새긴 것이다. 피해자는 고향에 돌아와서 지우려 했으나 아무도 자기 말을 들어주지 않자, 이 문신을 역사적 증거로 삼기로 하고 남겨둔다. 매일 아침 세수할 때마다 '그 나날' 들을 상기하며 몸으로 증언하는 삶을 살아간다.

〈헤어질 결심〉과 〈침묵〉의 역사적 맥락과 장르는 완전히 다르지만, 문신이라는 젠더 폭력으로 만난다. 〈헤어질 결심〉에서 형사가 남편의 폭력을 왜 경찰에 알리지 않았느냐고 묻는 장면은 〈침묵〉에서 군 위안부 피해자의 목소리를 듣지 않는 사회와 겹친다. 가정폭력을 신고하면 경찰이 도와주는가? 사회는 군 위안부 목소리를 제대로 듣고 믿어주었는가?

박수남 감독은 재일교포로 일제강점기에 부모를 따라 일본에서 성장한 영화감독이자 사회운동가이다. '서울의 정대협' 만 운동을 한 것이 아니다. 대구, 수원, 광주, 해외에서도 왕성했다. 일본에서는 말할 것도 없다. 자이니치 여성들의 군 위안부 운동은 일본사, 한국사의 한 부분이 될 만큼 치열하고 광범위했다. 그들은 일본 우익의 살해 협박을 받아가며, 전쟁이 끝난 후에도 귀국하지 못하고 '버려진' 군 위안부를 찾아다니며 그들의 목소리를 듣고 기록했다.

그런 박수남 감독이 1998년, 한국 정부에 의해 입국을 금지당했다. 당시 박수남 감독은 자신의 입국 금지 사실을 한국의 신문 기사를 보고 알았다. 1970년대 재일교포를 간첩으로 조작하던 시절도 아니고, 2000년대를 앞두고 입국 금지라니.

입국 금지령을 '내린' 집단은 한국의 군 위안부 단체였다. 학계에서 매장을 무릅쓴 어느 연구자가 당시 외교부 직원을 끈질기게 추적, 오랜 설득과 인터뷰 끝에 관련 문서를 확보했다. 그럼에도 모두가 침묵한 사건이다.

박수남 감독과 정대협의 군 위안부에 대한 입장은 같다. "군 위안부는 국가가 조직한 명백한 전시 성폭력이고, 일본 정부는 가해자로서 책임과 관련된 모든 노력을 경주해야 한다." 그런데 왜 같은 운동을 해 온 동지인 박수남 감독의 입국을 막았을까.

주지하다시피 DJ의 당선은 천운이었다. 이인제씨의 500만표 분산, DJP연합이 아니었으면 불가능했을 것이다. 당시 DJP연합의 대표가 왜 김종필이 아니라 김대중이냐고 항의하는 이들이 있을 정도였다. 정권 교체는 되었지만 DJ 정부는 취약할 수밖에 없었다. 많은 민주화 인사들이 김대중 정권을 '도울 수밖에 없었다'.

그토록 바라던 건국 이래 최초의 정권 교체, 김대중 정부에서 어떻게 이런 일이 일어날 수 있었을까 싶지만, 사실은 김대중 정부였기에 가능한 사건이었다. '친정부 단체'가 된 일부 사회운동은 오만, 독선, 독점욕을 행사하기 시작했다. 이 상황은 이후 나눔의집의 부정부패와 윤미향 의원의 각종 혐의, 위안부 쉼터 담당자의 자살, 이용수님의 폭로로 이어졌다.

나. 대통령 배우자·여성운동가의 표절

모처럼 '박찬욱 월드'에서 행복했던 나는 문신 장면 때문에 마침내 붕괴되었다. 지난 정권은 무엇을 잘못했고, 현 정권에서 나는 어떻게 살아야 하나. 영화를 네 번째 보지 못한 이유는 여기서 넘어졌기 때문이다.

나는 원래 이 지면에서 대통령 배우자의 논문 다운로드에 대해 쓰려 했다. 하지만 한국 학계에서 표절이나 다운로드는 대통령 배우자만의 문제가 아니다. 더구나 일부 군 위안부 운동가, 연구자들의 표절, 횡령, 성폭력, 인적 네트워크를 기준으로 다른 운동가와 연구자를 배제하고 모욕한 행위는 공공연한 사실이다.

윤석열 정권의 탄생은 민주당이 싫어서였지 국민의힘을 지지한 결과가 아니다(누구보다도 현 정권이 가장 잘 알 것이다). 1998년, 24년 전에도 군 위안부 단체가 외교부를 흔들 정도였으니 문재인 정권에서는 어떻겠는가. 군 위안부 이슈는 한국의 경제 성장과 민주화운동 수출이라는 담론 속에서 일부 '똑똑한' 지식인들에게 블루오션이 되었다.

일본 우익의 폭력과는 별개로 세계 곳곳의 소녀상이 대변하듯 운동은 대중화와 동시에 성역화되었다. 실리는 말할 것도 없다. 군 위안부 관련 각종 기금은 피해자들에게 제대로 지급되지 못하고, 주인을 잃은 채 처리 곤란 상태에 있다. 그래서 앞서 말한 자신의 비리를 덮고 각종 자원 확보를 위해, 위안부 사안에 뛰어든 이들이 늘어나기 시작했고 이들의 부패는 현 정권 탄생에 일조했다.

나는 원래 대통령 배우자의 논문 다운로드에 대해 쓰려고 했다. 그러나 '같은 여성주의자'로서, 김건희 여사보다 더한 사례가 있으니 난감했다. 정의기억연대(이사장 이나영) 일부 관계자의 논문도 지난 15년간 계속 문제가 되어왔기 때문이다. 여성계와 학계는 쉬쉬했다. 입국 금지 같은 보복이 실제로 빈발했다.

특히 정의연의 핵심 모 교수는 최초 학위 논문부터 재판에 버금가는 조사를 받았고 이후에도 모든 논문이 절도 의혹을 받았지만 쉽게 무마되었다. 문제를 바로잡고자 하는 이들은 해임, 매장 위협, 학술지 심사위원과 연구비 배제 등 공포에 떨었다.

사회운동이 피해자의 인권 중심이 아니라 조직 자체의 존속과 대의가 강조될 때, 이런 일은 필연적이다. 더불어민주당을 포함해 최소한 현 정권에 문제의식을 가진 이들이라면, 군 위안부 운동을 점검할 필요가 있다. 그렇지 않으면 내로남불의 반복이다. 위안부 운동의 변화가 검찰에서 시작되지 않기를 절실히 바란다. 그러면 일부 진보 세력은 또다시 피해를 주장할 것이다. 피해자 코스프레가 이렇게 무서운 것이다.

나는 정훈희·송창식씨의 '안개'에 의지하며 이 끔찍한 현실에 눈을 감는다.[51]

43. 재벌 유통기업의 '노예의 길'을 선택할 것인가

정부가 대형마트 정기 의무휴점 폐지를 추진한다. 뜬금없이 국민청원을 통해 대국민 온라인 투표를 시행했는데 어설프기 짝이 없다. 투표 과정에서 조회 및 투표 수 조작 같은 어뷰징 문제가 확인되었다. 준비 없는 정책 결정과정도 문제고, 국가 정책을 인기투표 하듯 진행하는 것도 문제다. 뭐 하나 제대로 신뢰 없는 발표뿐이다. 20대 대선 공약과 국정과제에도 없었던 사안이다.

사실 대형마트 의무휴업 규제완화는 지난 6월 윤석열 정부의 소통창구 즉, '국민 제안'에 접수된 민원 1만2000여건 중에서 선정했다. 그러나 추진과정이나 배경에 의구심이 든다. 제안 내용 설명과 공청회도 없이 추진하고 있다. 논리가 없지는 않다. 소비자 선택이나 온라인 판매 확대에 따른 변화된 환경 논리를 꺼낸다. 그런데 지난 수십년 동안 호황을 누릴 때는 아무런 이야기를 않다가 이제는 온라인 시장과의 '불평등한 경쟁'을 운운한다. 그렇다보니 기업의 민원을 국민투표라는 형식을 취한 것 아닌가.

자칫 의무휴점제 시행 10년 만에 폐지될 수도 있다. 물론 국회 입법과정을 거쳐야 한다. 시행령을 통한 우회 방법을 취할지도 모른다. 기억을 되짚어 보면 시민과 노동자들의 호응이 컸다. 의무휴점제는 2012년 유통산업발전법 개정으로 월 2회 휴점이 정착되었다. 다만 지자체 조례로 주말과 평일을 선택할 수 있도록 하여 평일에 휴점하는 매장도 있다. 대형쇼핑몰은 물론 연간 총매출액에서 농수산물 비중이 55% 이상인 대규모 점포도 제외된다.

그런데 이조차도 재벌 유통기업들은 수용하지 않고 두 차례 법률 취소 소송을 제기했다. 당시 대법원과 헌법재판소는 영업시간 제한이나 의무휴업과 같은 정책의 필요성을 인정한 바 있다. 골목 상권과의 상생 발전이라는 공익 증대는 물론 노동자 건강권 보호가 더 크다는 취지였다. 그럼에도 현 정부는 규제정보포털을 통해 대형마트 영업제한 규제에 대한 의견을 듣고, 규제심판회의에서 논의를 진행한다는 계획을 밝히고 있다.

20여년 전 대형마트 '24시간 영업'이나 백화점 '연장영업'은 우리의 일상이었다. 그렇다보니 유통업 노동자들의 건강권이 심각하게 침해받았다. 쉴 시간조차 없이 장시간 노동에 시달리다보니 몸 상태는 엉망이었다. 어깨와 허리·목 등의 근골격계 질환이나 하지정맥류 증상과 같은 업무상 질병을 호소하는 이들이 많았다. 유통업은 파견용역 비정규직이나 입점협력업체 직원이 더 많다. 다수는 중소영세업체 직원들이며, 여성과 중고령층 및 청년도 적지 않다.

현장에서는 인력부족으로 아파도 쉬지 못하고 출근하는 이들이 다수다. 정기휴무까지 사라지면 사실상 "1년 365일, 쉬는 날 없이 일하라" 는 소리다. 공장의 기계가 쉴 틈 없이 돌아가듯, 기업의 매출을 위해서라면 쉬지 않고 일하라는 얘기다. 그간 공룡 유통기업의 성장과 이윤의 향유 속에 숨겨진 은폐된 노동을 살펴봐야 한다. 전 산업 평균보다 높은 저임금 노동자가 3분의 1이나 된다. 영화 〈카트〉에서 그러했고, 독일의 〈인 디 아일〉에서도 대형마트 노동자들의 고된 노동과 삶은 비슷했다. 전 세계 어느 곳에서도 마트 노동자들은 쉴 자유조차 없다. 20세기 착취공장의 전형적인 모습이다.

2013년 대형마트 의무휴점 시행 첫해 홈플러스 노동자들의 청계산 야유회가 떠오른다. 정기휴점으로 다 함께 야유회를 갈 수 있어 기뻐했던 모습이 아직도 잊혀 지지 않는다. 그 하루는 동료나 가족과 함께했던 시간이었다. 인간의 행복과 노동자의 삶의 질보다, 재벌 유통 기업의 이윤이 우선할 수는 없다. 인간이 인간답게 살아가기 위해서는 생존권과 존엄성이 보장돼야 한다. '규제개혁' 대상 목록에 헌법과 법률에 명시된 건강권이 검토되는 것 자체가 '국격의 상실' 이다.52)

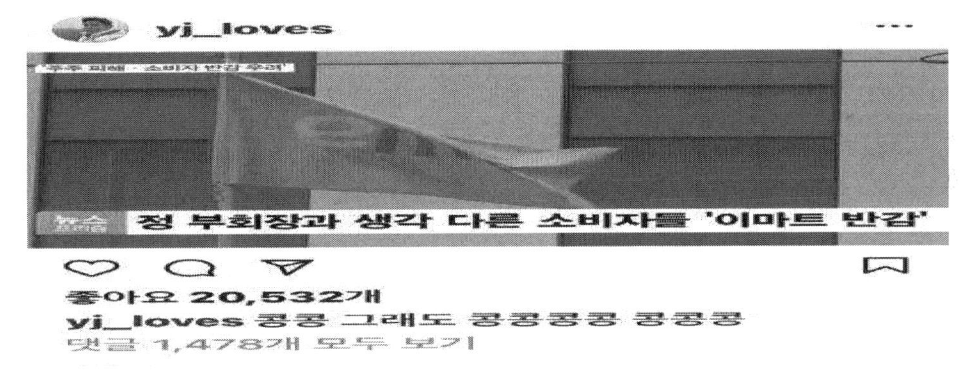

신세계 정용진 부회장의 '나는 공산당이 싫어요' 발언이 화제를 모으면서 그가 정치적 발언을 터부시해온 재벌가의 불문율을 깬 배경에도 관심이 쏠린다.

과거 군부독재 시절부터 정권의 '재벌 손보기' 가 일종의 관행처럼 이어진 한국적 풍토 탓에 국내 재벌 총수들 사이에서는 정치적 발언을 극도로 꺼리는 분위기가 암묵적으로 형성됐고 이 때문에 정 부회장의 발언은 이례적으로 받아들여졌다. 사회관계망서비스(SNS)에서 화제를 불러일으킨 정 부회장의 '공산당' 발언 논란은 이달 15일 시작됐다.53)

44. 사람 중심의 방역이 필요하다

2019년 12월 중국 우한시에서 발생한 바이러스성 호흡기 질환이다. '우한 폐렴', '신종코로나바이러스감염증', '코로나19' 라고도 한다. 신종 코로나바이러스에 의한 유행성 질환으로 호흡기를 통해 감염된다. 감염 후에는 인후통, 고열, 기침, 호흡곤란 등의 증상을 거쳐 폐렴으로 발전하는데 변이형에 따라 증상은 차이가 있다.

코로나 위중증 환자 수가 418명을 기록했던 지난 11일, 대통령 집무실 앞에서 기자회견이 열렸다. 코로나19위중증피해환자보호자모임이 주최한 '위중증 환자 및 사망자 증가 상황 대책 마련 촉구 기자회견' 이다.

지난 4월, 거리 두기 조치가 대부분 해제되고 코로나19가 2급 감염병으로 분류되면서 유행이 종식될 것처럼 여겨졌지만, 지금 코로나19 상황은 심각하다. 확진자가 매일 10만명이 넘고 사망자와 위중증 환자도 증가하고 있다. 이러한 상황에서 누구보다 고통이 큰 사람들이 위중증 환자와 그 가족, 그리고 유가족일 것이다. 이에 시민인권단체들은 7일 격리 해제 후 강제 전원조치, 개인에게 가해지는 치료비 부담 등의 문제를 지적하며 대책을 촉구해왔다.

그럼에도 새 정부가 들어선 이후 현장에서 느껴지는 방역대책은 근본적으로 전혀 달라지지 않았다. 지난 정부의 방역을 정치방역으로 규정하며 '과학방역' 을 내세웠지만 그것이 대체 무엇을 의미하는지는 아무도 알 수 없다. 코로나19 확진에 따른 7일간의 격리의무는 유지하면서 확진자에 대한 지원은 축소되어 개인의 책임만 가중되었다. '위험도가 높은 집단에 자원과 대응을 집중한다' 며 표적방역을 내세웠지만 최근에는 고위험군 모니터링도 중단된 상태다. 국가가 져야 할 책임을 개인이 떠맡는 각자도생 방역이라는 비판이 나올 수밖에 없는 상황이다.

숫자가 아닌 사람을 보아야 한다는 외침에도 여전히 통계로만 개개인의 죽음을 마주하는 태도 역시 달라지지 않았다. 지난 17일 정기석 코로나19특별대응단장은 브리핑에서 "확진자가 자꾸 늘어나는 것이 좋은 것은 아니지만, 전 정부 포함해서 보면 확진자 숫자가 그렇게 사회가 우려할 정도는 아니라는 것" 이라고 이야기했다. 얼핏 통계만 놓고 보면 맞는 말처럼 보이기도 한다. 하지만 개개인의 삶과 죽음은 존엄의 문제이고 걱정해도 되지 않을 수치에 지나지 않는 죽음이라는 것은 없다는 점에서, 이는 너무나 무책임한 발언이라 할 것이다.

국가가 제대로 된 책임과 역할을 다하지 않는 속에서 더 큰 피해와 고통을 겪는 것은 고령자, 장애인, 이주민, 홈리스 등 사회적 소수자일 수밖에 없다. 실제로 생활치료센터 운영이 중단되고 격리장소를 자율적으로 마련해야 하는 상황이 되면서 민간 의료기관에 갈 수 없거나 자체적으로 격리장소를 마련할 수 없는 이들은 더 많은 감염 위험에 노출되고 있다. 그럼에도 지난 2년간 소수자들에게 차별적으로 코로나19의 영향이 미치는 문제와 이에 대한 맞춤 대책이 필요하다는 점이 계속해서 지적되었지만 제대로 된 대책 마련은 아직까지 이루어지지 않고 있다.

바이러스는 차별하지 않지만 그 영향은 차별적이다. 유엔이 코로나19 확진 초기부터 지적했던 이야기를 정부는 새겨들어야 한다. 바이러스를 연구하고 백신과 치료제를 만드는 것이 과학이라면, 격리기간을 설정하고 시설을 설치하며, 확진자 유가족에 대한 지원을 하는 것은 정치이다. 특히 사회의 구조적 차별로 인해 발생하는 감염병의 영향을 확인하고 평등한 방역체계를 만드는 것이야말로 정치의 역할이다. 정부가 내세우는 프레임처럼 과학방역과 정치방역은 대립하는 것이 아니며, 이 모두를 조화하는 것이 정부의 역할이라 할 것이다.

지금 필요한 것은 공허한 프레임이 아닌 개인의 목소리에서 출발한 구체적 방역정책이다. 마지막으로 지난 11일 기자회견에 연대 단체로 함께한, 코로나19인권대응네트워크 활동가의 발언 일부를 전한다.

"정부는 지금 상황을 제대로 바라보아야 합니다. 시장과 개인에 책임을 맡기려는 정치방역을 과학방역이란 이름으로 포장할 때가 아닙니다. 누가 고통받는지, 차별받는지, 더 아픈지 정부가 파악해야 합니다. 지금 필요한 방역정책은 더 고통받고 더 아픈 이들의 목소리에서 출발해야 합니다. 바로 사람 중심의 방역이 필요한 순간입니다."[54]

45. 용산이 흉지?

'광화문 시대'를 열겠다던 윤석열 정부가 대통령실의 용산 이전을 슬그머니 공론화하고, 전광석화처럼 결정했을 때 미심쩍었다. 광화문은 떡밥이었을 뿐, 애초부터 용산을 염두에 뒀던 것은 아닐까. 문재인 정부가 경호와 교통 등 현실적 어려움에 부딪혀 광화문 이전을 포기했다는 것을 윤 대통령이 모를 리 없을 터였다. 게다가 윤 대통령은 국방부 이전에 따른 안보공백 우려, 예산 편성 등 현실적 난관이 적지 않음에도 서둘렀다. 기왕 이전을 결정했다면 충분한 준비기간을 가져야 마땅한데도, 기어이 임기 첫날을 용산에서 맞았다. '나쁜 땅' 청와대를 벗어나 '명당' 용산에서 임기를 시작하겠다는 풍수지리적 고려가 작용한 것 아니냐는 의심이 커지는 것은 당연한 일이었다.

윤 대통령 부부가 천공·건진 등 무속인들과 가깝다는 소문도 불온한 의심을 키웠다. 윤 대통령 멘토를 자처하는 천공이 한 강연에서 "용산은 수도 서울의 최고의 땅" "용이 여의주를 물고 와야 한다"고 주장했던 사실도 회자됐다. 전문가들은 갑론을박했다. 용산 찬성론자들은 "물이 흐르는 청와대 자리는 땅이 차다. 땅이 차면 민심과 벽을 쌓게 된다"고 했지만, 반대 쪽은 "용산은 배산임수를 이루지 못하고, 외풍에 속수무책이다"라고 했다. 윤 대통령은 국민과 소통하는 대통령이 되기 위해 용산행을 결정했다고 했지만, 남은 것은 풍수 논쟁이었다.

그러나 용산은 약속의 땅이 아니었다. 20%대 후반에서 30%대 초반을 오가는 지지율이 모든 것을 말해준다. 한국갤럽의 9월 첫째주 정례조사 결과는 뜯어볼 만하다. '인사', '경험·자질 부족 및 무능함' '경제·민생 살피지 않음', '독단적·일방적', '소통 미흡', '전반적으로 잘 못한다', '여당 내부 갈등', '직무 태도', '김건희 여사 행보', '공약 실천 미흡', '집무실 이전' 등이 지지율 하락 원인으로 지목됐다. 경제고, 민생이고 다 못했다는 것이다. 용산은 명당이 아니라 흉지로 전락할 판이다. 천공의 예언은 틀렸다. 용이 물고 온 것은 여의주가 아니라 '체리따봉'이었다.

용산발 소식들은 흉흉하다. 집권 초 윤 대통령의 독선적 국정운영 논란이 일었다면, 최근엔 김 여사 관련 의혹들이 터져나온다. 김 여사가 고가 장신구를 재산신고에서 누락했다는 의혹이 나오고, 김 여사 일가 부동산 특혜 의혹을 수사하는 경찰관이 취임식에 초청된 사실도 확인됐다. 대통령실은 장신구는 지인에게 빌렸으며, 해당 경찰관은 청룡봉사상을 받아 초청됐다고 해명했다. 그러나 수천만원대 장신구를 빌리는 것도 상식 밖이고, 정당한 대가 없이 빌렸다면 '김영란법' 위반일 수 있다. 봉사상 수상자 5명 중 3명은 왜 취임식에 초청받지 못했나. 수준 낮은 해명이 통할 것이라고 생각하다니, 대통령실 관계자들은 땅의 '나쁜 기운'에 홀린 것인가. 대통령실 행정관 50여명이 짐을 쌌다는데, 국정난맥에 책임이 큰 고위직 대신 힘없는 실무진이 집단으로 '살'을 맞은 꼴이다.

용산의 나쁜 기운은 여의도로 번졌다. 용이 떨어뜨린 체리따봉 폭탄에 국민의힘은 초토화가 됐다. 체리따봉에 분노한 이준석 전 대표는 자신을 몰아낸 윤 대통령과 윤핵관들을 연일 공격하고, 윤핵관들이 반발하면서 당은 시끄럽다. 한심한 자해극이다. 주호영 비상대책위원회가 법원의 직무정지 판결을 받았지만, 당은 당헌·당규를 고치는 꼼수를 부려 정진석 국회부의장을 비대위원장에 앉혔다. 돌고 돌아 윤핵관이 당 수습을 맡게 된 것이다. '윤핵관은 뒤로 빠지라'는 민심에 눈감고 귀닫은 것 아닌가. 장제원·권성동 의원은 2선 후퇴하겠다고 했지만, 이런 식이면 위장사퇴 의혹이 커질 수밖에 없다. 거대한 경제위기의 파고 속에서 집권세력의 혼란과 무능은 국가적 재앙으로 이어질 수 있다는 점에서 걱정스럽다.

사실 땅 문제는 위기의 본질이 아닐 것이다. 맹자는 "하늘의 때는 땅의 이로움보다 못하고, 땅의 이로움은 사람 사이의 화합만 못하다(天時不如地利 地利不如人和)"라고 했다. 땅이 아니라 사람이 중요하다는 말이다. 하물며, 명당도 쓰는 사람의 그릇에 따라 흉지가 되는 법이다. 문재인 정부는 '사람이 먼저다'라고 했지만, 윤석열 정부에선 '사람이 문제다'라는 표현이 딱 어울린다. 나라가 시끄러운 것은 정권 핵심 인사들의 잘못이지, 용산 땅에 무슨 죄가 있겠는가.

윤 대통령은 취임 100일 회견에서 "저부터 분골쇄신하겠다"고 했다. 국정의 무거움과 민의의 엄중함을 뼛속 깊이 새기는 것을 쇄신의 출발점으로 삼기 바란다.[55)]

용산 대통령실 청사 전경(뉴스1)

46. 가난한 유권자는 언론과 그루밍의 피해자였나?

잠재적 가해자가 성적 착취를 목적으로 아동이나 청소년과 친밀한 관계를 만드는 수법을 말한다. 그루밍(Grooming)이란 '다듬다, 길들이다'라는 뜻이다. 사전에 피해자와 신뢰 관계를 형성해 성적 학대가 쉽게 이뤄지도록 만들고 학대가 시작된 뒤에는 이를 은폐하기 위해 하는 행위 전반을 의미한다. 주로 취약한 환경에 놓인 아동이나 청소년에게 접근해 신뢰를 얻은 다음 성적 학대를 시작하며, 이후로는 회유나 협박을 통해 폭로를 막는 방식으로 진행된다.

"고학력, 고소득자 등 소위 부자라고 하는 분들은 우리(민주당) 지지자가 더 많다. 저학력에 저소득층이 국힘(국민의힘) 지지가 많다. 안타까운 현실이다. 언론환경 때문이다." 지난 7월 29일 더불어민주당 당대표 후보였던 이재명이 지지자들과의 유튜브 라이브 방송에서 한 말이다.

이에 같은 당 경쟁 후보인 박용진은 "오만함마저 느껴진다"고 비판했다. 그는 "저학력, 저소득층은 언론환경 때문에 국민의힘을 지지한다는 말은 너무나 노골적인 선민의식이고, 정치 성향에 따른 국민 갈라치기"라며 "국민 분열의 정치는 우리가 가야할 길이 아니다. 우리가 지향할 길은 국민통합의 길"이라고 반박했다.

또 다른 당대표 후보인 강훈식도 "지난 대선 기간에도 우리 선거 캠프 인사가 윤석열 당시 대선 후보 지지자의 대부분이 저학력 빈곤층이라고 했다가 SNS 글을 지우고 사과한 적이 있다"며 "당시에도 우리가 폐기해야 할 민주당의 선민 의식을 보여줬었기에 많이 부끄러웠다"고 했다. 그는 "저들의 갈라치기와 혐오를 비난만 하지 말고, 우리에게서도 문득문득 등장하는 이분법의 정치를 반성해야 한다"고 했다.

그러자 전 법무부 장관 추미애가 8월 1일 이재명의 발언을 옹호하고 나섰다. 그는 "부유한 사람들의 특권 유지 노력에 밀려 가난한 사람들은 정치에서 멀어져 가고, 사회 문제를 제대로 인식하지 못해 자신들을 외면하는 세력을 지지하는 이율배반적 투표를 하고 있다"며 "심지어 (이런) 투표조차도 피해를 보면서 사회문제의 원인을 제대로 인식할 수 없도록 그루밍(심리적으로 지배함) 당하고 있다"고 주장했다.

놀랍다. 유권자의 투표행태와 관련된 내로남불이 일부 민주당 지도자들의 마음속에 여전히 건재하고 있다는 게 말이다. 우리편에게 표를 주는 유권자는 정의롭고 현명한 반면, 반대편에게 표를 주는 유권자는 '언론 환경' 이나 '그루밍' 때문에 잘못된 판단을 내렸다고 보면 마음은 편해질지 몰라도 마음 편하자고 정치를 하는 건 아니잖은가.

저학력·저소득층이 보수정당을 지지한다는 이른바 '계급배반 투표' 현상은 이를 긍정하는 증거와 부정하는 증거가 병존하지만, 절반의 증거일망정 이색적인 뉴스가치로 인해 국내외 학계와 언론계 모두 이 현상에 주목해왔다. 그 이유를 두고 그간 많은 전문가들이 다양한 설명을 내놓았다. 이미 120여 년 전 미국 경제학자 쏘스타인 베블렌은 '유한계급의 이론(1899)' 에서 가난한 사람에겐 생각할 여유가 없다는 이유를 제시했다. 그는 다음과 같이 주장했다.

"처절한 가난과, 자신의 에너지를 하루 하루의 생존 투쟁에 모조리 쏟아 붓는 사람들은 누구나 보수적일 수밖에 없는데, 이것은 그들이 내일 이후를 생각하는 데 드는 노력의 여유 조차도 없기 때문인 것이며, 이것은 가장 부유한 사람들이 현재의 상황에 만족스럽지 못한 경우가 거의 없기 때문에 보수적일 수밖에 없다는 것과 동일한 맥락인 것이다."

오늘날엔 이런 주장에 동의할 사람은 많지 않을 게다. 물론 한국의 민주당 일각엔 비교적 동의하는 사람들이 많겠지만 말이다. 이후 세월이 흘러 '이익' 보다는 '가치' 를 중시하는 유권자들이 많다는, 훨씬 나은 설명이 제시되었다. 언어학자 조지 레이코프는 '코끼리는 생각하지마(2004, 국내 번역·출간 2006)' 에서 "사람들이 언제나 단순히 자기 이익에 따라서 투표한다는 가정은 심각한 오해"라며 "그들은 자신의 정체성·가치관에 따라, 그리고 자기가 동일시하고 싶은 대상에게 투표한다"고 정리했다.

미국 언론인 토마스 프랭크의 '왜 가난한 사람들은 부자를 위해 투표하는가: 캔자스에서 도대체 무슨 일이 있었나(2004, 국내 번역·출간 2012)' 를 비롯하여 그런 논지를 펴는 책과 논문들이 발표되었다. 2012년 한국 대선을 분석한 정치학자 강원택도 저소득층 유권자들은 개인의 경제적 이해관계보다 사회문화적 가치를 중시한다는 결론을 내렸다.

가난한 사람들이 보수정당에 표를 주는 이유로 사회문화적 가치를 지적하긴 했지만, 사실 이건 하나마나한 이야기다. '이율배반' 이니 '계급배반' 이니 하는 지적도 번지수를 잘못 짚은 것이다. '이익' 중심의 투표를 하더라도 가난한 사람들이 자칭 진보 정당에 표를 줘야 할 이유가 없는 경우가 많기 때문이다.

예컨대, 문재인 정권에서 일어난 부동산 가격의 폭등을 보라. 이는 집을 소유하지 못한 가난한 사람들에 대한 사실상의 약탈이었다! 사실 지난 대선에서 놀랍거나 이상하게 생각해야 할 일은 가난한 사람들 중에서 민주당에 표를 준 사람들도 많았다는 점일지도 모른다. 이게 연구 대상이 되어야지, 자기 이익과 가치에 따라 민주당에 표를 주지 않은 저소득층 유권자들을 향해 언론이나 그루밍에 놀아난 게 아니냐는 문제를 제기하는 건 넌센스다.

애초에 이 논쟁의 방향 설정이 잘못되었다. 한겨레 기자 엄지원이 그 점을 잘 지적하고 나섰다. 그는 "(이재명) 발언의 전체 맥락을 보면, 정작 고개가 갸웃거려지는 대목은 따로 있다"며 이재명이 "고소득층에 우리의 지지층이 있으니 그들을 배제할 필요가 없다"고 결론을 맺는 것이 옳으냐는 문제를 제기했다. 사실상 '서민정당' 으로 자리매김해온 민주당의 무게추를 옮겨야 한다는 메시지를 내놓은 것인데, 그래도 되는 건지에 대해 "더 날카로운 논쟁이 벌어졌으면 하는 바람"이 있다는 것이다.

맞다. 바로 그게 쟁점이 되었어야 했다. 이와 관련, 나는 정당의 이념지향성을 '결과' 가 아닌 '의도' 중심으로 평가하는 기존 관행을 의심해보자는 제안을 하고 싶다. '의도' 를 앞세워 사회를 실험실로 여기는 무모한 '도그마 중독증' 이나 아마추어 근성과 결별하기 위해서다. 이는 2200여 년 전 한비자도 간파했던 '상식' 이다. "군주가 나라를 망치는 건 악의가 아니라 물정 모르는 의욕만 넘치는 열정과 선의에서 기인하는 경우가 많다."

또한 우리 모두 좀더 정직해질 필요가 있다. 무엇보다도 선거 결과에 대한 내로남불 해석은 이제 그만 두자. 우리편이 승리하면 유권자들의 위대한 저력을 과장하고 칭송하지만, 패배하면 우회적으로 온갖 악담과 저주를 퍼붓는 관행을 중단하자. 그런 문제의식의 연장선상에서 저소득층 유권자는 언론과 그루밍의 피해자였다는 주장도 다시 한번 생각해보는 게 좋겠다.

그루밍을 통한 성적 착취의 가장 큰 문제는 신뢰를 바탕으로 학대가 진행된다는 점이다. 피해자는 가해자에게 호감을 느끼거나 신뢰하고 있어 스스로 학대를 인지하지 못하거나 자발적으로 동의하는 것처럼 보일 수 있다. 이후 피해 사실을 인지하게 되더라도 성적 피해가 있었던 당시 왜 적극적으로 신고하지 않았는지를 설명해야 하는 상황에 놓이는 경우가 많다. 이는 결과적으로 가해자에 대한 처벌을 어렵게 만드는 요인이 될 수 있다.

가해자들은 성적으로 착취할 대상을 선정한 뒤, 오랜 기간 친절하게 대해주며 피해자를 길들인다. 피해자는 이 과정을 통해 가해자에게 호감을 느끼고 신뢰하게 된다. 특히 인정과 애정을 받고 싶은 욕구가 큰 아동・청소년일수록 그루밍을 거치며 가해자와 종속적인 관계를 유지하게 될 가능성이 크다.[56)]

47. 탄압과 보복

삼권분립 국가에서 어느 권력이 우월하다고 단정할 수 없다. 정기 국회가 개회되었다. 부디 국회가 하는 일들이 국민의 삶이 편하고 윤택하여 안정된 삶을 누리도록 해주는 역할을 다 해주기 바란다. 대한민국이 한 단계 더 올라서서 완벽한 선진국에 진입할 때까지라도 여야가 정쟁을 중단하자는 선언을 해주었으면 좋겠다.

행정부는 대통령이 핵관들에게 휘둘리고 법무부장관과 행안부장관 밖에 보이지 않는다. 대한민국이 범죄 집단의 소굴인양 완박이니 원복이니 떠들어대는 꼼수에 신물이 날 지경이다. 여당 야당 할 것 없이 제발 민생과 경제에 전념해주기 바란다.

동방의 아름다운 나라 대한민국을 그레이트 아메리카처럼 우뚝선 나라로 만들기 위한 노력에 모든 위정자들이 혼신의 힘을 다 해주기 바란다.

"문제는 경제다" 라는 슬로건이 모든 국민에게 최우선 목표가 되는 부자사회가 되기를 희망한다. 자유, 민주, 평화에 매몰될 시기는 아니라고 본다. 경제가 무너지면 끝장난다는 사실을 이미 한번 경험하지 않았던가. 궁핍한 가운데 행복이란 단어는 쓰레기통에 가 있을 것이다.

이미 고인이 된 어느 정치가의 촌철살인 한마디 "여러분 살림살이가 나아졌습니까." 부동산에 있어 특히 아파트의 가격을 누가 올렸는가. 저금리는 세계적 환경이었다. 주택 공급률은 이미 100%가 넘었고 서울에도 95%가 넘었다. 현실적으로 20-30대가 내 집을 소유한다는 것은 보편적인 일이 아니다.

일부 금수저나 은수저 자식들도 부모의 도움을 받고서도 영끌이나 혼끌을 해야 가능한 일이다. 그마저도 많지 않은게 현실인데도 너나 없이 설쳐댄 욕심과 심리가 아파트 가격을 올린 것이다. 지금의 집값 하락도 행정 관료나 위정자가 부동산 정책을 잘못 펴서 하락하는 것이 아니다. 금리의 상승은 세계적인 환경이고 그것은 이미 예견되었던 일이다. 그럼에도 불구하고 주택 공급 물량이 과도하게 집중적으로 쏟아지는 것도 매우 중요한 원인 중의 하나일 것이다.

추석 명절이 가까워온다. "잘 되면 내 탓이요, 잘못되면 조상 탓" 이라는 속담이 있지만 온갖 욕심은 자신들이 다 부리고 결과는 나라 탓만 하는 것은 결코 성숙된 민주국가의 구성원이 할 행동은 아니라고 본다.

주장할 권리가 있으면 반드시 상응하는 의무가 있기 마련이고 그것이 균형이 이룰 때 성숙한 민주주의 국가가 정착되는 것이다.

근래 우리사회의 구조를 보면 툭하면 "탄압" 이고 "보복" 이라는 결코 긍정적이지 않은 단어들이 미디어에 덧칠되고 있다. 특히 정치하는 위정자들이 해도 해도 너무한다 싶을 정도다. 지금은 왜곡되고 부정확한 신념 체계와 비합리적 신념에서 하루속히 벗어나야 한다. 너나없이 자중자애하고 남보다 나를 곱씹어 볼 일이다. 불원천 하고 불우인 하는 마음으로 자신을 살펴야 할 때다.57)

지난 대선 과정에서 윤석열 대통령의 명예훼손성 의혹 보도가 연달아 이뤄졌다는 의혹을 수사 중인 검찰이 뉴스버스 이진동 대표에 대한 압수수색에 나섰다. 이 사건과 관련해 검찰이 언론사 대표에 대한 강제수사에 나선 것은 뉴스타파 김용진 대표에 이어 이번이 두 번째다. 이 대표는 "검찰 수사권을 남용한 보복적 언론탄압"이라며 반발했다.

서울중앙지검 대선개입 여론조작 사건 특별수사팀(팀장 강백신 부장검사)은 26일 서울 서초구의 이 대표 주거지 등에 검사와 수사관을 보내 관련 자료를 확보했다. 검찰은 이 대표에 대해 정보통신망법상 명예훼손 혐의를 적용했다.

검찰은 이 대표가 관련 기사를 보도하기 전 대장동 업자인 화천대유 대주주 김만배씨와 수차례 접촉한 것으로 의심한다. 이 대표가 김씨 부탁을 받고 일선에 부산저축은행 부실수사 의혹을 취재하라고 지시했다는 것이다.

이 대표는 이날 오후 검찰 압수수색에 대한 입장문에서 "검찰이 적시한 범죄사실은 허위"라면서 "대장동 초기 윤곽 파악을 위해 두세 차례 통화한 사실은 있으나 부산저축은행이나 윤 대통령 관련 언급이 전혀 없었다"고 반박했다.58)

48. 두 여성에 들썩인 영국

지난주 영국은 두 여성에 대한 뉴스로 가득했다. 영국 역사상 가장 오래 왕좌를 지킨 엘리자베스 2세의 죽음과 영국의 첫 40대 여성 총리인 리즈 트러스의 등장은 전 영국을 들썩이게 만들었다.

엘리자베스 2세는 오랜 재위기간 동안 정치적 권한이 없는 한계 속에서도 영향력과 존재감을 뽐냈다. 영국뿐 아니라 전 영연방 국가의 '정신적 지주' 노릇을 함과 동시에 대중과 가까이하며 '유명인사'로서의 역할을 해냈다. 여왕은 재위기간 중 과거 식민지였던 국가와의 관계 강화에 힘쓰고 정치적 개입을 자제한 채, 왕가가 할 수 있는 사회적 역할에 대한 고민과 실천을 이어왔다.

현재 다수의 영국인들은 여왕의 죽음을 애도하고 있지만 새로 취임한 찰스 3세에 대해서는 기대감보다 우려를 많이 내비치고 있다. 영국 왕실과 영연방 통합의 상징이었던 엘리자베스 2세의 빈자리를 사생활 문제, 국정개입 논란 등이 있었던 찰스 3세가 채울 수 있을지 걱정하는 이들이 많다. 그리고 여왕이라는 구심점이 사라진 왕실의 권위가 더 약화될 것이라는 시각도 있다. 특히 최근 나타난 영연방 국가들의 군주제 비판과 탈퇴 움직임은 군주제 폐지를 주장하는 사람들의 목소리에 힘을 실어줄 것으로 보인다.

한편 보리스 존슨 전 총리에 이어 신임 총리가 된 리즈 트러스는 마거릿 대처, 테리사 메이에 이어 등장한 영국의 세번째 여성 총리다. 트러스는 엘리자베스 2세 서거 이틀 전 총리에 임명됨에 따라 여왕이 마지막으로 임명한 총리로 기록에 남게 되었다. 트러스는 대학 시절 군주제 폐지를 주장한 전력이 있다. 그녀는 정치적으로 진보 성향에 가까운 부모 아래서 자랐으나 대학 졸업 후 보수당에 입당하며 정계에 진출했다. 트러스는 이념뿐 아니라 정책에 대한 태도 역시 필요에 따라 자주 바꾸는 것으로 알려져 있다. 특히 그녀는 브렉시트 안에 대해 반대 입장을 내세웠다가 지지로 돌아서 브렉시트 이후 무역협상을 이끈 국제통상장관 역할을 맡기도 했다. 이러한 이유로 트러스에게는 '변신의 귀재' '카멜레온' '야심가' 등의 수식어가 따라다닌다.

트러스 총리는 고물가와 에너지 위기 등으로 임기 초부터 위기를 마주했다. 현재 영국은 7월 기준, 소비자물가 상승률이 10.1%나 되고 가계 에너지비가 평균 연 3600파운드(약 550만원)에 달하는 등 민생 문제가 심각한 상황이다. 특히 러시아의 가스 공급 중단으로 인해 올 10월부터 영국 가계의 에너지 요금은 약 80% 상승할 것으로 전망된다.

트러스 총리는 이 위기에 맞서 경제 불평등 해소보다 성장에 초점을 맞춘 경제 정책을 펼칠 것이라 예고했다. 이미 법인세율 인상 철회, 환경부담금 면제 등 강도 높은 감세 정책을 공약으로 내세운 바 있다. 하지만 감세 정책으로 인한 경기 부양은 인플레이션에 악영향을 주고, 국가재정을 악화시킬 수 있어 트러스 총리의 정책 방향에 대해 우려 섞인 목소리도 나오고 있다.

영국이 맞은 위기의 시대, 한 여성은 역사의 뒤편으로 퇴장했고, 다른 여성은 등장했다. 여왕의 부재를 채워야 하는 영국 왕실과 에너지 위기, 인플레이션으로 인해 무너진 민생 경제를 회복해야 하는 트러스 내각 모두 이 고비를 어떻게 극복할 것인지 귀추가 주목된다.[59]

49. 인플레이션 감축법이 드러낸 한국의 정책역량

미국의 인플레이션 감축법에 대한 국내 반응은 '배신'이라는 한 단어로 모아지는 듯하다. 때로는 동맹의 등에 칼을 꽂았다는 살벌한 표현도 들린다. 친환경 전기차에 주어지는 7500달러 보조금에서 당장 한국산 차가 배제되게 생겼고, 이것은 결국 한국산 전기차의 가격이 1000만원이나 비싸지는 셈이 될 것이라서 미국 내 전기차 판매 2위인 현대차·기아는 물론이고 수출로 먹고사는 한국 경제 전체에도 커다란 부담인 것이 사실이다. 윤석열 대통령 취임 이후 미·중 대립에서 한국은 분명하게 미국 쪽으로 방향을 틀었고, 조 바이든 대통령 방한을 전후해 현대차 100억달러와 삼성전자 170억달러 등 한국 기업들의 대대적인 미국 내 투자 약속까지 이어진 직후임을 감안하면 배신당했다고 느끼는 것은 이해할 수 있다. 야당은 정부의 무능을 조롱하고 나섰고, 영국을 거쳐 미국을 방문 예정인 윤 대통령으로서는 빈손으로 귀국할 경우 또 한 번의 정치적 부담을 안게 됐다.

그런데 인플레이션 감축법에 대한 미국과 국제사회의 인식은 앞에 요약한 우리의 인식과는 사뭇 다르다. 우리에게 인플레이션 감축법이 전기차 보조금에 대한 법이라면, 미국 내에서 이 법은 바이든의 대선공약이었던 '더 나은 재건(Build Back Better)' 정책의 축소판이다. 전체 법안은 법인세 인상, 처방약 가격 인하, 국세청(IRS) 개혁, 건강보험 보조금 연장, 에너지 안보와 기후변화 대응을 위한 투자 등 크게 다섯 부분으로 구성되어 있다. 우리가 중시하는 전기차 보조금은 다섯 번째 항목의 한 부분일 뿐, 전체적으로는 중산층을 위한 대대적인 사회투자 프로그램이다. 전기차 보조금은 외국 기업들로 하여금 미국 내에서 생산해야 할 인센티브를 높이기 때문에 미국 내 일자리 창출에 기여하겠지만, 지금으로서는 중산층 보호라는 반박하기 힘든 사회적 명분에 슬쩍 얹혀 있는 모양새다. 11월 미국 중간선거까지 기다리고 있으니 빠른 시일 안에 이 명분을 넘어서기는 쉽지 않을 것으로 전망된다. 인플레이션 감축법이 막상 인플레이션 잡는 데에는 아무 도움이 안 되거나 심지어 역효과일 것이라는 경제학자들의 전망이 수없이 나와 있으나 이 또한 아무도 신경 안 쓰는 분위기다.

국제사회에서 이 법은 첫째로 미국이 마침내 기후변화에 맞서기 위한 국제적 공동 대응에 적극 동참한다는 뜻이고, 둘째로 이미 안보 무기가 되어버린 국제적 공급망 재편에 대대적으로 나선다는 뜻이다. 바이든 대통령은 취임 후 전임 도널드 트럼프 대통령이 탈퇴했던 파리 기후변화협약에 다시 가입했고 이번에 인플레이션 감축법을 통해 온실가스 감축을 위한 청정에너지 산업에 대대적으로 투자함으로써 2030년까지 온실가스 배출을 50~52% 감축한다는 파리 협약의 약속을 지킬 수 있을 것으로 평가되고 있다. 어차피 전기차 생산과 무관한 대다수 국가들이 미국의 인플레이션 감축법을 긍정적으로 바라보는 이유이다. 급속하게 팽창해온 중국의 일방주의적 태도와 산업 기밀 유출, 코로나19로 인한 국제 공급망 마비, 우크라이나 전쟁에서 드러난 러시아의 에너지 무기화 등은 세계 각국이 동맹을 중심으로 한 공급망 재편에도 적극적인 태도를 취하게 만들고 있다. 그래서인지 몰라도 한국과 마찬가지로 피해를 보게 된 EU, 일본, 브라질은 '배신' 이나 '등에 칼' 같은 자극적 반응보다는 WTO를 통한 조용한 문제 해결 쪽으로 방향을 잡는 모양새다.

남는 것은 대한민국의 장기적 정책역량에 대한 걱정이다. 지금 겪는 어려움은 거의 다 예측하고 있었던 것들이다. 팬데믹이 처음 시작됐던 3년 전에 이미 전 세계 전문가들은 경제의 블록화와 자유무역의 퇴조, 세계적인 유동성 과잉 공급에 따른 대대적 인플레이션과 부채 쓰나미를 한목소리로 예측했다. 한국의 전문가들도 마찬가지였다. 미국 소비자물가 상승이 미국의 정책금리 인상을 끌어낼 것이고, 이것은 각국 정부의 이자비용을 높이면서 재정여력을 줄일 것이 분명하기 때문에 확장적 재정정책에 의존해서는 안 된다는 주장을 이미 여러 전문가들이 내놓고 있었다. 지금 겪는 어려움은 이미 2~3년 전부터 예측하고 있었던 것인데, 문재인 정부는 재정확장 일변도의 길을 갔고 윤석열 정부는 수습에 실패하고 있는 것이다. 국가의 장기적 정책역량 부족이 국민들의 삶을 피폐하게 만들고 있는데, '배신' 이니 '등에 칼' 이니 하는 자극적 언사가 무슨 도움이 될 것인가. 정쟁이 가져오는 최악의 결과는 정책을 근시안으로 만든다는 것이다. 이제라도 장기적 정책역량 복원에 힘써야 할 때이다.[60]

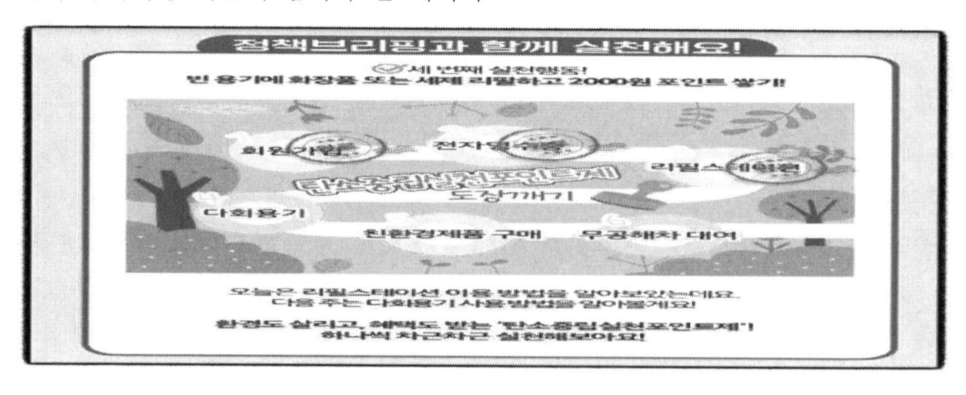

50. 민주노총만 지켜주는 노란봉투법?

'노란봉투법' 이 다시 정국의 중심에 섰다. 노동조합의 쟁의행위에 대해 막대한 규모의 손해배상을 무분별하게 청구하는 행위를 금지하는 법안이다. 2015년 처음 국회에서 발의된 이후 7년간 상임위원회 문턱을 넘지 못했다. 국회가 미뤄온 사이에 또 곳곳에서 노동자들이 손해배상 청구를 받아야 했다. 대우조선해양 하청노동자들이 받은 액수는 470억원, 2014년 쌍용차 노동자들이 받았던 47억원의 정확히 10배다.

이런 일 막자고 발의한 법안을 국민의힘 정책위의장인 성일종 의원은 "민주노총 방탄법" 이라고 불렀다. 참 악의적인 표현인데, 성 의원은 왜 노란봉투법을 민주노총 방탄법이라고 불렀을까. 이 질문은 이렇게도 번역된다. 왜 민주노총만이 노란봉투법의 보호를 받는가? 이렇게 질문을 바꿔 생각해 보니 성 의원의 악의 섞인 표현이 민주노총에 대한 상찬처럼 느껴질 정도다.

이은주 정의당 의원이 대표발의한 법안의 내용은 크게 세 가지다. 먼저 화물·택배 등 특수고용노동자들을 노동관계법상 '근로자' 로 포함시키고, 하청·파견·도급 등 비정규직 노동자들에 대해 사실상 지배력을 행사하는 원청에 사용자성을 명확히 부여하는 내용이다. 이런 법이 민주노총만을 보호한다는 것은 무슨 의미인가? 지난해 2월 기준으로 민주노총 전체 조합원 중 30%가 비정규직 노동자라고 한다. 화물노동자들의 노동조합인 화물연대는 이미 2002년에 출범했고, 택배노조는 2017년 출범해 조직을 넓히고 있다. 이 법이 어째서 '민주노총 방탄법' 이 될 수밖에 없는지 분명해 보인다. 정규직 노동자에 그치지 않고 보호망 바깥에 놓인 이들을 가장 적극적으로 조직해온 것이 민주노총이라는 얘기다.

쟁의행위의 범위를 넓히는 것이 노란봉투법의 두 번째 내용이다. 현행법상

'임금·근로시간·복지 등 근로조건의 결정'에 국한된 노동쟁의의 대상을 '근로조건 및 노동관계 당사자 사이의 주장'으로 확대하겠다는 것. 이렇게 되면 정리해고 철회나 노동조합 활동 보장, 기업의 사회적 책임 요구 같은 의제들이 쟁의행위의 대상이 될 여지가 생긴다. 예컨대 철도 민영화 저지 투쟁과 같이 공기업의 공공성 강화를 요구하는 파업도 가능해질 수 있다는 얘기다. 이런 내용이 민주노총에만 해당된다면 그것은 또 무슨 의미인가? 소위 '밥그릇 싸움'으로 불리는 임금 문제에 그치지 않고 노동자 전체의 권리 확대와 기업의 사회적 책임 촉구를 위해 파업도 불사하는 것이 민주노총이라는 얘기 아닌가. 그러니 이것이 민주노총을 향한 상찬이 아니고 무엇일까.

노란봉투법의 마지막 내용은 손해배상 청구범위를 제한하고 청구액의 상한선을 정하는 것이다. 이것은 또 어째서 민주노총을 위한 방패가 되는가? 손해배상 청구가 사실상 '전략적 봉쇄소송'으로 기능해왔기 때문이다. 막대한 손해배상 청구로 노동조합 활동을 억제하고, 손해배상 철회를 조건으로 조합 탈퇴를 유도하며, 이 사건을 지켜보는 다른 노동자들로하여금 쟁의행위를 망설이게 한다. 이 정도 수준의 압박을 가해야만 통제할 수 있다고 여겨지는 조직이 민주노총이라면, 그 자주성과 비타협성에 박수를 보내는 것이 마땅하다.

성 의원은 폄하의 의도로 민주노총 방탄법이라고 했을 테지만, 그 명명은 역의 방향으로 어떤 진실들을 보여주고 있다. 그간 보수언론과 보수정당이 노동조합의 영향력을 약화시키기 위해 조성해 온 "대공장 정규직의 밥그릇 지키기"라는 편견과는 영 딴판이다. 물론 노동조합의 첫 번째 목적이 조합원의 권익 증진에 있다는 점에서 그것이 부당하다고 비난받을 이유도 별로 없지만, 민주노총이라는 조직이 단지 거기에 머물지 않고 더 폭넓은 역할을 수행하고 있다는 사실에 절대적인 신뢰를 보낸다. 노란봉투법이 그 역할을 더할 수 있는 것이라면 역시 서둘러 제정되는 것이 좋겠다.[61]

51. 제3의 정치 세력이 필요하다

정치적 양극화를 극복하고 '정당 민주주의'를 실현하기 위해서는 제3의 세력이 필요하다. 정권이 바뀔 때마다 반복되는 극한 대립의 광경은 정말 짜증스러울 뿐만 아니라 정치적 혐오감을 불러일으킨다. 진영만 달라졌을 뿐 똑같이 적폐 청산을 부르짖는 정치인들을 제일 먼저 쓸어버려야 한다는 극단적인 말도 곳곳에서 들린다. 그런데 사회 영역 가운데 정치가 제일 후진적이라고 소리 높여 비난하다가도 곧 그런 정치인을 뽑은 것이 바로 우리 국민이라는 사실에 자괴감이 든다. 선거를 통해 정권이 '평화적으로' 바뀌었다는 점에서 우리의 정치제도는 분명 민주적이라고 할 수 있는데, 선거가 끝나면 정치판을 아수라장으로 만드는 극단적 양당제는 다분히 폭력적이고 비민주적이다. 국민의 의사를 반영하기는커녕 심각하게 왜곡하기 때문이다.

문제는 정치인들의 저급한 정치의식도 아니고 우리의 국민성도 아니다. 정치문화를 타락시키고 정치는 본래 정쟁이라고 착각하게 만드는 가장 핵심적인 문제는 바로 극단적인 양당제다. 양당제는 세력이 비슷한 2개의 정당이 선거를 통하여 교대로 집권하는 정치제도를 일컫는다. 정권을 잡은 정치적 지도자가 권력을 함부로 독식하거나 남용하지 못하도록 하는 민주적 견제 장치가 제대로 작동한다면 양당제 자체는 커다란 문제가 되지 않는다. 양당은 무엇이 국민의 뜻이고 또 어떤 정책이 민생을 위한 것인지를 헤아리는 정치적 행위의 경쟁자일 뿐이다.

양당제는 선의의 경쟁자를 제거되어야 할 적으로 만들기도 한다. 진보 세력과 보수 세력을 대변하는 두 정당이 절대적인 다수를 차지하여 정치적 여론 형성에서 절대적 영향력을 발휘하는 양당제에서 정당이 진영화되고 극단적으로 대립하면, 반대당은 청산되어야 할 적이 된다. 한 정치적 진영은 반대의 경쟁자를 위협적인 존재로 바라보기 때문에 이판사판의 정쟁이 일상화된다. 문제는 중간의 어떤 통로도 없이 더욱 멀어져가는 두 진영의 양극화와 이를 초래한 극단적 양당제이다.

민주주의는 역설적이게도 양당제로 붕괴한다. 우리 국민 자체가 두 편으로 갈라져 두 정당 외에는 다른 정당들에 표를 주지 않는다면, 민주주의의 붕괴는 다름 아닌 투표장에서 일어난다. 제20대 대선에서 윤석열 대통령은 단지 0.73%포인트의 차이로 당선되었다. 윤석열 후보의 득표율은 48.56%였고, 이재명 더불어민주당 후보의 득표율은 47.83%였다. 제3정당인 정의당의 심상정 후보는 단 2.37%에 불과했다. 극단적으로 대립하는 양당제가 더욱 공고해진 것이다.

가. 민주주의는 극단적 양당제로 붕괴

선거라는 규칙을 외관적으로는 인정하면서도 내면적으로 그 결과를 쉽게 받아들이지 못하는 양당제에서 '0.73%포인트' 는 협치가 아니라 극한 대립의 씨앗이다. 여기서 누가 먼저 정쟁을 시작하였느냐는 중요하지 않다. 윤석열 정부가 협치와 정쟁의 두 길 중에서 어떤 길을 선택하는가는 사실 어리석은 질문이다. 어느 보수 언론인의 말처럼 윤석열 대통령은 대장동·백현동 사건과 관련하여 이재명 민주당 대표를 법정에 불러내면서 협치 대신 정쟁을 선택한 것처럼 보인다. 윤 대통령에게 실망한 보수 진영의 사람들조차 이왕 뽑아줬으니 자신이 제일 잘하는 것을 하라고 주문한다. 좌파 정권이 저질러 놓은 잘못들을 청소하고, 상대 당의 대표라고 할지라도 잘못이 있으면 법정에 세워 공정과 상식을 바로 세우라는 것이다.

야당이 입법 권력을 장악한 여소야대의 상황에서 윤석열 정부는 '법치' 를 통치 수단으로 선택한 것으로 보인다. 윤 대통령이 헌법정신이라는 이름으로 비판하였던 문재인 정부의 '법에 의한 지배' 를 답습하고 있다. 정치적 문제조차 법의 잣대로 결판내려는 정치의 사법화는 궁극적으로 대화와 타협을 배제하기 때문이다. 형식적 법치는 민주주의를 위협할 수 있다는 것을 지난 정권에서 충분히 경험했음에도 불구하고 똑같은 구습을 반복하는 것은 결국 극단적 양당제 때문이다.

스티븐 레비츠키와 대니얼 지블랫이 〈어떻게 민주주의는 무너지는가〉에서 정확하게 지적한 것처럼 민주주의를 지켜온 두 가지 핵심 규범이 파괴되기 때문이다. 자신과 다른 의견도 인정하는 '상호 관용' 과 제도적 특권을 함부로 휘두르지 않는 '제도적 자제'는 민주주의의 핵심 규범이다. 이러한 규범은 사라지고 법만으로 통치한다면, 그것은 진정한 민주적 법치가 아니다.

극단적 양당제는 상호 관용과 제도적 자제라는 민주적 규범을 해친다. 양당이 대립하는 상황에서 대화와 타협이 설 자리는 없어서 협치는 애당초 가능하지 않은 일이다. 제3의 정치적 세력이 필요한 이유이다. 의회 민주주의는 본래 민의를 효율적으로 대변하는 정치적 제도다. 다양한 사람들로 구성된 국민의 뜻은 본래 하나가 아니다. 다원성은 본래 모든 정치의 필요조건일 뿐만 아니라 가능 조건이라는 의미에서 절대적 조건이다. 의견이 하나밖에 없는 곳에는 정치란 없다. 하나의 정당보다는 두 개의 정당이, 그리고 양당제보다는 다당제가 민주주의에 부합한다. 정당이 너무 많으면 혼란을 초래하여 통치를 불가능하게 만든다는 우려는 극단적 양당제의 오래된 미신이다. 실제로 대부분의 선진국은 다당제이다. 독일과 서구의 선진국에서 볼 수 있는 것처럼 정당들 사이의 타협과 협치의 산물인 연정은 민주주의를 지속 가능하게 만든다.

정쟁의 악습을 끊으려면 우리에겐 두 개의 길이 있다. 하나는 양당제를 유지하면서 '당내 민주화'를 추진하는 것이고, 다른 하나는 '제3의 정치 세력'을 키움으로써 다당제의 토양을 만드는 것이다. 팬덤 정치에 포위된 더불어민주당과 당 내부의 문제를 자율적으로 해결하지 못하고 법정으로 끌고 간 국민의힘이 보여주는 것처럼 진영화된 상황에서 당내 민주화는 요원해 보인다. 극단적 양당제에서 적과 싸우려면 하나의 통일된 의견이 지배하는 일사불란한 조직이 필요하기 때문이다. 당의 안과 밖에서 결코 다른 의견은 인정되지 않는다. 이렇게 민주주의는 서서히 무너져간다.

나. 중도정당은 거스를 수 없는 대세

양대 정당의 적대적 대립을 극복하고 민주적 정당 문화를 구축하려면 오히려 제3의 정치 세력이 필요하다. 만약 제3의 정치 세력이 10%대의 지지율을 획득한다면, 양대 정당의 어느 정당도 입법 권력을 독점하지 못하게 될 것이다. 정권을 잡기 위해서는 적어도 제3의 정치 세력과 협치할 수밖에 없는 상황이 구조적으로 형성되는 것이다. 독일의 경우에는 양대 정당이 연정할 수도 있고, 다수 정당과 소수 정당이 협치할 수도 있다. 각 정당의 정치적 이념과 정책적 방향이 다르더라도 정당의 색깔을 유지하면서도 타협하고 협치한다. 노선이 불분명하거나 기존 다수당과 비슷해지면 오히려 정치적 세력과 영향력을 상실하는 것을 보면, 다당제가 민의를 훨씬 더 잘 대변하는 것은 분명해 보인다.

사실 영국의 사회학자 앤서니 기든스가 주창한 '제3의 길'은 시장 자유주의와 공산주의의 대립을 극복할 수 있는 정치적 대안으로 여겨졌다. 오늘날 서구 선진국의 주요 다수당은 대체로 제3의 길을 걷고 있다. 실제로 진보 정당은 전통적 좌파가 시장에 대해 가졌던 적개심을 버리고 시장의 논리를 적극적으로 수용하고, 보수 정당은 좌파의 이념으로 여겨졌던 불평등의 해소에 적극적이다. 경제성장을 통해 복지국가를 실현하려 한다는 점에서 좌파와 우파의 경계선은 모호하다. 정치적 중도를 지향하는 제3의 길은 거스를 수 없는 대세이다. 그런데 우리의 다수당은 여전히 서로 적대적으로 대립한다. 이렇게 극단적인 양당제에서 중도는 배척되고, 중도가 배척될수록 양당은 더욱더 극단화한다. 양단이 극단적으로 대립할수록, 정책 대결은 실종되고 인물 중심의 권력투쟁만 남게 된다.

지금의 정쟁은 모두 다음 총선에서 다수를 획득하기 위한 적나라한 싸움일 뿐이다. 그들은 틈만 나면 국민의 뜻과 민생을 입에 올리지만, 실질적 관심은 득표의 숫자에만 있다. 이 파괴적이고 비생산적인 정쟁을 멈추려면, 우리는 양당에 너무 쉽게 표를 주어서는 안 된다. 그러기 위해서는 원하지 않지만 어쩔 수 없이 양당 중 하나를 선택해야 하는 중도가 움직여야 한다. 주위에는 기존 정당에 끔찍하게 질려 대안을 찾는 사람들이 늘어나고 있다. 이들을 결집할 수 있는 제3의 중도정당이 생겨났으면 좋겠다. 새로운 정부가 출범했음에도 희망이 보이지 않는 절망적 상황에서 이런 꿈이라도 꾸지 않으면 참 견디기 힘든 시절이다.[62]

제3지대 신당은 우후죽순 격으로 생겨나고 있다. 무소속 양향자 의원이 지난 6월 '한국의희망'을 창당한 데 이어 이달 초에는 금태섭 전 민주당 의원과 류호정 정의당 의원이 '새로운 선택'의 공동 창당을 선언했다. 정책 노선을 연대하거나 지역 연합을 꾀하는 이른바 '빅텐트' 구상도 나온다.

내년 총선에 대한 국민의 요구는 거대 양당의 정쟁으로 점철된 정치판을 확 바꾸라는 것이다. 거대 양당은 선거제와 관련해서도 자신들의 기득권을 극대화할 수 있는 병립형으로의 회귀를 모색하고 있다. 그러나 신당은 아직 대안 세력으로 평가하기에는 부족한 점이 많다. '반윤석열' 혹은 '반이재명'만을 내세운다면 그동안 과거 수없이 명멸했던 '떴다방 신당'과 다를 게 없다. 이준석 전 대표는 27일 탈당을 선언하며 "미래를 이야기하는 생산적인 정치를 하겠다"고 강조했다. 기존 양당과 다를 것이라는 얘기다. 제3신당이 '총선용' 우려를 벗고 성공하려면 양당제 극복에 대한 확고한 비전과 정책 청사진 제시를 통해 '새 정치'를 보여 줘야 한다.[63]

52. 태평성대가 저물어가는 시대의 외교전략

태평성대의 시대는 저물어가고 있다. 미국과 서방의 관점에서는 제2차 세계대전 이후 70여년은 인류 역사상 전례 없을 정도로 성공적인 시대였다. 이념적으로 자유와 민주는 보편적인 가치로 고양되었고, 외교안보적으로는 동맹 체제로, 경제적으로는 시장경제와 세계화로, 그리고 경제 발전과 분쟁은 세계은행·IMF·WTO 등의 기구들을 통해 관리하였다. 강대국 간의 전쟁 없이 이념적 적수였던 중국과 전략적 협력을 이끌어냈고, 소련과 사회주의권은 붕괴되었다. 전통적으로 강대국들이 자신의 세력권을 주장하면서 상호 치열하게 싸웠던 지정학 국제정치는 부차적인 사안이 되었다. 이 모든 것은 미국의 자유주의적인 패권질서하에서 가능한 것이었다. 정도의 차이는 있지만 세계는 급속히 발전하는 경제의 혜택을 보았고, 한국은 이 가운데에서도 산업화, 민주화, 정보화를 차례로 이룬 가장 성공적인 나라였다.

미국은 중국에 대해 미국 주도의 시장질서와 국제관계를 통해 민주화하면서 미국에 순응적인 국가로 성장할 것으로 낙관하였다. 수많은 전문가들은 중국의 붕

괴나 몰락을 끊임없이 예견하기도 했지만, 중국은 모두의 예상을 뛰어넘는 경제 발전을 이루었고, 세계적인 강국으로 부상하였다. 아직까지도 중국이 어떻게 체제 전환을 하는 가운데 경제발전을 성공적으로 할 수 있었는지에 대한 충분한 설명을 세계는 가지지 못한 것처럼 보인다. 그 역동성에 대한 답을 대부분 부정적인 행태에서 찾았고, 사회주의와 권위주의 요소는 비효율성으로만 해석되었다. 중국은 내부적으로 세계에서 가장 치열하게 경쟁하는 시장이다.

중국은 2013년 시진핑 시기에 들어서면서 독자적인 세계전략을 추진하기 시작하였다. 기존의 동서 축으로 바라보는 지도 대신 남북의 축으로 세계지도를 재해석하였다. 이 세계지도에서 중국은 중심이 되고 미국은 변방이 된다.

일대일로는 중국이 추진한 최초의 세계전략이라 할 만하다. 과학적 유물론자인 중국의 지도부는 미국과 서방이 주도하고 있는 국제관계라는 상부구조에 대한 직접적인 도전보다는 경제관계와 생산력을 주도하는 장기적이고 간접적인 전략을 치밀하게 준비하였다. 이제는 자유주의 무역체제를 포기한 미국을 대신하여 유엔 중심의 국제질서, 경제적 개방과 지역협력, 국제제도의 활용을 적극 추진 중이다. 미국의 자유와 민주라는 보편적인 가치를 대신해 '인류운명공동체'를 들고나왔다.

오는 10월 시진핑 3기가 출범하면, 중국은 이러한 전략들을 더욱 구체화하고 집요하게 추진할 것이다. 기존의 미국 중심의 대외전략은 수정될 개연성이 크다. 미국과의 관계에서 중국이 기대할 것이 별로 없다는 판단이다.

중국은 자신의 세력권을 강화하면서 주변을 보다 중시하는 외교를 강화할 것으로 보인다. 중앙아, 동남아, 중동, 더 나아가서는 동유럽, 그리고 동북아에서 한국과 일본을 향해서도 더 적극적인 구애의 정책을 추진할 것이다. 최근 브릭스(BRICs) 고위급 회의나 상하이협력기구(SCO) 정상회의는 미국과 서방의 축에 대응하는 또 다른 국제정치・경제・안보 기제가 급속도로 성장하고 있다는 것을 말해준다. 우크라이나・러시아 전쟁의 발발은 권위주의 축으로서 중국의 이미지를 크게 악화시켰지만, 동시에 중앙아 국가들은 두려운 러시아를 대신하여 중국을 적극 수용하기 시작했다.

바이든 행정부는 진퇴양난에 빠져있다. 우크라이나 사태의 발발로 미국이 중국과 러시아를 동시에 적대해야 하는 상황이 발생했다. 이는 헨리 키신저나 즈비그뉴 브레진스키와 같은 지정학 전략가들이 극력 피하고자 했던 상황에 직면한 것이다. 미국의 여론은 중국과 러시아에 대해 극도의 반감을 보인다. 금년 들어 5차례의 고위급 회담을 통해 중국과의 갈등을 완화하려 했던 바이든 정부의 속내는 낸시 펠로시 하원의장의 대만 방문으로 물 건너갔다. 점차 박빙이 되어가는 중간 선거를 위해서라도 바이든은 중국을 강하게 압박하지 않을 수 없는 환경에 처해 있다. 최근 바이든 대통령의 대만 수호 발언은 우연이 아니다. 바이든의 발언마다 국무부는 미국의 대만정책이 바뀐 것은 없다고 강조한다. 그러나 발언의 수위를 놓고 볼 때, 미국은 이제 대만 문제를 전략경쟁의 수단으로 적극 활용하기 시작했다. 그리고 최근 소위 말하는 칩4동맹이나 인플레 감축법안(IRA)의 추진은 미국이 동맹국들을 배려할 수 없는 상황이라는 것을 말해준다.

미국의 국내정치는 향후 더욱 대립적이고 분열적인 상황으로 치달을 것이다. 중국에 대한 관여정책을 추진할 공간은 대단히 협소하다. 미국은 향후 반도체나 배터리 분야만이 아니라 전략산업의 전 분야에 걸쳐 미국 중심의 공급망으로 재편하고자 하는 노력을 더욱 강하게 추진할 것으로 보인다. 추후에도 중국을 지속적으로 압박하고, 한국의 선택을 강하게 요구할 것이다.

이 경우 윤석열 정부 외교안보 라인의 해법은 명확해 보인다. 한·미 동맹의 강화다. 미국이 원하는 것을 일단 들어주고, 미국의 배려를 기대하는 눈치이다. 윤석열 대통령 자신은 '자유'라는 가치를 강조하고 심지어 국제관계 역시 이를 관철시키는 영역으로 생각하는 듯하다. 그러나 국제관계이론에서 정치현실주의나 자유주의는 모두 강대국 위주의 이론이다. 스티븐 월트의 위협에 대한 균형을 추구하는 정치현실주의적 이론이나 가치와 제도를 중시하는 자유주의 이론이나 한국이 전적으로 수용하기에는 지나치게 현 국제관계를 단순화하고 있다. 이분법적 국제관계는 실제에 부합하지도 않고, 그 이면에는 강대국들의 냉엄한 국가이익이 숨겨져 있다. 가치 동맹이니, 위협에 대한 균형이니 모두 국익을 증진시키는 수단일 뿐이다.

세계의 대다수 중간·약소국들은 이런 상황에서 현 국제정치를 백과 흑의 세계가 아닌 보다 복합적으로 이해가 얽힌 회색지대로 볼 개연성이 커보인다. 행동에 따른 '위협'에 대한 냉정한 평가가 전제되어야 하고, 이 위협을 최대한 감소시키는 전략과 정책을 채택하여야 한다.

문재인 정부가 북한 문제에 모든 것을 투사하여, 국제정치 분야에서 많은 비용을 초래하고 기회의 창을 잃어버렸다면, 윤석열 정부는 한·미 동맹 강화와 가치외교에 집중하여 또 다른 반대의 극단을 만들어낼지도 모른다. 차기 정부는 정반합의 원칙에 따라 이를 다 융합하고 고려하는 새로운 외교안보 전략의 채택이 불가피할지도 모른다. 그러나 이 경우, 그 비용이 지나치다면 백약이 무효일 것이다.[64]

53. 프로당구협회와 가치 영역

어두침침한 조명과 자욱한 담배 연기 속에서 동네 달건이들이 당구를 치고 있다. 스리 쿠션을 칠 때마다 돈을 주고받는 '죽방 당구'가 한창이다. 공이 먼저 맞았느니, 쿠션 먼저 맞았느니 시비가 붙더니 급기야 패싸움까지 벌일 기세다. 당구장 주인이 황급히 싸움을 가라앉히고 음료수를 다시 내와 달랜다. 호기심에 당구장 밖을 기웃거리던 까까머리 고등학생들은 소동을 틈타 당구장 안에까지 호기롭게 들어선다. 뒤늦게 알아차린 당구장 주인이 장사 망치려고 작정을 했냐며 호통친다. 못 들은 척 까까머리들이 구석 테이블을 하나 차지하고 공을 달라고 해서 신나게 논다.

1980년대 동네 당구장에서 흔히 보던 풍경이다. 당구장은 할 일 없이 빈둥대는 청춘들의 해방구였다. 마음껏 담배 피우고 내기 당구 치고 짜장면을 먹으며 남아돌기만 하는 시간을 죽였다. 저녁이 되면 술판을 벌이기 일쑤였다. 당연히 당구장은 청소년이 출입할 수 없는 유해시설이었다. 이런 현실을 반영하듯 영화에서는 항상 당구장이 깡패와 도박꾼의 소굴로 그려졌다. 이러니 당구가 스포츠 대우를 받을 수 없었다. 이를 바꾸고자 당구인들이 힘을 합쳐 당구를 스포츠로 만들려는 노력을 기울였다. 덕택에 당구가 아시안게임 정식종목으로 채택되기도 했다.

이러는 가운데 2019년 프로당구협회(PBA)가 출범했다. 마케팅 대행사가 돈벌이 수단으로 만든 PBA가 과연 제대로 발이나 뗄 수 있겠냐는 비판이 일었다. 기존 단체는 소속 당구선수가 PBA에 출전할 수 없도록 제재를 만들었다. 대부분의 최정상급 선수는 참여할 수 없었다. 선수 수급에 차질이 빚어졌다. 하지만 교회 숫자와 비교될 만큼 많은 당구장 수를 자랑하는 인프라. 그동안 갈고닦은 재야의 숨은 고수 당구장 주인들이 대거 프로당구에 뛰어들었다. 당구장 주인이 무슨 선수냐며 조롱이 쏟아졌다. 실제 뚜껑을 여니 역동적인 게임 규칙 덕분에 기존 강자는 물론 당구장 주인도 심심찮게 챔피언으로 등극했다. 누가 이길지 가늠하기 힘들어 보는 재미가 쏠쏠했다. 최정상급 선수들이 하나둘 참여를 선언했고 세계적인 선수들도 합류했다. 갓 출범한 탓에 이러저러한 논란도 있지만 새로운 프로스포츠로 자리 잡아 가는 중이다.

그중 사회학자인 내 눈을 잡아끈 것은 단연 팀 리그다. 여성과 남성이 만드는 대면적 상호작용의 질서가 어떠해야 하는지 생생한 예시로 보여준다. 한 팀당

6~8명인데, 여자 선수가 2명 이상이어야 한다. 실력만 고려하면 여자 선수는 남자 선수와 승패를 겨룰 처지가 못 된다. 그런데도 여자 선수를 실력 있는 동료이자 경쟁자로 존중해서 승부를 겨룬다. 이런 기대를 받는 여자 선수도 온 힘을 다해 자신만의 독특한 실력을 발휘한다. 이렇듯 상대방을 동등하면서도 독특한 존재인 양 대우하는 것은 현대 민주주의의 이상이다. 이 선한 거짓말은 불평등한 현실에 엄청난 압박을 가한다. 모두가 동등하기만 하면 끔찍한 전체주의 사회가 된다. 동시에 모두가 독특해야 한다.

이것이 어떻게 가능한가? 사회학자 막스 베버가 답해준다. 현대사회로 접어든다고 해서 초월적 신이 죽는 것이 아니다. 각자 고유한 초월적 신, 즉 가치를 품고 있는 여러 영역이 출현하기 때문이다. 각 영역에서 전문가 집단이 고유한 가치를 창출해서 추구해야 할 구원재(救援財)로 만든다. 내면 깊은 곳에서부터 자발적으로 그 가치에 헌신하는 인성(personality)이 출현한다. PBA는 우리 사회가 어떻게 다양한 가치 영역으로 분화할 수 있을지 알려준다. 무엇보다도 고유한 초월적 신을 창출하고 이에 헌신하면서 내면을 일깨워야 한다. 내면을 가진 참여자들이 만든 성스러운 질서 속에서는 누구나 참여자를 동등하면서도 독특한 인성을 가진 존재로 대우한다. 짐짓 초월적 신을 섬기는 척만 하는 기만적인 행위자가 들어와 분탕질하기 어렵다.[65]

김영수 피비에이(PBA) 총재가 선수들과 함께 프로당구 출범식을 알리고 있다(PBA 제공)

문화체육관광부(장관 박보균)는 5일 오전 10시 30분 서울 송파구 올림픽파크텔 올림피아홀에서 18회 대한민국 스포츠산업대상 시상식을 열고 피비에이 등 5개 부문 8개 단체에 표창을 한다고 2일 밝혔다.

문체부는 "올해 대상은 세계 최초로 3쿠션 프로리그를 출범·운영해 프로당구 선수라는 새로운 직업을 창출하고, 해외에서도 즐겨볼 수 있게 하는 등 한류 기반을 구축한 피비에이가 받는다"고 설명했다.[66]

54. 열 번 찍어 안 넘어가는 나무 있다

한국 속담 가운데 '열 번 찍어 안 넘어가는 나무 없다' 라는 말이 있다. 아무리 어려운 일이라도 노력하면 이루지 못하는 것이 없다는 뜻이다. 끊임없이 노력하는 점은 한국인의 대표적 특성이다. 한강의 기적이라 불리는 한국 현대사에서 이 특성은 긍정적인 결과를 불러온 핵심 요인으로 꼽힌다. 반면 '나무' 가 원하지 않음에도 불구하고 열 번 찍는 것은 어떻게 평가해야 할까. 상황에 따라서는 목표 달성을 위한 끊임없는 노력을 긍정적으로만 볼 수 없을 것이다.

지난 14일 밤 20대 후반 여성인 역무원 A씨가 서울 지하철 2호선 신당역 여자 화장실을 순찰하던 도중 30대 초반 남성이 휘두른 흉기에 피습당하는 사건이 발생했다. A씨는 비상벨을 눌러 도움을 요청했고, 역사 직원과 현장 부근에 있던 이들이 범인을 제압해 경찰에 넘길 수 있었다. 하지만 이 과정에서 A씨는 결국 숨을 거뒀다.

수사 과정에서 가해자와 피해자는 서울교통공사 입사 동기란 사실이 밝혀졌다. 가해자가 2019년부터 피해자를 협박했고 피해자 의사에 반하는 스토킹을 한 것이 확인됐다. 피해자는 지난해 10월과 올해 2월 두 차례에 걸쳐 가해자를 고소하기도 했다. 그런데도 법원은 "주거가 일정하고 증거인멸 및 도주 우려가 없다" 는 이유로 구속영장을 기각했다.

스토킹범죄의 처벌과 스토킹 피해자의 보호를 위해 제정된 법률. 약칭은 '스토킹처벌법'이다. 반복되는 스토킹행위로 피해를 입는 사례가 증가하자 법적 조치를 통해 스토킹범죄를 처벌하고 피해자를 보호하기 위해 2021년 제정, 시행되었다. 피해자 보호를 위해서 반복적인 스토킹행위자에 대한 접근 금지 등의 잠정조치를 규정하고 있으며 스토킹범죄자에 대한 벌칙을 구체적으로 정했다.

스토킹으로 인하여 정상적인 일상생활이 어려울 만큼 정신적·신체적 피해를 입는 사례가 증가하고, 범행 초기에 가해자 처벌 및 피해자에 대한 보호조치가 이루어지지 않아 스토킹이 폭행, 살인 등 신체 또는 생명을 위협하는 강력범죄로 이어져 사회 문제가 됨에 따라 제정되었다.

스토킹처벌법에서 규정하고 있는 스토킹 행위에는 접근하기, 기다리기, 전화하기, 주거에 물건 두기 등이 포함돼 있다. 그 가운데 상대방에게 다가가고 기다리는 것, 문자 메시지를 보내거나 꽃을 선물로 보내는 것 등은 일상생활 속에서 흔히 이뤄지는 행위다 보니 이를 모두 불법이라고 평가하기는 어렵다. 더욱이 선물을 보내는 것은 경우에 따라 상대방이 감사하다고 느낄 수도 있다. 이것이 바로 스토킹 범죄와 일반 범죄의 큰 차이점이자 스토킹처벌법 제정의 걸림돌이 됐던 부분이기도 하다. 사람을 때리거나 물건을 집어 던지는 행위 등은 그 자체로 가벌성이 인정될 정도로 불법성을 지니고 있지만 스토킹 범죄를 구성하는 각 행위는 그렇지 않다.

이번 사건에서는 스토킹 행위가 시간 경과와 함께 중대한 범죄로 발전할 가능성이 있다는 점을 충분히 고려하지 못했다는 생각이 든다. 대부분 행위자는 일정한 목적이나 감정을 충족하기 위해 스토킹을 한다. 목적을 달성하지 못한 경우 행위가 반복될 수 있으며 점차 과격해지기도 한다. 처음에는 단순히 지켜보는 것에 그치다가 자신을 알리기 위해 진로를 막아서거나 옷깃을 잡을 수도 있다. 상대방이 응해주지 않을 경우 더 심한 폭력을 휘두를 가능성도 배제하기 힘들다. 이런 스토킹의 특성을 고려하면 신당역 스토킹 살인 사건은 충분히 예측 가능한 비극이었다.

20년 이상의 노력을 통해 스토킹처벌법이 제정됐고 다음 달이면 시행 1년을 맞이한다. 스토킹을 경범죄처벌법상 지속적 괴롭힘으로 치부해 10만원 이하의 벌금, 구류 또는 과태료로 규율하던 때와 비교하면 징역형까지 규정한 것은 분명히 눈부신 발전이라고 평가할 수 있다. 그러나 스토킹처벌법이 스토킹 범죄에 대한 효율적 대책 및 피해자 보호에 기여하고 건강한 사회질서 확립에 이바지하기 위해서는 아직 갈 길이 멀다. 실무 및 학계에서는 까다로운 스토킹 범죄 성립 요건, 긴급 응급조치 위반·불이행에 대한 가벼운 처벌, 스토킹 범죄에 대한 반의사불벌죄 규정 등이 스토킹처벌법의 허점이라는 지적이 꾸준히 제기되고 있다.

열 번 찍어 안 넘어가는 나무도 있다. 스토킹처벌법이 제정·시행된 이상 나무가 원치 않는데도 열 번 찍는 행위를 하는 것은 명백한 범죄다. 개별·구체적인 스토킹 행위는 외관상 경미해 보일지 모른다. 하지만 그 속에 잠재돼 있는 위험성을 간과하는 일이 다시는 있어선 안 될 것이다.[67]

55. 미신 타파하던 조선 정치가들의 미신

누군가가 운명에 대해 과도한 관심을 갖게 된다면 아마도 인간의 노력과 무관하게 운명이 흘러가는 상황에 직면하면서부터일 것이다. 어떤 이들은 인간의 삶을 지배하는 운명의 존재를 굳게 믿고 실패를 막을 구체적인 조처가 필요하다고 믿는다. 그리고 때때로 개인의 기도를 넘어서 부적이나 굿, 그 이상의 것을 통해 운명을 극복하려는 노력을 기울인다.

만약 이러한 인간의 노력을 미신적인 것이라고 한다면, 조선은 이런 노력의 성상들을 파괴하며 건국한 국가이다. 고려는 정치적으로 풍수지리와 점사 등에 크게 의존했고, 왕과 관료들은 민란이 생기거나 국정에 문제가 생기면 도읍을 옮겨 해결할 수 있다고 믿었다. 고려의 정치인들은 '운명'을 조절함으로써 국가를 유지하려 했다면, 조선의 건국자들은 이런 생각이 정치에 아무런 도움이 되지 않는다고 생각했다. 유학자들은 구체적인 정치, 행정, 사회질서의 구축을 추구했고, 미신으로 정치를 해결하려는 태도를 비판하였다.

인간이 운명에만 매달리게 되면 외부의 구원에 지나치게 의존하게 된다. 구체적인 제도, 제도를 만들고자 하는 노력과 그 과정에 관심을 두는 유학자들에게 운을 좋게 만들어 성공하고자 하는 이들이 주류가 되는 것은 공동체의 불행이었다. 자기 성공만을 극단적으로 추구하는 개인들과 그들의 가치지향이 기준이 된 공동체는 결국 무질서해지고 그 내부에 폭력이 만연해질 것이기 때문이다. 전근대 사회에서 국가와 공동체를 유지하기 위해 자신의 이익을 지나치게 추구하는 개인을 경계해왔던 것은 이런 사정에 기인한다.

그렇다면 유교를 통치이념으로 삼는 조선은 건국 이래 계속 미신적 사고를 배제하였던 것일까? 결론부터 말하자면 그렇지 않다. 유교만으로 설명할 수 없는 상황이 계속해서 발생했기 때문이다. 조선 후기에는 기근과 전염병이 계속 발생해서 수만명이 넘는 사망자들이 발생하는데, 당시 국가의 재정과 정치가들의 노력으로는 극복할 수 없는 규모의 재해였다. 국가의 제한된 재정으로는 재해복구도 불가능하고, 내세관도, 운명에 대한 설명도 없는 유교는 고통받는 사람들에게 어떤 위로도 되지 않았기 때문이다.

그래서일까. 유학자들이 배척하여 밀어낸 미신의 공간에 유교의 얼굴을 하고 들어오는 새로운 '미신'이 있다. 그것은 세계를 '음양오행'에 따라 설명하는 것이다. 음양오행은 유교에서 세계를 설명하는 토대이기 때문에 유교적 사유와 배치되지 않았고, 한의학이나 천문지리와 연결되어 정당화되었다. 이러한 오행사상이 개인들의 삶에서 구체적으로 드러나는 예가 항렬자이다. 조선 후기 사대부들은 부모와 자식이 서로 오행적으로 충돌하지 않도록 상생관계로 항렬을 만든다. 아버지의 항렬에 수(水) 자가 들어가면 아들 항렬에는 목(木)을 넣고, 손자의 이름에는 화(火)를 넣는 식으로 말이다. 이렇게 오행을 고려해 항렬자를 만드는 일은 사실 18세기 이전에는 잘 보이지 않는다. 흥미롭게도 세도가인 안동 김씨들은 18세기 말 19세기 초부터 오행에 따라 항렬을 만들고, 조선의 왕실은 고종 이후부터 오행에 따라 이름을 지었다.

물론 조선 후기 사람들에게 오행은 좋은 것과 좋지 않은 것을 구별해주는 '과학적' 인 기준이었다. 그러나 현대에 오행 사상에서 파생된 점이나 사주 등을 과학이라고 하지 않는데, 보편적인 과학과 달리 인간 일반, 공동체에 대한 설명보다는 개인의 길흉화복에 대한 설명과 대안 제시에 초점을 맞추기 때문이다. 이런 사유에서는 나의 이익이 남의 이익과 경쟁하며, 남에게 나쁜 것이라도 나에게 좋으면 이익이 되는 것을 선택하는 경우가 발생한다. 그러다 보니 역사 속 국가의 권력자들이 자신들의 '운명' 에 지대한 관심을 두면서부터 국가가 쇠락했다는 사실을 떠올리지 않을 수 없게 된다.[68]

초기 한국교회는 미신타파에 앞장섰다. 신자들은 기독교에 입교한 후 성황당 같은 미신적 신앙을 타파하고 집안의 복주나 토주, 삼신항아리를 불사르는 일들을 전개했다. 사진은 선교사 눈에 비친 한국의 무당 모습.

56. 그 길이 쉽기 때문이 아닙니다

지난 주말 서울 도심을 뜨겁게 달군 기후정의행진에는 주최 측 추산으로 3만 5000여명이 참가했다. 3년 전보다 5배 많은 사람들이 모여 국내 환경 집회 중 최대 규모를 기록했다. "이대로 살 수 없다"며 정부와 기업에 보다 적극적인 기후위기 대응을 요구하는 목소리가 거셌다. 세계 곳곳에서 발생하는 폭염, 가뭄, 화재, 홍수 등 대형 재해가 많은 시민들을 거리로 불러냈을 것이다.

기후변화에 대한 시민들의 걱정은 커지고 있지만 위기 대응의 핵심인 신재생에너지는 한국에서 궁지에 몰리고 있다. 감사원은 올 하반기 감사 대상에 문재인 정부 신재생에너지 사업을 새로 포함시켰고, 국무조정실은 신재생에너지 지원사업에서 수천억원대 부실을 적발했다는 발표를 했다. 기획재정부는 내년 신재생에너지 지원사업 예산을 올해보다 32% 삭감했다.

산업통상자원부는 2030년 신재생에너지 발전 비중 목표를 문재인 정부(30.2%) 때보다 대폭 낮추는 방안(21.5%)을 추진 중이다. 윤석열 대통령이 지난 15일 신재생에너지 사업을 '이권 카르텔 비리'로 규정하며 사법 시스템을 통해 처리될 것이라고 말했으니 검찰 수사도 이어질 것 같다. 현 정부에 신재생에너지는 두 마리 토끼 같다. 전 정부 공격의 재료가 되고 자신들이 추진하는 원자력발전 확대의 명분도 제공한다.

정부의 압박으로 신재생에너지 사업은 위축될 수밖에 없다. 이는 기후위기를 심화시킬 뿐 아니라 우리 경제에도 타격을 준다. 국내 최대 전력 소비자인 삼성전자가 얼마 전 'RE100'(사용 전력의 100%를 신재생에너지로 충당하는 조치) 선언을 했다. RE100에는 이미 국내외 주요 기업들이 대거 참여하고 있는데, 앞으로 이를 이행하지 않는 기업들은 수출과 투자유치 등에서 불이익을 받을 수 있다. 그런데 현재 국내에서 생산되는 신재생에너지 규모는 우리 기업들의 RE100 수요에 턱없이 모자라 훨씬 더 늘려야 할 상황이다. 국내 기업들이 신재생에너지를 찾아 해외로 빠져나갈 것이라는 우려까지 나온다.

기후위기 대응은 모두에게 희생과 절제를 요구하는 쉽지 않은 일이다. 탄소배출을 줄이는 데 비용이 들다보니 기업은 이익이 줄고, 소비자들은 더 비싸진 제품을 사야 한다. 전기도 기름도 맘껏 쓸 수 없다. 미래가 걱정된다 해도 당장의 손실을 기꺼이 감수하려는 이들은 많지 않다. 그래도 다행인 것은 인간이 희생과 절제를 무작정 거부하는 이기적 존재만은 아니라는 점이다. 노벨 경제학상을 받은 심리학자 대니얼 카너먼이 창안한 '독재자 게임'이라는 실험이 있다. 공짜 돈을 받은 참가자 A가 짝을 이룬 B에게 얼마를 나눠주는지 관찰하는 실험이다. 분배 권한은 전적으로 A에게 있다. A는 B에게 단 한 푼도 주지 않아도 된다. 이기적인 인간이 선택할 수 있는 최선의 결과다. 하지만 실험 결과 대부분의 A가 B에게 상당한 돈을 나눠줬다. 인간에게 이기심을 이기는 공정에 대한 추구, 이타심이 있다는 것이 실험의 결론이다. 반론도 있다. 실험경제학자인 미국 시카고대 교수 존 리스트는 기부의 천국이라는 미국에서 기부자들의 가장 큰 동기가 세금 혜택이듯이 독재자 게임에서도 순수한 이타심이 아니라 남들에게 착한 사람으로 보이고 싶은 이기적인 이유로 돈을 나눠준다고 했다. 그렇게 인간은 이기적이기도 하고 이타적이기도 한 존재일 것이다. 중요한 것은 인간의 그 이중적인 속성에서 이타적인 면을 끌어내는 것이다. 시민들의 이기심에 호소하는 것이 아니라 그들의 희생과 절제, 배려 등 선한 의지를 발현시키는 것이 진짜 리더십이다.

1962년 9월12일 미국 대통령 존 F 케네디는 텍사스주 휴스턴에 있는 라이스대에서 '문샷 스피치(Moonshot speech)'라는 별칭이 붙은 달 탐사 계획 연설을 했다. "우리는 달에 가기로 했습니다. 쉽기 때문이 아니라 어렵기 때문입니다"가 그의 논리였다. 달 탐사는 천문학적인 돈이 들어갈 뿐 아니라 당시 소련에 한참 뒤져 있던 미국의 우주개발 기술 수준을 감안할 때 불가능한 목표로 보였다. 그러나 케네디의 리더십에서 진심과 비전을 보고 고무된 미국 항공우주국(NASA) 직원들을 비롯한 국민들은 총력전을 펼쳤다. 그로부터 7년 뒤 미국은 달에 사람을 보내는 데 성공했다. 이로써 미국은 우주개발 경쟁에서 소련에 완벽한 역전승을 했고, 이는 냉전 시대 힘의 균형을 미국 쪽으로 기울게 한 계기도 됐다. 기후위기 대응에서도 어렵지만 가야 할 길이기 때문에 국민들을 이끌어낼 리더십이 절실하다. 과연 우리 정치에서 이 리더십을 만날 희망이 있을까.[69]

미국 저널리스트 데이브 멀케이(Dave Mulcahey)는 "Leadership is usually little more than the systematic exploitation of the weaknesses of others(리더십은 종종 다른 사람들의 약점을 조직적으로 착취하는 기술에 지나지 않는다)"라고 했다. 리더십이 그런 식으로 빠져선 안 된다는 경고의 의미로 이해하면 되겠다.

The first method for estimating the intelligence of a ruler is to look at the men he has around him(지도자의 능력을 평가하는 첫 번째 방법은 주변의 참모들을 보는 것이다). 이탈리아 정치가이자 사상가인 니콜로 마키아벨리(Niccoló Machiavelli, 1469~1527)의 말이다.

57. 여가부 없애면 지역균형 발전?

여성가족부 폐지가 가시화됐다. 지난 6일 공식 발표된 정부조직 개편안을 통해서다. 의원입법으로 발의된 정부조직 개편안이 국회를 통과한다면 여가부는 21년만에 역사의 뒤안길로 사라지게 된다.

여가부 기능 축소, 성평등 정책 후퇴 등 여러 비판 속에서도 흥미로운 대목은 정부가 여가부 폐지를 계기로 여성정책을 인구정책으로 전환하려 한다는 것이다. 보건복지부가 맡고 있는 인구·아동·노인 업무에 여가부의 청소년·가족 업무를 더해 생애주기별 정책을 마련하고 이를 통해 "초저출산과 고령화에 대비할 것"이라는 이상민 행정안전부 장관의 설명과 "생애주기별 정책을 추진하는 인구가족양성평등본부는 인구문제 해결에 중요한 출발점이 될 것"이라는 김현숙 여가부 장관의 발언은 이런 지점에서 일맥상통한다.

이는 윤석열 대통령의 행보와도 무관하지 않다. 그는 지난달 27일 국무회의에서 "인구문제는 미래에 다가올 이슈가 아니라 현재 이슈"라면서 "모든 분야의 정책을 총동원하라"며 인구정책을 전면에 내세우고 있다. 인구정책은 지방소멸과 맞닿아 있다는 점에서 지역균형발전을 위한 전제조건이기도 하다.

인구학자들은 수도권 인구 집중이 심한 경쟁을 일으켜 저출생을 야기하고 지방이 소멸한다고 설명한다. 지방소멸을 막기 위해선 지역에도 일자리와 보육 및 교육, 의료, 주거 환경이 적절히 갖춰져 청년들이 아이를 낳고 기르며 살 수 있는 환경을 만들어야 한다는 것이다. 지방소멸의 직접적 원인이 청년 인구 유출이라는 점에서 볼 때 2010년 이후 지방소멸은 새로운 양상을 띤다. 바로 젊은 여성들의 지방 탈출 러시다. 통계청 인구이동통계를 보면 2000년대까지만 해도 수도권 인구 유입은 남성이 여성보다 많았지만 2010년 이후 이 비율이 역전됐다. 여성들이 많이 종사하는 서비스업 · 정보기술(IT) 등 고부가가치 일자리가 수도권에 몰려 있기 때문이다.

게다가 지방의 경우 자동차 · 조선 · 철강 등 남성중심적 제조업이 많다 보니 문화 자체도 가부장적이어서 여성들은 일하면서 아이를 낳고 키우는 데 어려움을 겪는다. 이와 관련, 양승훈 경남대 사회학과 교수는 저서 <중공업 가족의 유토피아>에서 “중공업 가족은 여성들과 딸들의 공간을 결혼 생활의 영역에 한정 지었다. 이제 딸들은 거제를 떠나 돌아오지 않음으로써 아빠들의 믿음을 저버렸다”고 지적한 바 있다.

전미경제연구소(NBER)는 지난 4월 ‘출산율 경제학의 새로운 시대’라는 보고서에서 출산율 제고를 위해선 경제적 지원책이 아닌 “여성이 일과 양육을 병행할 수 있는 사회적 분위기 조성”이 핵심이라고 밝혔다. 실제로 여성의 일과 양육 병행을 장려하고, 남성들의 가사노동 참여가 큰 미국 · 노르웨이 · 핀란드 · 프랑스 등 주요 선진국에선 최근 출산율이 증가하고 있다고 한다.

지방소멸을 막는 효과적인 인구정책을 위해선 결국 여성중심의 정책이 쏟아져 나와야 한다는 것이다. 이상민 장관은 “현 (여가부) 형태로는 인구 구조 및 가족 변화 등을 해결하는 데 한계가 있다”고 말했지만 ‘여성’ 없는 인구정책은 더 효과를 보기 어렵다. 돌고 돌아 다시 ‘여성문제’에 주목해야 할 때다.[70]

여성가족부는 여성과 가족 및 청소년에 관한 정책을 관장하는 중앙행정기관이다. 여성정책의 기획 · 종합, 여성의 권익증진 등 지위향상, 청소년의 육성 · 복지 및 보호, 가족과 다문화가족 정책의 수립 · 조정 · 지원, 여성 · 청소년 · 아동에 대한 폭력피해 예방 및 보호 등에 관한 사무를 담당한다.

58. 아마겟돈의 가능성

푸틴이 더 이상 수세에 몰릴 경우 핵무기를 사용할 가능성은 현실이다. 아직은 큰 가능성은 아니지만 침공 초기에 비하면 훨씬 커졌다. 도네츠크를 비롯한 우크라이나 4개 지역을 병합하고 투표를 통해 합병 찬성을 받은 것은 언젠가 있을지 모를 핵무기 사용을 위한 사전 포석의 성격을 가진다. 미국을 비롯한 서방의 우크라이나 지원이 러시아에 대한 직접 공격이고 자위권 차원에서 핵을 사용할 수밖에 없다고 강변할 근거가 되기 때문이다.

우크라이나 전쟁은 북한의 김정은에게 핵 개발을 지속할 기회와 이유를 동시에 제공했다. 온통 우크라이나에 시선이 쏠린 사이 북한에 대한 감시의 눈길은 느슨해졌고, 복수의 서방 언론은 북한이 러시아에 무기를 팔고 있을 뿐 아니라 5만명 수준의 북한인을 러시아군에 참전시킬 예정이라고 보도했다. 이것이 기회라면 핵 개발을 지속할 이유도 한층 더 분명해졌다. 1994년까지만 해도 우크라이나는 핵탄두 1700개를 보유한 세계 3위의 핵보유국이었다. 소련 붕괴 이후 미국·러시아·영국과 맺은 부다페스트 양해각서에 따라 핵탄두를 모두 러시아에 이전했고, 그 대신 서방이 안보를 책임지기로 약속했다. 하지만 양해각서의 당사자인 러시아가 크름반도를 강제 병합하고 우크라이나를 침공해도 이 약속은 지켜지지 않았다. 우크라이나가 그냥 핵을 가지고 있었다면? 아마도 러시아는 그리 쉽게 침공하지 못했을 것이다. 원래부터 김정은은 핵 개발을 중도 포기하고 결국은 처참한 죽음을 맞이한 이라크의 후세인과 리비아의 카다피 사례를 깊이 새겨왔다고 알려져 있다. 우크라이나 사태를 보면서 절대 핵 개발을 포기하지 말아야 할 또 하나의 이유가 생긴 셈이다.

미국의 바이든 대통령은 며칠 전 '아마겟돈'을 거론하며 쿠바 미사일 위기 이후 60년 만에 핵전쟁에 가장 가까이 다가섰다고 말한 바 있다. 백악관은 서둘러 이 발언을 거둬들이고 있지만, 과장되었을망정 아무 근거 없는 발언이었다고 믿는 사람은 별로 없는 듯하다. 1962년 쿠바 미사일 위기는 일촉즉발이라는 표현으로도 충분치 않은 첨예한 위기였다. 무기를 실은 소련의 배는 플로리다주 마이애미에서 150km밖에 떨어지지 않은 쿠바 미사일 기지를 향해 오고 있었고, 미국의 케네디 대통령은 데프콘 2를 발령했는데, 이에 따라 튀르키예에 주둔한 미군 전투기는 파일럿 개인의 판단에 따라 언제든지 출격해 모스크바에 핵폭탄을 터뜨릴 수도 있는 상황이었다. 그 당시 미국은 모르고 있었지만 러시아는 쿠바 미사일 기지에 이미 100개 넘는 핵탄두를 배치해놓고 있었기 때문에 케네디나 흐루쇼프가 아닌 누구라도 한 사람만 잘못 판단하면 핵전쟁이 시작될 수 있는 상황이었다.

쿠바 미사일 위기를 분석한 <결정의 본질>이라는 책으로 세계적 명성을 얻은 하버드대학의 그레이엄 앨리슨 교수는 2012년 쿠바 사태 50주년을 맞아 새로 쓴 기고문에서 우리에게 뼈아픈 질문과 충고를 던진다. 질문은 이것이다. "쿠바 미사일 위기는 한 번으로 끝났는데 왜 북핵 위기는 수십 번 되풀이되고 있는가?"

그의 답은 한국과 미국이 모두 북한에 대해 채찍은 없이 당근만 주고 있기 때문이다. 따라서 그의 충고는 이것이다. "당근은 채찍과 함께할 때 효과를 발휘한다." 쿠바 미사일 위기 때 케네디 대통령은 누군가의 실수로 핵전쟁이 벌어질 수 있다는 것을 알면서도 데프콘 2를 발령했다. 위험이 커져야 위협이 먹혀든다는 것을 알았기 때문이다.

최근 랜드연구소와 아산정책연구원이 함께 발간한 보고서는 북한의 핵위협과 한·미 동맹의 억제능력 사이의 격차가 갈수록 커지고 있는 것을 심각하게 지적했다. 얼마 전 CNN의 분석기사는 심지어 수십 년간 한 번도 진지하게 제기되지 않았던 제2의 남침 가능성조차 거론했다. 북한이 수차례에 걸쳐 ICBM 발사에 성공한 마당에, 당장은 아니라 하더라도 2050년의 미국 대통령이 남한을 지키기 위해 샌프란시스코를 희생하지는 않겠노라고 결정하면 어떻게 되겠느냐는 것이다. 핵위협과 억제력 사이에 더 이상 격차가 벌어지기 전에 북한이 넘어서는 안 될 레드라인을 각인시켜야 한다. 흐루쇼프가 그랬던 것처럼 김정은도 어느 지점에서는 겁을 먹고 물러서게 할 수 있는 채찍 말이다. 그러려면 케네디가 그랬던 것처럼 우리 스스로를 더 큰 위험에 노출시키는 결단이 필요할 수도 있다. 하지만 지금 국회에서 벌어지고 있는 논란을 보면 종래에는 아마겟돈을 피하지 못할 수도 있겠다는 생각도 드는 것이 사실이다.[71]

가. 아마겟돈

"우리는 역사상 가장 중대한 도전에 직면했습니다. 성경에서는 이날을 아마겟돈이라 했습니다." 1998년 개봉된 영화 '아마겟돈'에서 미국 대통령은 지구를 향해 날아오는 소행성을 막는 작전에 나서는 우주인들의 성공을 빌며 이같이 연설한다. '자유'와 '독립'으로 명명한 우주선에 분승한 14명의 우주인들은 소행성 표면에 구멍을 뚫고 핵폭탄을 넣어 폭발시키는 임무를 완수해낸다. 지구는 소행성과의 충돌을 피하고 전 인류는 환호한다. 아무리 영화라지만 재앙의 화근인 핵폭탄이 지구를 구하다니 야릇한 상상이다.

아마겟돈은 인류 멸망을 부르는 최후 전쟁을 말한다. 히브리어 '하르 므깃돈'에서 유래했다. 산·언덕이라는 뜻의 히브리어 '하르'와 메기도를 부르는 말인 '므깃돈'이 합쳐진 명칭이다. 북부 팔레스타인에 위치한 메기도 언덕은 지금도 이스라엘과 팔레스타인의 분쟁 지역이지만 성경이 쓰일 때도 전략적 요충지였다. 기원전 2000년께 건설된 유대 고도(古都) 메기도는 기원전 1000년께 전성기를 누리다가 신바빌로니아의 침공으로 소멸했다. 아마겟돈이 대전쟁·종말을 뜻하게 된 것은 신약성경 요한계시록 16장 16절의 '세 영이 히브리어로 아마겟돈이라 하는 곳으로 왕들을 모으더라'는 구절과 관련돼 있다. 이는 세계 각지의 군주들이 군대를 끌고 모여 세계 대전을 준비하는 것으로 해석됐다.

마이크 폼페이오 전 미국 국무장관이 9일 언론 인터뷰에서 러시아의 핵무기 위협을 '아마겟돈'에 비유한 조 바이든 미국 대통령을 "무모하다"고 힐난했다. 바이든 대통령은 6일 "쿠바 미사일 위기 이래 아마겟돈이 일어날 가능성에 직면한 적이 없었다"고 말해 러시아의 핵무기 사용이 임박한 게 아니냐는 우려를 낳았다. 러시아의 핵 공격 가능성은 크림대교 폭발을 계기로 높아졌다. 블라디미르 푸틴 러시아 대통령은 "(크림대교 폭발을) 감행한 자들과 배후에서 지원한 자들은 우크라이나 특수 기관"이라고 주장했다. 러시아 독재자가 흉악한 보복에 나선다면 유럽 평화는 뿌리째 흔들리게 된다. 재앙을 미리 막지 못한 유럽과 달리 우리는 북한 독재자가 만행을 실행하기 전에 강한 억지력으로 봉쇄해야 한다.[72]

나. 아마겟돈 전범(戰犯)

요한 계시록(묵시록) 16장 16절에 '세 영이 히브리어로 아마겟돈이라 하는 곳으로 왕들을 모으더라'라는 구절이 있다. 히브리어로 '하르메깃돈'이라고도 번역되는 아마겟돈은 고대 이스라엘 지역의 '므깃도 산'을 의미한다. 인간과 하느님 사이에 벌어지는 최후의 대전쟁 또는 인류 멸망의 위기를 언급할 때 인용된다.

아마겟돈은 영화의 좋은 소재가 되기도 한다. 1998년 개봉한 영화 '아마겟돈'은 미국 텍사스 크기의 소행성이 시속 3만5400㎞ 속도로 지구를 향해 돌진한다. 충돌까지 고작 18일밖에 남지 않았는데 나사(미 항공우주국)가 소행성의 구멍을 뚫어 핵탄두를 묻은 뒤 폭발시켜 둘로 쪼개 경로를 변경시키는 것이 주요 내용이다. 실제 나사가 최근 지구에서 1100만km 떨어진 소행성에 무인 우주선을 고의로 충돌시켜 궤도를 바꾸는 시험에 성공했다. 이런 것을 볼 때 성경의 아마겟돈은 마냥 허황한 얘기는 아니다. 6600만 년 전 백악기 말기에 일어난, 지구 역사상 세 번째 대멸종 사건은 당시 지구를 지배하던 공룡과 함께 전 지구 생명체의 75%를 멸종시킨 것으로 알려진다. 소행성의 충돌로 인해 지구 생명이 절멸한 것으로, 앞으로 이런 일이 일어나지 않으라는 법은 없다.

조 바이든 미국 대통령이 지난 6일 뉴욕에서 열린 민주당 한 행사에서 "핵무기 사용은 결국 아마겟돈으로 이어질 것"이라면서 "1962년 쿠바 미사일 위기 이후로 지금처럼 '아마겟돈 위기'에 직면한 적이 없었다"고 말했다. 우크라이나와 전쟁에서 전세가 몰리는 블라디미르 푸틴 러시아 대통령이 결국 핵 사용으로 위기를 돌파할 가능성이 크게 관측되자 바이든 대통령이 '아마겟돈'을 언급하며 경고에 나선 것이다. 백악관이 황급히 뒷수습하기는 했지만, 핵 재앙에 대한 걱정은 여전하다. 5900여 기의 핵탄두를 보유한 러시아는 1500기는 당장 사용할 수 있다고 한다. 미국이 5428기, 중국이 350기를 보유하고 있는 만큼 러시아가 핵 단추를 누르면 현실에서 아마겟돈이 실현될 수 있다. 1945년 일본 히로시마에 투하된 15kt 핵무기로 14만 명이 사망했는데 지금은 1000kt 핵무기도 있다. 우주의 섭리에 따른 아마겟돈은 어쩔 수 없지만, 인간이 만들어내는 아마겟돈은 반드시 막아야 한다.[73]

아마겟돈(Armageddon)은 〈신약성서〉에서 세계 역사 끝날에 마귀 휘하에 있는 동쪽 왕들이 하느님의 세력과 전쟁을 벌일 장소(히브리어로 '므깃도의 언덕'이라는 뜻에서 유래한 듯함).

아마겟돈(Armageddon)은 성서에서 〈요한의 묵시록〉(16 : 16)에 1번 언급된다. 팔레스타인 도시 므깃도가 팔레스타인 역사에서 차지해온 전략적 중요성 때문에 이 전쟁의 상징으로 사용된 듯하다. 이 도시는 해안 평야 샤론에서부터 가르멜산 등성이를 가로질러 에스드라엘론으로 나가는 길목에 자리잡고 있기 때문에, 이집트와 팔레스타인 해안평야에서 갈릴리·시리아·메소포타미아로 가는 길을 장악했다.

많은 전투가 벌어진 장소였고, 〈요한의 묵시록〉은 이 요새도시가 서 있는 '언덕' 또는 그뒤에 높이 솟아 있는 '산'이 장차 하느님의 천상 군대가 마귀의 세력을 격파할 최후의 전장을 상징하게 되었음을 시사하고 있는 듯하다. 성서에 실린 그외의 언급들은 예루살렘을 최후의 전장으로 암시한다.

59. 기어이 동행하자시면

동행을 제안할 때는 보통 어디로 어떻게 갈 계획인지를 설명한다. 함께 가기를 기대하는 이유도 붙이기 마련이다. 그렇지 않은 동행 제안은 꽤나 무례하고 때론 폭력적이다. 윤석열 대통령이 말하는 '약자와의 동행'은 어떤가.

그의 말에는 '약자'가 자주 등장한다. 대선 후보 시절부터 일관된 모습이다. "공정과 상식의 이름으로 진짜 약자를 도와야 합니다." 대선 후보 수락 연설에서 이렇게 말한 그는 국민의힘 선대위 산하 '약자와의 동행 위원회' 위원장을 직접 맡기도 했다. 취임 후 뜸하다 싶더니 취임 100일 전후로 '약자'가 다시 불려 나오기 시작했다. 발달장애인 복지관, 다문화가족 지원센터, 독거노인 가정, 자립준비청년 생활시설 등을 방문하는 행보가 이어졌다.

약자를 보호한다, 두껍게 지원한다, 따뜻하게 동행한다는 말들이 나부끼는 것에 비해 정책 대상으로서 '약자'가 어떤 집단인지 분명히 밝힌 적은 없다. '약자 복지'라는 말이 등장하면서 조금 선명해졌다. "어려움을 한목소리로 낼 수 없는" "자기 목소리조차 내기 어려운" 이들이 '진짜 약자'라고 했다.

소득이 적은 사람이 사회적 약자가 되는 것은 소득이 적기 때문이 아니다. 소득이 적은 사람을 쉽게 무시하거나 권리를 빼앗는 사회 구조 때문에 약자의 위치에 놓이게 된다. 여성도 성별이 여성이라는 이유로 사회적 약자가 되지 않는다. 여성이라는 성별을 출산의 도구나 성적 대상으로 취급하는 구조에서 여성은 약자가 된다. '여성'에 부정적 속성을 할당하며 목소리를 지울수록 집에서는 맞아도 되는 사람, 일터에서는 잘려도 되는 사람이 된다. 사회운동이 약자의 집단적 목소리를 조직하려고 애쓰는 이유다. 보호도 지원도 중요하지만 거기서 멈춘다면 약자의 자리를 벗어나기 어렵다.

'목소리'에 주목하는 것은 정책이 진화할 계기일 수도 있었다. 그러나 윤석열은 창조적인 논리를 전개한다. '사회적 약자라면 목소리 내기 어렵다, 목소리를 낸다면 진짜 약자가 아니다.' 김은혜 홍보수석의 설명을 옮기자면 "약자인 척하는 강자"다. 그러므로 윤석열은 약자의 말을 들을 필요가 없다. 말할 수 없는 자에게서는 들리지 않으므로, 말할 수 있는 자라면 들을 이유가 없으므로. 태풍 '힌남노'가 휩쓸고 간 포항의 한 식당에 방문했던 윤석열이 그랬다. 그는 피해를 호소하는 상인을 지나치며 "걱정하지 마세요"라는 말만 반복했다. 당사자가 무엇을 걱정하는지는 듣지 않았다. 누군가의 목소리를 무의미한 소리로 만들어버린다. 그가 약자 보호를 말할수록 약자는 더 약해진다. 약자가 약해지는 순간은 소득이 적거나 나이가 많거나 성별이 여성이라는 걸 발견하는 순간이 아니다. 동등한 인간으로 대접받지 못하는 현실이 달라질 것 같지 않다는 불안이 엄습할 때, 누군가의 선의와 보호 말고 기대할 것이 없다는 무력감이 짓누를 때, 그래서 인간의 존엄과 권리가 내게도 있는지 의문이 찾아들 때, 그때 우리는 '진짜 약자'가 된다. 그래서 우리는 또한 약자의 위치를 거부할 수 있게 된다. 목소리를 지우려는 사회에 맞서 권리를 주장하기를 멈추지 않음으로써, 누군가의 보호를 기다리는 대신 서로 기대며 지켜주는 관계를 만듦으로써, 그래서 서로의 존엄과 권리를 비춰주는 거울이 됨으로써, 우리는 '약자'를 만드는 세상을 바꿔왔다.

정부조직 개편안이 발표됐다. 여성가족부를 폐지하고 대부분의 업무를 보건복지부로 이관하는 내용이 핵심이다. 아니나 다를까, 윤석열 대통령은 "여성, 가족, 아동, 사회적 약자들에 대한 보호를 더 강화하기 위한 것"이라고 말했다. 약자에 머무르라는 말이다. 구조적 성차별을 고발하는 목소리는 듣지 않겠다는 고백이다. 평등을 지우겠다는 선언이다. 따라나설 이유가 없다. 그런데도 기어이 동행하자시면, 그가 길을 차지하고 있게 둘 수는 없는 노릇 아닌가.[74]

60. 다른 시선이 보고 싶다

두고두고 후회하는 발언이 있다. 대학 고학년 때 처음으로 본인상 부고를 받았다. 얼굴도 본 적 없는 학과 후배였다. ‘본인상’ 이라는 단어가 생소해 주변에 물었다. “이거, 그 말 맞지?” 한 질문에 여러 답이 따라왔다. 그 친구는 군에 복무 중이었다고 했다. 평소 내성적인 성격으로, 휴가를 나왔으나 결국 다시 군으로 돌아가지 않을 선택을 했다는 이야기를 들었다. 며칠 뒤 학과 밖의 누군가가 이에 대해 물었다. 나도 모르게 내뱉은 문장은 “원래 성격이 좀 그랬대. 적응을 못했다나 봐” 라는 말이었다.

바로 그 자리에서 내 발언을 지적해 준 친구에게 아직도 감사한다. 억압적인 군 조직 문화는 개선되어야 마땅하다. 사건을 설명하는 말로 가장 먼저 피해자의 ‘내성적인 성격’ 을 들어선 안 됐다. 설사 그런 성격을 가졌더라도 적응이 쉽도록 포용적이어야 하는 곳이 맞다. 모두가 의무적으로 가야 하는 군이라면 말이다.

친구의 지적을 듣자마자 사과하고 발언을 정정했지만, 여전히 부끄러움은 남아 있다. 한 사건이 발생했을 때 피해자만을 드러내는 방식은 사건의 해결에 별 도움이 되지 못한다. 특히나 구조적 문제가 존재할 때 일어난 사건은 그저 현상이다. 피해자는 우연히 그 자리에 서 있던 사람일 뿐이다. 왜 그 사건이 발생했는가를 근본적으로 묻지 않고 피해자의 개인적 특성, 극적인 서사만 부각한다면 근본 원인은 고쳐지지 않는다. 사건은 이렇게 재발한다.

소년 소녀 가장(少年少女家長)은 가정에서 실질적으로 생계를 책임지고 어렵게 생계를 유지하는 소년 및 소녀이다. 부모의 사망, 이혼, 가출 따위로 세대가 미성년자로만 구성된 경우, 보호자가 있어도 노령이나 장애 따위로 부양 능력이 없는 경우의 아이들을 이른다.

이번 SPC 제빵공장 노동자의 사망사건 보도에 눈살을 찌푸린 이유도 그래서다. 내가 처음 읽은 뉴스엔 ‘소녀가장’ 이라는 타이틀이 박혀 있었다. 안타까운 목소리가 여기저기서 터져 나왔다.

어린 나이에 공장에서 일하느라 많이 힘들었겠다느니, 생활고 때문에 야간 근무를 자발적으로 선택할 수밖에 없지 않았겠냐며. 의아했다. 공장에서 일하는 청년이라면 모두 생활고에 시달리는 건가? 생활고에 시달린다면 위험한 야간 근무를 선택하는 게 괜찮은가? 애초에 야간 근무가 노동의 옵션에 있는 것이 이상하지 않나? ‘소녀가장’ 과 ‘젊은’ ‘여성’ ‘공장’ ‘노동자’. 철저한 타자화의 세계에 사건이 갇힌 것 같았다.

극적인 이야기 뒤에는 늘 ‘다른 세상’ 을 그리려는 마음이 있다. 다른 세상에서 일어나는 사건은 나와 관계가 없다. 사건의 재발을 막으려는 마음보다는 그저 불쌍한 일, 안타까운 사건이라는 생각이 든다. 다행히 후속 보도가 잇따랐다. 소녀가장이라는 설명은 오보이며, 피해자는 언젠가 본인의 매장을 내고 싶은 23세 여성이라는 설명이었다. 주변인과의 메신저도 공개되었다. 그제야 다른 목소리도 터져 나왔다. 그냥 내 옆의 사람일 뿐이었다는 공감과 연대의 마음이다.

왜 피해자는 더 힘들고 어려운 개인적 고난에 처해 있어야만 하는가. 평범한 개인은 늘 구조적 문제의 피해자다. 이를 밝히려면 다른 질문이 필요하다.

왜 야간 근무가 강제됐는지, 2인 1조 규정은 어째서 지켜지지 않았는지. 반복되는 사건을 겪고도 제도는 왜 바뀌지 않았는지. 사건을 바라보는 다른 시선이 보고 싶다. 피해자 개인의 극적 서사보다 사건을 둘러싼 집단의 경험이 듣고 싶은 이유다.[75)]

조선시대에 가장 심혈을 기울였던 복지 분야는 ‘노인복지’ 라고 할 수 있습니다. 모든 노인이 가정, 마을 공동체, 국가 등 자신이 속한 울타리 안에서 각종 복지 혜택을 받았습니다. ‘정조의 아동복지 정책’ 은 유기아 대책의 책임을 마을 공동체보다 한발 더 나아가 “국가의 적극적인 개입” 을 천명했습니다.

61. 온라인 플랫폼 자율규제의 실상

카카오 서버가 있는 SK C&C 판교 데이터센터 화재로 인해, 지난 15일부터 카카오톡은 물론 카카오의 대다수 서비스가 24시간 넘게 장애를 겪었고, 티스토리 등 일부 서비스는 만 이틀이 지나도록 정상화되지 못했다. 거의 전 국민이 이용하는 카카오의 서비스 장애가 발생하면서, 데이터센터도 정부의 통신 재난 방지 관리 대상에 포함해야 한다는 지적이 나온다. 그런데 2018년 11월 KT 아현 지사 지하 통신구 화재 사건 이후 과학기술정보통신부는 2020년 5월 방송통신발전기본법 개정을 통해 일정 규모 이상의 서버·저장장치 등을 제공하는 데이터센터도 관리 대상에 포함하려고 했었다. 그러나 인터넷 기업들이 '지나친 규제'라고 반발했고, 이에 동조한 여야 의원들이 부가통신사업자에 대한 '이중 규제'라고 반대해 결국 법제사법위원회의 문턱을 넘지 못한 바 있다.

카카오 먹통 사태로 국민의 분노가 치솟자, 국회는 최태원 SK 회장과 김범수 카카오 이사회 의장 등을 국정감사 증인으로 채택했다. 그러나 여야가 이들을 증인으로 부르기에 앞서, 데이터센터를 통신 재난 방지 관리 대상에 포함하려던 입법을 무산시켰던 20대 후반부 법제사법위원회에 대한 조사를 시민사회와 전문가 그룹에 의뢰하는 결의부터 해야 했다. 그래야 진정성을 느낄 수 있다.

카카오는 똑같은 데이터를 하나 더 복사해 놓는 이중화 조치를 자율적으로 취해뒀기 때문에 데이터 손실은 없을 것이라고 주장하고 있다. 그러나 재난 복구용이라는 뜻의 DR(Disaster Recovery)은 데이터를 사용하는 시스템을 하나 더 마련하는 이원화 조치를 의미한다. 이원화는 기존 전산 시스템이 제대로 돌아가지 않을 때 다른 곳에 있는 쌍둥이 시스템으로 빠르게 전환해 가동하는 것을 말한다.

이런 이원화는 이중화보다 훨씬 비용이 많이 든다. 카카오는 그동안 재난대응 투자라는 기본에 충실하기보다는, 인수·합병으로 사업 분야를 빠르게 확장하며 덩치를 키웠다. 카카오는 지난 8년간 연평균 회사 13.5개씩을 늘려, 올 6월 기준으로 국내외 계열사 187개를 거느리고 있다. 온갖 골목상권까지 파고드는 지네발식 확장을 한 것이다.

이런 지네발 확장은 결국 우리 법제도가 이윤을 추구하는 기업에 그런 방향으로 유인을 주고 있기 때문에 가능한 것이다. 비용이 드는 이원화 조치를 강제하지 못했고, 온라인 플랫폼의 불공정 거래행위를 금지하지도 않고 있기 때문이다.

기업이나 경영자의 자율이나 양식에 호소하는 자율규제의 실상은 공익을 저버린 정부의 실패일 뿐이다.

윤석열 대통령도 17일 용산 대통령실 청사 출근길에 카카오톡 먹통 사태와 관련해 “만약 독점이나 심한 과점 상태에서 시장이 왜곡되거나 국가 기반 인프라와 같은 정도를 이루고 있을 때는 당연히 제도적으로 국가가 필요한 대응을 해야 한다” 고 말했다. 온라인 플랫폼 자율규제라는 ‘미신’ 에서 벗어나 디지털 경제와 모바일 시대에 걸맞은 규제의 틀을 짜는 것이 정부의 역할이고 시장을 올바른 방향으로 활성화시키는 것임을 이제라도 윤 정부가 이해하게 된 것일까? 아니면 당장의 국민적 분노에 편승해 책임을 떠넘기는 임시방편일까? 두고보면 알 일이다.

디지털 경제와 모바일 시대에 걸맞은 규제를 위해서는 데이터센터를 통신 재난방지 관리 대상에 포함하는 것에 그쳐서는 안 된다. 부가통신서비스 및 기간통신서비스 분류 자체도 바뀌어야 한다. 무엇보다, 온라인 플랫폼의 불공정 거래행위를 금지하고 알고리즘 투명성을 확보하는 규제원칙을 담은 온라인 플랫폼 공정화 법률을 제정해야 한다.

EU는 다음달부터 구글, 애플, 아마존, 메타 등 빅테크에 적용되는 디지털시장법(DMA)을 시행한다. DMA를 적용받는 기업들은 자사 제품, 서비스에 높은 순위를 부여할 수 없고, 소비자들이 새 스마트폰을 구입했을 때 특정 검색엔진 혹은 웹브라우저만 쓰도록 강제해서도 안 된다.

이에 앞서 미국에서는 작년 6월에 민주당과 공화당 하원 법사위 의원들이 ‘더 강력한 온라인 경제: 기회, 혁신, 선택을 위한 반독점 어젠다’ 라는 명명하에 빅테크 기업들을 대상으로 하는 총 5개 법안을 공동으로 발의했다.

디지털 경제와 모바일 시대에 걸맞은 규제를 위해서는, 시가총액, 최근 3년간 연 매출액, 월간 이용자 수에 대한 기준을 우리 실정에 맞게 설정하고, 이 기준에 따라 거대 플랫폼 사업자를 ‘게이트키퍼(문지기)’ 로 지정해 의무 사항을 부과하고, 이를 위반하면 막대한 과징금 부과 및 기업 분할 등 다양한 제재를 가할 수 있는 입법이 필요하다.[76]

62. 무한책임은 '책임 없음'과 같다

1126년, 금나라 대군이 송나라 수도 개봉을 향해 진격해왔다. 기다리는 구원병은 소식이 없고, 도성을 지키는 군사는 1000여명에 불과했다. 이대로라면 수도의 도성이 함락당하는 사태는 피할 수 없었다.

당시 도성 교외의 창고에는 대포가 500문이나 보관되어 있었다. 만약 도성으로 가지고 온다면 수비에 큰 힘이 되었을 것이다. 하지만 아무도 가지러 가지 않았다. 관련 부서들이 서로 책임을 떠넘겼기 때문이다. 국방부에 해당하는 '병부'는 사령부 역할을 맡은 '추밀원'이 가져와야 한다고 떠넘기고, 추밀원은 무기를 관리하는 '군기감'이 가져와야 한다고 떠넘겼다. 군기감은 대포가 수레에 실려 있으니 수레를 관리하는 '가부'가 가져와야 한다고 떠넘기고, 가부는 대포가 창고에 있으니 창고를 관리하는 '고부'가 가져와야 한다고 떠넘겼다. 이렇게 서로 떠넘기는 사이, 대포 500문은 교외까지 진격한 금나라 군대의 수중에 고스란히 들어갔다. 수도 개봉은 그 대포의 공격을 받아 함락되고 말았다. 군사들은 몰살당하고, 황제는 포로가 되어 끌려갔다. <선화유사>에 나오는 이야기다.

대송선화유사는 북송 시대 말기 "선화"(송휘종 연간 1119년~1125년) 연간에 벌어진 이야기를 간략하게 서술한 이야기 책이다. 주로 변사의 이야기 대본용으로 썼던 것으로 추측된다. 이걸 화본이라고 하는데, 삼국지연의의 초기형인 삼국지평화와 완전히 같은 위치이다.

정부 각 부처가 소관 업무를 서로 미루는 것은 늘 있는 일이다. 하지만 평상시도 아니고 적군의 침입이 목전에 닥친 상황에서 반드시 필요한 무기를 가져오는 일조차 서로 떠넘겼으니 한심한 노릇이다. 금나라 대군에 포위된 송나라 군사들은 40일이나 농성하며 버텼지만 역부족이었다. 대포만 있었다면, 어느 부서든 책임을 떠맡고 가져왔더라면, 송나라는 멸망하지 않았을지도 모른다.

송나라는 중국 역대 왕조 중에서도 유난히 관료주의적 성향이 강한 국가다. 군벌의 발호로 몰락한 당나라를 경계 삼아 관료의 자율성을 억제하고 조직 구조와 업무 분장을 법률로 세세히 규정했다. 국가와 같은 거대 조직을 운영하려면 책임과 권한을 확실히 할 필요가 있기는 하다.

하지만 아무리 법률이 자세해도 경계가 애매하고 책임 소재가 불분명한 영역은 존재할 수밖에 없는 법. 관료제하에서는 설사 의도가 선량해도 책임과 권한을 넘어선 행동은 위법과 월권으로 몰리기 십상이다. 복지부동이 최선이다. 이 같은 경직성 탓에 유연한 대응이 어렵다는 점은 관료제의 한계다. 상황이 위급해도 달라지지 않는다. 오히려 위급할수록 책임을 기피하며 남에게 떠넘기기에 급급하기 마련이다.

이태원 참사 후 11일이 지났다. 참사를 복기하는 과정에서 정부와 관계 기관의 초기 대응이 미숙했다는 점이 속속 드러나고 있다. 참사는 어쩌면 일어나지 않았을지도 모른다. 사전에 경찰과 구청이 질서 유지에 나섰다면, 지하철 무정차 통과 조치만이라도 내렸다면, 인근에 대기하던 기동대를 투입했다면, 참사 전 쏟아진 위험 신고에 적극 대응했다면, 경찰 지휘부가 신속히 제자리를 찾아 지휘했다면. 누구도 예상하지 못한 참사라는 말은 틀렸다. 참사 징후는 뚜렷했다. 애써 무시했을 뿐이다.

미온적 대응으로 일관하던 당시와 달리, 책임을 피하려는 행동은 신속하기 그지없다. 허위 보고, 보고서 삭제, 잇따른 책임 회피성 발언이 그것이다. 경찰과 소방 인력을 미리 배치해서 될 문제가 아니라는 장관의 발언, 축제가 아니라 '현상'이라는 구청장의 궤변, 정부의 책임을 묻는 심각한 자리에서 국무총리가 던진 농담은 실망스럽다 못해 절망적이었다. 여론의 비난을 받고 마지못해 유감을 표명했지만 그런다고 책임을 인정하는 것 같지는 않다.

'무한책임'은 '책임 없음'의 다른 표현에 불과하다. 국회에서 벌어지는 책임 공방 역시 곱게 보이지 않는다. 미비한 입법도 이번 참사의 원인 중 하나다. 참사를 정치적 쟁점으로 삼지 않겠다는 약속은 잊어버린 지 오래다. 참사는 이미 정쟁의 수단으로 전락하고 말았다.[77]

63. 빅 브러더의 신어와 대통령의 ‘자유’

빅 브러더가 지배하던 오세아니아국에서는 ‘신어’를 사용했다. 빅 브러더가 보기에 불순한 이단적인 사고가 “적어도 사고가 말에 의존하는 한 불가능해질 것이라는 의도에서였다”. 그래서 기존의 언어와는 다른 언어법칙이 만들어지고 계속 새로운 신어사전을 편찬해서 보급했다.

“자유로운(FREE)”이란 단어는 ‘정치적 자유’나 ‘지적 자유’와 같은 뜻으로는 사용할 수 없게 된다. 언어를 통해서 사고를 통제하려는 시도였다.

시인 나희덕이 정확하게 포착해낸 것처럼 구동독 정보국은 〈서정시〉라는 파일을 만들어 관리했다. 시인은 〈파일명 서정시〉라는 시에서 “그들이 두려워한 것은/ 그가 사람의 마음을 열 수 있는 말을 가졌다는 것/ 마음의 뿌리를 돌보며 살았다는 것” 때문에 “그들은 〈서정시〉라는 파일 속에 그를 가두었다”고 말했다. “서정시마저 불온한 것으로 믿으려 했기에” 서정시마저 감시와 탄압의 대상이 되었던 역사는 의외로 많다.

윤석열 대통령이 사용하는 언어도 본질적으로 이 맥락과 닿아 있는 것으로 보인다. 취임사에서부터 가장 많이 사용하고 강조하는 말이 ‘자유’다. 워낙 ‘자유’를 강조하다 보니 ‘자유민주주의’를 교과서에 실으려고까지 한다. 그런데 이상한 일은 실제로는 자유와는 정반대의 행태를 보이는 점이다. MBC 기자를 대통령 외국 순방 전용기에 타지 못하도록 한 일은 언론탄압이다.

가. 대통령 말하는 대로 따르길 바라나

언론기관들과 단체들, 외국에서도 이런 문제를 비판하자, 윤석열 대통령은 “저는 언론의 자유도 중요하지만 언론의 책임이 민주주의를 떠받치는 기둥이라는 측면에서 매우 중요하다고 생각”한다고 말했다. 언론 자유에 대통령의 인식은 이렇게 정리되었다.

정부의 예산안에 대한 국회 시정연설에서는 “우리 정부는 재정 건전화를 추진하면서도 서민과 사회적 약자들을 더욱 두껍게 지원하는 ‘약자 복지’를 추구하고 있다”고 말했다. 공공주택 예산을 5조원 넘게 깎는 등 서민과 경제적 약자들을 위한 예산은 대폭 삭감한 예산안이고, 누가 봐도 부자 감세를 기조로 한 예산안이 뻔한데도 정부는 '약자 복지' 로 우겨댄다.

이런 식의 말은 정책으로도 연결된다. 10·29 이태원 참사 직후 국가애도기간을 재빨리 설정하고 사진도, 이름도 없는 분향소를 만들었으며, 행안부는 "참사" 를 "사고" 로, "희생자" 를 "사망자" 로 바꾸도록 했으며, 근조 리본을 글자 없는 뒷면만 달게 하는 공문을 내려 보냈다. 그러면서 국가애도기간에 그는 매일 분향소를 찾았다. 그리고 사과로 "국민 생명과 안전을 책임져야 하는 대통령으로서 비통하고 죄송한 마음" 을 표현했다. 그러다 보니 참사의 책임자들도 죄송한 '마음' 만 강조하고, 직을 사퇴하는 등의 책임지는 모습을 보이지 않는다.

이런 식의 언어 사용법이 정착되면, 이후에 '언론의 자유' 가 '언론의 책무' 를 의미하게 되지 않을까 걱정이다. 이전에 박근혜 대통령도 이런 식의 화법을 자주 구사했다. 대표적인 게 "비정상의 정상화" 이다. 오로지 자신만이 정상성을 독점하고 있는 듯한 오만함의 결과는 탄핵이었다. 소통되지 않는 말은, 자신만의 말을 반복하는 일은 사람들의 분노를 키운다. 사과할 것은 제대로 사과하고, 비판받으면 그것을 수용하는 태도가 필요할 텐데 그러지를 않으니 답답하다.

빅 브러더가 지배하던 오세아니아국의 강령은 세 가지였다.

'전쟁은 평화다'

'자유는 예속이다'

'무지는 힘이다'.

모순적인 단어로 구성된 이 단문들은 뜯어보면 참으로 무시무시한 내용이다. 빅 브러더가 천명하는 정책에 대해 알려고 하지 말고, 생각하지 말고, 무조건 따르기만 하라는 것이다. 생각없이 대통령이 말하는 대로 국민들이 따라오기를 바라는 것일까? 만약 그렇다면 그건 너무도 큰 착각이 아닐 수 없다.

나. 공감의 언어 되살리는 게 중요

조지 오웰은 〈1984년〉 그때의 오세아니아국의 신어가 정착되는 해를 2050년으로 잡았다. 지금과 같은 오염된 언어 사용법이 그대로 방치되면 2050년에는 전혀 다른 의미의 언어가 사용될지 모른다. 그래서 인간의 언어, 공감의 언어를 되살리는 일은 중요하다. 그래서 지금은 이태원에서 참사로 희생된 이들이 말하게 하고, 그들과 함께 슬퍼해야 할 때다.[78]

64. 농업 문제라 쓰고 농협 문제라 읽는다

"농협계좌로 부탁합니다." 농업 단체에 강의비나 고료를 받을 때 받는 부탁이다. 농촌 구석까지 있는 금융기관이 농협이기 때문에 이체 수수료를 절약하기 위해서다. 스쿨뱅킹 계좌도 대부분 농협이다. 다른 은행으로 금융업무를 처리하려면 학교에서 수수료를 내야 해서 가급적 농협으로 한다. 농민들은 농산물 출하대금과 농업정책자금을 수령하려면 농협계좌 보유는 필수다. 금융사고도 많은 금융기관이지만 '곧 죽어도 농협' 일 수밖에 없다. 이렇게 농협계좌 하나씩 트게 되어 농협은 금융정보의 핵을 거저 쥔다. 정부의 주요 금융파트너이자 '민족은행' 이라는 명분을 내건 농협의 정식명칭은 '농업협동조합'. 협동조합은 조합원들의 자조와 복지 증진이 설립 목적이다. 농민조합원의 농산물 생산과 수매를 돕고, 소비자들에게 우리 농산물을 소비할 수 있도록 홍보, 판매하는 역할이 핵심이다. 이를 '경제사업' 이라 한다. 하지만 농협이 비판받아온 것은 '돈놀이', 즉 돈을 대출하고 이자 받고 금융상품을 판매하는 '신용사업' 에 몰두해서다. 오죽하면 농민들이 농업 문제는 곧 농협 문제라고 말할까. 농협만 제정신 차리면 이렇게까지 한국 농업이 구석으로 몰리지 않았을 것이라 입을 모은다. 올해처럼 쌀값이 폭락하면 정부에 적극적으로 쌀값을 보장하라고 농민 조합원의 민의를 전하는 것이 본령이건만, 정부가 터준 계좌를 유지하고 점점 더 늘어나는 횡령과 금융사고 수습조차 못해 정부한테 찍소리 못하는 신세라며 핏대를 올린다.

농협은 조합원들이 참여하는 협동조합이고 그 수장도 농민들이 뽑아놓고 왜 남탓을 하느냐 면박을 줄 수도 있다. 지역의 농협조합장은 농민조합원들이 직접 뽑지만, 단위조합의 중앙업무를 총괄하는 '농협중앙회장' 선거는 얼마 전까지도 간선제였다. 전국 1100여개 회원조합의 전체 조합장 중에서 293명의 대의원 조합장들만 투표에 참여했던 것이다. 대의원 티켓을 따내느라 조합장의 합종연횡이 벌어지기도 하고, 농협중앙회장 출마 후보들은 회원조합의 조합장들을 줄을 세우기도 그 줄을 끊겠다 윽박지르기도 하는 등 그 폐해를 이루 말할 수 없었다. '체육관 선거' '막걸리 선거'라 비판이 쏟아지자 지난해 3월 모든 조합장이 투표에 참여하는 직선제를 실시하라 국회가 못을 박았으나 별무소용이다.

직선제가 실시되어도 농협중앙회장이 쥐고 흔드는 무이자자금을 받아 조합 구멍을 메워야 하는 일 때문에 많은 조합장들은 중앙회장 눈치를 봐야 한다. 중앙회장의 권력을 통제하고 조합원들의 의사를 관철시키는 협동조합의 민주주의 원칙이 지켜지기 어려울 정도로 중앙회장의 권력은 절대적이다. 그래서 조합장이 아닌 실제로 농협의 실제 주인인 농협조합원 1인 1표, 조합원 직선제 요구가 빗발치는 것이다. 조합원이 뽑은 중앙회장은 전국 220만 농민조합원의 눈치는 보게 만들어야 하지만 눈치를 보지 않는다. 그렇다고 부처님 손바닥 손오공 신세인 단위조합장들이 농협중앙회장의 권력을 통제할 수 없다. 자신도 언젠가는 저 자리에 올라가길 꿈꾸거나 중앙회에 좋은 자리 하나 얻으려 혈안이 된다.

직선제냐 간선제냐, 이런 낡은 이야기가 나오는 것도 우스운 판에, 아예 농협중앙회장을 연임할 수 있도록 법을 바꾸자고 국회의원들 몇몇이 발의했다. 핑계야 사업의 연속성과, 신협, 새마을금고, 산림조합도 중앙회장 연임을 하는데 농협중앙회만 연임을 못하는 것이 형평성에 어긋난다는 것이지만, 그간의 전횡 탓에 연임제 금지가 된 것은 왜 말을 못하는가. 게다가 농협의 규모가 있는데 형평성을 운운하는 것조차 옹색하다.

농협중앙회는 회원조합의 사업이 잘 운영되도록 보조하고 궁극적으로 하루하루 졸아붙기만 하는 한국 농촌을 지탱시키는 일에 매달려도 시원찮을 때다. 오늘도 한국의 농업 문제라 쓰고 농협 문제라 읽는다.[79]

65. 사진과 총, 캄보디아에서의 대통령 부인

현실주의 국제정치학의 고전으로 간주되는 <현대국제정치론>(1987 · 법문사판)의 저자 한스 모겐소는 자신의 주장을 뒷받침하기 위해 나폴레옹의 모자 에피소드를 예로 든다. 러시아 원정에 실패한 나폴레옹은 1813년, 오스트리아의 외상 메테르니히와 9시간 동안 만났다. 전쟁의 양상이 프랑스 대(對) 러시아 · 프로이센 · 영국 · 스웨덴 동맹군으로 변화하자, 나폴레옹은 오스트리아에 반(反)프랑스 동맹에 참가하지 말라고 요구했다. 하지만 메테르니히는 나폴레옹을 무시했고, 여전히 유럽의 지배자처럼 행동했던 나폴레옹은 상대방을 떠본다. 그는 일부러 모자를 떨어뜨려 메테르니히가 집어주길 바랐지만, 메테르니히는 못 본 척했다.

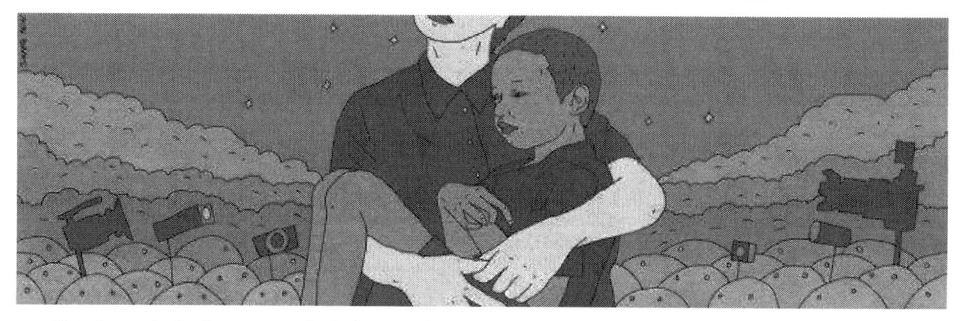

모겐소는 의전이 곧 국력임을 보여주는 좋은 사례라며 '흥분했지만', 200여 년이 지난 지금 생각하면 두 인물 모두 유치해 보인다. 당대 상황은 '모자를 떨어뜨리고, 안 주워주고' 이런 수준이 아니다. 푸틴은 아베 전 일본 총리와의 회의 일정에 3시간씩 늦었다. 2007년에는 개를 무서워하는 것으로 알려진 메르켈 독일 총리와 회담할 때 송아지만 한 개를 앞세웠다.

카멀라 해리스 미국 부통령은 문재인 전 대통령과 만나 악수를 나눈 후 급히 자신의 손을 바지에 닦았다. 코로나19라는 맥락이 있었지만, 있을 수 없는 일이다. 개인 간 행동에도 이런 일이 있으면 굉장한 무례인데, 전 세계로 중계되는 국가 정상 간 만남에서 이런 일이? 동영상을 보면 가해자인 해리스도 놀란 듯했다.

푸틴의 행동이 의도적이라면, 해리스의 경우는 근대적 위생 관념이 작동한 것일까. '유색 인종 문재인'에 대한? 그러나 그녀야말로 미국 역사상 최초의 '아시아 · 흑인 · 여성' 부통령 아닌가. 의식적 망동이든, 무의식적 실례든 푸틴과 해리스의 공통점은 상대방에 대한 무시이다. 차이는 개인의 배경이다. 푸틴은 백인 남자고, 해리스는 둘 다 아니다. 문 대통령은 잘 모르겠고, 아베나 메르켈은 매우 불쾌해했다. 메르켈은 그 자리에서 항의했다. 독일이고 메르켈이어서 가능했을 것이다. 외교에서 모든 나라를 똑같이 대우할 수는 없다. 과잉, 과소 의전 모두 외교력 낭비다. 하지만 거창한 의전은 아니더라도 국가를 대표해서 타국을 방문한 약소국 외교관 개인에 대한 존중은 그들의 기억에 남을 것이다. 존중해서 나쁠 일은 없다.

조상의 지혜를 본받자. 조선이 천명한 공식 외교 사상인 사대교린(事大交隣)은, 글자 그대로만 보면 합리적 전략이었다. 사대는 논쟁이 많으니 차치하고, 교린은 이웃을 무시하지 말고 잘 지내라는 뜻이니 나쁘지 않다. 이웃과 잘 지내면 되지, 굳이 "왜(倭)니, 오랑캐니" 하며 얕잡아 볼 필요가 있을까. '상대 무시 = 나 훌륭' 이라는 방식, 즉 열등감에 기초한 방어기제의 갑옷을 입은 인생들은 어디에나 있다.

가. 재현의 윤리

하긴 이런 이야기가 무슨 소용이랴. 아예 맥락에 벗어난 기이한 일도 있다. 최근 윤석열 대통령 부부의 캄보디아 방문이 그것이다. 나랏일에 주제넘은 걱정이지만, 그것은 내가 한국인일 때이다. '캄보디아(의 이미지)' 에 동일시하는 지구시민의 한 사람으로서, 실제 캄보디아 사회가 어떻게 생각하든, 나는 분노한다. 동시에 이는 평범한 시민의 고달픈 일상이기도 하다. 타인이나 집단이 나를 마음대로 재현(묘사, 평가, 규정)할 때 어떻게 대응하며 살아야 할까.

김건희 여사는 '국경 없는 의사회' 활동가가 아니다. '가난한 나라' 에서 국제적인 공식 회의가 있어서 방문했는데, 빈곤 지역의 심장병을 앓는 아동을 찾아가고 (조명 설치 여부는 모르겠지만) 사진을 찍고 배포하는 행위는 적절치 않은 정도가 아니라 폭력이다.

전쟁만이 폭력은 아니다. 문화연구, 탈식민주의, 여성주의, 인류학 등 현대 인문학은 재현의 윤리에 대해 수없이 고민해왔다. 이들 학문의 목적 자체가 이 윤리와 정치경제학에 대한 탐구이다.

젠더 폭력 피해를 연구할 때 피해 여성을 피해자화하지 않고 어떻게 피해 구조를 드러낼 것인가. 음핵 절개가 널리 행해지는 지역에서 서구 페미니스트는 그 현장을 찍을 것인가, 당장 피해자를 구조할 것인가. 다른 차원의 논쟁도 있다. 서구 여성도 야만적인 성차별을 당하는데, 그들은 왜 자국 문제보다 '제3세계' 여성을 그토록 걱정하는가.

수단의 기아 소녀가 죽기를 기다리는 독수리를 촬영하여, 1994년 퓰리처상을 받은 사진작가 케빈 카터는 수상한 후 2개월 만인 33세에 자살했다. 사진을 찍기 전에 소녀를 먼저 구하지 않았다는 대중의 비난은 격렬했고 그 역시 자책감을 견디지 못했다. 그는 독수리가 다가오기를 20분간 기다린 후 사진을 찍고, 소녀를 긴급 식량센터에 옮겨주고 내내 울었지만 죄의식을 감당하지 못했다.

캄보디아에서 대통령 부인의 성녀(聖女) 코스프레는 이번 정권의 성격을 압축한다. 더 놀랄 일이 무엇이겠냐마는, 그래도 놀랐다. 나는 윤 대통령 부부가 '나쁜 사람'이거나 '극우 보수'라고 생각하지 않는다. 그냥 이상한 경우라고 본다. '이승만부터 문재인까지' 이런 커플은 없었다. 만일 질 바이든 여사가 한국을 방문, 보육원 아동을 만나고 사진을 찍어 널리 알린다면? 푸틴과의 사이에 자녀 4명을 둔 31세 연하 연인(실질적 배우자)인 알리나 카바예바가 빈곤국을 방문해서 사진을 찍어댄다면? 이는 의전이고 국격이고 운운할 것도 없는, 정신 나간 권력자의 기이한 행동이다.

김 여사의 시선은 '저 높은 곳을 향해' 응시하고 있고, 그가 안은 어린이는 카메라를 보고 있다. 상식대로라면 두 사람이 마주 보아야 한다. 이번 사건에 대한 반응은 한국 사회의 총체적 수준을 보여준다. "이렇게 미모가 아름다운 분이 있었느냐"는 국회의원(국민의힘 윤상현), 김 여사 비판은 무조건 미소지니(여성혐오)이니 자제해야 한다는 사람들, "김혜자, 정우성 배우도 마찬가지 아닌가" 식의 빈곤 포르노에 대한 옹호….

나. 돋보이고 싶음의 폭력

윤 의원의 발언은 논외고, 배우와 액티비스트의 활동은 대립하지 않는다. 무엇보다 '김건희'는 '엘리너 루스벨트'가 아니다. 미소지니는 여성 개인을 혐오하는 행위가 아니다. 여성은 여성이기 이전에 인간이다. 당연히 여성이라고 해서 모두 착하지 않다. 미소지니는 한 인간을 동일한 성격을 지닌 집단성으로 조작하는 행위를 뜻한다. 여자는 모두, 그저 여자일 뿐이라는 것이다. 대표적인 예가 여성을 어머니와 창녀로 이분화하고 그 스펙트럼 안에서 평가하는 방식이다.

내가 미소지니를 번역하지 않고 사용하는 이유는 혐오라는 단어가 주는 피로감, 남성 혐오라는 황당한 대칭어의 생산, 그리고 이 문제가 여성에 국한되지 않는 사회적 약자 전반에 대한 지배 전략이기 때문이다.

미소지니는 상대를 자신의 이해관계에 따라 맘대로 규정하는 사고방식이다. 여성에 대한 남성의 사고인 가부장제와 동양에 대한 서구의 상상(망상)인 오리엔탈리즘, 이 두 가지가 문명의 두 축이다.

대상과 대상화는 다르다. 누구나 대상일 수 있다. 대상화는 '나'를 설명하기 위해 타인을 동원한다. 이성애의 정상성은 동성애에 대한 낙인이 없다면 존재할 수 없고, 결혼제도의 정상성은 이혼과 저출산이 문제라는 사고방식이 없다면 작동할 수 없다. 흰 피부의 우월성은 흑인의 존재를 전제한다. 이것이 사고방식으로서 '미소지니'다.

주지하다시피 카메라와 권총은 동반 발전했다. 사진을 찍다와 총을 쏘다가 모두 'shoot'로 같은 이유다. 김 여사의 성모 마리아, 오드리 헵번 흉내내기는 '캄보디아'가 없다면 불가능한 일이다. 제국주의는 물자와 노동력을 착취하는 시스템만이 아니다. 그것을 당연하다고 믿게 만드는 장치까지 포함한다.

제국주의는 불쌍한 어린이를 이용, 관용을 선전한다. 제국주의 용어가 불편하다면, 순한 말로 바꿀 수 있다. 주인공병, '관종', 돋보이고 싶은 욕망. "돋보이고 싶다"도 그 행동에 비한다면 너무 좋은 표현이다. 타인의 생명과 고통을 볼모로 셀럽이 되고 돈을 버는 이유가 겨우 돋보임 욕망 때문일까.

김 여사는 대선 중 허위 경력과 범죄 연루 의혹 문제로 6분13초짜리 기자회견을 했다. "돋보이고 싶은 욕심 때문에 사랑하는 남편에게 폐가 되었다"는 요지였다. 누구나 돋보이고 싶은 욕망이 있는 것은 아니다. 생계만 해결된다면, 조용히 살고 싶은 사람도 많다. 돋보이고 싶은 사람들은 국력을 사용(私用)하지 말고, 거울 앞에서 혼자 하기를 권한다. 어차피 관중도 그의 머릿속에 있을 뿐이다.[80]

66. 미래의 이름으로 현재를 착취할 때

실리콘밸리의 혁신가로 추앙받다가 각각 '사기꾼'과 '빌런'으로 전락한 샘 뱅크먼프리드와 일론 머스크. 이 둘 사이에는 흥미로운 연결고리가 있다. 바로 '롱터미즘'(Long-termism)이다. 트위터 인수 작업에 동참하고 싶다는 뱅크먼프리드의 의사를 머스크에게 전달하며 다리를 놓아주려 했던 사람도 롱터미즘의 주창자인 옥스퍼드대 철학교수 윌리엄 매캐스킬이었다.

일반인들에게는 아직 생소하지만 현재 실리콘밸리의 IT 거부들 사이에서 꽤 인기를 끌고 있다는 이 사상은 '효과적인 이타주의(EA)'라고 불리는 사회운동의 한 갈래이다. EA는 내가 한번도 가본 적 없는 수천, 수만 마일 떨어진 곳에서 가난하게 살고 있는 사람일지라도 모든 생명은 동등하게 소중하다는 믿음에 뿌리를 두고 있다.

EA에서 파생된 롱터미즘은 여기서 수십발 더 나아간다. 매캐스킬은 자신의 저서 〈우리가 미래에 빚진 것들〉에서 "시간의 거리는 공간의 거리와 같다"고 주장한다. 즉 수천마일 떨어진 곳에 사는 사람들도 중요하다면, 수천년 떨어진 곳에 사는 미래의 사람들도 동등하게 중요하다는 것이다. 게다가 인구는 계속 증식한다. 먼 훗날 지금보다 10만배 이상 늘어날 인구수를 고려하면, 50억 인구가 당면한 문제보다 수조명에 달할 미래 인류의 행복을 위해 더 많이 투자해야 한다는 것이 롱터미즘의 핵심 아이디어다.

10여년 전만 해도 비주류에 불과했던 이 사상은 실리콘밸리의 유명인사들을 추종자로 거느리면서 주목받기 시작했다. 뱅크먼프리드는 가상통화 거래소 FTX로 벌어들인 엄청난 부를 기부하겠다면서 FTX재단을 만들었는데, 매캐스킬과 함께 롱터미즘의 창설자로 꼽히는 닉 벡스테드에게 최고경영자(CEO) 자리를 맡겼다. 1억명이 넘는 팔로어를 거느린 머스크는 매캐스킬의 책에 대한 링크를 리트윗하고 "읽을 가치가 있다. (롱터미즘은) 내 철학과 거의 일치한다"는 댓글을 달았다.

5년 단위의 선거 주기에 함몰돼 근시안적인 정책만 남발되고 있는 답답한 현실 속에서 수백, 수천년 후까지 내다봐야 한다는 이들의 주장은 꽤 신선하게 들릴지도 모른다. 그러나 정작 이들에게 미래 세대의 가장 절박한 이슈인 기후위기는 중요한 우선순위가 아니다. 대신 롱터미즘은 인류의 멸종을 막기 위해 처녀자리 은하단을 식민지화하는 것이 우리에게 주어진 시급한 윤리적 의무라고 말한다.

또 롱터미즘이 최우선적으로 대비해야 한다고 말하는 인류의 재앙은 언젠가 인간보다 뛰어난 인공지능(AI)이 출현해 세계를 독재하고, 인간을 구식 소프트웨어처럼 삭제해 버리는 것이다. 지금 당장 혐오와 증오를 증폭시키고 있는 트위터나 페이스북, 인스타그램의 AI 알고리즘 문제는 이들의 관심사가 아니다.

롱터미즘이 실제 머스크의 철학과 얼마나 일치하는지는 알 수 없지만, 적어도 한 가지는 확실해 보인다. 이 철학은 화성 식민지 건설 사업을 추진하고, 트위터를 인수하자마자 혐오 발언자들을 모두 복귀시킨 머스크의 이해관계와 일치한다.

어떤 행동의 가치를 판단할 때 당장의 결과가 아니라 수천년 후 미칠 결과를 고려해야 한다고 가르치는 롱터미즘은 더 많은 돈을 벌어 미래 세대에게 돌아갈 기대가치를 극대화할 수만 있다면 지금 당장 좋지 않은 결과를 낳는 행동도 용인될 수 있다고 장려한다. 그것이 최대다수 최대행복의 원칙에 부합한다고 보기 때문이다.

이런 이유로 미 뉴욕매거진 '인텔리전서' 는 "롱터미즘이 머스크의 노조 파괴에 도덕적 근거를 제공한다는 의혹이 있다. 테슬라가 인건비를 절감해 전기차로의 전환을 가속화하여 탄소 배출량을 줄이고 더 많은 수익을 올리면 그것이 아직 오지 않은 수천억명의 인류에게 더 이로우므로 용인될 수 있다는 것인가" 라고 의문을 제기한 바 있다.

이는 바로 가상통화 억만장자가 고객에게 수십억달러의 손실을 입히는 데 기여한 도덕 이론이기도 하다. 매캐스킬은 FTX 파산 소식이 전해진 후 노골적인 사기를 저지르는 것은 롱터미즘의 관점에서도 용납될 수 없다며 유감을 표했지만, 애초에 MIT 학생이던 뱅크먼프리드에게 일단 큰돈을 버는 것이 중요하다며 초단타매매와 가상통화 사업을 추천한 것이 바로 그였다.

아직 존재하지 않는 세상을 구하겠다면서 미래의 이름으로 현재를 착취하는 기술 엘리트의 이데올로기. 눈앞의 작은 정의도 지키지 않는 엘리트들은 자신들만의 독특한 진리로 무장해 스스로를 먼 미래의 구세주로 캐스팅한다. "우리가 수익을 내면 나눌 수 있는 행복이 커지고, 그것이 세상에도 이롭다는 믿음." 이것이 바로 〈엘리트 독식사회〉의 아난드 기리다라다스가 말했던 '윈윈주의' 라는 엘리트들의 거짓 복음이다.[81]

67. 명당이 따로 있는 게 아니다

2022년 한 해가 저물어 간다. 이제 산골 마을 논과 밭은 모두 겨울방학에 들어갔다. “아이고, 농사일이 오데 끝이 있는가. 고마 죽어삐야 끝나지.” 마을 어르신들이 죽어야 끝난다던 농사일도 잠시 방학이다. 이젠 틈틈이 뒷산에 가서 내년 가을까지 아궁이에 넣을 장작을 하거나 밭두둑에 비닐 대신 쓸 부엽토를 긁어 놓으면 된다. 그리고 장날에 가서 겨울 간식으로 먹을 옥수수와 현미 뻥튀기를 하고, 무를 썰어 겨울 햇볕에 말릴 때이다.

밤이 오면 아내랑 돋보기를 쓰고 벌레 먹거나 쪼그라진 녹두와 팥을 가려내고, 빛깔 좋고 잘생긴 녀석들은 미리 주문한 분들한테 택배로 보내야 한다. 가끔 두더지가 파헤쳐 놓은 마늘밭과 양파밭에 가서 두둑을 꾹꾹 밟아 준다. 그래야만 긴 겨울 내내 뿌리가 얼어 죽지 않는다. 농약과 화학비료와 비닐조차 쓰지 않고 농사지으려니 생각보다 잔손질이 많이 간다. 그래도 겨울철 일은 서두르지 않아도 되고, 오늘 못하면 내일 해도 그만이라 여유가 있다.

얼마 전, 이웃 마을회관에 들렀다. 젊어서 고향 마을을 떠나 도시에서 살고 있는 어르신이 찾아와, 어릴 때부터 고향을 지키며 살고 있는 어르신과 이야기를

나누고 있었다. 남 이야기 같지 않아서 어르신들이 주고받는 이야기를 그대로 '명당'이란 제목으로 시로 옮겼다.

"우리 마을은 명당이라/ 훌륭한 인물이 많이 나왔잖어/ 샘골 어르신 큰딸 교장 됐지/ 덕수 양반 둘째 아들 대기업 부장 됐지/ 만덕이네 집에 공무원이 두 명이나 나왔지/ 그리고 상욱이네 막내아들은 검산가 뭔가……// 이 사람아, 명당이면 무엇하나/ 고향 담벼락은 자꾸 무너지고/ 애들이 씨가 말라/ 중학교고 고등학교고 문 닫은 지 오랜데/ 그러니까 우리 마을은 명당이 아닐세// 낳아 주고 길러 준 고향은 나 몰라라 하고/ 도시에서 돈깨나 벌었다고 말이여/ 가끔 고향 찾아와/ 돈 몇 푼 던져 주고 가면 뭐 하겠나/ 태어나고 자란 고향에서 흙 밟으며/ 함께 살아야 명당이 되는 게지"

한평생 고향땅을 버리지 않고 농사지으며 살고 있는 어르신의 한숨 섞인 말씀이 아직도 귀에 쟁쟁하다. 어르신 말씀대로 명당이 따로 있는 게 아니라, 함께 오순도순 살면 명당이 되는 것이라는 생각이 든다. 가끔 고향 찾아와 돈 몇 푼 던져 주고 간다고 해서 명당이 되는 게 아니니까 말이다.

산골에서 조금만 벗어나면 길가 여기저기 빛바랜 펼침막이 자랑삼아 겨울바람에 펄럭인다. "○○○씨 장남 외무고시 최종합격을 축하합니다." "○○○씨 막내딸 사법고시 합격을 축하합니다." 남보다 몇 배 더 부지런히 공부해서 높은(?) 자리에 오른 것을 시샘하는 것은 절대 아니다. 펄럭이는 펼침막을 볼 때마다 나도 진심으로 축하해 주고 싶다. 다만 펼침막에 이름 붙어 있는 분들은 대부분 고향을 떠난 사람이다. 다시 고향으로 돌아올 가능성이 거의 없는 사람이다.

나는 가끔 이런 펼침막이 곳곳에 걸리는 꿈을 꾼다. '○○○씨 큰아들이 영혼 없는 도시에서 살다가, 드디어 마음 다잡고 고향 마을로 돌아온 것을 축하합니다.' '도시로 나간 ○○○씨 막내딸이 농촌 총각과 혼인을 하여, 오래된 미래인 고향으로 돌아온 것을 축하합니다.' 바보같이 나만 이런 꿈을 꾸는 걸까?[82]

68. 개혁과 기득권

올해는 대한민국이 건국된 지 75년 되는 해이다. 조선이 건국되고 75년 되었던 해는 1467년, 세조 13년이다. 이해 5월에 '이시애 난'이 일어났다. 세조는 다음 해인 1468년 9월에 사망한다. '이시애 난'은 세조 정권의 권력구조를 마지막으로 뒤흔든 사건이다.

세종에 이어 즉위한 문종은 불과 2년3개월 만에 병으로 사망했다. 그의 11세 외아들 단종이 즉위했다. 그런데 이미 세종 말년부터 수양대군은 왕실을 대표하는 존재였다. 중국에서 사신이 오면 자주 그가 상대했다. 세종은 노환 중이었고, 세자 문종은 자주 아팠기 때문이다. 1452년 문종이 죽고 단종이 즉위하자 일종의 권력 공백 상태가 되었다. 결국 다음 해 1453년에 수양대군이 김종서 등을 제거하고 권력을 획득했다. 흥미롭게도 당시에는 수양대군의 유혈 쿠데타를 비난하는 목소리가 크지 않았다. 그가 권력을 획득했을 뿐 왕의 자리까지 차지했던 것은 아니기 때문이다.

수양대군은 2년 뒤, 조카 단종을 밀어내고 즉위했다. 권력 현상의 논리로만 보면 이런 진행은 자연스럽다. 하지만 조선이 건국 이후 60년 넘게 축적해온 정치적 명분이라는 차원에서 보면 전혀 그렇지 않았다. 세조 즉위에 반발해서 '사육신 사건'이 벌어졌다. 세조 즉위 다음 해, 그를 죽이고 단종을 복위시키려던 시도가 실패로 돌아가며 일어난 사건이다. 세조 즉위는 정치 권력과 정치적 명분이 충돌한 사건이다. 늘 그렇듯 권력 편에 선 사람들과, 관직과 목숨을 버려 명분을 고수한 사람들이 나왔다. 세조는 정치적 파국 때마다 공신을 책봉했다. 우리가 '훈구'로 알고 있는 사람들이다. 세조는 그들에게 더 높은 관직, 땅, 그리고 노비를 주었다. 내 편이 아닌 사람들에게는 폭력과 권력을 행사했다. 세조는 철저히 '공신들' 중심으로 정치를 했다.

시간이 흐르자 세조는 공신들이 자신을 배신하지 않을까 의심하게 되었다. 그러던 차에 북방에서 '이시애의 난'이 일어났다. 영리하게도 이시애는 세조의 오른팔 왼팔이나 다름없는 한명회·신숙주가 자신과 내통했다는 소문을 퍼뜨렸다. 세조는 두 사람을 즉각 감금했다. 그 소문이 사실이 아니라는 것이 곧 밝혀졌지만, 이전의 유대가 회복되지는 못했다. 그런데 흥미롭게도 세조 권력의 최후 승리자는 세조가 아닌 그의 공신들이다. 그들은 세조가 죽고도 자신들이 자연사할 때까지, 그 자식들 대까지 권력을 누렸다.

개혁(改革, Reformation)은 제도나 기구 등을 새롭게 만들거나 재(再)제작하는 상황에 사용되는 단어다. 긍정적인 어휘로 받아들여지는 단어이지만, 좋게 바꾼다라는 뜻의 '개선(改善)' 과 달리 그저 새롭게 바꾼다는 뜻만 있다.

한국사, 세계사 중간중간에 등장해 언제나 실패하고 의의만 남는 것. 애초에 개혁이 필요하다는 것 자체가 국가 막장 테크를 착실하게 밟아 나가고 있다는 뜻이기 때문에 실패하는 게 오히려 당연한 수준이고, 성공 사례는 진짜 손가락에 꼽는다. 오죽하면 개혁이 혁명보다 더 어렵다는 말까지 있겠는가?[83]

새로 성립된 권력은 흔히 '개혁' 을 시도한다. 권력의 존재감을 즉각적으로 보여줄 수 있고, '개혁' 의 이름으로 잠재적 경쟁자들을 빠르고 공공연하게 제압할 수 있기 때문이다. 하지만 그런 개혁이 성공하는 경우는 거의 없다. 진짜 개혁은 특정 대상을 제압하고 파괴하는 것이 아니라, 새로운 사회 구조를 정착시키는 것이기 때문이다. 사회 구조에 대한 대단히 높은 수준의 이해와 정교하고 꾸준한 노력이 계속되어야 가까스로 달성될 수 있다. 이런 노력이 이어지려면 대의명분 없이는 불가능하다. 지금만 그런 것도, 한국만 그런 것도 아니다. 어떤 사회나 3~4세대가 지나면 나타나는 일이다.

윤석열 정부가 노동, 교육, 연금에 대한 3대 개혁 추진을 선언하며 그중에서도 가장 먼저 '노동 개혁' 의 목소리를 높이고 있다. 여러 해 전, 대기업 생산직 노동자들이 노조를 통해서 사측에 자기 자녀의 일자리 대물림을 요구했다는 뉴스에 머리를 한 대 맞은 듯한 충격을 받았었다. 옳지 못한 일이지만, 생각해 보면 그리 이상한 일도 아니다. 온 사회가 기득권 추구에 매진하는데 대기업 생산직 노동자들만 예외적으로 도덕적 수준이 높을 리 없다. 한 가지 의문은 그들이 가진 기득권이 한국 사회에서 공권력부터 동원해서 제일 먼저 해체시켜 마땅한 기득권인가 하는 점이다. 현 정부의 개혁 추진이 가뜩이나 강력한 엘리트 관료집단의 기득권만 강화시키는 것이 아닌지 걱정이다.[84]

69. 연금전문가들은 왜 의견이 갈릴까

국회 연금특위 민간자문위원회가 요청받은 1월 말까지 연금개혁안을 만들지 못했다. 국민연금 보험료율은 올리지만 소득대체율에서 ‘유지’와 ‘인상’을 두고 첨예하게 의견이 갈렸다. 사실 이는 아주 오래전부터 형성된 평행선이다. 왜 이리 연금전문가들은 소득대체율을 두고 의견이 갈릴까?

무엇보다 국민연금의 미래 재정에 대한 평가가 다르다. ‘유지론’은 미래 재정이 무척 불안하다고 본다. 올해 국민연금기금이 900조원을 넘지만 2055년에는 소진되고, 현재 20세인 신규 가입자가 연금을 받는 2070년대에는 당시 연금지출을 가입자 기여로만 충당할 경우 보험료율이 35%에 이른다.

여기서 논점은 세대 간 형평성이다. 우리 손주들과 아직 태어나지도 않은 아이들은 우리와 같은 40% 소득대체율을 적용받으면서 보험료는 몇 배를 내야 한다. 유지론이 보험료율을 단계적으로 인상하면서도 소득대체율은 올릴 수 없다고 단언하는 이유이다. 비록 소득대체율을 더하지는 못하지만 현세대의 책임인식으로 보험료율 인상 동의를 구하자고 말한다. 노후소득보장이 부족하다는 비판에 대해서는, 국민연금을 넘어 기초연금, 퇴직연금 등 다층연금으로 보완하자고 대답한다. 이미 의무제도로 세 연금이 존재하므로 노후소득보장의 시야도 계층별 다층연금체계로 확대하자는 제안이다.

‘인상론’은 국민연금 미래 재정을 그리 심각한 상황으로 보지 않는다. 2080년대 국민연금 지출은 최대로 많아져도 GDP 9.4% 수준이다. 현재도 OECD 회원국의 연금지출 평균이 GDP 9%이고 2060년에도 10.4%를 전망한다. 다른 나라들이 이미 GDP 10% 수준에서 관리하고 있으므로 우리도 이를 감당할 수 있다는 설명이다. 필자가 수치를 보완하면, 외국 수치가 공적연금 지출이므로 우리도 국민연금 외에 특수직역연금, 기초연금을 포함하면 미래 연금지출은 14% 수준으로 추정된다.

여기서도 논점은 지출의 절대 수준보다는 현재와의 격차이다. OECD 회원국들은 현재 공적연금 보험료로 평균 18.4%를 내고 있고 다양한 연금개혁으로 미래에도 연금지출을 평균 GDP 10% 수준으로 유지할 것으로 전망된다. 반면 현재 우리는 소득의 9%만 보험료로 내고 있고 GDP 대비 공적연금 지출은 3%대 수준이다. 결국 미래 GDP 10~14%를 감당할 수 없다는 게 아니라 지금부터 기여 확대의 힘겨운 사다리를 만들어야 하는데 소득대체율 인상이 이를 더 어렵게 한다는 게 비판의 핵심이다. 이에 대해 인상론은 미래에는 보험료 부과 대상소득을 넓히고 국고 지원도 결합하자고 제안한다. 질문에 답하기보다는 어떤 소득에 추가로 부과하고 당시 국고지원은 얼마나 가능한지의 주제로 초점을 넘긴다.

한편 국민연금 재정개혁의 목표 지표에서도 두 의견이 상이하다. 유지론은 현재 신규 가입자가 나중에 연금을 받을 기간까지 재정안정을 도모한다. 앞으로 70년 후에도 2년치 연금지급액을 확보하는 '70년 적립배율 2배'가 장기 재정목표이다. 청년들에게 당신도 받을 수 있다는 증표를 보여주려니 고강도의 재정안정화가 뒤따른다. 인상론은 기금소진연도의 연장을 강조한다. '더 내고 더 받으며' 기금소진연도까지 뒤로 늦추는 개혁안을 제안한다. 언뜻 선명한 재정안정화로 보이지만, 기금소진연도의 착시 효과라는 비판이 제기된다. 국민연금은 내는 보험료와 받는 급여에서 장기 시차가 존재하는 제도이다. 보험료 인상은 곧바로 연금재정을 늘리지만, 소득대체율 인상은 계좌에서만 계상되다가 은퇴 이후 실제 지출로 구현된다. 즉 기금소진연도만 보면 소득대체율 인상의 효과가 발생하는 후반 기간을 제대로 진단할 수 없다. 문재인 정부의 개혁안도 더 받는 만큼 더 내는 것이어서 현행 40% 소득대체율의 재정 부족은 그대로 놔두는 방안이었으나 기금소진연도가 뒤로 가니 마치 재정안정화처럼 보였을 뿐이다. 인상론의 대답이 필요한 대목이다.

연금전문가들의 이해가 왜 이리 다를까? 연금 선진국들은 나름의 연금재정 방법론을 정립하여 미래 재정을 평가하고 있건만 우리는 재정진단에서 연금개혁 지표까지 각각이다.

이런 현실에서, 전문가들이 단일안을 만들 수 있을까? 애초 진단과 기준이 다르다면 절충하여 차이를 가리기보다는 시민들에게 논점을 명확히 보여주는 게 생산적이지 않을까? 연금개혁이 한번으로 끝나지 않을 연속개혁이라면 이번에 시민들이 토론하며 연금 인식을 높이고 현세대 책임을 이야기하도록 말이다. 전문가들이여, 모든 질문에 응답할 수 있도록 더 논리와 논점을 분명히 하라, 그리고 시민들이 판단하게 하자.[85]

가. 여당발 '국민연금 500명 공론화위' 제안에 주목한다

주호영 국민의힘 원내대표가 1일 국회 의원회관에서 열린 국민공감 3차 회의에서 축사하고 있다. 주 원내대표는 행사 뒤 기자들과 만나 국민연금 개혁방향에 대해 "다양한 이해관계를 가진 국민 500명을 모아 공론화 과정을 거치자는 게 대다수 의견이고 그렇게 될 것 같다"고 했다.

주호영 국민의힘 원내대표가 1일 국회 의원회관에서 열린 국민공감 3차 회의에서 축사하고 있다. 주 원내대표는 행사 뒤 기자들과 만나 국민연금 개혁방향에 대해 "다양한 이해관계를 가진 국민 500명을 모아 공론화 과정을 거치자는 게 대다수 의견이고 그렇게 될 것 같다"고 했다. 연합뉴스

여당이 국민연금 개혁 방안 마련을 위해 시민 500명의 공론화위원회 구성을 제안했다. 국회 연금개혁특별위원회 위원장을 맡고 있는 주호영 국민의힘 원내대표는 1일 "다양한 이해관계를 가진 국민 500명을 모아 공론화 과정을 거치자는 게 (연금특위) 대다수 의견이고 그렇게 될 것 같다"고 말했다. 그는 "고리원전 폐쇄 문제, 대입 수능 방안과 관련해 이미 공론화 경험이 있다"고 덧붙였다. 문재인 정부 때인 2017년 '신고리 원전 5·6호기 공사 재개 여부'와 2018년 '2022학년도 대학입학제도'를 시민들이 참여한 공론화위원회를 통해 결정한 것을 두고 하는 말이다. 과거 공론화위 경험을 살려 국민연금 개혁 방안도 마련해보자는 주 원내대표의 제안을 주목한다.

국민연금 개혁은 노동이나 복지, 그리고 생애주기 등과 얽힌 복합적이고 견해차가 많은 사안이다. 세대 간·계층 간 이해관계가 갈려 사회적 합의가 긴요하다. 전문가들의 분석과 전망, 정부의 적극적 자세도 중요하지만 보험료를 부담하는 가입자들의 뜻을 최우선적으로 반영해야 한다. 그런데 현재 국회 연금특위 논의는 '재정안정강화론'과 '소득보장강화론'이 팽팽히 맞서면서 당초 1월로 예정된 합의안 도출에 실패했다. 재정안정강화론은 소득대체율을 현행 40%로 유지하고 보험료율은 19%까지 올리자는 것이고, 소득보장강화론은 소득대체율을 50%로 보험료율을 15%로 각각 인상하자는 주장이다. 다만 양측이 정년을 연장하고 고령자 고용환경을 개선해 현재 59세인 가입연령 상한을 더 높여야 한다는 점에는 이견이 없다고 한다. 그러나 재정안정이나 소득보장 강화 어느 쪽으로 결론이 나도 반대 의견을 가진 시민들을 설득하기가 쉽지 않다.

여당에서 이런 제안이 나온 것은 그만큼 국민연금 개혁이 절박하다는 뜻이다. 시민들이 숙의를 거쳐 대책을 마련하는 공론화위 방식도 검토할 만하다. 물론 공론화위의 독립성과 중립성, 투명성이 보장된다는 전제가 있어야 한다. 공론화는 국가 권력의 민주적 행사라는 의미 외에 첨예하게 대립하는 사회적 갈등을 조정하는 효과도 크다. 법적 근거나 강제성은 없지만 공론화위의 결론은 사회적 정당성을 인정받아 정책 입안과 추진 과정에도 힘이 실린다. 시민 500명이 국민연금

에 관해 학습을 하고 대안을 도출하는 과정에서 집단 지성이 발휘되고 새로운 정책 아이디어가 나올 수도 있다. 보험료율과 소득대체율 외에 군인·공무원 등의 직역연금 개혁 방안과 노인들에게 지급하는 기초연금 액수도 공론화위 논의 범위에 포함시킬 수 있다. 이 제안이 국민연금 문제 해결을 위한 하나의 돌파구가 되기 바란다.[86]

나. 국민연금 재정 추계와 개혁안

지난 며칠 동안, 내가 가장 큰 관심을 가진 뉴스는 국민연금이었다. 시작은 지난주 토요일의 기금 고갈 뉴스였다. 국민연금기금 재정 추계를 했더니, 2041년부터 적자로 돌아서고 급기야 2055년에는 기금이 모두 소진된다는 것이다.

기금 고갈 뉴스에 대한 반응은 다양했다. 가장 선정적인 반응은 1990년생부터는 연금급여를 받지 못한다는 것이었다. 원래 이 얘기는 작년에 나온 대기업 산하 연구원 보고서에 실렸던 대목으로 당시에도 화제가 되었다. 그런데 이번 추계의 기금 고갈 시점인 2055년이 마침 1990년생이 연금 수급 연령인 65세가 되는 시점이라서 다시 회자된 것이다. 물론 얼토당토않은 얘기다. 이 얘기가 엉터리인 첫 번째 이유는 기금이 고갈되더라도 연금제도는 유지되기 때문이다. 우리는 1000조원에 달하는 기금을 보유하고 있다. 연금제도를 유지하는 다수 국가는 약간의 여윳돈만 지니고, 그해 들어오는 보험료로 그해 연금급여를 지출하고 있다. 우리의 건강보험과 유사한 방식이다. 젊어서 보험료 내고 노후에 급여를 받는 것은 국민에 대한 국가의 약속인데, 이는 예금자에 대한 은행의 원리금 지급 약속과 마찬가지다. 적어도 급여 지급에 관한 한, "대한민국이 망하지 않는 한 연금급여 못 받는 일은 없다" 는 정부 관료의 해명이 맞다.

두 번째 이유는, 사실 이게 핵심인데, 2055년에 기금이 고갈되도록 손 놓고 있을 리 없다는 점이다. 국민연금 재정 추계는 법정 의무사항이다. 국민연금법 4조2항은 5년마다 재정 추계를 하도록 명시하고 있다. 목적은 연금재정 안정화이다. 이 조항 바로 앞인 1항은 "급여 수준과 연금보험료는 국민연금 재정이 장기적으로 균형을 유지할 수 있도록 조정되어야 한다" 고 명시하고 있다.

☞ 보험료 올려 지속 가능성 높여야

법률에 명시되어 있듯, 국민연금 재정 추계의 목적은 기금 고갈 시점을 맞추기 위한 것이 아니다. 현 상황을 그대로 둔다면 미래 연금 재정이 어떻게 될지 전망하고, 균형 유지가 어려운 것으로 나오면 급여와 보험료 수준을 변경하여 균형이 유지되게 하는 것이다. 이번 추계 기간을 2093년까지 70년으로 정한 이유도, 과연 올해 국민연금 신규 가입자에게 안정적인 연금 수급을 보장할 수 있는가를 보기 위함이다. 평균 수명을 90세로 잡고, 20세에 가입했다고 가정하면 2093년까지 연금을 수급할 것이기 때문이다.

재정 추계 이후 어떤 후속 조치가 이뤄질까? 국민연금 재정 추계는 보건복지부 소관이다. 그래서 재정 추계에 따른 후속 조치도 복지부가 수행하게 되어 있다. 그런데 이번에는 국회에서 연금개혁특위라는 것을 설치하고, 재정 추계에 따른 개혁안을 논의 중이다. 연금개혁이 워낙 중대 이슈라서 복지부에만 맡겨 둘 수 없다고 판단했기 때문이다.

재정 추계 결과 발표 이틀 뒤, 국회 연금개혁특위 내부의 전문가 자문위원회에서 개혁안 도출을 위한 막판 작업 중이라는 뉴스가 보도되었다. 재정 추계 목적이 장기 균형 유지이니 개혁안의 중점도 균형 유지가 될 것이고, 그러려면 보험료 인상이 제시되어야 한다. 기금이 고갈되는 이유는 낸 것보다 많이 받는 구조 때문이다. 균형이 이뤄지려면 더 적게 받거나 더 많이 내야 한다. 현행 급여 수준이 높은 편은 아니라서 적게 받는 것은 대안이 되기 어렵고, 천생 더 내는 것이 대안이 되어야 한다. 그렇다면 보험료를 얼마나 높여야 하나? 민간 금융기관의 연금을 생각해 보자. 민간의 연금제도가 계속 굴러가려면 원금에서 비용을 빼고 운용수익을 더한 만큼 받아야 한다. 국민연금도 마찬가지다. 물론 국민연금은 운영비가 더 적고 별도의 이문을 남기지 않으므로 민간 금융기관보다는 급여를 보장할 수 있다. 게다가 뜻밖에도(!) 국민연금의 운용수익률은 민간 연금보다 높다. 지금은 낸 것보다 두 배 이상을 준다. 그래서 급여를 그대로 둔 채 낸 것(+운용수익)만큼 주는 게 되려면 보험료가 적어도 지금의 두 배 이상, 즉 18% 이상이 되어야 한다.

☞ 노후소득보장 강화도 필수적

이론적으로는 분명히 그렇지만 당장 그만큼 올릴 수는 없다. 1988년 국민연금 도입 당시 보험료는 3%였다. 너무 낮다는 것은 그때도 알고 있었지만, 일단 낮게 시작해서 차차 높이려는 계획이었다. 그런데 35년이 지난 지금의 보험료가 9%이다. 물론 상황이 악화된 탓에 과거보다는 훨씬 빨리 올려야 한다. 향후 10여년에 걸쳐 과거 인상폭인 6%포인트 정도를 올려서 2030년대 중반에 15%가 되게 하는 것, 아마 이 정도가 한계일 것 같다. 그렇게 해서 일단 고갈 시점을 늦춰놓고, 장기적인 재정 안정화는 그때 가서 다시 논의해야 할 것 같다.

개혁 대안에 보험료 인상이 들어간다는 데는 이론이 없다. 논란이 되는 것은 추가로 포함해야 할 내용이다. 국민연금은 지속 가능성도 심각한 문제지만 노후소득 보장 기능이 취약하다는 것도 큰 문제이다. 그래서 국회 자문위 일각에서는 노후소득 보장 강화를 위해 급여율을 높이자는 주장이 제기되었다고 한다.

급여율을 높이면 낸 것과 받는 것 간의 균형은 더 악화된다. 그래서 급여율을 높이면서 균형을 유지하려면 보험료율을 더 높여야 한다. 물론 보험료를 더 높이는 게 어려워도 필요하다면 해야 한다. 하지만 문제는 급여율 인상이 노후소득 보장 강화를 위한 효과적인 대안이 아니라는 데 있다. 취약한 노후소득 보장의 주원인은 국민연금 수급자가 적고, 수급자라도 가입 기간이 짧은 사람이 많기 때문이다. 정상적인 연금제도를 갖춘 국가치고 우리처럼 보험료 낮은 나라도 없지만, 우리처럼 미가입자가 많고 수급자의 평균 가입기간이 짧은 나라도 없다. 그런데 미가입자와 가입 기간이 짧은 사람들이야말로 정작 국가의 노후소득 보장이 절실한 사람들이다. 급여율 인상 혜택은 안정적인 직장에 오래 근무하여 연금 가입 기간이 긴 사람들에게 집중된다. 이들의 노후소득 보장도 중요하다. 하지만 이들은 퇴직연금 등 보완수단도 있다. 보장성 강화의 우선순위는 어디에 놓여야 할까.

조만간 나올 국민연금 개혁 대안에는 지속 가능성 향상과 함께 노후소득 보장 강화가 들어가야 한다. 그리고 그 대안은 정말 노후소득 보장이 필요한 사람들을 위한 것이 되어야 한다.[87]

70. 국민연금 세대 간 형평론, 무엇이 문제인가

국민연금(國民年金)은 대한민국에서 보험의 원리를 도입하여 만든 사회보험(공적연금)의 일종이며 국민연금공단이 연금을 관리하고 있다. 이러한 공적연금은 세계의 대부분에 해당하는 170개의 나라에서도 운영되고 있다.

가입자, 사용자 및 국가로부터 일정액의 보험료를 받고 노령연금, 유족연금, 장애연금 등을 지급함으로써 국가의 안정성을 보장하는 사회보장제도의 하나이다. 노령으로 인해 비경제활동인구가 되었을 때[88] 연금을 지원하는 제도이다.

일시금으로 받을 수 없는 연금으로는 노령연금, 유족연금 이고 일시금으로 받아야 하는 연금은 반환일시금, 사망일시금이다. 장애연금은 등급에 따라 일시금과 평생지급이 달라진다.

국회 연금특위 민간자문위원회가 개혁방안에 합의하지 못한 가운데 과거처럼 재정주의와 보장성 강화론 간에 서로 다른 주장들이 나오고 있다. 그 한 가지가 세대 간 형평 문제이다. 재정주의자들은 이대로 가면 미래세대는 현세대처럼 소득대체율 40%의 국민연금을 받지만 보험료는 지금의 몇 배인 35%를 내야 한다고 말한다. 따라서 세대 간 형평을 위해 소득대체율은 동결하고 보험료는 지금부터 올리자고 주장한다. 하지만 이 주장은 큰 문제가 있다.

가장 큰 문제는 국민연금을 가입자들이 내는 보험료로만 충당해야 한다고 전제하는 것이다. 이번 제5차 재정계산 결과 가입자들에게 부과되는 보험료로만 연금지출을 충당할 경우 보험료율이 2080년에 35%로 추정되었다. 이것은 재정주의자들의 주장처럼 미래세대가 35%를 내야 한다는 것이 아니라 그렇게 하면 안 된다는 것을 보여준다.

그러면 어떻게 할 것인가? 보험료 부과 기반을 넓히고 국고를 지원하면 된다. 다른 나라들도 그렇게 한다. 하지만 재정주의자들은 보험료 부과 기반 확대와 국고 지원을 이야기하면 그것은 질문에 답하지 않고 주제를 회피하는 것이라는 황당한 주장을 한다. 그들은 경제협력개발기구(OECD) 국가들이 보험료로 평균 18%를 내고 다양한 연금개혁으로 미래에도 국내총생산(GDP)의 10% 수준으로 연금지출을 관리한다고 말하면서 우리도 보험료를 올려야 한다고 주장한다.

그런데 이번 제5차 재정계산에서 2080년 국민연금 지출을 GDP로 보면 9.4%로 추정되었다. 결국 우리도 미래에 GDP의 10% 정도를 연금에 지출하는 셈이다. 하지만 그들은 우리도 OECD 국가들처럼 미래에 GDP의 10%를 연금에 지출하는데 왜 우리는 보험료가 그들처럼 18%가 아니라 35%가 되어야 하는 것인지에 대해서는 답하지 않는다.

현재 국민연금 보험료는 주로 근로소득에만 부과되며, 그렇게 연금보험료 부과기반이 되는 근로소득은 GDP의 30%에도 못 미친다. GDP의 30%도 안 되는 근로소득에 연금비용을 전부 부과하니 보험료가 35%가 되는 것이다. 재정주의자들은 청장년 인구가 줄어든다고 말하면서도 그 줄어드는 청장년 인구가 버는 GDP의 30%도 안 되는 근로소득에만 보험료를 부과할 생각을 하는 것이다.

그들이 말하는 미래세대는 단일한 집단이 아니라 얼마 안 되는 근로소득에 연금보험료를 35%나 내야 하는 집단과 돈을 많이 벌지만 보험료를 내지 않는 집단으로 분리된 것이다. 그들은 미래세대가 마치 연금비용을 다 같이 골고루 분담할 것처럼 말하지만 실상은 그렇지 않다.

이는 현세대도 마찬가지여서 현세대도 연금비용을 결코 골고루 분담하지 않는다. 결국 그들이 말하는 세대 간 형평은 각 세대 내에 존재하는 불평등을 세대론으로 위장한 것에 불과하다.

또한 재정주의자들은 보험료 인상의 효과는 곧바로 나타나지만 소득대체율 인상 효과는 나중에 나타나므로 재정적 착시현상이 있다고 말한다.

하지만 착시는 그들이 하고 있다. 소득대체율을 내년인 2024년부터 인상한다고 하자. 2025년 신규 수급자는 2023년까지 계산된 연금급여는 오르지 않은 것으로 받지만 2024년 1년치 연금은 인상된 것으로 받는다. 이렇게 보면 2029년 신규 수급자는 2024~2028년 5년치는 인상된 연금으로 받는다.

보험료와 소득대체율 인상 효과의 시차는 별로 크지 않다. 게다가 소득대체율이 올라 5년치 혹은 그 이상 급여를 인상된 것으로 받게 되면 노인 빈곤이 확연히 줄어 빈곤 경감의 부담이 크게 준다. 여기서 절감된 재원은 자영업자나 저임금 노동자의 연금 가입에 지원할 수 있다.

재정은 수단이지 목적이 아니다. 보험료를 인상해야 한다면 그 일차적인 목적은 적정 급여의 보장이어야 한다. 또한 유럽과 달리 우리 국민들의 의료비, 교육비, 주거비의 사적 부담을 생각하면 보험료 인상이 마냥 쉬운 것도 아니다.

이런데도 재정주의자들은 특정한 가정을 전제한 35% 보험료로 국민들을 겁박하여 보험료 인상을 외치면서도 소득대체율은 한푼도 못 올리겠단다. 이것은 재정을 걱정하는 것이 아니라 국민연금에 대한 신뢰를 떨어뜨리고 국민연금을 약화시키려는 국민연금 약화론이라 할 수밖에 없다.[89]

71. 윤석열 정권, 미국은 겁내고 국민은 겁주나

순방에서 돌아온 윤석열 대통령의 출근 일성은 뜻밖이었다. 윤 대통령은 26일 '비속어 논란'과 관련해 "사실과 다른 보도로 동맹을 훼손하는 것은 국민을 위험에 빠뜨리는 일"이라고 했다. "전 세계의 두세 개 초강대국을 제외하고는 자국민의 생명과 안전을 자국 능력만으로 지킬 수 있는 국가는 없다"면서 한 말이다. "진상이 더 확실하게 밝혀져야 한다"고도 했다. 사과나 유감 표명은 없었다. 윤 대통령 말을 종합하면 비속어 논란은 사실과 다르고, 한·미 동맹을 훼손하며, 관련 보도에 대해 '진상규명'을 하겠다는 것이다.

영국·미국·캐나다 순방을 마치고 귀국한 윤석열 대통령이 26일 서울 용산 대통령실 청사로 출근하며 기자들의 질문에 답하고 있다(대통령실사진기자단).

잘 모르는 독자도 계실 수 있으니 전말을 요약한다. 윤 대통령은 지난 21일(현지시간) 미국 뉴욕의 글로벌펀드 재정공약 회의장에서 조 바이든 미 대통령과 48초간 환담했다. 이후 회의장에서 나오던 윤 대통령이 "국회에서 이 XX들이 승인 안 해주면 바이든이 쪽팔려서 어떡하나"라고 말하는 듯한 장면이 카메라에 담겼다. '이 XX'는 미 의회를 지칭하는 것으로 해석됐다. 대통령실은 영상 공개 후 13시간이 지나 해명을 내놓았다. '이 XX'는 한국 국회를 지칭한 것이며, '바이든'이 아니라 '날리면'이라고 했다는 취지였다. 논란은 더 커졌다. 한국 국회의원은 폄훼해도 되느냐는 비판이 쏟아졌다. 소셜미디어에선 버스커버스커가 부른 '벚꽃 엔딩'의 가사 '봄바람 휘날리며'가 '봄바람 휘바이든'으로, 영화 제목 '태극기 휘날리며'가 '태극기 휘바이든'으로 패러디됐다.

모두가 대통령의 첫 출근길을 주목했다. 나는 윤 대통령이 당시 발언 취지를 설명하거나, 껄끄러우면 직답을 피하리라 생각했다. 틀렸다. 대통령을 과소평가했다. 그는 답을 피하지 않았다. 보도가 사실과 다르다며 진상규명이 필요하다고 했다. 진상은 발언 당사자가 가장 잘 알 텐데, 스스로 밝히는 대신 타깃을 언론으로 돌렸다. 국민의힘도 발 맞춰 영상을 처음 공개한 MBC에 집중포화를 퍼부었다. 주호영 원내대표는 "항의 방문과 경위 해명 요구 등 여러 조치를 취할 것"이라고 압박했다. 김행 비대위원은 "수사의뢰"를 거론했다. 이종배 서울시의원은 MBC 사장과 편집자·담당 기자를 경찰에 고발했다. 전날 김대기 대통령비서실장이 "가짜뉴스"를 언급한 게 예고편이었던 셈이다.

팩트체크를 해보자. ① 윤 대통령은 비속어를 '발화'했다. 이 부분은 김은혜 홍보수석도 인정했다. ② '이 XX'는 미 의회 의원 또는 (적어도) 한국 국회의원을 지칭한다. 앞에 '국회에서'란 표현이 있기 때문이다. ③ 윤 대통령이 발언한 곳은 각국 정상이 모인 국제회의장 안이었고, 바로 옆에 사적 지인이 아니라 고위공직자들이 있었다. 백보 양보해 '바이든'이 아니라 '날리면'이라 했다고 치자. ①②③만으로도 대통령은 사과해야 마땅하다. 바이든 대통령이 화내는 건 겁나지만, 한국 국회와 국민은 분노하든 말든 상관없나.

첫 단추를 잘못 끼우면 두 번째, 세 번째 단추도 잘못 끼우기 마련이다. 윤 대통령과 대통령실은 솔직하게 시인하고 논란을 매듭지을 기회가 있었다. 그러나 ①②③이 부적절했다는 점조차 인정하지 않은 채 '사적 발언' '혼잣말'로 덮으려다 사태를 키웠다. 스스로 퇴로를 끊은 셈이다.

이제 어찌할 텐가. 이명박 정권이 <PD수첩>과 인터넷 논객 '미네르바'를 수사했듯 MBC를 수사하고 '휘바이든' 패러디를 퍼뜨린 소셜미디어 이용자를 잡아들일 건가. 윤 대통령이 몰입해온 '검찰의, 검찰에 의한, 검찰을 위한' 통치 방식대로라면 이 방향으로 갈 가능성이 크다. 시민으로 하여금 두려움을 느끼게 하고, 핵심 지지층을 결집하는 효과를 기대할지 모른다. 르네상스 시대 이탈리아 정치사상가 니콜로 마키아벨리는 <군주론>에서 이야기했다. "만약 (사랑과 두려움) 둘 중에서 어느 하나가 결여될 수밖에 없다면, (군주는) 사랑을 받기보다 두려움을 느끼게 하는 것이 더 안전하다."

그런데 마키아벨리는 이런 말도 했다. "증오의 대상이 되거나 경멸받는 것을 피하고, 인민이 그에게 만족하도록 한다면, 그 군주는 스스로를 충분히 안전하게 지킬 수 있다." 정치철학자이자 마키아벨리 연구자인 곽준혁은 저서 <지배와 비지배>에서 이해하기 쉽도록 해설한다. "(마키아벨리는) 군주가 음모로부터 스스로를 방어하려면, 다수로부터 좋은 평판을 받아야 한다고 말하는 것이다. 결론적으로 그는 인민을 적대시하면 군주는 스스로를 지킬 수 없다고까지 단언한다."

국민과 싸워 이길 수 있는 지도자는 없다. 500년 전에도, 지금도.[90]

72. 사라진 동물들의 목소리

나긋한 말씨의 내레이션이 이어지던 중, "시간은 마음이 쓰이는 쪽으로 흐르는 것이지 않을까?" 라는 질문이 들려왔다. 공연이 시작한 지 약 5분쯤 지났을 때였다. 그 앞에도 적지 않은 말들이 있었지만 내게 공연의 진짜 시작점처럼 느껴진 것은 이 문장이었다.

'멸종동물생활협동조합×날씨' 라는 타이틀만 보고 찾아간 신촌극장은 그날따라 유독 어두웠다. 깜깜한 극장에 들어서자 중앙에 매달린 작은 오브제가 보였다. 유일하게 빛을 내고 있던 그 오브제 안에는 계곡처럼 보이는 풍경이 있었다. 극장 벽에는 스피커 열 대, 무대에는 모니터 두 대가 보였다. 극장에 들어설 때 극장장이 건넨 손전등을 켜 뭔가 적혀있었던 극장 티켓을 다시 비춰보았다. "거의 소리만 있는 공연입니다. 도시를 조금만 벗어나면 쉽게 들을 수 있는 그런 소리들입니다." 극장에 모인 사람들은 재생 장치들을 바라보며 오브제 아래에 반원 모양으로 둘러앉았다.

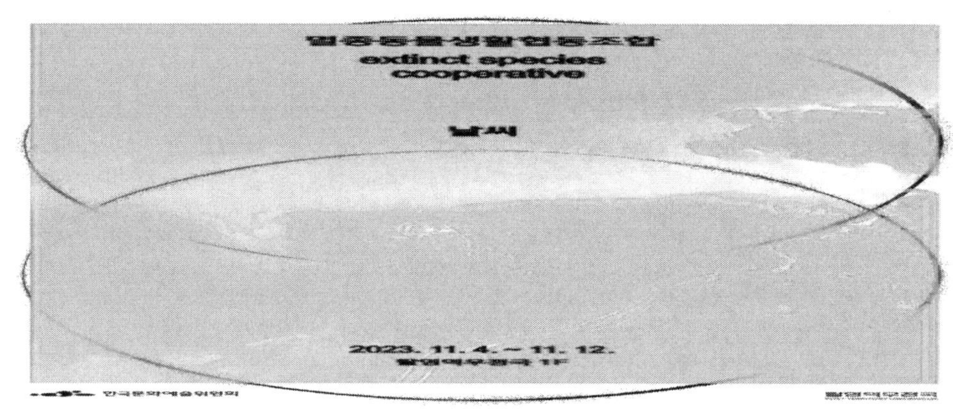

우리는 잠시 1941년 웨이크섬 전투를 재현한 게임으로 추정되는 영상을 봤다. 전투기들은 서로의 뒤를 쫓았고, 영상은 일본군 전투기가 바다에 추락하며 끝났다. 그러곤 다시 어둠 속으로 돌아가 어디가 끝점일지 상상하기 어려운 이야기를 들었다. 어둑한 극장에 모여 앉아 누군가의 목소리를 듣는 일은 조금은 꿈같은 구석이 있어서 모든 것이 선명하게 기억나진 않는다. 다만 시간이 어디로 향할지에 대한 질문을 출발점 삼아, 하이젠베르크의 불확정성 원리, 양자역학, 이중 슬릿, 파동-입자의 영역에 도착했고, 그사이 어딘가쯤부터 사라진 동물들이 하나하나 호명되기 시작됐다.

온순한 성격을 지녔지만 무차별적 사냥으로 빠르게 절멸한 스텔러바다소의 이야기가 들려오자 한 스피커 위에 어스름한 조명이 들어오며 스텔러바다소의 형상이 등장했다. 멋진 무늬를 가지고 있었던 콰가가 어떻게 멸종했는지에 대한 이야기가 들려올 땐 다른 쪽에서 콰가의 그림자가 나타났다. 군인들에게 몽땅 잡아먹힌 웨이크섬의 웨이크뜸부기도 모습을 드러냈다. 큰바다쇠오리의 그림자도 떠올랐다. 그 공연의 흐름을 비행 궤도로 그린다면 분명 위아래와 동서남북을 이상하게 가로지르는 꼬인 곡선이 그려질 것만 같았다. 서로 아주 멀리 먼 곳에 놓여있었지만, 그 동물들의 이야기는 분명 연결되어 있었다.

파동-입자의 영역에 도달했다가 동물들이 어떻게 사라졌는지를 전해 들으며 꼭 그들이 살았을 것 같은 장소의 소리를, 그들에 관한 이야기와 그들이 말하는 소리를 들었다. 나는 이 공연을 어딘가에 파동의 형태로 남아있을지도 모르는 사라진 동물들의 목소리를 찾는 시간이라고 이해했다. 마지막으로 그 멸종동물들은 한자리에 모여 이야기를 나눴다. ('파동 통번역기' 가 그들의 대화를 번역했다) "관심을 기울여줄 것이라 믿어요." "폭력보다 강한 사랑이 에너지로 보여지는 삶을 선택합니다." "마음을 모으면 시공간을 넘어 에너지장을 공유할 수 있습니다."

어떤 이들은 공연을 실험무대로 삼고, 어떤 이들은 공연을 통해 누군가의 극적 쾌감을 극대화하지만, 누군가는 공연의 형태로 자신이 믿는 중요한 이야기를 전달한다. 공연은 그때 중요한 확성 장치가 된다. 날씨의 멸종동물생활협동조합 공연은 마지막 경우다. 그는 어떤 미약한 파동을 증폭하고, 어떤 존재들의 목소리를 확성하며, 우리의 시간이 다른 방식으로 흐르길 바라는 마음 아래, 여기에 마음을 쓸 것을 제안한다. 멸종동물생활협동조합×날씨의 이야기는 45분간, 일주일 동안, 매일 두 번씩 되풀이됐다. 공연을 보고 온 지 며칠이 지났지만 나는 때때로 그 공연의 장면들을 되풀이한다. 아마 이야기를 접한 다른 이들 또한 마찬가지일 것이다. 공연장에 모여 사람들이 함께 공유한 시간은 45분뿐이었지만, 그 시간을 지나오며 마음을 쓰게 된 사람들이 바라볼 시간은 그보다 훨씬 크고 넓을 것이다.[91]

73. 선진국이라기엔 부끄러운 한국과 대통령의 품격

선진국(先進國, advanced country, developed country)은 고도의 산업 및 경제 발전을 이룬 국가를 가리키는 용어로 그로 인해 국민의 발달 수준이나 삶의 질이 높은 국가들이 해당한다.

선진국에 대한 기준은 명확지 않다. 보통은 경제력 강한 국가를 일컫지만, 꼭 그런 것만도 아니다. 국내총생산(GDP) 1위 중국이나 1인당 국민소득(GNI)이 10만 달러를 넘는 버뮤다, 군사대국 러시아 등을 선진국이라고 부르지 않는다. 경제가 중요한 기준이기는 하지만, 시민 삶의 질이 높고 글로벌 책임을 이행해야 선진국이라고 할 수 있다.

주요 7개국(G7, 미국·영국·프랑스·독일·이탈리아·캐나다·일본)은 모두 선진국이지만 범위가 좁다. 경제협력개발기구(OECD)는 과거 선진국 클럽으로 불렸으나 회원국을 늘리면서 개발도상국이 다수 참여해 지금은 달라졌다. 한국이 포함된 G20은 인도네시아, 남아프리카공화국, 아르헨티나 등 대륙을 대표하는 국가들도 있어 순수한 선진국 모임이라고 하기 어렵다.

유엔무역개발협의회(UNCTAD)가 지난해 7월 한국을 선진국 그룹에 편입했다. UNCTAD는 회원국을 A(아시아·아프리카), B(선진국), C(중남미), D(러시아·동구) 등으로 분류하는데, A그룹에 있던 한국을 B그룹으로 이동시킨 것이다. 2021년 기준 한국의 GDP는 세계 10위이고, 1인당 GNI는 24위, 무역규모는 8위에 자리했다. 군사비와 병력, 전투기, 전차 등을 고려한 군사력은 6위권으로 평가된다. 유엔 195개 회원국 가운데 한국이 선진국 그룹 32개국에 들어간 것은 이상하지 않다.

미국의 'US뉴스'가 커뮤니케이션 기업 BAV그룹, 펜실베이니아대학 와튼스쿨과 공동조사해 발표한 '2022 최고의 국가'에서 한국은 85개국 중 20위였다. 항목별 순위에서는 국력과 기업가 정신이 각각 6위, 문화적 영향이 7위로 상위권이었다. 전 세계 메모리반도체 D램의 70%, 낸드플래시의 절반은 한국의 삼성전자와 하이닉스가 생산한 것이다. 오대양을 항해하는 선박의 절반가량도 한국 조선소에서 만들었다. BTS와 블랙핑크의 K팝과 영화 <기생충>, 넷플릭스 드라마 <오징어 게임> 등은 한국 문화를 세계에 전파하고 있다.

하지만 낮은 평가를 받은 세부 항목이 적지 않았다. 성평등, 인종차별, 임금격차, 기후변화 방지 노력, 동물권 보호, 정부정책 투명성 등에서는 100점 만점에

10점 내외에 그쳤다. 유엔 자문기구인 지속가능발전해법네트워크(SDSN)가 발표한 '2022 세계 행복보고서' 에서도 한국은 경제력 관련 항목은 높은 수치를 기록한 반면 도덕성이나 포용성은 부족한 것으로 나타났다. 한국의 행복지수는 146개국 가운데 59위였는데, OECD 회원국으로만 보면 최하위권이다. GDP와 기대수명 항목에서는 비교적 높은 평가를 받았지만 사회적 지지, 선택의 자유, 부정부패, 관용 등의 항목에서는 개선해야 할 부분이 많았다.

외형적으로는 선진국 반열에 올랐다고는 하지만 아직까지 그에 걸맞은 품격은 갖추지 못했다. 단기간에 고속성장을 하느라 내면을 돌보고 성숙시킬 여유가 없었던 탓일까. US뉴스가 최고의 국가로 꼽은 스위스는 가족 친화, 성평등, 사회정의에 대한 헌신, 환경에 대한 관심 등 '삶의 질' 과 '사회적 목적' 분야에서 각각 세계 1위였다. 경제적 풍요 못지않게 사회적 약자를 배려하고 포용하는 분위기를 형성해야 진정한 선진국이라고 할 수 있다.

한국은 지도자(리더)가 더 낮은 평가를 받는다. 미국 여론조사업체 '모닝 컨설트' 가 전 세계 주요 지도자를 대상으로 하는 지지율 조사에서 윤석열 대통령은 또 꼴찌였다. 11월2~8일 조사 결과를 보면 윤 대통령은 지지율 20%로 22개국 지도자 중 가장 낮았다. '워싱턴포스트' 는 이태원 압사 참사 후 '핼러윈 비극이 세계에서 가장 비호감인 지도자에게 시험대가 됐다(Halloween Tragedy Is a Test For the World' s Most Disliked Leader)' 는 제목의 기사를 싣기도 했다.

미국에서 비속어로 이미 글로벌 망신을 샀던 윤 대통령은 아세안(ASEAN・동남아국가연합) 및 G20 정상회의 참석을 위한 순방에 MBC 기자의 대통령 전용기 탑승을 막아 비호감도를 끌어올렸다. 부인 김건희 여사는 현지에서 각국 정상 배우자 프로그램에 불참한 채 개별 일정을 진행했다. 김 여사에게 '오드리 헵번 따라하기' 비판이 일자 여당 중진 의원은 "대통령 부인 중에 이렇게 미모가 아름다운 분이 있었나" 라고 치켜세웠다.

윤 대통령 임기는 이제 갓 반년을 지났을 뿐이고 4년 반이 남아 있다. 언제까지 주권자 시민에게 부끄러움을 떠넘길 텐가. 밑바닥까지 갔으니 앞으로는 올라갈 일만 남았다고, 기저효과라는 용어를 주술처럼 믿는 걸까.[92]

법에 금지하지 않은 모든 것이 정당한 것은 아니다. 법이 부여한 권한을 최대한 행사하는 것이 법치가 아니다.

무리한 권한 행사의 문제를 누구보다 알 만한 그가 제도적 자제라는 규범을 받아들여야 한다. 그것이 국민 여론을 존중하는 민주정치의 길이다. '법대로'라는 방패를 내세워 적대 정치만 하다가 임기를 끝낼 것인가.[93]

74. 세대 간 계약의 공정성

'요즘 젊은이들은 버릇없다' 는 푸념은 이집트 피라미드에도 적혀 있고, 소크라테스도 언급했다고 하니 어느 시대 어느 나라에서든 세대 갈등은 존재했을 것이다. 하지만 최근의 대한민국 사회에서 유독 심하다는 데는 많은 사람이 동의할 듯하다. 이유야 다양하겠지만, 최근 세대 갈등 논란의 중심에는 연금개혁 문제가 놓여 있다. 청년세대는 국민연금 보험료를 올리는 것에 반대한다. 이유는 자신들 부담으로 윗세대가 혜택을 누리는 것이기 때문이라고 한다. 예전의 세대 갈등은 윗세대가 청년세대의 버르장머리를 못마땅해한 것이지만, 지금의 세대 갈등은 청년세대가 윗세대의 불공정에 항의하는 것이다. 갈등의 차원이 다르다.

연금 문제가 세대 간 불공정 논란으로 번진 까닭은 비용 부담 집단과 혜택 수혜 집단이 분리되어 있다는 특성 때문이다. 연금은 근로세대가 보험료를 내고, 노인세대가 급여를 받는다. 물론 근로세대가 보험료를 내는 이유는 나중에 노인세대가 되었을 때 급여를 받기 위함이다. 이처럼 근로세대 비용 부담과 노인세대 혜택 수혜가 대를 이어 이뤄지는 것을 '세대 간 계약' 이라고 한다.

세대 간 계약은 삶을 지속하는 기본 원리이다. '근로세대가 일해서 돈 벌고 그걸로 자식 키우고 부모 부양하는 것' 에 의해 인류는 삶을 이어왔다. 과거에는 주로 가족 내에서 이루어진 세대 간 계약이, 이제는 가족을 넘어 사회 전체적으로 이루어지는 것뿐이다.

부모 자식 사이라도 자식한테 별반 해준 것 없는 부모라면 당당히 혜택을 주장하기 어렵다. 하물며 가족도 아닌 사회 전체의 세대 간 계약이라면 어떻겠는가. 젊어서 100을 부담했는데, 나이 들어 50밖에 못 받는다면? 이런 계약을 흔쾌히 받아들이겠는가. 공정하지 못한 계약은 지속되기 어렵다. 계약이 공정하려면 부담과 혜택의 배분이 엇비슷해야 한다.

가. 부담과 혜택 배분 엇비슷해야 공정

세대 간 회계라는 것이 있다. 세대별로 정부에 낸 비용(조세+보험료)과 정부로부터 받는 혜택(연금 및 기타 복지 혜택 등)의 크기를 비교하는 것이다. 대한민국 세대를 청년(어린이 포함)세대, 중장년세대, 노인세대의 셋으로 구분했을 때, 각

세대의 회계는 어떻게 될까? 지금 두 명의 근로자가 한 명의 노인을 부양한다면, 30년 뒤에는 두 명의 근로자가 세 명의 노인을 부양해야 한다. 노인부양비가 계속 높아지니, 세대가 내려갈수록 적자일 듯싶다. 그렇다면 세 집단회계의 총합이 0일 때, 청년세대는 적자, 노인세대는 흑자, 가운데인 중장년세대는 본전치기일까. 청년세대는 확실히 적자이다. 하지만 중장년세대와 노인세대는 셈이 간단치 않다.

노인세대 중 국민연금 수급자는 낸 것보다 아주 많이 받는다. 게다가 70%는 기초연금도 받는다. 또 장기요양보험 혜택도 누린다. 이분들이 젊었을 때는 조세와 보험료 부담이 지금보다 꽤 낮았다. 확실히 낸 것보다 훨씬 많이 받는다.

그러니 노인세대의 회계는 엄청난 흑자일까. 세대 간 회계의 맹점은 정부에 납부한 것과 정부로부터 받는 혜택만 따진다는 점이다. 세대 간 계약의 공정성을 따지려면 정부뿐만 아니라 민간 부문도 포함한 사회 전체에 대한 기여와 수혜를 따지는 것이 온당하다.

사회 전체적인 노인세대의 기여는 두 측면으로 구분할 수 있다. 하나는 사회의 물적·인적 자본을 향상시켜서 생산성을 높인 것, 즉 경제성장을 이끈 것이다. 그분들이 아니었으면 오늘날 대한민국의 경제력은 잘해야 동남아 수준에 머물렀을 것이다. 또 하나는 자식들을 많이 낳고 길러서 오늘날의 근로세대 규모를 키운 것이다. 아무리 노인세대가 국가로부터 받는 혜택이 과거에 납부한 세금과 보험료보다 많다고 해도, 그분들이 우리 사회에 기여한 것을 모두 더하면 받는 것보다 기여한 것이 훨씬 많다(더구나 노인세대가 중장년일 때는 정부 지원 없이 개인 돈으로 부모 모시고 아이 키웠다). 나의 부모와 삼촌·이모 세대는 지금보다 훨씬 대우받을 자격이 있다고 나는 생각한다.

중장년세대는 어떨까? 나를 포함한 중장년세대는 부모세대보다 더 많은 혜택을 누리면서 성장했다. 그렇다고 부모세대만큼 경제성장을 이끌지도 못했으며, 자식을 많이 낳고 길러서 미래의 근로세대 규모를 키우지도 않았다. 정부 부문만 고려하든, 사회 전체로 따지든 중장년세대는 확실히 흑자다. 중장년세대의 일인으로서 부모세대보다 혜택이 많은 것은 행운으로 여기고 고마워할 일이다. 하지만 자식 세대가 많은 부담을 지는 것도 너희가 박복한 탓이니 참으라고 할 수 있을까.

나. 공정성 향상이 국가의 중요한 역할

청년세대에게 미안하다. 그래도 굳이 변명한다면, 한국의 경제사회가 요 모양 요 꼴인 것이 중장년세대가 자식 세대를 희생시키면서 자기 이익만 챙겼기 때문은 아니라는 말을 하고 싶다. 어느 시대든 대다수는 자신의 이익을 추구하며 살아간다. 비록 예전에는 국민교육헌장이란 것을 만들어서 "우리는 민족중흥의 역사적 사명을 띠고 이 땅에 태어났다" 라고 다짐하게 했지만, 그렇다고 노인세대가 젊은 시절 허리띠 졸라매고 열심히 일했던 것이, 역사적 사명감으로 조국과 민족을 위했기 때문은 아닐 것이다.

그때나 지금이나, 그리고 앞으로도 필부와 필녀는 자신과 가족이 잘되기 위해 애쓸 따름이다. 다만 각 시대 경제사회구조와 정치역량의 차이로 인해 각자를 위한 노력이 사회 전체의 발전을 가져오기도 하고, 각자는 열심히 살아도 사회 전체는 점점 나빠지기도 한다.

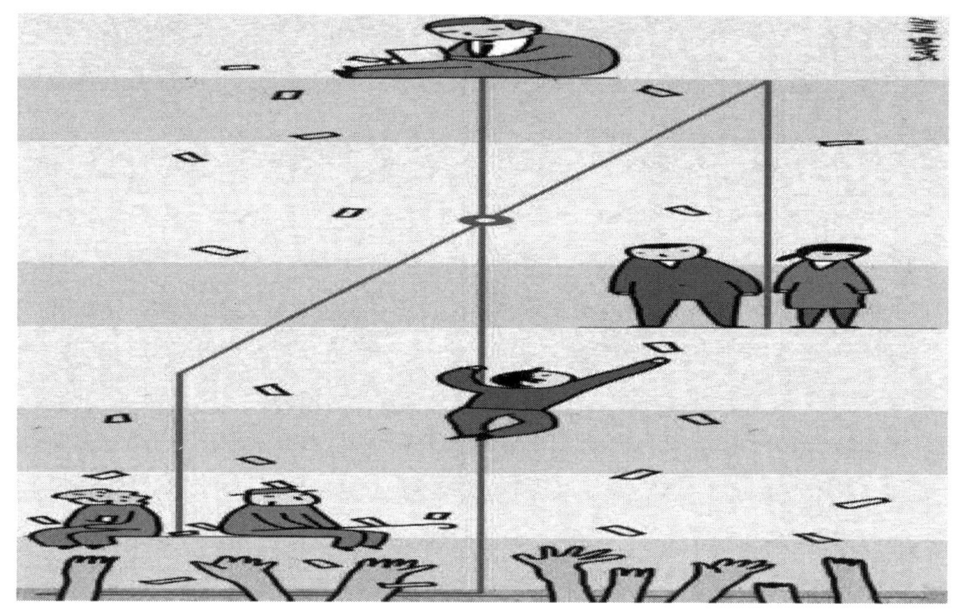

개인의 최선이 사회 전체로는 득이 될 수도 있고 해가 될 수도 있기에 국가의 역할이 필요하고 이를 뒷받침하는 역량이 중요하다. 부모 봉양과 자식 양육 부담이 전적으로 가족에게 부여되던 시절에는 국가가 세대 간 혜택과 부담 배분을 고민할 필요도 없었다. 이제는 봉양과 양육의 책임을 가족과 국가가 분담하며, 국가 몫은 점점 커진다. 세대 간 혜택과 부담의 공정한 배분을 통해 세대 간 계약을 지속하는 것이, 국가의 중요한 역할이 되었다.

솔직히 대한민국의 중장년세대는 자기 자식에게는 지나칠 정도로 지극 정성이다. 다만 자기 자식한테만 그럴 뿐, 사회 전체로서 다음 세대를 위한 대비는 영 부실했다. 청년들이여, 중장년세대를 싸잡아 비난하지는 말자. 그 대신 정부에 세대 간 계약의 공정성을 높일 것을 강력히 주문하자.[94]

75. 희망은 과거로부터 온다

“노인들이라고 해서 너무 얕보지 말고, 잘못한 사람은 따로 있는데 우리나라에서 동냥해서 (주는 것처럼) 그런 식으로 하면 사람이 아니지.” 94세인 양금덕 할머니의 담담하지만 단호한 선언이다.

미쓰비시중공업으로 강제동원돼 17개월 동안 일하고 한 푼도 받지 못한 것은 물론이고, 이후에 일본군 위안부가 아니었느냐는 의혹의 눈길 속에서 평생을 살아온 이의 말이기에 심상하게 들을 수 없다. 정부는 한·일관계의 미래를 위해 제3자 변제를 통해 강제동원 배상 문제를 풀겠다고 했다. 당사자들은 그런 돈이라면 한 푼도 받지 않겠다고 말한다. 그분들에게 중요한 것은 몇 푼의 돈이 아니라 과거사에 대한 일본의 인정과 사죄다.

피해자들의 아픔은 세월이 지났다고 수그러들지 않는다. 엄연히 있었던 사건 자체를 부정하거나 무화시키려는 이들로 인해 그들의 아픔은 더욱 생생해지고 있다. 존재를 부정당하고 있다는 사실만 해도 기가 막힌데, 그들 편이 되어주어야 할 정부가 오히려 그들을 역사 발전의 장애물로 여기고 있는 것 같기에 더욱 서럽다. 이러한 역사 인식은 부당할 뿐 아니라 위험하기 이를 데 없다. 썩은 토대 위에 새로운 집을 지을 수는 없다. 과거는 무질러버린다고 하여 사라지지 않는다. 베트남 전쟁에 동원되었던 어떤 분은 자신을 나름대로 이성적이고 진보적이라고 생각하며 살아왔는데, 그들을 가리켜 ‘더러운 전쟁’에 동원된 용병이라고 말하는 이들을 보면 살의가 느껴진다고 고백했다. 자기들의 존재 자체가 부정당하는 것 같다는 말일 것이다.

성경은 위대한 인물들의 부끄러운 모습을 감추지 않는다. 사람들이 믿음의 본으로 인정하는 이들의 허물과 잘못을 적나라하게 드러낸다. 이스라엘 사람들이 믿음의 조상으로 여기는 아브라함은 어여쁜 아내 때문에 생긴 위험에서 벗어나려 아내를 누이라고 속였다. 출애굽 사건의 주역 모세는 격분에 못 이겨 애굽 사람을 때려 죽였다. 다윗 임금은 충실한 부하의 아내를 겁탈한 후 사실이 드러날까 두려워 그 부하를 사지에 몰아넣었다. 예수의 가장 가까운 제자 베드로는 두려움에 사로잡힌 나머지 세 번씩이나 스승을 모른다고 부인했다. 성경은 어떤 인간도 이상화하지 않는다. 자기 속에 있는 한계와 모순을 자각하는 이들은 다른 사람들을 함부로 정죄하거나 배제할 수 없다.

창녀에게서 태어난 길르앗 사람 입다는 본처의 자식들에게 쫓겨나 세상을 떠도는 신세가 되었다. 쫓겨난다는 것, 그것은 설 땅을 잃었다는 것이고 또한 취약해졌다는 뜻이다. 그의 주변으로 동류의 사람들이 몰려와서 큰 세력을 형성하게 되었다. 어느 날 암몬 족속이 쳐들어오자 길르앗 장로들은 입다에게 사람을 보내 자기들의 지휘관이 되어달라고 부탁한다. 입다는 울분을 속으로 삼킨 채 그들의 요구에 응해 암몬과의 싸움에 나선다. 승패를 장담할 수 없는 상황에서 그는 신 앞에 서원을 한다. 승리를 거두게 도와주신다면, 자기 집 문에서 맨 먼저 맞으러 나오는 사람을 제물로 바치겠다는 것이었다. 입다는 그 전쟁에서 대승을 거두었고 기쁜 마음으로 귀향했다. 그런데 그를 맞이하기 위해 누구보다 먼저 달려 나온 이는 외동딸이었다. 가슴이 무너져 망연한 표정을 짓고 있는 아버지를 보며 딸은 상황을 알아차렸다. 그러곤 아버지에게 두 달만 말미로 달라고 청한다. 처녀로 죽는 몸, 친구들과 함께 산으로 가서 실컷 울고 싶다는 것이었다. 성경은 그 사건의 결말을 생략하는 대신 이스라엘 여인들이 매년 산으로 들어가 희생된 여인을 애도하며 나흘 동안 슬피 우는 관습이 생겼다고 전한다. 이 관습은 억울하게 죽어간 이에 대한 기억을 상기시키는 동시에 다시는 그런 폭력적 사태가 반복되어서는 안 된다는 사실을 암시한다.

발터 베냐민은 '역사철학테제'에서 승리자의 마음에 빙의된 사람들의 폭력성을 지적한다. 그는 지배자 중심의 사고는 억눌린 자들을 양산하게 마련이라면서, 역사 속에서 '비상사태'가 예외적 일이 아니라 상례가 된 까닭은 그 때문이라고 말한다. 억울한 이들의 소리에 귀 기울이고 그들의 원한을 풀어주는 일이야말로 희망의 뿌리다. 억울하게 희생된 이들이 꿈꾸었지만 실현하지 못했던 일들을 이루는 것이야말로 그들을 역사 속에 정초하는 일이다. 청산되어야 할 과거를 묻어버린다고 과거의 악행이 사라지지 않는다. 신원되지 않은 한은 거듭거듭 현재 속에 모습을 드러내게 마련이다. 민담에 자주 등장하는 원혼들의 이야기는 바로 그런 진실을 암시한다. 역사의 봄은 요원하기만 하다.[95]

시간을 보는 마음의 눈은 우리 삶의 꽤 많은 면을 반영한다(pixabay. com)[96]

76. 과거의 망령은 꺼져라

얼마 전 30세 전에 아이 셋을 낳으면 군을 면제해주겠다는 논의 때문에 세상이 시끌시끌했다. "이제 남자도 아이를 낳을 수 있게 된 줄 몰랐다"는 재치 있는 비꼼부터 "돈 많은 집이나 가능할 것"이라거나 "군 면제 받겠다고 아이를 입양했다가 파양하는 사건이 생길 것"이라는 전망까지 나왔다. 이미 부모의 경제력이 자녀의 결혼에 유의미하게 영향을 미친다는 연구도 나오고, 아파트 한 채 분양받아보겠다고 아이를 입양했다가 파양하는 사건도 있는 나라에서 모두 생길 법한 일이다. 그런데 그런 비관적 전망을 떠나 나는 이 아이디어가 섬뜩했다. 20세기 전반 군국주의와 전체주의의 망령이 휩쓸던 때의 사고방식을 연상시켰기 때문이다.

20세기 전반, 젊은 남성은 전쟁터에 나가는 군인으로 규정되었다. 여성은 어머니로서 아들이 전장에서 '멸사봉공' 하더라도 담대하게 행동할 것이 요구되었고, 아내로서는 "낳아라 불려라, 국가를 위하여!" 라는 슬로건 아래 최대한 많이 아이 낳기를 장려 '당했다'. 그리고 미혼의 여성은 전쟁터의 군인을 '위안' 하기 위해 보내졌다. 인권은 아랑곳하지 않고 국가를 위해 복무하는 존재로 사람을 규정하는 전체주의 사회에서 남성은 군인으로, 여성은 성과 출산으로 묶어 임무를 부여한 것이다. '서른 이하 아이 셋=군 면제' 라는 발상 역시 이 틀에서 벗어나지 않는다는 것, 이것이 바로 내가 섬뜩함을 느낀 지점이었다.

일하는 시간 논란도 마찬가지 맥락에서 섬뜩했다. 처음엔 일주일 120시간씩 일할 자유를 운운하더니 진지하게 검토하고 나서는 69시간이라는 방안이 나왔다. 그러다 법정 과로사 기준 시간을 넘긴다는 걸 뒤늦게 깨달았는지 슬쩍 9시간을 깎았다. 이만큼 깎아도 6일 동안 하루 10시간씩 근무해야 하는데, 이렇게 일할 "자유"도 있어야 한다는 이야기가 들렸다. 1시간 점심시간까지 더하면 11시간을 일터에 붙잡혀 있어야 하는데 말이다. 일하는 사람들 대부분은 다르게 일할 수 있는 자유가 없다는 점, '이렇게 일 시킬 자유와 권력'이 누군가에게 너무 과도했기에 이를 규제해온 것이 산업혁명 이후 지금에 이르는 흐름이라는 점 등은 무시당했다.

'오래 일할 자유'를 이야기하는 사람들은 '강제'의 범위를 매우 협소하게 생각하는 경향이 있다. 질질 끌고 와 족쇄라도 채워 가둬놓고 일하는 정도가 되어야 '강제적인 상황'이라고 생각한다. 그러니까 강제징용에 대해서도 '강제'도 아니고 '징용'도 아니라고 이야기할 수 있는 것이다. 강제의 범위를 이렇게 협소하게 생각하니, 다른 사람을 착취하는 데 거침이 없어진다. 월급 100만 원에 값싼 외국인 가사도우미를 쓰자는 발상은 그러한 착취적 태도의 연장이다. 그 외국인은 (자국의 어려운 경제 형편 때문에) 싼값에라도 '기꺼이' 노동을 제공할 것이니 우리가 그렇게 써도 된다고 생각한다. 한발 더 나아가 그렇게라도 써주는 우리 덕분에 그들이 이익을 보고 있다는 시혜적 태도까지 갖게 되기도 한다. 이런 발상에는 50년, 100년 전에 우리가 바로 그 외국인 처지였다는 역사적 통찰도, 보편적 인권에 대한 감수성도 존재하지 않는다.

작금의 논란은 참담하다. 이 발상은 백년은 족히 된 전체주의적 사고요, 지극히 착취적이며 퇴행적인 사고다. 우리가 역사의식을 이야기하는 것은 이러한 퇴행성을 눈치채기 위해서이기도 하지만, 사람들이 누구에게 공감하며 연대하는지를 묻는 것이기도 하다. 아픈 과거 속에 큰 피해를 입은 이들에게 공감하며 연대의식을 느끼는 것은 그들이 단지 '우리' 민족의 과거이기 때문만은 아니다. 이들은 현재와 미래의 우리거나 다른 민족이기도 하며, 인간 보편이 누려야 할 삶의 모습을 일깨워주는 존재기도 하다. 그러기에 '역사의식'을 지닌 우리는 질문한다. "모든 인간은 행복할 권리를 가지고 있다는 것에 동의합니까?"[97]

77. 동성애를 조장해드립니다

학생인권조례(學生人權條例)는 교육과정에서 학생의 인권을 보장하기 위한 조례다. 2010년 10월 5일 경기도교육청에서 처음 공포해 해당 지역 학교에서 시행했다. 2011년 10월 5일 광주광역시, 2012년 1월 26일 서울특별시, 2013년 7월 12일에는 전라북도교육청이 공포해 시행 중이다.

학생인권조례는 「대한민국헌법」과 「교육기본법」 제12조 및 제13조, 「초·중등교육법」 제18조의4, 「유엔 아동권리협약(UN Convention on the Rights of the Child)」에 근거해 모든 학생이 인간으로서의 존엄과 가치를 실현할 수 있게 하는 것을 목적으로 한다.

「교육기본법」 제12조에서는 '학생을 포함한 학습자의 기본적 인권은 학교교육이나 사회교육의 과정에서 존중되고 보호된다' 고 명시하고 있으며 13조에서는 부모 등 보호자의 교육 책임과 권리를 규정하고 있다. 「초·중등교육법」 제18조의4는 학생인권에 대한 학교의 책임을 규정한 항목이다. 이에 따라 학교장과 설립자, 경영자는 헌법과 국제인권조약에 명시된 학생의 인권을 보장하여야 한다.[98]

근래 벌어지는 학생인권조례 폐지 논의가 심상치 않다. 종교단체와 학부모단체 등으로 구성된 서울시 학생인권조례폐지 범시민연대가 조례 폐지 청구를 제출한 이후 3월13일 김현기 서울시의회 의장은 자신의 명의로 서울시 학생인권조례 폐지안을 발의했고 18일에 입법예고를 했다. 교권이 추락하고 종교가 침해당하며 동성애를 조장한다는 주장은 한결같은 레퍼토리다. 학생 인권을 존중하지 않는 교권은 위계에 기반한 권력이 아니고 뭘까. 종교는 학생의 권리를 부정해야 제 체면을 온전히 차릴 수 있나.

동성애를 조장한다는 주장은 폐지론자들의 대표적인 논리다. 조장해서 동성애자가 됐으면 몇 번을 조장했겠지만(농담이다) 말도 되지 않는 얘기여서 대꾸할 가치를 느끼지 못했다. 더구나 동성애를 조장한다는 말은 십수 년을 들어도 어떤 의미인지 모르겠다. 인권조례만으로 당신의 자녀가 하루아침에 동성애자가 된다는 우려일까, 인권조례가 동성애의 아름다움과 미덕을 선전하고 홍보한다는 것인가. 진정 그렇게 노출되면 동성애자가 될 수 있다고 생각하는 건가.

혹여라도 청소년은 미숙하니까 그럴 수 있다고 생각하는 거라면 청소년의 판단력을 대놓고 무시하는 것이다. 아니, 동성애를 조장하고 동성애자가 될 수 있다면 그것이 나쁠 이유는 무엇인가. 나쁜 건 동성애가 아니라 동성애를 우려하는 이성애 정상성의 배타적인 제도와 인식 아닐까. 이성 부부가 아니면 아이를 낳지 못한다고? 아이를 낳고 기르는 것은 이성애자들의 전유물이라는 전제야말로 이성애를 강제하고 출산의 도구로 삼는 것 아닌가. 왜 이 나라는 출산과 양육이 불가능한 노동환경과 불평등한 인식과 분배의 제도는 날로 악화시키면서 낳을 의무만 골몰하고 낳지 않을 권리는 고려사항에 넣지 않는가. 성적 방종? 오래전부터 혐오세력은 동성애를 허용하면 수간과 소아성애도 허용할 수 있다고 신나게 이야기해왔지만, 성소수자도 사리 분별쯤은 한다. 제대로 알려야 하는 것은 성적 문란을 범죄화하고 금지하는 일이 아니라 어느 상황에도 스스로 결정할 권리가 중요하다는 것, 그것이 나뿐 아니라 상대의 권리까지 존중하면서 서로의 안전을 지킬 수 있어야 한다는 것이다.

동성애 조장 프레임은 이성애 기반의 가족 구성과 제도들이 변하고 바뀔 수 있다는 가능성을 불안과 치부로 여기며 사방으로 휘두르는 방패처럼 작동해왔다. 차라리 교권과 정상 가족, 종교 침해를 명분으로 그간 배타적으로 누려온 기득권이 흔들릴 수 있으니 학생인권조례를 반대한다고 솔직하게 말하시라. 성소수자가 여전히 논란이고 합의되지 않았다고 하는데, 정작 논란을 만들고 합의를 가로막는 것은 논란과 합의를 핑계로 침묵하거나 인권정책을 무기한 연기하고 차별을 조장하는 이들이다. 10년이 지나도록 민망하게 같은 이야기를 할 것 같으면 그냥 동성애를 조장해드리고 싶다.[99]

학생인권조례가 유지되는 상황에서 학교구성원의 권리와 책임 조례가 통과되면 당분간 서울의 학교 현장엔 두 개 조례가 공존하게 된다.

교육 전문가들은 두 개 조례가 강조하는 내용이 각각 인권과 책임으로 구분돼 상충되는 내용이 크게 눈에 띄지는 않는다면서도, 학교 현장에서 구체적 사례에 적용하게 되면 차별받지 않을 권리나 학습권 등에서 혼선이 생길 수 있다며 대책 마련을 촉구했다.[100]

78. 이상한 저출생 대책 회의

해프닝으로 끝났지만 그랬을 거다. 국민의힘 정책위원회가 저출생 대책이랍시고 검토했다는 '자녀 3명인 20대 남성의 병역 면제' 안건은 단순한 의견을 넘어 초벌구이는 되었기에 외부에 알려졌을 거다. 상식적이라면 비슷한 소리가 등장하자마자 "뭐? 누가 알까 봐 부끄럽다!" 라는 한탄과 함께 버려졌어야 하지만 아니었을 거다. '올해의 가장 수준 낮은 아이디어' 가 오갔을 회의실을 상상해 본다.

정권의 입맛에 맞는 사람들로 꾸려진 위원회에서는 저출생을 논하면서도 투박한 공정론을 전면에 내세웠을 거다. 그것에 심취했던 누군가가 툭 내뱉었겠지. "기존의 저출생 정책은 여성만 특혜를 얻는 식이었어!" 여자는 권리만 말하고 의무는 모른다는 말에 익숙했던 옆사람이 맞장구를 쳤겠지. "맞아. 회사에는 출산을 벼슬처럼 여기는 여자들이 많아. 뼈 빠지게 돈 버는 건 남편들인데 말이야." 이를 논리적이라고 여겼던 건너편 아무개가 추임새를 넣겠지. "남성들이 역차별받는 정책 말고, 남자에게도 혜택을 주자고!"

그리고 군대 이야기가 생뚱맞지만 자연스레 이어졌을 거다. 진정한 성평등은 여성도 군 복무를 해야 한다는 고통의 평준화 정책이 시원하게 튀어나왔을 거다. 괴상한 기계적 평등론이 꼬이고 꼬이면서, 직업군인을 선택한 여성이 출산하면 1억원을 주자는 황당한 말이 실제로까진 아니더라도 누군가의 목 끝에서 맴돌았겠지. 아무 말 대잔치가 나름 교통정리 된 결과가, 출산한 남자 군 면제라 '도' 시켜주자는 발상이었을 거다. 형평성이라는 단어가 양념으로 사용되었겠지.

이 기운, 누구도 제어하지 못했을 거다. 아니, 제어할 '누구도' 없었을 거다. 그나마 존재하는 대책마저 왜곡되었음이 분명하다. 육아휴직을 남성이 사용하는 게 어려운 사회의 고정관념을 따지면서 저출생의 본질에 접근하기는커녕 왜 여성 '만' 육아휴직을 하느냐는 독특한 주장이 당당했을 거다. 이때도 역시나, '여자는 휴직이라도 챙겨 먹지, 남자는 일하고 와서 애까지 봐야 하는 게 현실' 이라고 말하는 동조자가 있었을 거다. 생각은 자유다. 하지만 그 생각과 저출생 대책은 상극이다.

저출생 문제는 육아하는 사람의 고충을 줄여주는 것만으로는 해결되지 않는다. 다른 사람과 연애하고 결혼하고 출산에 이르도록 하는 흐름이 자연스러워야 가능하다. 지금껏 이를 사랑을 고차원적으로 다루면서 가정을 숭고하게 묘사하는 식으로 접근했다. 하지만 사랑이 넘치는 가정은 남편은 남자답게, 아내는 여성스럽게라는 성별 고정관념을 연료로 굴러갔다. 불평등을, 불평등이 아니라고 여기면 가족은 화목했다. 희생을, 희생이 아니라고 생각해 경력단절을 단절이 아니라 새로운 출발로 받아들이면 다른 가족들이 무탈했다.

이게 당시에는 안정적인 출생률로 이어졌지만 지금에는 저출생의 강력한 원인이 되었다. 성차별은 존재한다는 인식이 바로 저출생 문제의 출발점인 이유다. 하지만 '구조적 성차별은 없으니' 여성가족부는 폐지되어야 한다는 대통령을 도와주겠다는 위원회에서 저출생의 원인을 어찌 알겠는가. '나의 어머니는 평생 주부로 살면서도 불평한 적이 없는데 요즈음은 왜 그러냐' 고 생각하는 사람이 과연 그 회의실에 없었을까?[101]

국회입법조사처가 지난달 29일 펴낸 '20~30대 여성의 고용·출산 보장을 위한 정책방향' 보고서를 보면, 최근 여성의 혼인·출산 감소는 전 연령층에서 이전보다 더 가파르게 나타나고 있다. 그동안 2.0 이상을 유지했던 유배우 출산율(배우자가 있는 여성의 출산율)도 1점대로 하락했다. 지금까지는 여성의 교육 수준이 높아지고 사회에 진출하는 연령이 늦어지는 '만혼화' 로 결혼과 출산이 지연되고 있는 것으로 봤는데 아예 비혼과 비출산을 선택하는 경향이 강화되고 있다는 것이다. 보고서는 이러한 현상의 원인을 '노동시장의 성별격차' 로 꼽았다. 한국의 20~30대 여성의 노동시장 참여율은 과거보다 증가했지만 여성노동시장의 불안정성은 크다. 고용률이 가장 높은 20대 후반에서는 남성보다도 여성의 고용률이 높은데 비정규직 비중과 한시적·시간제 비율도 높다. 30대가 되면 남녀 간 고용률이 역전돼 남성은 완전고용에 가까운 90% 수준까지 올라가는데 여성의 고용률은 이 시기부터 하락한다. 정규직과 비정규직의 규모도 성별 간 차가 크다. 2023년 전체 임금근로자 중 남성 정규직의 비중은 70.2%, 비정규직은 29.8%인데 여성은 정규직 54.5%, 비정규직 45.5%로 나타났다. 여성의 비정규직 비율은 연령이 높아질수록 지속해서 증가한다.

지난달 통계청은 올해 합계출산율이 0.6명대로 내려앉을 것이라는 장래인구추계 전망을 내놓았다. 대통령 직속 저출산고령사회위원회(저고위)는 이달 중으로 전체회의를 열고 저출생 해결을 위한 대책을 발표할 예정이다. 저고위가 준비하고 있는 대책의 핵심도 '일·가정 양립' 이다. 저고위는 현행 150만원인 육아휴직 급여를 200만원으로 올리는 방안과 육아휴직 급여의 25%를 복직 후 6개월이 지난 후 일괄 지급하는 '사후지급 제도' 폐지를 검토하는 것으로 전해졌다.[102]

79. 연금개혁으로 파국을 막아낼 것인가

최근 인기를 얻고 있는 영화 <돈 룩 업(Don't Look Up)>은 우리 연금개혁에 주는 섬뜩한 경고장 같다. 지구와의 충돌이 예상되는 혜성의 존재를 우연히 발견한 별 볼 일 없는 과학자, 그들은 온갖 노력으로 정치지도자와 언론에 그 치명적 심각성을 알린다.

그러나 정작 정치지도자와 언론은 사안의 중대성을 외면하고, 진지하게 해법을 모색하기보다는 위기상황조차 자신들의 이득을 위해 가볍게 이용한다. 그 결과는 모두의 파국이다. 세상은 고개를 들어 다가오는 위험을 직시하는 그룹과 고개를 들지 않고 위험을 외면하는 그룹으로 나뉜다. 결국 시민으로부터 위임받은 최고 의사결정 권한을 정치적 이득, 기업 이익에 사용하는 정치지도자는 파국의 주범이고, 시민의 알 권리에 충실하게 복무하지 않고 정치지도자가 올바른 결정을 하도록 압박하지 못한 언론은 파국의 종범이라 할 수 있다.

<돈 룩 업>은 우리에게 고통을 요구하는 연금개혁이지만, 외면하지 말고 직시해야 한다고 말한다. 연금개혁 어젠다를 잠시 정치적으로 이용하거나 언론 주목거리로 활용하는 것에 대해 경계한다. 연금 전문가 집단도 비판으로부터 자유롭진 않다. 일각에서 연금은 다단계 폰지사기라며 불신을 부추겨 세대 연대 기반을 훼손하기도 한다. 다른 일각에선 정해진 미래인 인구구조에 근거한 재정추계 결과인데도 전망치에 불과하다고 폄하하고 지속 가능성에 대한 위기는 공포감 조성이라고 호도한다. 영화는 정치지도자, 언론, 전문가, 시민들이 위험 경고를 정면으로 마주해 대응함으로써 파국을 면하는 해피엔드로 만들기를 권고하고 있다.

가. 연금보험료율 인상 빨리 시작해야

지난 3월 말 '제5차 국민연금 재정추계 결과'가 확정·발표됐다. 저출생과 고령화의 심화, 경기둔화의 영향, 그리고 연금개혁의 지연으로 재정전망은 2018년 '제4차 재정추계 결과'에 비해 악화됐다. 재정수지 적자 시점이 2042년에서 2041년으로, 기금 고갈 시점이 2057년에서 2055년으로 각각 앞당겨졌다. 기금 소진 이후 그해 연금급여 지출을 그해 연금보험료로 조달하기 위한 부과방식 비용률은 2060년 기준 26.8%에서 29.8%로 3%포인트 높아졌고, 2080년 34.9%로 정점을 찍는 것으로 나타났다. 국민연금 소득대체율이 평균소득자 40년 가입 기준 40%인 상황에서 보험료율을 30% 넘게 부담하는 것은 '낸 것보다 덜 받는' 구조가 되기 때문에 지속 가능하기 어렵다.

왜 국민연금은 1998년, 2007년 두 차례 개혁에도 불구하고 지속 가능성에 '빨간 경고등'이 켜진 것일까? 두 가지 이유 때문이다. 하나는 세계에서 유례없는 초저출생 및 초고령화로 인한 인구절벽 때문이고, 다른 하나는 현세대의 너무 낮은 연금보험료율 부담으로 인해 미래세대로 과도하게 부담이 전가되는 불균형한 연금의 수급·부담 구조 때문이다. 4차 재정추계 때 2022년 출산율은 1.24명으로 전망했으나 실제 출산율은 0.78명으로 낮아졌으며, 연금제도 가입자 대비 수급자인 제도부양비는 2023년 24.0에서 2050년 95.6, 2080년 143.1까지 높아졌다. 경제활동자 4명이 노령연금 수급자 1명을 부양하는 구조에서 1명이 1명을 부양하는 구조가 되고, 심지어 1명이 1.4명을 부양하는 구조가 된다는 의미이다.

연금은 세대 간 적절한 자원 배분을 통해 노령층의 소득 안정을 조율하는 장치이고, 연금개혁은 변화하는 상황에 대응해 세대 간 자원 배분의 균형추를 맞추는 작업이다. 거대한 인구절벽이 빚어내는 미래세대 부담의 불공평한 쏠림을 연금개혁으로 재조정하는 것은 필수적이며, 이를 위한 핵심과제가 바로 보험료율 인상이다. 40~50대 중장년의 1세당 인구수는 80만~90만명대이지만, 20대 미만은 20만~40만명대이다. 인구가 많은 중장년층이 연금수급 세대로 넘어가기 전에 연금부담에 동참하는 것이 필요하다. 연금보험료율 인상을 가능한 한 빠르게 시작해야 하는 이유이다.

연금보험료율 인상은 정치적으로 매우 부담스러운 과제이다. 모두가 달가워하지 않는 인기 없는 정책이다. 그러나 현세대의 보험료율 인상은 미래세대에게 부당하게 쏟아질 부담을 덜어주어 국민연금을 지속 가능하게 보장할 수 있는 필수적 해법이다. 보험료율 인상을 우리 자녀, 손자녀들도 안심하고 연금을 누릴 수 있도록 배려하는 부모, 조부모의 세대 공생 실천이라고 사회적 의미를 부여하고 해석해주는 것은 정치의 몫이다. 우리 자녀들에게 지속 가능한 지구 환경을 물려주기 위해 불편한 삶을 감수하며 환경보호를 실천하는 것과 동일한 맥락으로 '연금개혁은 부모세대의 세대 공생 실천' 이라는 정치적 비전을 설득시키며 역사적 사명감으로 관철해내야 한다.

나. '우리들의 연금 이야기' 가 돼야

또한 궁극적으로 연금개혁은 모든 세대에 걸쳐, 모든 계층에 걸쳐, 남녀 모두가 노후소득을 안심하고 보장받기 위한 것이다. 이 때문에 연금 혜택에서 배제된 사람들, 연금 가입에서 배제된 사람들을 연금개혁에서 잊지 않아야 한다. 연금 혜택을 받지 못하는 빈곤 노인들, 노동시장에 진입하지 못한 청년들, 취약한 플랫폼 노동자들, 연금보험료를 내기 어려운 영세 자영업자들, 실업을 반복하는 불안정 노동자들, 가족 돌봄노동에 묶여 연금에 가입되지 못한 많은 여성들에 이르기까지 그들에게 '당신들의 연금 이야기' 가 아니라 '우리들의 연금 이야기' 가 될 수 있도록 연금개혁이 이루어져야 한다. 이때 연금개혁은 국민연금뿐만 아니라 기초연금 등 다층연금체계를 통해 실질적인 기본 보장이 이루어지는 데 초점을 맞춰야 한다.

이제 국회 연금특위는 국민연금뿐만 아니라 기초연금, 퇴직연금 등 다층연금체계를 포함한 구조개혁으로 논의를 확대했고, 보건복지부 국민연금 재정계산위원회는 10월 재정추계 결과를 바탕으로 개선 대안을 보고할 것이다. 모쪼록 내년 총선을 앞두고 연금개혁을 정치적 비전으로 설정하고 누가 더 책임 있는 정치집단인지를 보여주는 선의의 경쟁이 이루어지길 기대한다. 우리는 어떤 선택을 할 것인가? 지혜를 모아 진정성 있는 결단으로 파국을 피할 것인가? 뻔히 다가오는 파국을 외면하고 얄팍하게 자기 이익에 이용만 할 것인가?[103]

국민연금 개혁방향

분야	추진과제
노후소득 보장 강화	구조개혁과 연계한 명목소득대체율 조정
	수급자의 실질소득 제고
	노령연금 감액폐지 등 급여제도 개편
세대 형평 및 국민 신뢰 제고	지급보장 명문화
	출산 및 군 크레딧 제도 확대
	인구구조 변화를 감안한 재정방식 개선 논의
재정 안정화	보험료율 인상
	계속고용과 연계한 수급개시연령 조정 논의
	국고 지원 확대
기금운용 개선	기금수익률 제고
	투자 다변화 및 기금운용 인프라 강화
	자산배분체계 개선
다층노후 소득보장 정립	기초연금 노후소득보장 기능 강화
	사적연금 활성화 지원
	다층노후소득보장 실태 정밀 분석

*자료: 보건복지부
그래픽: 이지혜 디자인기자

80. 대한민국 의사는 무엇으로 사는가

의사들은 늘 건강보험 수가(진료비)가 낮다고 불만을 터뜨린다. 대도시에서 10대 응급환자가 받아주는 병원이 없어 거리를 떠돌다 사망해도, 지방 병원에서 연봉 4억원으로도 의사를 못 구해 일주일에 절반이나 응급실 문을 닫아도, 대학병원이 소아청소년과 입원환자를 받지 않겠다고 하는 것도 건강보험 수가가 낮아서라고 한다. 지난달에는 소아청소년과 개원의들이 수입이 줄어 병원을 더 이상 운영할 수 없다며 폐과를 선언하는 일까지 벌어졌다. 이 모든 일이 건강보험 수가가 낮아서 벌어지는 것일까? 의사들 주장대로 건강보험 수가가 낮아 병원을 운영할 수 없다면 의사들도 제대로 된 월급을 못 받고 있을 것이다. 일은 힘든데 건강보험 수가는 낮다는 기피 과목 의사의 수입은 더 낮아야 한다.

하지만 이는 전혀 사실이 아니다. 대한민국 의사는 선진국 의사들 중 가장 돈을 많이 번다. 다른 나라와 의사 수입을 비교할 때는 그 나라 의사 소득이 노동자 평균 임금의 몇 배인가를 본다. 그 나라의 소득 수준을 반영해야 공정하게 비교할 수 있기 때문이다. 2021년 경제협력개발기구(OECD) 통계에 따르면 OECD 국가에서 전문의 월급은 노동자 월급의 2.5배 수준인 반면 한국 전문의 월급은 4.4배에 달했다. OECD 평균에 비해 1.8배 높고, 1인당 국민소득 3만달러 이상인 OECD 국가 중 1위이다. 개원의 소득 수준은 더 높다. OECD 국가 개원의 소득은 노동자 월급의 4.5배인데 한국 개원의 수입은 7.6배이다. OECD 국가 중 압도적인 1위이다.

전 세계에서 소득 수준이 가장 높다고 알려진 미국 의사보다 한국 의사가 돈을 더 많이 번다. 미국 의사 20% 이상이 참여하는 메드스케이프 의사 수입 조사 결과를 보면, 2019년 노동자 평균 임금 대비 전문의 월급은 4.2배, 개원의 소득은 5.2배였다. 한국 전문의 월급은 미국에 비해 약간 높은 수준이었지만, 개원의는 1.5배나 많았다. 이른바 기피 과목 의사들의 수입도 다른 과목에 비해 별로 낮지 않다. 보건복지부 '보건의료인력 실태조사' 결과에 따르면 2020년 전체 의사 평균 소득(2억3700만원) 대비 기피 과목 의사의 수입은 외과와 흉부외과에서 5% 낮았고, 산부인과는 평균 수준, 신경외과는 38% 높았다.

폐과를 선언한 소아청소년과 개원의들의 주장은 사실과 더욱 거리가 멀다. 이들은 지난 10년간 소득이 25% 줄어 병원을 더 이상 운영할 수 없다고 주장한다.

하지만 복지부 조사 결과에 따르면 소아청소년과 개원의 소득은 2010년 약 1억 3000만원에서 2019년 약 1억8000만원으로 늘었다. 가장 적을 때는 노동자 평균 임금의 4.2배, 많을 때는 5.0배에 달하는 소득을 올렸다. 다른 과목에 비해서는 최근 소득이 낮아진 것은 사실이다. 2010년 개원의 평균 소득의 90% 수준이던 소아청소년과 개원의 소득은 2019년 66% 수준까지 낮아졌다. 다른 과목 의사를 보면서 상대적 박탈감이 있을 순 있지만, 폐과 선언이라는 아이들의 건강을 볼모로 한 실력 행사를 정당화할 만큼 생활고를 겪고 있는 것 같진 않다.

치열한 경쟁을 뚫고 의과대학에 입학했고, 산더미 같은 공부를 하느라 남들처럼 대학생활도 제대로 못했고, 주 80시간의 살인적인 수련의 과정을 견뎌냈으니 그 정도 소득은 당연한 것이라 생각할 수 있다. 자본주의 사회에서 능력에 따라 돈을 많이 버는 것을 왜 문제 삼느냐고 볼멘소리를 할 수도 있다.

하지만 의사들이 철저하게 자본주의 방식으로 능력에 따라 돈을 벌고, 자신들의 이익을 극대화하기 위해 실력을 행사한다면 우리 사회가 의사들에게 준 특권도 내려놓아야 공정하다. 환자는 자신의 병을 어떻게 진단하고 치료해야 할지 판단할 수 있는 전문성이 없기 때문에 전문가인 의사에게 결정을 위임한다. 대신 의사는 환자를 위해 최선의 결정을 내려야 한다는 높은 수준의 직업 윤리를 약속하고, 환자와 사회는 의사에 대한 높은 수준의 신뢰와 존경으로 보답한다. 이것이 의료전문가인 의사와 환자가 맺은 사회적 계약이다. 전 세계에서 가장 돈을 많이 버는 한국 의사들이 더 많은 돈을 벌기 위해 환자의 건강을 위협하는 파업과 폐과를 무기로 삼는 것은 사회적 계약을 깨뜨리는 행위이다.

높은 수준의 직업 윤리를 요구하지 않는 다른 직업처럼 돈을 벌겠다면 환자의 건강을 앞세워 의사 수를 늘리는 데 반대하거나 폐과 선언을 해서는 안 된다. 환자를 위한다면 돈을 더 벌기 위해 건강보험 수가를 올려달라고 요구할 것이 아니라 의료체계를 개선하고 병원에 부족한 의사를 늘리기 위해 수가를 올려야 한다고 요구해야 한다.[104]

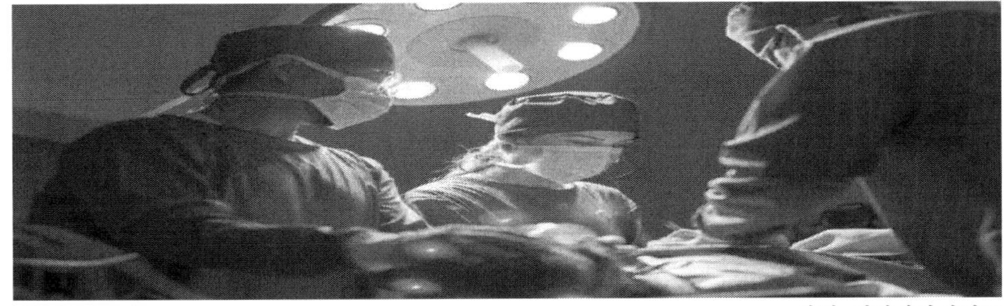

사진=게티이미지뱅크

81. 바이든의 미소에 속고 있다

"무너진 한·미 동맹을 재건하겠다"는 윤석열 정부 출범 후 한국의 '동맹중독'은 한층 심각해졌다. 미국 CIA가 대통령실을 도청한 사실이 드러났지만 미국을 향한 항심(恒心)엔 한 치의 흔들림도 없다. 이달 말 한·미 정상회담을 앞두고 서울 도심에 걸린 현수막엔 '한·미 동맹 완성' 글귀가 선명하다. 보수층의 맹목 지지라는 고정값에 한반도 평화프로세스의 좌초, 대중 여론 악화, 조 바이든 미국 대통령의 노회함이 가세한 결과다.

방위비 분담금을 한꺼번에 5배 올리며 한국을 겁박한 트럼프 대통령 때 한국에선 반미감정이 똬리를 틀었다. 대학생들은 미국대사관저 담장을 넘었다. 트럼프의 좌충우돌에 진저리가 난 한국인들은 바이든에 안도했고, 그의 미소에 저항력을 잃었다.

미소는 공짜가 아니었다. 바이든은 지원을 아끼지 않겠다는 '립서비스'로 한국 기업들에서 막대한 대미 투자를 이끌어냈다. 그러나 한국 기업들은 발등이 찍혀 있다. 현대차는 미국 인플레이션감축법의 최대 피해자가 됐다. 삼성전자와 SK하이닉스는 보조금을 받으려면 수십조원을 들인 중국 공장의 첨단화를 포기하라는 미국 반도체법 앞에서 머리를 감싸매고 있다. 필수 원자재의 중국 의존도가 높은 기업들도 전전긍긍하고 있다. 미국의 대중 '반도체 봉쇄' 여파로 한국의 대중 수출은 10개월 연속 내리막길을 걸었다. 미국은 지난해 한국에 투자하려던 대만 반도체 기업을 설득, 7조원 규모 투자를 가로챈 적도 있다. 자국 경제를 위해 이웃 국가를 가난하게 만드는 것을 '근린궁핍화'라고 한다면 바이든의 보호무역·산업 정책은 '동맹궁핍화(Beggar thy alliance)' 전략이다.

바이든은 2021년 첫 한·미 정상회담 공동성명에 '판문점선언'을 포함시켜 한국의 평화세력을 안도케 했다. 하지만 북한에 대한 '전략적 무시'로 한반도 평화를 대중 전략의 하위 의제로 격하시켰다. 그의 관심은 한·미·일 3각 안보협력에 쏠렸고, 전제조건인 한·일관계 복원을 줄곧 요구해왔다. '굴욕' 비판을 받는 윤석열 정부의 강제동원 해법 배후가 미국임은 바이든이 기다렸다는 듯 성명을 내고 환호한 데서 알 수 있다. 미국이 박정희의 방미 전제조건으로 협상 타결을 압박하던 1965년 한일기본조약 때와 판박이다.

한·미·일 군사협력체제는 오바마 행정부가 시동 건 '아시아 재균형', 즉 중국 포위전략의 주요 수단이다. 미국은 2015년 미·일 방위협력지침을 개정한 뒤 한국에 일본군 위안부 문제 해결을 종용했다. 위안부 합의 몇달 뒤 사드가 배치됐고, 이어 일본과의 군사정보보호협정이 체결됐다. 한·일관계 개선과 한·미·일 군사협력이 '세트'로 움직이니 머잖아 군수지원협정이 뒤따를 것이다. 협정이 체결되면 예컨대, 부산항에 들어온 일본 군함에 탄약을 실어주는 일이 현실화된다.

북한의 핵·미사일 위협에 맞서 대규모 연합군사훈련이 빈번히 실시되며 한반도 긴장이 한껏 높아졌다. 한반도가 최첨단 무기들의 테스트베드이자 반중 국가들의 다국적 훈련장으로 개방되고 있는 현실이 참담하다. 지난달 하순부터 2주간 실시된 한·미 연합훈련에는 영국 해병대가 상륙훈련에 처음 참가했다. 대만 유사시 주한·주일미군 출동에 따른 공백을 자위대와 협력관계인 영국군이 메우기 위한 연습의 성격이니 한반도가 대만과 인계철선(tripwire)으로 엮이는 셈이다.

개방형 통상국가 한국은 탈냉전 이후 안미경중(安美經中) 노선으로 평화와 번영을 이뤘다. 하지만 안보와 경제를 일치시키려는 미국의 신전략이 등장했고, 정부가 맹목 추종하면서 외교안보와 경제 양쪽에서 자율성을 잃어가고 있다. 사우디아라비아가 미국과 중·러 사이에서 '등거리 외교'를 벌이고, 미·일의 구애 대상인 인도가 러시아 원유를 대량 구매하는 진영파괴·실리 행보와 극명히 대비된다. 아무리 한반도가 '지정학적 저주'라고는 해도 외교적 상상력을 발휘할 여지는 있다. 국익 관점에서 동맹을 객관화하는 작업이 어느 때보다 절실하다.

요즘 한국은 경제가 정점이던 1980년대 후반 일본을 떠올리게 한다. 세계 시장을 석권하던 일본 반도체 산업은 미·일 반도체 협정 이후 쇠락했고, 미국 수출 경쟁력을 위해 엔화 가치를 올린 플라자 합의 이후 경제에 거품이 끼었다 터지며 장기불황을 겪었다.

두 계란(안보와 경제)을 한 바구니(미국)에 담아야 하는 한국의 장래에 불안감을 감출 수 없다. 윤 대통령의 미국 방문이 어떤 결과를 몰고 올지 기대보다 걱정이 앞선다. 바이든의 미소와 환대를 국익과 바꿀 순 없다.[105]

82. 화장실을 보면 알 수 있다

한 흑인 여성이 800m나 떨어진 '유색인종 전용 화장실'을 가기 위해 하루에도 몇 번이나 뛰고 또 뛴다. 1960년대 인종 차별이 극심했던 시절 미국 항공우주국(NASA)에서 최초로 일한 흑인 여성들의 이야기를 다룬 영화 〈히든 피겨스〉의 장면이다. 캐서린 존슨은 로켓 개발을 위해 아무도 할 수 없는 계산을 해내지만 흑인 여성이기에 유색인종 화장실을 이용해야 하고 중요한 회의에 참석할 수 없으며 심지어 공용 커피포트조차 쓸 수 없다. "이곳엔 제가 갈 화장실이 없습니다. 서관 전체에도 없어서 800m를 나가야 해요. 알고 계셨어요?" 어느 비 오는 날 캐서린은 "필요할 때마다 안 보이던데 대체 매일 어딜 가는 거야"라며 성내며 묻는 백인 상사에게 흠뻑 젖은 채 울부짖듯 답한다. "죄송하지만 화장실에 가야겠어요."

2023년 한국의 현대자동차 공장 여성 노동자들에게도 화장실은 '가기 힘든 곳'이다. 남성들만 있던 공장, 여성 화장실이 거의 없었다. 하청업체에서 일하던 여성들이 불법 파견이라는 법원 판결 이후 정규직화되자 '화장실 이슈'가 생겨났다. 이제 여성 300여명이 공장에서 일하기 시작한 지 5년쯤 지났지만 노조가 여성 조합원을 대상으로 간담회를 열면 아직도 건의사항의 절반이 화장실과 탈의실 문제다.

처음에 회사는 남성 화장실에 남성들이 없을 때 틈틈이 들어가라고 했다. 그다음에는 제일 안쪽 칸을 '여성 칸'으로 만들었다. 이제는 여성 화장실로 분리됐지만 각 라인에 배치된 여성들이 가기엔 멀다. 여성들이 공장 끝쪽에 있는 화장실로 몰리기 때문에 10분의 휴식 시간이 부족할 정도다. "공장이 워낙 크니까 가는 데 2분, 오는 데 2분이 걸리는데 어떤 날은 줄 서서 기다리다 손도 못 씻고 와요. 작년 대의원대회에서 긴급하게 볼일은 봐야 하지 않느냐고 요구했지만 장소를 1년 넘게 찾다가 구했는데도 예산이 없다는 답을 들었습니다."

어떤 때는 회사보다 남성 노동자들을 설득하는 게 더 어렵다. "한 남성 조합원이 자신의 딸이 와도, 손녀가 와도 화장실을 내줄 수 없다고 하더군요. 소수니까 참으라는 거예요." 영화에서 캐서린은 동료들의 계산을 확인하라는 상사의 지시를 받지만 백인 남성은 그가 확인할 수 없게 숫자를 지워서 준다. 캐서린이 형광등에 종이를 비춰 숫자를 일일이 확인하는 장면에서 여성들이 화장실을 만들기 위해 남성 조합원들을 설득해야 하는 상황이 겹쳐졌다. 현대차뿐 아니다. 기아는 2013~2017년 정규직으로 전환할 때 여성을 포함시키지 않았는데 당시 정규직 노조는 "준비 없는 여성 정규직화는 혼란을 키운다"며 여성 화장실, 탈의실이 마련되지 않았다며 반대했다.

어떤 이들은 화장실처럼 기본적인 것도 투쟁으로 얻어야 한다. 이동권은 또 어떠한가. 임신하고 아이를 낳고 나서야 '이동권'에 대해 생각해볼 기회를 얻었다. 그전에는 이동하는 데 어려움이 없었다는 뜻이기도 하다. 임신을 하고 뛸 수 없게 되어서야 횡단보도의 파란 신호등 길이가 짧다는 생각을 했고, 지하철에서 잡을 곳이 마땅치 않고 어른들이 자리를 양보하지 않아 비틀거리는 아이들을 낳고서야 이 사회는 아동에게 불친절하다는 생각을 한다. 그래서 장애인들의 이동권 시위를 보는 게 괴로웠다.

대중교통으로 원하는 곳에 가고 싶다는, 어떤 사람들에게는 당연한 욕망이 '투쟁'이 되어야 하는 사회에서, 그 정도 과격한 목소리를 내어야 조명해주는 사회에서, 투쟁 방식만 몰아붙이며 그들은 소수가 아니라고 말하는 사람들의 목소리를 듣는 것이 말이다.

☞ "많이 나아지지 않았느냐"고 묻는 당신에게

비장애인의 출근이 장애인들의 기본권보다 중요한가? 가까운 화장실을 이용하고 싶다는 말에 "당신은 소수니까 참으라"고 말하고 싶은가? 남성과 여성, 장애인과 비장애인의 문제로 간단하게 나눌 수 있으면 좋겠지만 이 사회의 소수자성은 젠더와 계급, 인종 등을 수없이 교차하면서 발현된다. 영화에서 흑인 여성들을 힘들게 하는 것은 백인 남성들만이 아니다. 캐서린에게 '무릎길이 치마, 힐, 심플한 진주 목걸이'라는 복무 규정 준수를 강조하는 사람은 백인 여성이다. 그 또한 '목걸이를 살 수 없는' 흑인 여성의 삶을 이해하지 못한다. "그딴 목걸이 없어요. 흑인에게 진주 목걸이 살 월급을 주긴 해요?" 캐서린이 물을때 백인 여성의 표정은 당황스럽다.

나 또한 누군가보다 주류의 위치에 있을 수 있다는 생각을 먼저 해본다면 사회가 조금씩 달라질 수 있지 않을까. 우선 당신이 몸담고 있는 곳에서 소수자를 어떻게 대하는지 알고 싶다면 화장실을 찾아보자. 남성 화장실만 있거나 남성 화장실이 더 많은가. 그리고 장애인 화장실은 있는가. 꼭 화장실이 아니어도 좋다. 나는 공기처럼 쓰고 있는데 다른 사람들은 목소리 높이고 싸워야 겨우 이용할 수 있는 게 있는가.[106]

83. 제대로 번복하고 반복하기

뉴스를 볼 때마다 힘이 빠진다. “그 말이 아니고”를 전달하는 기사들을 읽노라면, 정치인은 ‘번복’에 능해야겠다는 생각이 든다. ‘그 말’이 난데없이 ‘이 말’로 둔갑하기도 하고, ‘전면 반대’라는 입장이 ‘유보’로 변동되기도 한다. 그때의 그 말이 아예 없었다고 잡아떼는 일은 물론, ‘전면 반대’라는 입장은 와전되었다고 주장하기도 한다. 실시간으로 뒤집히는 진술과 방침 때문에 무기력이 부표처럼 떠다닌다. 국민을 상대로 간을 보는 것 같아 울화통이 치민다. 틀리면 바로잡는 게 옳겠으나, 핑계를 위한 핑계만 양산한다는 혐의가 짙다. 번복은 은닉을 위해 반복되고, 거듭되는 반복은 습관으로 자리 잡는다.

반복의 힘은 무섭다. 운동선수가 국제무대에서 제 기량을 발휘할 수 있는 것도, 시선을 다른 데 두고 콩나물을 다듬을 수 있는 것도 다 반복의 힘 덕분이다. 무언가를 반복하면 능숙해진다. 으레 하던 일을 다시 할 적에 든든한 지원군처럼 자신감과 안정감이 뒤따른다. 좋은 쪽으로만 힘이 발휘되는 것은 아니다. 약속시간마다 몇 분씩 늦는 습관은 제시간에 출발하는 열차를 놓치게 할지도 모른다. 거짓말이 반복되고 그것을 운 좋게 들키지 않으면 남을 속이는 일에 하등의 부끄러움이나 죄책감을 느끼지 않게 된다. 관행이라고 부르는 많은 것들이 여기에 속할 것이다. 염치없는 줄 알지 못한 채 갈수록 뻔뻔해지게 된다.

지난 며칠 몸이 좋지 않아 산책하지 못했다. 잠시 걷기를 멈추었는데도 다시 걸으려고 보니 몸이 생각대로 잘 움직이지 않았다. 고작 사흘이었는데 그새 리듬이 깨져버린 것이다. 바쁘다는 핑계로 얼마간 책을 읽지 않았는데, 다시 펼친 책이 눈에 잘 들어오지 않았다. 겨우 일주일이었는데 눈이 따라가는 문장을 머리가 받아들이지 못했다. 한동안 시를 쓰지 않았는데, 모처럼 마음먹고 백지를 마주하니 감감하고 막막했다. 기껏해야 한 달이었는데 쓰는 법을 잊어버린 사람처럼 갈팡질팡하고 있었다. 어느 날에는 오래간만에 만난 친구와의 대화가 툭툭 끊겨 당황하기도 했다. 넉넉잡아 1년이었는데 무엇이 그토록 우리를 멀어지게 한 것일까 생각하니 아찔했다.

반복하지 않으면 심신은 금세 본래의 자리로 돌아가고 만다. 어떤 일을 하는 심신은 반복함으로써 겨우 만들어지지만, 편한 상태를 지향하는 심신은 번복하듯 그것을 뒤엎어버린다. 아무리 그럴듯한 핑계를 대도 몸은 거짓말을 하지 않는다. 자극받기 위해 안간힘을 써도 굳어버린 마음은 미동조차 하지 않는다. 반복하지 않아 이전 상태를 벗어났을 때, 반복의 힘은 역설적으로 더 절실해진다. 하루면 리듬을 되찾는 일도 있지만, 보통은 원래 들였던 노력보다 더 많은 힘을 쏟아부어야 한다. 걷기와 읽기와 쓰기와 듣기와 말하기, 일과를 가득 채우던 일들이 생경하게 느껴졌다.

올해 초부터 작성한 메모를 들여다본다. 깨알같이 적힌 낱말과 문장 사이를 파고들다 보니 그때 나를 자극했던 풍경이 슬며시 눈앞에 펼쳐진다. 메모하기 시작하는 습관은 오래전에 만들어진 것이다. 번뜩이는 아이디어가 떠올라 뛸 듯이 기뻐했는데, 다음날 보니 빛은 사라지고 없었다. 기록하지 않으면 기억은 휘발될 수밖에 없음을 깨달은 날이었다. 메모장마저도 4월 들어서는 구멍이 숭숭 나 있다. 나 자신을 속이고 있다는 생각이 들었다. 제대로 번복하고 반복해야 한다. 잘못된 것을 바로잡고, 심신을 다잡아야 한다.

고대 그리스 철학자 아리스토텔레스는 이렇게 말했다. “당신의 진정한 모습은 당신이 반복적으로 행하는 행위의 축적물이다. 탁월함이란 하나의 사건이 아니라 습성인 것이다.” 나에게 가까워지기 위해서라도 반복하지 않으면 안 된다. 실수하면 번복하고 묵묵히 반복해야 한다. 탁월해지기 위해서가 아니다. 스스로 부끄럽지 않기 위해서다. 삶 앞에서 탁월한 거짓말쟁이가 되는 일은 얼마나 끔찍한가.[107]

84. 국민연금 기금수익, 과장 해석과 기대

국민연금(國民年金)은 대한민국에서 보험의 원리를 도입하여 만든 사회보험(공적연금)의 일종이이며 국민연금공단이 연금을 관리하고 있다. 이러한 공적연금은 세계의 대부분에 해당하는 170개의 나라에서도 운영되고 있다.

근래 국민연금 개혁 논의에서 기금수익이 강조되고 있다. 아마도 국민연금 재정계산에서 미래 재정불균형이 심화되자 보험료율, 급여 조정 등 제도 개혁만으로 지속 가능성을 달성하기 쉽지 않다는 판단 때문일 거다. 본격적인 포문은 윤석열 대통령이 열었다.

지난달 3월 수석비서관회의에서 국민연금의 미래세대 부담을 완화하기 위해 "국민연금의 기금운용 수익률을 높이기 위한 특단의 대책을 마련하라" 고 주문했다. 이어 제5차 국민연금 재정계산을 수행한 재정추계전문위원회도 기금 투자 수익률을 기본 가정보다 1%포인트 높이면 보험료율을 2%포인트 상쇄한다는 내용을 보고서에 담았다. 26일에는 국회 연금개혁특별위원회가 기금운용 수익률 제고 방안을 주제로 공청회도 열었다.

수익은 우리가 주목할 주제임에 틀림이 없다. 국민연금의 기본 가치를 훼손하지 않으면서 더 많은 수익을 올릴 여지가 있다면 필요한 조치를 취해야 할 것이다. 하지만 기금수익에서 합리적 수준을 넘어서는 과장 해석이나 과잉 기대는 곤란하다. 현실과 동떨어진 논의에 빠져 정작 우리가 수행해야 할 제도개혁을 소홀히 할 수 있기 때문이다.

우선 국민연금 기금수익에 대한 과장 해석을 보자. 일부에서 기금수익이 막대하고 이는 보험료 적립금이 만들어낸 것이므로 기금수익을 감안하면 현세대가 미래세대에게 과중한 부담을 전가한다는 비판은 적절하지 않다고 주장한다. 보험료와 기금수익을 합치면 현세대가 상당 부분 재정 책임을 수행하고 있다는 설명이다.

기금수익이 미래세대 부담을 완화하는 건 사실이다. 여기서 논점은 경감 규모이다. 올해 1월까지 국민연금기금 총 조성액 1220조원은 보험료 수입 743조원과 기금수익 476조원으로 구성된다. 기금수익이 조성액의 40%에 이르고, 누적 수익률이 평균 5.1%에 달하니 기금수익의 효과가 엄청 커 보인다. 그런데 기금수익 모두가 실질적으로 미래세대 부담을 줄여주는 재원은 아니다. 국민연금에서는 보험료가 기금수익을 만들어내듯이, 은퇴 시 급여도 과거 소득을 상향 재평가한 기준으로 산정되기 때문이다.

예를 들어, 신규 수급자의 경우 과거 보험료를 납부하던 시기의 소득 100만원은 이후 가입자 전체의 평균 소득상승을 반영해 은퇴 시에는 200만원으로 재평가된다. 만약 소득대체율이 40%라면 예전 소득 100만원이 아니라 200만원을 기준으로 연금액이 80만원으로 책정된다. 결국 기금수익에서 실제 재정안정에 기여하는 몫은 급여 계산에서 해소되는 소득상승분을 넘는 초과수익에 한정된다.

5차 재정계산에서 미래 기금수익률은 평균 4.5%, 임금상승률은 3.7%로 전망된다. 이 가정에 따르면, 미래 기금수익률 4.5% 중 실제 재정안정 기여분은 임금상승률을 넘어선 초과수익 0.8%포인트 정도이다. 국민연금 급여체계를 무시한 과장 논리에 유의하자. 이를 근거로 현세대의 재정 책임 방기를 변명하는 건 더욱 곤란하다.

또 하나의 편향은 국민연금 기금수익에 대한 과잉 기대이다. 이는 국민연금 재정안정을 위해 제도 개혁과 기금 역할을 설정해 추진하자는 제안이다. 여기에는 국민연금기금에서 수익률 목표는 정책적으로 상당히 높여 잡을 수 있다는 가정이 담겨 있다. 대체투자, 주식 등 기대수익이 높은 자산으로 기금운용 전략을 짜면 고수익을 달성할 수 있다는 논리다.

하지만 국민연금기금은 개인의 여유자금이 아니라 전체 국민의 노후예탁금임을 인식해야 한다. 사적 펀드와 달리 수익성뿐만 아니라 안정성, 공공성, 지속 가능성 등을 종합적으로 추구하는 공적 연기금이다. 또한 고수익은 고위험을 동반한다. 국민연금기금처럼 장기투자 펀드에서는 고위험도 장기 시야에서 관리 가능하다고 주장하지만 지금까지 대체투자 등이 좋은 실적으로 올렸더라도 앞으로 계속 그러하리라고 누가 장담할 수 있는가?

국민연금에 대한 신뢰마저 빈약한 상황에서 고수익 추구에 따른 잠재 위험 혹은 실제 손실이 미칠 영향이 크다는 점을 잊지 말아야 한다. 국민연금 미래 재정이 불안정한 건 보험료율과 초고령화, 즉 제도와 인구가 원인이지 기금수익이 낮아서가 아니다. 앞으로 수익을 개선하도록 기금운용 역량을 강화해야겠지만 고위험 자산을 중심으로 운용전략 자체를 바꾸자는 건 국민연금에 어울리지 않는다.

국민연금 기금수익에 대한 과장 해석과 과잉 기대, 전자는 진보 일부에서, 후자는 주로 보수에서 등장하는데 현세대의 보험료 책임 의식을 약화시킨다는 점에서 같은 방향에 서 있다. 기금수익을 주목하더라도 선을 넘지는 말아야 한다. 국민연금에서 세대 공존을 위한 우리의 책임 몫을 직시하자.[108]

85. 다양한 가족구성권, 더 적극적으로 논의해야

지난 4월26일 용혜인 기본소득당 의원이 혼인이나 혈연관계가 아닌 사람들도 가족으로서의 법적 권리를 인정받을 수 있도록 하는 내용의 '생활동반자법'을 대표 발의하였다. 친밀한 관계의 유형이 날로 다양해지고 있는 현실이지만 법적 가족의 범주가 제한되어 있어 주거와 건강, 돌봄과 같은 기본권의 행사가 제한된 사람들을 위한 법이다. 실제 사람들이 살아가는 모습은 급격히 변화하고 있다. 통계청이 2022년 10월 발표한 '장래가구추계(시·도편)'에 따르면 2050년에는 모든 시·도에서 1인 가구가 가장 주된 가구유형이 될 것이라고 예상되었다. 고령가구의 증가와 1인 가구의 증가가 맞물리고 저출생 현상 역시 상당기간 지속될 것으로 보이는 현재, 이성애 결혼만 인정하는 혈연관계 가족을 넘어서 함께 살고 있는 사람들을 어떻게 보호할 것인가에 대한 새로운 논의 틀이 필요하다. 다양한 가족 구성권의 보장은 유엔 여성차별철폐협약이 한국에 지속적으로 권고해 온 사항이기도 한데, 이미 다수의 국가에서 법률에 따른 가족구성 선택권을 이성애 부부에만 한정하지 않고 다양한 가족 형태를 인정하여 법률혼과 동등한 권리를 누릴 수 있도록 법을 바꾸어 나가고 있다.

생활동반자법 발의는 국제 추세에 대응하고 우리 현실에 존재하는 차별과 배제를 해소하기 위한 출발점이라고 할 수 있다. 2021년 여성가족부는 4차 건강가족기본계획을 발표하면서 가족의 다양한 유형들을 포괄할 수 있도록 법적 가족 개념을 바꾸겠다고 하였다. 하지만 정권이 바뀐 2022년 건강가족기본법 현행 유지 입장을 밝히면서 사실상 가족 개념의 확장에 대한 제도적 논의가 중단됐다. 그런 점에서 이번 발의는 더욱 중요하다. 그런데 생활동반자법 발의에 대한 몇몇 언론 보도는 이 법이 최초로 발의되었다는 점에 주목하면서도 보수세력의 반대 때문에 사회적 합의를 이루기 어려울 것이므로 제정 가능성이 낮다는 평가를 함께 제시한다. 물론 우리 사회의 변화를 위한 법제도적 개선에 대한 논의를 언론이 매개할 때, 실질적 제정 가능성은 중요한 정보이다. 하지만 사회적 합의와 시기상조라는 주술적 단어만을 반복하면서 사회 변화에 대응하지 못하는 낡은 제도를 유지하려는 목소리를 본격적 논의에 앞서 소개하기보다는, 왜 이러한 제도가 필요하게 되었는지, 이 제도적 변화가 가져올 수 있는 미래 전망이 무엇인지를 살피는 것이 더 핵심적인 정보일 수 있다.

우리 사회의 가족에 대한 상상은 아직은 제한적이다. 미디어는 가족 내의 각종 사건 사고와 갈등, 고통을 다루면서도 언제나 이성애 기반 정상 가족 모델이 최종적으로는 바람직하다고 표상한다. 1인 가구는 청년에 한정하여 언젠가 이성애 혼으로만 이루어진 2인 이상이 될 예비 가구로 그려내기도 한다. 사실상 많은 청년들이 고민하는 것은 바로 이 지점에 있다. 청년 시기를 아직 가족을 이루지 못한 유예된 시기로 보는 우리 사회는 이 시기를 지난 사람들이 계속 혼자 살거나 혹은 법률혼 외의 관계를 구성해 살 수 있는 기반을 제공하지 않는다. 그래서 많은 청년들이 "나는 언제까지 이렇게 살 수 있을까"라는 질문을 던지게 된다. 혼인 관계 외의 서로 돌보는 공동체라는 이상을 그려보다가도, 제도적 기반이 없어 차별을 경험하게 된다는 사실에 주춤하게 되는 것이다. 고령 1인 가구들이 서로를 의지하고 돌봄을 나누면서 살아가는 공동체, 함께 오랜 기간 살아온 부부 관계인 성소수자 커플들은 법제도적 권리 행사에 밀려나 실질적인 차별을 경험하고 있다. 이처럼 현실에서 발생하고 있는 차별을 해소하기 위한 개선 노력을 차별 당사자가 아닌 사람들의 목소리와 동치하여 다루면서 이 갈등이 핵심인 것처럼 의제화해온 것이 문제의 해결을 지연시켜 왔다고도 할 수 있다. 변화하는 가족의 현실을 반영하면서 차별을 줄일 방법이 무엇인지에 대한 논의가 더 적극적으로 의제화되어야 할 시점이다.[109]

생활동반자법이 통과되면 같이 거주하지만 가족으로 인정받지 못했던 비혼, 친구, 노인, 동거인이 동반자로서 가족과 비슷한 지위를 인정받는다. 가족에 준하는 의무와 권리가 생긴다.

가족구성권 3법은 아직 걸음마 단계이다. 법률 제정에 앞서 사회적 합의를 이끌어내는 것은 물론 법제화의 산도 넘어야 한다. 현재로서는 국회 본회의에 회부될 수 있을지조차 미지수이다. 사회적 이견이 많은 만큼 동성부부라는 새로운 가족 형태가 법으로 인정되기까지는 여전히 오랜 시간이 걸릴 것으로 예상된다.[110]

86. 폭력적 성장에 감춰진 돌봄노동

오래전 교통사고로 한동안 정형외과 병동에 입원한 적이 있다. 의료진의 노고를 실감한 계기가 됐다. 외래진료만 받을 때는 의사나 간호사가 하는 일을 잘 몰랐다. 먹고 자고 치료받느라 그들에게 24시간 온전히 나를 맡기면서 저절로 고개를 숙이게 된 것이다.

밤이 되면 병동에서는 온갖 사건이 벌어진다. 비교적 멀쩡한 것 같던 환자들은 밤마다 자기를 봐달라고 아우성친다. 간호사가 가장 먼저 달려오고, 쪽잠 자던 당직의사도 뒤통수에 까치집을 지은 채 불려나온다.

복합골절로 양팔과 한쪽 다리에 깁스를 했으니, 입원 초기에는 혼자 뒤척이는 것조차 불가능했다. 발가락 움직임을 느끼기 어려울 정도로 감각이 둔해질 때가 간혹 있었다. 깜짝 놀라 내 발이 제대로 붙어 있는지 확인하고는 어떤 문제가 있는지 알아봐야 했다. 갑작스러운 호흡 곤란에는 산소호흡기, 견디기 어려운 통증에는 진통제 신세를 수시로 져야 했다. 까탈스러운 요청에도 의료진은 인내심과 배려를 잃지 않고 돌봄을 제공했다.

돌봄 노동은 사람을 돌보는 것과 관련된 노동을 말한다. 다른 사람에게 의존을 해야 하는 환자나 노인, 어린이와 같은 사람을 돌보는 모든 활동을 이르는 말이다.

한쪽 다리를 절단한 노인이 같은 병실에 있었는데, 인지 능력이 떨어지는 편이었다. 일주일에 한두 번쯤 한밤중에 침상에서 소변을 보고는 간호사를 소리질러 호출했다. 그때마다 간호사는 시트를 갈고, 노인의 환자복을 벗겨 물수건으로 몸을 씻긴 뒤 갈아입혔다. "다음에는 그러지 마세요" 라며 노인을 다독였다. '백의의 천사' 는 소설 속 표현일 뿐이라고 여겼던 생각을 바꾼 것은 그 무렵이었다.

간호법이 국회를 통과했다. 의료법에서 간호인력 관련 조항을 독립시킨 법이다. 간호사, 전문간호사, 간호조무사 등의 업무 영역을 규정하고, 근무환경·처우를 개선하는 내용을 담았다. 2005년부터 입법을 시도해 18년 만에 제정 결실을 본 것이다. 대표적 돌봄 노동자인 간호사가 적절한 보상을 받는 법적 장치가 마련됐으니 환영할 만하다.

그런데 의사를 중심으로 한 의료단체와 국민의힘 반발이 거세다. 보건의료 단체들은 무기한 단식에 들어가면서 파업을 예고했다. 간호법 통과 때 표결에 불참했던 국민의힘은 윤석열 대통령에게 거부권 행사를 요청하기로 했다. 대선 후보 시절 대한간호협회를 방문해 간호법 제정을 돕겠다는 취지로 말한 적이 있는 윤 대통령이 거부권을 행사하면 약속을 저버렸다는 비난에 직면할 것이다.

의사단체 등은 간호법이 의료 협력체계를 무너뜨리게 된다며 반대한다. 장기적으로는 의사의 지도 없이 간호사가 단독으로 의료행위를 하거나 개원할 수 있게 된다고 주장한다. 하지만 실제 국회를 통과한 간호법을 보면 간호사는 현재 범위를 넘어서는 업무를 할 수 없다. 다만 법이 만들어졌으니 향후 시행령 등을 통해 영역을 확대할 여지는 있다.

의사들로서는 현재 자신들만 할 수 있는 의료행위나 의료시설 설립을 장래에 간호사와 나눠야 할지도 모르는 상황을 걱정하는 것이다. '밥그릇 싸움' 과 다르지 않다. 의사나 검사, 변호사, 정치인 등 권력과 부를 독점적으로 차지한 집단일수록 밥그릇 지키기에 열중한다. 간호법 표결 때 국민의힘은 간호사 출신, 더불어민주당에서는 의사 출신 의원이 당론을 거스르는 투표를 했다. 어느 측면에서 보는가에 달라지기는 해도 당론에는 전체 국민의 복리 증진을 위한다는 명분이 있다. 그러나 당론에 반해 투표한 의원들에게는 소속 집단의 이해가 가장 중요할 뿐이다.

한국의 건강보험은 모든 시민이 고르게 서비스를 받을 수 있도록 설계됐다. 이 같은 사회주의적 특성으로 의료 서비스를 공공재로 분류하기도 하지만, 전체의 90%를 민간에서 공급하는 만큼 민간재라는 견해가 우세하다. 서비스 공급자이자 사용자인 병원과 의사는 비용을 줄이고 수익을 늘리는 데 골몰한다. 의료 서비스 산업이 성장하는 데는 간호사와 간호조무사, 임상병리사, 요양보호사 등 돌봄 노동자의 역할이 컸다.

라즈 파텔 미국 텍사스대 연구교수는 <저렴한 것들의 세계사>에서 자연 · 돈 · 노동 · 돌봄 · 식량 · 에너지 · 생명 등 7가지 저렴한 것들 덕분에 자본주의 체제가 유지됐다고 주장한다. 저렴하다는 의미에 대해 파텔 교수는 "적은 보상을 주고 동원하는 폭력"이라고 규정했다. 그 결과 인류가 직면한 것은 극단적인 불평등과 기후변화, 금융불안 등이다.

자연과 인간에 턱없이 적게 보상하며 유지해온 폭력적 성장은 지속 가능하지 않다. 최대의 이익을 내기 위해 최소의 비용만을 지불해온 관행을 바꿔야 한다. 간호법 제정이 다른 분야 돌봄 노동자들에게도 정당한 권리와 보상을 쟁취하는 계기가 되기를 기대한다.[111]

87. 건강이 신(神)이 되어버린 사회

조인성, 이성민, 김남주, 황정민, 이병헌, 비, 공유, 이선균, 전지현, 지성, 이정재, 송중기, 유재석, 정우성…. 이들의 공통점은? 얼마 전에 치러진 백상예술대상 시상식과 관련이 있냐고? 아니다. 힌트로 BTS, 트와이스, 손흥민, 임영웅, 김호중, 박재범, 김신록, 그리고 아이유를 추가하면? 정답은 약 광고에 출연하는 톱스타 혹은 라이징 스타이다. 얼마 전 나는 흑백영화 같은 30초짜리 광고를 보고 깜짝 놀란 적이 있었다. 그게 관절 영양제 광고였기 때문이다.

그런데 싸잡아 약 광고라고 하면 문제가 있을지도 모르겠다. 정확히 말하면 광고에 등장하는 비타민, 유산균, 오메가3, 진통제, 자양강장제, 뇌 영양제, 눈 영양제 등이 모두 의약품은 아니다. 오히려 지금 광고시장을 주도하는 것은 일반의약품과는 구별되는, 이른바 '건강기능식품'이다. 의약품은 "질병의 예방과 치료"가 목적이고, 건강기능식품은 몸의 '기능'을 유지하는 데 도움을 주는 것이라지만 나 같은 일반인은 그냥 인터넷으로 살 수 있는 것(건강기능식품)과 살 수 없는 것(의약품)으로 구분하는 게 이해하기 더 쉽다. 어쨌든 건강기능식품 시장은 지난해 말 기준으로 6조원이 넘는 규모로 성장했다고 한다.

흥미로운 점은 이 시장의 확대를 견인하는 것이 '얼리 케어 신드롬(Early care syndrome)'이라는 분석이다. 예전에는 자식들이 부모를 위해 홍삼이나 비타민 등을 구매했다면 이제는 자신의 건강에 '갓생'(God과 인생을 합친 신조어) 투자하는 'MZ 헬스케어족'이 꼼꼼한 정보 분석을 통해 스스로 '영양제 N종'을 산다(경향신문 4월11일자)는 것이다. 얼마 전 외국에 사는 아들이 잠시 귀국하면서 ○○제약의 프로폴리스와 밀크씨슬을 사 간다고 해서, 평상시 아들답지 않은 디테일에 놀란 적이 있다. 그런데 아들의 친구들도 술자리 대신 헬스장이나 단백질 음료를 더 좋아한다고 하니 건강에 진심인 게 아들만은 아닌 모양이다.

그러나 '갓생' 트렌드만으로 이런 '셀프 메디케이션' 현상을 설명할 수 있을까? 윤석열 대통령은 지난 2월28일 "바이오헬스 분야의 세계 시장 규모는 약 2600조원에 달한다" 면서 바이오헬스 산업을 제2의 반도체 산업으로 육성하겠다고 했다. 다음날 보건복지부도 "디지털 헬스케어를 신성장동력으로 육성하겠다" 고 발표했다. 청진기와 임상적 진단 대신 신체를 데이터로 만들고, 이것을 바이오센서 등으로 모니터링하며 디지털 앱을 통해 원격 상담과 처방을 받는 세상을 열겠다는 것이다. 조만간 나의 소셜미디어에는 최근 검색한 양말과 포기김치 광고 대신 내가 스스로 입력하거나 병원에서 제공한 헬스 정보가 빅데이터로 처리돼 매일 내가 먹어야 하는 음식과 영양제, 취약한 신체 부위, 건강검진 시기 등을 알려줄지도 모르겠다.

미국 의사 아널드 렐먼은 의료가 아픈 사람이 아닌 건강한 사람을 대상으로 새로운 소비시장을 창출하는 방식을 '의산복합체 전략' 으로 규정했다. 전쟁이 무기를 필요로 하는 게 아니라 무기를 만드는 군산복합체가 소비시장으로 전쟁을 필요로 하듯, 의산복합체도 개인의 건강에 대한 소박한 염려, 주어진 삶에 최선을 다해보자는 다짐 등을 몽땅 집어삼켜 많은 사람들을 '건강 이데올로기의 신봉자' '데이터교의 신도' '제한 없는 소비자' 로 만들고 있는 것이다. 이 과정에서 완벽하게 지워지는 것은 인간은 예외 없이 생로병사를 겪는 유한한 존재이며 결코 의료적 차원으로 환원될 수 없다는 사실이다. 또 건강을 지키지 못하는 것은 의료기술의 부족 때문이 아니라 빈곤, 차별, 주변화, 일자리 부족 등 사회적 불평등의 결과라는 사실도 감춰지고 있다.

서울 힐튼호텔 옆 쪽방촌인 동자동 주민은 대부분 건강이 나쁘고, 고혈압·관절염·당뇨병·정신질환 등을 앓고 있지만 의료적 돌봄을 받지 못해 기대수명도 낮다(<동자동 사람들>). 그러나 문제는 <병든 의료>의 저자 셰이머스 오마호니의 말처럼 "건강주의는 어떤 강압과 강제가 아니라 의료와 헬스케어가 늘어날수록 선이라는 폭넓은 사회적 합의에 기초한 것이며, 디지털 사회의 능력 있는 구성원이라는 확신에 찬 거대한 인구집단의 자발적 협력으로 유지된다" 는 점이다. 그렇다면 무의식이 되어버린 건강 신(神)을 배반하는 이교도가 될 수 있을까? 디지털 사회의 능력 있는 구성원인 내가 스스로에게 던지는 자신 없는 질문이다.[112)]

88. 대한민국 어린이는 오늘 안녕한가요

선택권이 주어진다면, 대한민국의 어린이로 태어나고 싶은가. 세계 10위권 경제 강국이자 대중문화와 음식 트렌드를 주도하는 문화강국이지만, 잠시 고민하게 된다. 어린이에게 대한민국은 그리 살기 좋은 곳이 아니기 때문이다. 한국 아동·청소년 삶의 질은 경제협력개발기구(OECD) 30개 회원국 가운데 27위로 최하위권이다. 저출생에 아이가 귀한데도 우리 사회는 이들을 온전하고 고유한 인격체로 환대하고 존중하는 데 인색하다. 거친 물살에 치어가 버티기 힘든 것처럼, 격심한 경쟁 체제에서 사회의 약자인 아이들은 가장 고달픈 존재다.

4일 오후 어린이날을 하루 앞두고 개방된 용산어린이정원에서 인근 유치원 원아들이 취재진 요청에 잔디마당을 달리고 있다(연합뉴스).

어린이날을 앞두고 잇따라 발생한 '자녀 살해' 사건은 이를 방증한다. 30대 아빠가 아기를 안은 채 투신했고, 한 30대 엄마는 일곱 살 아들을 살해한 뒤 스스로 목숨을 끊었다. 아이를 부모의 소유물로 여기는 왜곡된 유교 사상을 가진 부모들이 경제난에 극단적 아동학대를 자행하고 있는 것이다. 영아들이 버려지거나 살해되고, 어린아이들이 집에 홀로 장시간 방임된 채 굶어죽는 처참한 사건도 끊이질 않는다. 아동학대는 매년 증가하는 추세다. 보건복지부 조사에 따르면, 가해자의 80% 이상이 함께 사는 부모다. 그간 '서현이법' '원영이법' '정인이법'을 비롯해 학대 피해 아동의 이름을 딴 법이 계속 만들어졌지만 바뀌질 않고 있다. 학대받은 아이들이 부모가 되는 방법을 몰라 학대를 대물림한다는 연구가 많다.

가정 밖에서도 아이들은 불안하다. 지난해 12월 서울 강남에 이어 올해 4월엔 대전의 어린이보호구역(스쿨존)에서 초등학생이 음주운전 차량에 치여 희생됐다. 어린이 교통사고를 줄이자고 2020년 '민식이법'을 만들었지만 스쿨존 교통사고는 오히려 증가하는 추세다. 약자를 배려 않는 강자 중심 문화를 아이들이 등·하굣길에서부터 겪는 셈이다. '학원 뺑뺑이'로 요약되는 사교육도 아이들을 힘들게 한다. 교육부 조사에 따르면 지난해 초등생 1인당 월평균 사교육비는 약 43만원으로 전년 대비 9% 넘게 늘었다. 직업의 미래가 불확실해지면서 '초등생 의대 준비반'까지 등장했다. 아동기부터 꽉 짜인 교육체제에서 점수로 철저히 평가받는 고달픈 시간을 견뎌야 하는 셈이다. 스스로 고민하고 성장할 수 있는 공간은 좀처럼 주어지지 않는다.

아동의 건강권도 위기다. 소아청소년과 전공의 지원율이 급락하고, 응급의료기관이 부족해지면서 전국 상당수 지역에서 아픈 아이들이 치료받을 기회를 보장받지 못하고 있다. 이뿐만이 아니다. 어리다는 이유만으로 입장을 거부하는 '노키즈존'은 아이들에게 사회통합이 아니라 차별을 암묵적으로 가르친다.

"한 사회가 아이들을 다루는 방식보다 더 그 사회의 영혼을 정확하게 드러내 보여주는 것은 없다"고 인권운동가 넬슨 만델라는 말했다. 한국사회는 경쟁을 통해 고도성장을 이루는 데 성공했으나, 현재는 경쟁이 아이들의 행복과 사회의 미래까지 잠식하고 있다. 청년세대는 집값 부담에 고용불안까지 겹쳐 이런 나라에선 미안해서 아이를 못 낳겠다고 한다. 아이들이 살 만한 나라가 모두가 살기 좋은 나라다. 비까지 내리는 101번째 어린이날, 대한민국 어린이는 안녕한지 다시 돌아봐야 한다.[113]

☞ 어린이날에 생각해 보는 주어

할아버지가 된 지 오래되었다. 큰조카가 벌써 두 아이의 엄마다. 집안의 첫 손자에게 나는 '바보' 할아버지로 통한다. 반포에 살았던 나를 택호처럼 그렇게 부르는 것이다. 나를 바보로 만든 그 손자가 초등학생이 된 게 엊그제 같더니 곧 대학교에 입학할 나이란다. 아니 벌써! 라고 나는 쉽게 말하지만 아이 엄마에게는 그게 아닐 것이다.

문득 아주 오래된 기억 하나가 떠올랐다. 첫째가 놀이방에 다니고 둘째가 엉금엉금 기기 시작하던 무렵이었다. 어느 일간지 사회면에서 짤막한 기사를 읽었다. 초등학교 국어 교과서의 첫 단어가 '나, 너, 우리'로 바뀐다는 내용이었다. 아니 이게 뭔 기삿거린감! 하려다가 얼른 마음을 고쳐먹었다. 그것은 신문이라면 꼭 다루어야 할 대단히 가치 있는 뉴스였다. 거창하게 시대정신이나 교육이념 따위를 들먹이지 않더라도 한 어린이에게 한 사회가 공식적으로 가르치는 첫 언어는 무척 중요하겠다는 생각이 들었기 때문이다.

무수한 옹알이 끝에 '어머이' '아부지'를 먼저 발음했겠지만 시골 초등학교에서 처음 배우고 읽으며 연필로 써보았을 나의 첫 단어가 궁금해졌다. 광복 직후에는 '바다, 나라, 가자'였다. 1963년부터는 좀 길어졌다. '어머니 어머니 우리 어머니. 아버지 아버지 우리 아버지. 아가 아가 우리 아가. 이리 오너라. 바둑아 바둑아 이리 오너라. 나하고 놀자. 순이야 이리와. 나하고 놀자.' 유신 이후인 1973년에는 '나, 너, 우리, 우리나라, 대한민국'이었다. 그리고 1993년에 바뀌었다. '나, 너, 우리.'

첫 단어는 다소 모호하고 추상적인 것에서 '나'라는 구체적 개인으로 확고해졌다. 그 와중에 폭력을 합법적으로 지니면서 한때 과도하게 행사하였던 '나라'는 슬며시 사라졌다. '바둑이'까지 첫 단어로 배워야 했을까. 이제야 옛날의 서당에서 외웠을 '하늘 천, 따 지'에 비견한다는 느낌이 들었다.

'나, 너, 우리.' 이는 사회구성원으로서 한 인간의 위치를 삼각형처럼 명확하게 보여준다. '나'란 천하에 주체적으로 존재한다는 것. '너' 없이 그것은 안 된다는 것. '우리'는 공동체를 이루어 더불어 살아간다는 것. 이 세상은 주어가 없는 곳이 절대 아니다. 이제 어린이들은 자신만의 동사로 서술어의 빈칸을 채우면서 생을 완성해 나갈 것이다.[114]

89. 교통, 복지를 넘어 균형발전까지

김포 신도시와 서울 김포공항역을 잇는 경전철 김포골드라인의 출근시간 밀집도는 1㎡당 7~8명에 이르는데 이는 밀집도가 높은 지하철 9호선(4~5명)과 비교해도 더욱 높다. 이태원 참사 당시 밀집도인 9~10명과 크게 차이 나지 않는 상황으로, 지난달 하루에 승객 3명이나 호흡곤란으로 쓰러지는 등 올해 들어 18건의 안전사고가 발생했다.

김포골드라인은 종착역인 김포공항역에 가까워질수록 혼잡도가 극심해진다. 승객을 실어나르는 전동차와 승강장 크기 자체가 작기도 하지만 우이신설선・신림선 등 다른 경전철들과 달리 노선 중간에 다른 지하철로 갈아탈 수 있는 환승역이 전혀 없다. 승객들의 안전사고가 김포공항역에서 가장 많이 발생하고 있는 것은 이런 이유에서다.

이로 인해 정부가 김포공항역까지 버스 노선을 늘려 지하철 수요를 분산시키겠다는 단기 정책은 되레 김포공항역의 승객 집중만 심화시켜 교통량 분산효과에 한계가 있다. 교통 전문가들은 승객들을 실어나르는 셔틀버스 등을 김포공항역만이 아니라 인근 환승역에도 연결해야 한다고 지적한다.

김포골드라인이 이 지경까지 오게 된 데는 여러 원인들이 얽혀 있지만 근본적으로는 수요 예측이 잘못됐다는 게 전문가들의 공통된 지적이다. 교통 인프라와 관련돼 잘못된 수요 예측은 사업 추진 과정에서 미래 수요를 부풀렸다가 실제로는 이에 못미치는 경우가 상당수였다. 인천공항고속도로・천안~논산고속도로 등 주요 민자도로가 그랬고, 용인・부산 김해 경전철도 당초 예상 승객을 하루 16만~17만명으로 잡았으나 현재는 3만여명에 그치고 있다.

김포골드라인의 경우는 반대 상황으로 수요 예측에 실패했다. '김포 한강신도시 택지개발사업 광역교통개선대책'으로 추진됐을 당시 인구 수요 예측은 30만명이었으나 현재 김포 인구는 50만명에 이르고, 향후 70만~80명을 목표로 하고 있다. 사업과정에서 경전철이냐, 일반 전철이냐를 놓고 우왕좌왕한 데다 경제적 타당성이 부족해 국비 지원을 받을 수 없게 되자 결국 신도시 교통분담금과 시자체 예산만으로 추진하다보니 4량도 아닌 2량짜리 경전철로 결정됐다.

한 도시를 넘어 수많은 시민들의 안전과 직결된 교통 인프라에 대한 수요 예측을 정확히 한다는 것은 사실 어려운 일이다. 미래 수요는 다양한 사회・경제적 요인들에 의해 변동될 수 있기 때문이다. 게다가 철도처럼 서민들이 많이 이용하는 지역 교통은 복지 성격도 강해 단순히 '비용 대 편익'이라는 경제적 숫자만으로 사업 여부를 판단하기에는 무리가 있는 경우도 많다. 비용 문제만을 따져 사업 추진 여부를 결정한다면 김포골드라인 사태처럼 향후 더 많은 문제가 발생할 수 있다는 것이다.

내년 총선을 앞두고 정치권을 중심으로 예비타당성 조사 면제 기준을 완화하려는 움직임이 일고 있다. 시민단체와 재정 전문가들은 전국에서 국회의원들의 개발공약 남발로 국가 재정이 약화될 것이라며 반대한다.

타당한 지적이지만 한편으론 어디까지나 수도권적인 시각일 수 있어 조심스레 판단할 필요가 있다. 예타 자체가 인구가 몰리는 수도권에 유리한 제도인 데다가 지방에선 인구 소멸이 가속화돼 갈수록 경제적 타당성이 나오지 않고 있다. 서울 등 주요 지자체들이 지하철 노인 무임승차를 도입하고, 민간이 운영하는 시내버스에 대해 준공영제를 실시하는 것도 교통 인프라를 이익 구조에서만 바라보지 않기 때문이다.

지역발전 전문가들이 주민들의 편익을 넘어 균형발전을 위한 인프라로 철도 기반의 네트워크를 요구하고 있는 것도 같은 맥락이다. 일부 지방에서 추진되는 메가시티의 경우 듬성듬성 흩어져 있는 사람들과 일자리를 촘촘히 연결시켜 초광역 경제권을 이루는 것이 핵심이다. 그러려면 도로보다는 신속성과 정시성이 담보되는 철도가 반드시 필요하다는 것이다.

부울경 메가시티 설계에 관여했던 한 전문가는 "지방에 철도 하나 놓자고 하면 항상 수요가 없다고 한다. 그런데 서울의 발전 과정만 봐도 지하철을 먼저 깔고 나서 발전했다. 지방 사람들의 세금까지 포함된 지하철이 수도권을 살렸는데 이제 와서 서울 사람들은 거짓말을 하고 있다"고 울분을 토한다. 예타 면제를 둘러싼 논란이 불거진 이참에 예타 면제에 대한 일괄적인 기준 상향만이 아닌 지역 균형발전까지 염두에 둔 종합적인 논의가 시작됐으면 한다.[115]

90. 정당은 '증오·혐오를 선동하는 공장' 인가

"서울시가를 걸어가려면 무질서하게 나붙은 광고탑과 횡막수막(橫幕垂幕)에 숨이 막힐 것 같다. 조그마한 건물에 어울리지 않는 큰 간판이 즐비하게 늘어섰는가 하면 4, 5층의 큰 건물에는 으레 무슨 무슨 강조 주간이라는 현수막이 매달려 있다."

"시민들이 거리에 울긋불긋 무질서하고 난잡하게 붙어 있는 광고 때문에 광고노이로제에 걸릴 정도다. 건물 전면을 뒤덮다시피 해놓아 서울은 마치 '간판도시' 처럼 돼버렸다."

"온 나라가 간판과 구호로 덮였다. 도시에 있는 집들의 앞쪽은 문턱에서 지붕끝까지 무질서한 그림과 글의 뒤범벅이요, 거리는 구호와 현수막의 비빔밥이다."

'세계 최악' 이라는 말을 듣곤 하는 우리의 '간판 공해' 에 대한 비판의 목소리다. 도대체 언제부터 그렇게 된 건가? 위에 소개한 3건의 비판은 최근의 것이 아니다. 차례대로 각각 1960년, 1965년, 1974년의 신문(조선일보)에 등장한 것이다.

수십년이 흐른 뒤에도 달라진 건 없었다. 상업주의적 탐욕 때문에 '간판 공해' 가 심해진 게 아니겠느냐고 생각하기 쉽지만, 꼭 그런 것만은 아니었다. 상업주의와 무관하게 간판의 기능을 수행하는 현수막을 보자. 1998년 연세대 교수 유석춘은 경향신문에 기고한 '간판 문화' 라는 제목의 칼럼에서 다음과 같이 개탄했다.

"개강을 맞이한 캠퍼스는 온통 현수막으로 뒤덮인다. 총학생회, 학교의 공식기관, 전문학자들의 학술모임, 동아리, 산학협동행사, 연구소, 동문회, 구내서점 등 학내외의 크고 작은 집단이 관계된 행사를 알리는 천 조각이 학기 내내 하늘을 가로지르며 펄럭인다. … 대학의 현수막은 이미 홍보의 기능을 넘어 일종의 공해로 존재한다."

2005년 경희대 교수 조헌용은 대학의 정문을 들어서면 대학에는 건물도 숲도 없고, 플래카드만 있다는 생각이 들 때가 있다며 이렇게 말했다. "앞의 플래카드에 가려 뒤의 플래카드가 보이지 않을 정도로 빽빽하기도 합니다. 원하든 원하지 않든 우리는 플래카드에 덮인 하늘을 볼 수밖에 없는 것입니다. 우리의 시선은 가려지고 닫혀 있습니다. 닫혀진 시선에서 여유를 찾을 수 있을까요? 그러고서 조금 더 넓게 그리고 멀리 볼 수 있을까요?"

나는 2008년 "한국 간판 문화의 역사: 왜 한국인은 간판에 목숨을 거는가?" 라는 장문의 글을 쓰기 위해 일제강점기 때부터 간판 문제를 다룬 신문 기사들을 집중적으로 살펴보면서 한 가지 흥미로운 사실을 발견했다. 1960년대부터 본격적으로 등장한 '간판 공해' 비판 기사는 반세기 동안 똑같은 내용과 패턴으로 반복되지만, 달라진 건 거의 없었다.

가. 특권의식이 만든 '정당 현수막'

경향신문 2001년 1월16일자는 "간판문화 이대론 안 된다" 는 기획 연재기사를 통해 "간판들이 더 이상 방치할 수 없는 지경에 이르렀다" 며 "후진적인 한국의 간판 문화, 이젠 메스를 대야 할 때이다" 라고 했다. 그 어느 때보다 더 강한 의지를 드러낸 개혁 요구 목소리였지만, 여전히 변화는 없었다. 그렇다면 '간판 공해' 는 구조적 문제가 얽힌 한국의 유별난 문화적 특성으로 봐야 하는 게 아닐까?

이런 의문에 대해 고민을 한 이가 있었으니, 그는 2005년 중앙일보에 "비주얼의 폭력, 간판의 숲" 이란 제목의 칼럼을 쓴 소설가 성석제다. 미국에서 20년 넘게 살다 방한한 그의 선배가 저녁에 자신이 살고 있는 신도시의 상업지역을 보고 충격을 받았던 것 같다. 성석제는 "(선배는) 아예 넋을 잃고 원색의 숨가쁘게 점멸하는 간판들을 바라보고 있었다. 화를 낼 정신도 없는 듯했다" 고 밝히면서, 그런 선배에게 다음과 같은 변명을 내놓았다고 한다.

"누군들 좋아서 천박하게 번쩍거리고 싶겠는가. 옆집 앞집 뒷집에서 하니까 가만히 있으면, 아니 평범하게 하면 묻히고 버림받을 것 같은 초조감에 간판도 커지고 자극적으로 변한다. 앞에서 시끄럽게 떠들어대니까 나도 스피커를 마구 틀어댈 수밖에 없다. 비슷비슷한 사람들이 비슷비슷하게 사는 한국에서 눈에 띄는 방법은 저런 것뿐이라고 생각하는 것 같다."

멋진 해석이다. 나 역시 그런 이해심 덕분에 가끔 해도 너무 한다 싶을 경우에 혀를 끌끌 차긴 할망정 '간판 공해'나 '현수막 공해'에 대해 분노하진 않는다. 그게 바로 '한국적 삶'의 현실이라고 체념했기 때문이다. 하지만 그렇게 이해심이 많은 나조차도 올해 들어 나타난 '정당 현수막 공해'엔 분노하지 않을 수 없었다. 이는 '한국적 삶'과는 별 관련이 없으며, 국회의원들의 오만한 특권의식과 한 치 앞을 내다보지 못한 무신경·무지·무능에서 비롯된 문제라고 생각했기 때문이다.

'정당 현수막 공해'의 직접적인 원인은 지방자치단체 허가나 신고 없이 정당명의 현수막을 설치할 수 있도록 한 옥외광고물관리법 개정안이었다. 이 개정안이 지난해 5월 여야 합의로 국회를 통과해 12월 시행됐다. 법 개정 전 정당 현수막은 관할 지자체 허가를 거쳐 지정된 현수막 게시대에만 내걸 수 있었지만, 법 개정으로 정당의 정책이나 정치적 현안과 관련한 광고물은 허가나 신고 없이 15일 동안 장소 제한도 없이 자유롭게 설치할 수 있게 됐다.

개정안 시행으로 어떤 일이 벌어질지 전혀 예상하지 못했던 걸까? 그렇지 않다. 이 문제를 다룬 수많은 기사들 중 내가 베스트로 꼽는 국민일보 논설위원 태원준의 "특권 의식이 만들어낸 '현수막 공해'"라는 제목의 3월17일자 칼럼 내용의 핵심을 소개하겠다.

나. 의원들은 왜 민심을 모르는지

행정안전부는 ① 안전 ② 난립 우려 ③ 일반 사업자와의 형평성 등 세 가지를 들어 반대했다. 국회 행정안전위원회 법안심사소위의 회의록에 따르면, 의원들은 헌법이 보장한 정당의 '특별한 지위'를 내세워 행안부의 반대를 무력화시켰다. 행안부 차관 이재영이 "지금 정당이 44개입니다. 한 당이 하나씩만 걸어도…. 위원님, 죄송합니다만 하나씩 허용하면 정말 하나만 걸까요? 지금 허용하지 않는데도 여러 개 거는데"라고 문제를 제기했지만, 의원들은 사실상 떼를 쓰면서 밀어붙였다. 재석 의원 227명 중 204명이 찬성표를 던진 초당적 특권의식의 승리였다.

의원들은 특권의식은 강했지만, 자신들의 수준에 대한 현실인식은 박약했다. 어떤 일이 벌어졌던가? 한 의원은 "저쪽에서 센 현수막을 걸면 당원들이 '우리는 안 붙이냐' 고 항의해 결국 맞대응을 하게 되고 '현수막 전쟁' 악순환이 격화된다" 고 했다. 결국 "윤석열 매국노" "이재명 깡패" 운운해대는 수준까지 나아간 혐오 조장 현수막 경쟁은 정당들의 저질 수준을 폭로하면서 많은 시민들을 분노하게 만들었다. 심지어 "길거리를 걷기만 해도 욕이 나온다" 는 불만이 쏟아질 정도였다.

결국 민주당은 정당 현수막의 표시 방법과 장소·기간을 제한하는 방식으로 옥외광고물관리법 재개정안을 발의했다. 이로써 '정당 현수막 공해' 는 사라질 가능성이 높아졌지만, 개정안을 주도한 의원들이 져야 할 책임 문제는 거의 거론되지 않고 있다. 적어도 개정안의 대표 발의를 한 의원들만큼은 사과를 하거나 재개정안에 반대하는 목소리를 내야 하는 게 아닌가?

다. '중도' 가 실패하는 7가지 이유

정당 현수막은 하나 만드는 데 10만원이 들어간다는데 이 비용은 국고보조금이나 정치후원금으로 충당된다. 의원들이 자기 돈을 써야 한다면 과연 그런 '정당 현수막 공해' 사태가 일어났을지 의문이다. 영국 정치가 윈스턴 처칠이 했다는 말이 떠오른다. "정당은 곧 콜럼버스다. 둘 다 출발하면서도 어디로 가는 줄 몰랐고, 가서도 거기가 어딘지 몰랐다. 그리고 그 모든 과정은 남의 돈으로 했다."

의원들이 국민 세금으로 이런저런 특권을 누리며 사는 건 문제 삼지 않으련다. 의원들은 정당의 특별한 지위를 내세우지만 오늘날 정당은 사실상 '증오·혐오를 선동하는 공장' 으로 전락했다는 게 훨씬 더 중요한 문제다.

국민권익위원회가 발표한 '2022년 부패인식도 조사' 결과에 따르면 일반 국민은 '정당·입법' 을 가장 부패하다고 평가한 것으로 나타났다. 자신들의 부패에 대한 관심을 돌리기 위해 증오·혐오를 선동하는 건가? 매우 특별하긴 하지만 그러려고 정당을 만든 건 아니잖은가. 자신들이 누리는 특별한 지위에 대한 인식을 처음부터 다시 하는 게 좋겠다. 의원들은 정당을 "광고주, 일반 사업자나 같은 개념으로 보는 것" 에 강한 문제의식을 느껴 옥외광고물관리법 개정안을 밀어붙였다지만, 일반 사업자 수준의 상식이라도 가져달라는 게 민심임을 왜 모르는가.[116]

91. 전환기의 도전과 위험한 반동정치

전환의 시대에 우리는 어디로 가고 있나. 2008년 금융위기를 분기점으로 신자유주의 광풍은 꺾였다. 탈세계화와 미·중 갈등 시대가 도래한 한편, 다면적 불평등과 부채경제, 고용불안과 빈곤이 초래한 삶의 불안과 사회적 불만 때문에 중도기득권정치가 약화되고 포퓰리즘이 득세했다. 코로나19 팬데믹 위기가 휩쓸었으며 지금은 기후위기 비상사태다. 오늘의 포스트신자유주의 국면은 우리가 풀어야 할 세 가지 전환기 도전을 일러 준다.

첫째, 사회보호. 이는 신자유주의가 앗아갔고 코로나19 팬데믹이 그 필요를 절실히 일깨운 안전 및 안정의 보장을, 인간 및 자연의 돌봄을 뜻한다. 둘째, 주권. 이는 밖으로는 탈세계화에 따른 새로운 국경 관리 및 공급망 확보, 안으로는 기득권 정치에 의해 공동화된 대중주권의 복원을 말한다. 셋째, 통제. 이 역시 신자유주의적 반동과 코로나19 팬데믹이 일깨워준 것인데 좁게는 망가진 국가능력의 재건, 더 넓게는 정치의 새로운 복원이라는 과제를 의미한다. 이 세 가지 도전을 풀어내는 방식은 나라의 역량과 조건에 따라 다양하다. 예컨대 대응은 권위주의 세력이나 포퓰리즘 세력 또는 새로운 민주적 세력이 주도할 수도 있고, 좌표를 상실한 반동적 퇴행이 나타날 수도 있다.

일찍이 이런 문제 상황을 예리하게 통찰했던 이는 칼 폴라니다. 흔히 사람들은 자유시장이 본원적이고 공적 규제는 이차적, 심지어 부자연스러운 것처럼 주장한다. 하지만 폴라니는 자유시장이란 하나의 정치적 기획이자 실천, 이데올로기일 뿐이며 거기에 결코 자연적인 것은 없다고, 자유시장 자체가 엄청난 국가개입에 의해 창출되었다고, 노동·토지·화폐를 무리하게 상품화시킨 시장사회 속의 자유란 '허구적 자유'에 불과하다고 비판했다. 허구적이라 함은 거짓이고 다수 대중은 자유의 실질적 기반이 없음을, 시장에서는 돈이, 자산소유자가, 채권자가, 임대업자가 지배한다는 말이다. 그들은 특권적 자유를 누리지만 노동자, 채무자, 세입자, 흙수저 인생은 사슬에 얽매인다. 폴라니는 오직 쇄신된 민주적 대안만이 탈규제 자유시장주의와 파시즘의 이중적 도전을 넘어 모두를 위한 자유를 가져다 줄 수 있다는 메시지를 던진다. 또한 그는 자유시장 확대와 대항적 사회보호 간의 이중운동이 항구적이며 사회보호운동도 여러 갈래임을 지적했다. 한국도 이 스토리의 예외일 수 없다.

사회를 보호해야 한다, 국가능력 및 정치를 재구성해야 한다, 주권을 복원해야 한다는 포스트신자유주의 국면의 새 도전 앞에 한국은 어디로 가고 있나. 이 나라에는 윤석열 정부 아래 거대한 퇴행이 일어났다. 한국은 경제규모 세계 10위권의 선진국이라지만 출생률 최저, 자살률 최고, 노인빈곤율 최고, 산재사망률 최고(OECD 기준)의 병든 나라이며, 취업자 80%가 2차 노동시장에서 불안에 떨며 일하고 공공임대주택 비율이 4~5%대에 불과한 주거권 빈곤의 나라다. 어느새 계층상승 이동 기회도 좁은 문이 됐다. 이런데도 정부는 사회서비스, 소득보장, 보건의료, 주거정책에서 특혜적 규제 완화와 민영화, 영리화와 산업화를 한층 심화시키는 한편, 비정규직 확대와 주 69시간제, 노조 무력화와 사용자권한 강화정책을 추구했다. 그러면서 재벌특혜와 부자감세를 밀어붙였다. 가진 자, 불로소득자에게 퍼주면서 사회 짓부수기 작업에 매진했다. 부서지는 사회와 단짝을 이루는 것이 무책임 불량국가다. 적극적 재정운용을 통한 공공지출 확대가 시급함에도 대규모 감세와 긴축재정정책에 빠져 올해 세수 결손이 30조원이나 될 정도다. 정부가 스스로 자기 목을 졸라맸다. 하지만 이 작고 무능한 정부는 동시에 노조 때리기에는 크고 강한 검찰국가가 된다.

탈세계화와 미·중 갈등시대 주권 재정립의 과제는 어찌 됐나. 남북관계에서는 힘을 통한 평화라는 강경일변도 기조로 전쟁위험을 고조시켰다. 한·미, 한·일관계에서는 아무 줏대도 없이 중·러와 대결하는 미·일동맹 장기판의 졸이 되어 신냉전구도를 심화시키는 역할을 했다. 강제동원 문제에 대한 제3자 변제방식으로 자기 나라와 국민을 버리고 일본 우익의 매국적 대변인 노릇을 했을뿐더러, 한국의 기업 및 국익에 심대한 타격을 가하는 미국의 반도체법 및 인플레이션감축법에 의해 뒤통수를 맞고도 아무 대응도 못했다.

윤석열 대통령은 자유의 전도사다. 취임사에서 35번, 미의회 연설에서 46번 자유를 외쳤다고 한다. '허구적 자유'(폴라니)의 깃발 아래 민생을 죽이고 사회를 부수고 나라를 팔고 전쟁 위기를 고조시키면서 말이다. 이 위험한 퇴행에 맞서 시민사회운동이 다시 일어서고 있다. 쇄신된 사회생태적 대안만이, 부서지고 갈라진 사회의 발본적 치유와 책임있는 공공국가의 재건만이 모두를 위한 자유, 나라다운 나라를 가져다줄 것이다.[117]

92. 공공성을 강화하라

'공공성을 강화하라!' 지난 5월9일 광화문 거리에 모인 공공·운수·사회서비스 노동자들이 외친 주된 구호 중 하나다. 우리 사회의 필수 재화의 생산을 담당하는 사회서비스 노동자들은 새 정부가 취임한 지 1년 지난 지금, 우리 사회의 공공성이 무너지고 있다는 사실을 가장 아래에서 가장 먼저 실감한 이들이었다. 이들 노동자만의 이야기가 아니다. 지난 한 해, 윤석열 정부를 우려하는 사설의 견해는 대부분 공공성의 위기와 맞물려 왔다.

작년 상반기, "장애인과 교통약자의 이동권을 보장하라" 고 용산 대통령 집무실 앞에서 끊임없이 외쳐온 장애인에게 정부·여당이 대화가 아닌 무관용을 경고할 때. 작년 하반기, "화물운송노동자의 노동 안전을 지켜달라" 고 외치며 화물노동자의 최저임금제 같은 안전운임제를 일몰토록 할 때. 올해 상반기, "주 69시간제 도입" 을 사측의 입장만 듣고 무리하게 추진하려고 할 때. 1년 내내 시민들은 언론으로 소식을 접하며 개인의 자유를 가능케 하는 국가의 공공성이 무너지는 게 아닌지 걱정에 걱정을 더했다. 미디어에서 '법치주의' 의 용어를 강조할수록, 현장의 공공성에는 어두운 그림자가 드리워졌다.

오늘날 법치주의 개념은 공공성을 잠식시키는 방향으로 뻗어나가고 있다. 참여의 가치를 부정하고 처벌의 기준만을 강조하는 이념으로 쓰이고 있기 때문이다. 특히 법치주의 이상의 실현을 가능케 하는 무관용의 원칙이 민주주의의 자유를 억압하는 논리로 활용되고 있다. 생계고로 인해, 지독한 차별과 배제로 인해 어쩔 수 없이 거리로 나서게 된 노동자와 장애인들의 소외와 고충을 듣고, 대화의 장을 열어가는 것이 민주주의 정치의 기본 원칙이건만, 무관용을 강조하는 정부는 공적 지위를 갖추지 못한 시민과 대화하는 것이 가당치 않은 일이라 생각하는 것 같다.

수사와 기소의 역사로 이루어진 정부인 만큼, 체화된 형법의 망치가 국정 운영의 제1원칙으로 작동하는 것 같다. 그래서일까. 정치(politics)보다 치안(police)에 더 큰 무게가 실린 채로 국정을 운영하고 있다.

독일어로 공공성은 '열림' 을 동시에 뜻하기도 한다. 근본적으로 공공성은 늘 열린 마음과 참여의 정신과 함께하는 가치이다. 현 정부가 택한 통치 이념으로서 법치주의는 공공성의 '열려 있음' 을 억압하는 대표적인 논리로 쓰이고 있다.[118]

93. 결혼 · 출산파업…인구절벽 넘어 국가소멸로 치닫는다

한국은 최저 · 최악의 출산율도 문제이지만 최악 출산율이 회복은커녕 오래 이어지고 있을 뿐만 아니라 더 나쁜 새 최악에게 계속 자리를 양보하고 있다.

서울은 급속한 소멸 단계에 들어섰음에도 지방 인구의 장기적이고 강제적 유인과 유입을 통하여 인공호흡기를 단 채로 가까스로 연명하고 있는 것이다.

가. 막대한 돈을 쓰고도 최악의 저출산 행진

출산문제 인식과 대처에 관한 한 무엇인가 잘못돼도 단단히 잘못된 처방과 접근을 반복하고 있음에 틀림없다.

끔찍한 세계 최악의 자살문제를 지나더라도 다음 지표 역시 우리의 고통스러운 신음을 요구한다. 연옥문을 막 지나니 지옥문이 놓여 있는 셈이다. 아니다. 하나의 지옥문을 지나니 더 깊고 더 어두운 지옥문이 놓여 있는 셈이다. 바로 한국의 합계출산율(여성 한 명이 평생 낳을 것으로 예상되는 자녀 수) 얘기다.

지금 한국은 연속하여 세계 최저 · 최악의 출산 기록을 경신하고 있다. 자살이 자기생명 중단이라면 출산 거부는 자기연장과 세대연장의 중단이다. 한국의 출산율은 1960년 6.10명에서 1970년 4.53명으로 지나치게 높은 고출산(高出産)을 걱정할 정도였다. 그러나 1980년 2.82명으로 하락하더니 근래에는 1.66명 · 1.57명 · 1.63명 · 1.47명으로 급속히 낮아졌다(각각 1985 · 1990 · 1995 · 2000년). 너무도 빠른 하강 속도다. 최근에는 매년 세계에서 가장 낮은 수치를 기록하고 있다. 2018년에는 사상 처음으로 1명 이하인 0.98명까지 떨어졌다. 그러고는 2019 · 2020 · 2021 · 2022년에는 0.92명 · 0.84명 · 0.81명 · 0.78명으로 더더욱 낮은 세계 최저 · 최악의 출산율을 기록했다.

경제협력개발기구(OECD) 회원국과 한국의 출산율 흐름을 비교해 보자. 전자는 1960년 3.30명으로 정점을 찍은 뒤 계속 하락하여 21세기 들어 1.83명 · 1.79명 · 1.80명 · 1.75명을 기록하고 있다(각각 2000 · 2005 · 2010 · 2015년). 2019 · 2020년에는 1.62명 · 1.59명으로 역대 가장 낮은 수치를 보여주고 있긴 하나, 한국에 비하면 감소 속도가 매우 느린 데다 출산율 자체가 한국의 2배를 넘는다.

요컨대 한국이 정녕 우려해야 할 점은 최저 · 최악 출산율 자체와 멈추지 않는 하락 추세다. 우선 출산율의 낙폭 자체가 너무 크다. OECD 전체는 1960년에서 2020년까지 두 세대 동안 1.71명(3.30명에서 1.59명으로) 감소한 데 비해 한국은 무려 5.26명(6.10명에서 0.84명으로)이 감소하였다.

앞 시기 한국의 출산율이 비록 높았다고 하더라도 하강 비율이 단 두 세대 만에 3배를 넘는다. 나아가 한 번 세계 최하 수준의 초저출산율로 전락한 뒤로 다시는 회복되지 않고 있다.

2018년 최초로 1명 이하의 출산율을 기록한 이래 더 새로운 최악을 창출하고 있다. 낙폭의 크기와 속도, 계속되는 새 밑바닥의 깊이의 측면에서 모두 아주 심각한 문제를 안고 있는 것이다.

나. OECD 최저 출산율은 한국의 2배

OECD 주요 국가들 각각의 최저 출산율과 현재의 동일 기준 연도(2020년)의 그것을 비교하면 한국이 얼마나 나쁜 상황인지를 단번에 알 수 있다. 각각 일본 · 미국 · 프랑스 · 독일 · 스웨덴 · 영국의 사례들이다.

최저 출산율 시기와 현재 기준연도를 비교하면 일본은 1.26명(2005년)과 1.34명, 미국은 1.64명(2020년)과 1.64명, 프랑스는 1.66명(1993년)과 1.83명, 독일은 1.24명(1994년)과 1.53명, 스웨덴은 1.50명(1999년)과 1.66명, 영국은 1.56명(2020년)과 1.56명이다.

이들을 보면 한국은 몇 가지 점이 한눈에 들어온다. 첫째로 이 국가들의 최저 출산율은 한국과는 비교할 수조차 없이 높다. 0명대를 기록한 국가는 하나도 없다. 대다수 국가의 최저 출산율은 한국의 거의 2배에 달한다. 둘째로 비록 일시적으로 최저 출산율을 기록했더라도 현재는 대부분 오히려 더 높아졌다는 점이다. 그들 나라의 특정한 접근방법과 정책이 성공했음을 의미한다. 셋째는 최저 출산율을 기록한 기간이, 한국과 비교하여 지극히 짧다는 점이다. 한국은 최저·최악의 출산율도 문제이지만, 그 최악의 출산율이 회복은커녕 오래 계속 이어지고 있을 뿐만 아니라 더 나쁜 새 최악에게 계속 자리를 양보하고 있다.

한국의 출산율은 매년 세계기록을 경신하고 있으며 이것은 이미 국제적 화제가 아닐 정도로 악명이 높다. 출산 불능과 출산 거부의 원인에 대한 국내의 조사 결과를 보면 한국에서 결혼과 출산, 육아와 자녀교육을 하는 것이 얼마나 힘겹고 고통스러운지 고스란히 드러난다.

교육의 공공성이 높고, 청년과 여성고용률을 포함해 여성지위가, 즉 성평등과 복지가 높은 나라일수록 출산율이 높다(이에 대해서는 다음 회에 상세히 살펴본다). 따라서 출산율 저하는 평등과 복지의 결여에 있다는 점은 재론을 요하지 않는다. 이때 평등의 핵심은 물론 성평등이다.

출산파업의 한 원인인 결혼파업을 보자. 즉 21세기 초반의 속도를 보면 미혼·비혼 여성 비율은 급속하게 증가하고 있다. 2015년 현재 30대 전체 여성 중 미혼자는 41.4%(149만명)으로 2005년 13.3%(54만명)보다 3배 가까이 높다. 30대 여성 5분의 2가 결혼을 안 하고/못하고 있는 것이다. 30대 여성이 10년 전보다 오히려 47만명이 줄었음에도 불구하고(2005년 408만명에서 2015년 361만명으로) 미혼자/비혼자는 오히려 95만명이 급증한 것이다. 이 청년들에게 우리 사회 모두가 할 말을 잃게 만드는 수치들이다.

결혼파업은 당연히 출산파업으로 연결되지 않을 수 없다. 결혼과 가정구성 및 유지비용의 급증으로 인해 결혼 연령 역시 급속도로 높아지고 있다. 평등(파탄)-복지(파탄)-결혼(파업)-출산(파업)의 높은 상관관계를 보여주는 연쇄고리가 아닐 수 없다(다음 회에 상세히 살펴본다). 나아가 이 문제는 주거지역, 학력, 도시-농촌의 구별에 대한 우리의 전통적 고정 관념을 뒤집는다. 행정구역별, 학력별, 지역별 미혼여성 비율을 보면 이 문제는 확연하다.

이를테면 학력이 높을수록 출산거부가 더 높다. 또한 도시 지역의 미혼율이 더욱 심각해 미혼여성 비율 상위 1~3위는 서울시 관악구·광진구·종로구였고 하위 1~3위는 전남 완도, 경북 의성, 전남 신안이었다. 소득 불평등이 출산문제에 극히 저해적이라는 최근 연구결과 역시 매우 중요하다. 한국 남성의 경우 소득 상위 10%와 소득 하위 10%의 결혼비율은 크게 차이가 난다. 30대 후반은 91% 대 47%이며, 40대 초반은 96% 대 58%이다(한국노동연구원. 2022).

다. 지역소멸·출산율 지도는 정반대

놀랍게도 지방소멸 지도와 출산율 지도는 완전 정반대다. 2021년 8월 기준 소멸위험지역 비율은 강원 88.9%, 충북 72.7%, 충남 73.3%, 전북 78.6%, 전남 77.3%, 경북 82.6%, 경남 72.2%다. 지방의 거의 모든 시·군·구가 소멸위험에 접어들었음을 알 수 있다. 그러나 도시지역은 서울 3.8%, 부산 25.0%, 대구 12.5%, 인천 30.0%, 광주·대전·울산 0.0%다. 경기도는 14.4%다. 비수도권과 비도시지역에 비해 수도권과 도시지역이 현저히 낮음을 알 수 있다.

그러나 출산율 지도에 따른 소멸위험 지도는 모두가 최악이지만, 순서는 정반대다. 2022년 현재 전국이 출산율 0.78명으로 이미 나라 전체가 인구소멸 고위험 국가가 되었으며(출산안정 2.0 이상, 저출산 보통 1.6~2.0, 저출산 주의 1.3~1.6, 초저출산 인구소멸 위험 0.8~1.3, 초저출산 인구소멸 고위험 0.8명 이하 기준) 특히 서울의 출산율은 0.59명으로 최악 중의 최악이다. 부산 0.72, 대구 0.76, 인천 0.75, 광주 0.84, 대전 0.84, 울산 0.85, 경기 0.84명으로 도시와 수도권 지역은 다른 어떤 도 단위 지역보다도 출산율이 낮다. 반대로 출산율이 높은 선두 지역들은 전부 비수도권, 비도시지역들이다. 1.81명의 전남 영광, 1.55명의 전북 임실, 1.49명과 1.46명의 경북 군위와 의성, 1.44명의 강원 양구를 포함하여 모두 그러하다. 그렇다면 기실 먼저 소멸하고 있는 것은 전부 도시와 수도권이며, 앞서 소멸하고 있는 그들을 살려내는 대가로 비수도권과 비도시지역을 이어서 죽어가게 하고 있는 것이다. 수치와 순서에 비추어 볼 때 이것이 사실이며 진실이다.

즉 출산율에 관한 한 중앙소멸은 지방소멸보다 비교할 수도 없이 더 빠르다. 서울은 무려 0.59명의 초초저출산율에 5개 구(관악, 강북, 종로, 광진, 강남)는 경악스럽게도 0.4명대의 역대급 최저 출산율을 기록하고 있다. 부산과 대구의 중구와 서구도 0.4명대의 출산율이다. 특별히 놀라운 것은 0.4명대의 출산율을 나타내는 5개 구에 대한민국과 세계 최고의 부자 도시인 강남구(0.49명)가 포함된다는 점이다.

대한민국에서 가장 잘사는, 즉 지역총생산이 대한민국에서 가장 높은 울산(2021년 기준 1인당 지역내총생산 전국 평균은 4012만원, 울산은 6913만원으로 전국 1위. 전국 평균보다 2900만원 초과)의 출산율이 0.85명이라는 점은 이제 단순한 물질적 성장과 번영이 출산의 장려와 유인 요소가 되지 못한다는 사실을 보여준다.

도시, 특히 서울은 이미 급속한 소멸과 멸종의 단계에 들어섰음에도 불구하고 지방 인구의 장기적인 강제적 유인과 유입을 통하여 인공호흡기를 단 채로 가까스로 연명하고 있는 것이다. 즉 지금 서울은 모든 지방을 황폐화시키면서 빨아들여 인공적으로 버티고 있다. 그 결과 지방은 인구소멸과 학령아동소멸과 학교소멸, 이른바 지방소멸을 겪고 있다. 서울의 조기 폐허와 조기 멸종을 막기 위한 막대한 인구 출혈과 희생을 지금 한국의 모든 지방이 함께 치르고 있는 것이다.

경제와 물질의 이토록 빠른 고속발전에도 불구하고 모든 동네와 나라 전체에서 신생아는 기록적으로 감소하고 있다. 불행하게도 현재의 출산율이 유지될 경우 한국의 생존전망은 매우 어둡다. 어두운 것이 아니라 거의 불가능하다. 즉 한국은 지구상에서 누군가의 침략이 없더라도 스스로 국가로서 생존이 불가능한 상황이 되는 것이다. 기록적인 저출산으로 인해 오늘의 한국은 인구절벽을 넘어 인구소멸・국민멸종의 위기에 봉착해 있다. 한국민들 스스로 아이를 낳을 수 없는 사회를 만들어 놓은 결과, 이렇게나 발전한 선진국이 어떤 외침도 없이 영원히 소멸할지도 모르는 것이다.

국내외 여러 기관과 연구들의 장래인구통계와 추계를 면밀히 살펴보면 한국의 인구감소와 소멸 추세는 당분간 전혀 막을 길이 없다. 명백한 현실이다. 인구절벽을 넘는 인구소멸・국가소멸의 경고가 결코 허언이 아닌 것이다. 현재의 기록적인 저출산을 지속할 경우, 소멸 예측 시기는 비록 달라도, 한국은 지구상에서 가장 먼저 없어질 것이라는 몇몇 전망들도 결코 무리가 아니다.

라. 출산정책은 결국 인간정책이어야

좀 더 과학적인 정밀한 기법을 사용한 전망들 역시, 정도의 차이는 있지만 지극히 비관적이다. 국회의 한 기관은 한국의 총인구가 초저출산현상(합계출산율 1.19명)이 지속될 경우 최종적으로 2750년에는 대한민국 인구가 소멸할 것으로 전망했다(입법조사처. 2012). 그러나 이 기관의 기준 출산율은 오늘의 실제 수치보다 매우 높다는 점에서 실제 소멸 연도는 훨씬 더 빨라질지도 모른다. 가장 심각한 문제는 한국의 공공성・복지・평등・여성권한 수준에 비추어 현재의 출산율이 인구 유지가 가능한 대체출산율 수준(2.1명)으로 급격히 상승할 가능성은 전무하다는 점이다. 즉 상당기간 동안 한국은 현재의 초초저출산현상을 지속할 수밖에 없다. 한국은 이대로 가면 금세기 내에 인구가 절반 이상 줄어들고, 취학과 생산과 노인부양을 할 인구가 절대적으로 부족하게 될 위기에 직면하고 있는 것이다.

그럼에도 불구하고 저출산 대책은 너무도 비효율적으로 운용되고 있다. 2006년 2조원에서 시작하여 현재까지 총 300조원이 넘는 막대한 예산을 저출산 대책에 투입했는데도 출산율은 계속 급속히 하락해 이제는 1명대 이하의 출산율이라는 유례없는 기록을 나타내고 있다. 저출산 예산을 26조, 37조, 40조, 47조원이나 쏟아부은 2018년부터 2021년까지 출산율은 기록적으로 하락하여 최악의 0명대를 기록하였다. 예산 대비 최악의 비효율성을 드러내고 있는 분야가 출산문제 대처라는 점을 알 수 있다.

전쟁이나 경제위기나 대감염병을 제외하고 하나의 단일한 장기적 인간현상에 대해 이토록 단기간에 집중적으로 예산을 투입한 사례가 또 있는가? 이토록 막대한 돈을 쓰고도 과연 이런 최악의 결과를 계속 낳을 수도 있는 것인가?

출산문제의 인식과 대처에 관한 한 이 나라는 무엇인가 잘못되어도 단단히 잘못된 처방과 접근을 반복하고 있음에 틀림없다. 강조컨대 이러한 출산 중단의 지속은 이 공동체의 존립근거를 파괴하는 동시에, 오늘과 같은 진단과 해법의 계속되는 실패는, 대규모의 외부 유입이 없을 경우에는 한국과 한국민의 종말을 가져올 것이라는 반복적인 경고를 불러일으키고 있다.

마. 대한민국의 길을 묻다

인구절벽(Demographic Cliff, 人口絕壁)은 국가 인구 통계 그래프에서 급격하게 하락을 보이는 연령 구간이다. 인구 감소가 급격하여 벼랑 끝에 몰려있다는 위기의식이 반영된 용어이다.

경제전문가 해리 덴트의 저서 <2018년 인구 절벽이 온다>에서 유래했다. 그는 특히 세계 곳곳에서 베이비 붐 세대들의 은퇴가 본격화되면서 다음 세대의 소비 주역이 나타날 때까지 경제는 아찔한 상황에 놓이게 되는데, 이를 '인구 절벽'이라 명명했다.

세계 최악의 극단적 선택, 나쁜 국가와 사회의 공동범죄다.

지금 이 나라의 출산문제는 인간에 대한 인식과 정책 전체가 혁명적으로 변화되지 않으면 결코 해결될 수 없다. 그것은 자녀, 여성, 청년, 농민, 노동자를 포함한 모든 인간 하나하나 전체에 대한 존중과 배려를 포함한 가장 중요한 인간문제이기 때문이다.

따라서 출산정책은 육아정책을 넘어 여성정책이자 청년정책이고, 복지정책이자 교육정책이며, 임금정책이자 주택정책이다. 따라서 이 모든 것들을 합친 인간정책이지 않으면 안 된다. 나를 포함한 한 사람의 연장(延長)문제는 곧 공동체의 연장문제이며, 따라서 내 문제이자 우리 모두의 문제이기 때문이다.[119][120]

94. 타락한 진보는 깨끗한 보수조차 못 된다

진보의 도덕성이 다시 화제다. 돈봉투 사건에 이어 김남국 의원의 가상자산 투자 건이 도마에 오른 것이 계기다. 이태원 참사 관련 국회 상임위 회의 중에 김 의원이 코인을 거래하는 정황이 포착되면서 논쟁은 더욱 격화되고 있다. 더불어민주당과 진보 인사들로부터 '진보라고 꼭 도덕성을 내세울 필요가 있나' '욕망 없는 자, 김남국에 돌을 던져라' '진보는 돈 벌면 안 되나' 등의 옹호론이 나온다.

진보와 도덕성이라는 두 개념을 따져볼 필요가 있다. 전통적 가치를 지키며 기성 질서를 유지하려는 입장이 보수라면, 약자를 위해 미래 지향적 가치를 추구하며 기성 질서를 혁신하려는 입장이 진보다. 그러므로 진보와 보수를 가르는 기준은 현재의 가치와 질서에 대한 태도다. 민주화가 이루어진 오늘날, 독재 정치 시기의 잣대를 적용할 수는 없다. 현재 우리나라에서 그 가치와 질서는 정치 경제적으로 넓게 보면 자본주의이며 좁게 보면 신자유주의다. 그리고 정치적으로는 양당 중심의 카르텔 정당 체제라고 할 수 있다.

국민의힘이 보수, 정의당이 진보라는 데에는 아무도 반대하지 않을 것이다. 다만 민주당에 대한 판단은 관점에 따라 다르다. 자본주의적 가치와 질서를 기준으로 한다면, 민주당은 보수다. 정치적으로도 양당 중심제를 극복하려는 노력이 가시적으로 드러나지 않는다는 점에서 역시 보수다. 협의의 정치 경제적 시각에서 볼 때만 사회적 약자를 보호하는 방향으로 신자유주의를 수정하려 한다는 점에서 진보라고 할 수 있다. 결국 민주당은 구체적 정책에서 진보적 성격을 띠지만 총체적으로는 보수적 성격을 띤다고 보는 게 논리적이다.

도덕성 문제는 또 다른 문제다. 민주당을 보수로 규정한다면, '진보는 도덕적이어야 하는가' 라는 논쟁은 불필요하다. 보수는 도덕적이 아니어도 된다거나 아닐 수도 있다는 것을 전제하기 때문이다. 하지만 보수에도 흔히 '깨끗한 보수' 로 불리는 도덕적 보수가 있듯이 진보에도 '타락한 진보' 로 불리는 비도덕적 진보가 있다.

도덕성도 두 가지로 나눌 수 있다. 인간의 동등한 기본적 존엄성과 관련된 추상적 도덕성과 특정한 시대와 장소에서 나타나는 구체적 도덕성이 그것이다. 추상적 도덕성에는 진보와 보수가 따로 없다. 보수는 모든 인간의 동등한 존엄성을 보장하는 적절한 방법을 전통적 가치와 질서에서 찾는 반면, 진보는 그 방법을 약자를 위한 새로운 가치와 질서에서 찾는다. 이 목표를 올바른 방법으로 추구해 나간다면 깨끗한 보수나 진보일 것이고, 올바르지 않은 방식으로 추구한다면 타락한 보수나 진보일 것이다.

보수가 당대의 구체적 도덕과 제도를 존중하는 것과 달리, 진보는 구체적 도덕에 얽매이지 않는다. 구체적 도덕을 지키지 않는다고 비도덕적이거나 타락했다고 규정할 수는 없다. 보수가 진보를 폄훼하는 논리일 뿐이다. 진보는 외려 그런 공격에 의연히 맞서 당당히 행동할 수 있어야 한다. 유럽과 미국 등지에서 보수가 도덕성을 더 중시하고 진보는 관습이나 인습에 얽매이지 않는 모습을 보이는 것은 이 때문이다.

특히 우리나라에서 '진보는 도덕적이어야 한다' 라는 주장이 제기되는 것은 국민의힘 같은 보수의 다수가 타락한 보수이기 때문이다. 국민의 마음속에 '보수가 그렇지 뭐' 라는 자조 섞인 체념이 자리 잡았고, 그 반사 효과로 진보에 강한 도덕성을 요구하는 것이다. 그런데 민주당의 최근 행태는 이 자조 섞인 기대조차 저버리게 한다. 특히 국회 상임위 중에 코인을 거래하는 모습은 도(道)보다 돈을 따지고 덕(德)보다 떡을 챙기는 행태로 보인다. 자조 이후에 오는 '너마저' 라는 절망은 앞선 실망보다 훨씬 크게 다가오기 마련이다.

'진보는 돈 벌면 안 되나' 라는 얘기는 본질에서 벗어난 강변이다. 진보도 돈을 벌어야 하고 잘 벌면 더 좋다. 다만 각인이 모두 함께 잘살도록 노력해야 한다. 개인적 차원에서는 오직 자신의 부를 추구하면서 사회적 차원에서만 공동의 발전을 외친다면, 그것이야말로 '수박' 이며 타락한 것이다. 청빈 진보를 주장하는 것은 보수가 진보의 성장을 막기 위해 씌운 프레임에 가깝다. 아니면 진보 스스로 당대의 윤리인 구체적 도덕에 맞추어 자기 포장이나 자기 최면으로 사용하는 수사에 불과하다.

게다가 동등한 존엄성이란 추상적 수준의 도덕성마저 저버리고 진보와 보수를 사익 추구의 수단으로 이용하는 것은 진보도 보수도 아니다. 그저 한 사람의 타락한 인간이나 타락한 정치인일 뿐. 이번 사건의 본질은 진보냐 보수냐의 문제가 아니라 도덕과 타락의 문제다. 타락한 진보는 깨끗한 보수도 될 수 없다.[121]

진보의 위기가 보수의 기회로 이어지려면 그런 자격을 갖추고 있느냐가 관건이다. 국민에게 대안 세력으로 인정받을 수 있어야 한다. 타락한 진영의식을 깨고 건강한 진영의식으로 거듭나는 '대한민국 4.0' 시대를 제언해온 머니투데이가 '진보의 위기' 와 함께 '보수의 자격' 을 진단하려는 이유다.

95. 진정한 보수에서 새 진보의 실마리 찾기

현 집권세력과 민주당에 '하나의 국민' 같은 디즈레일리의 정치적 상상력을 기대하기는 어렵다. 결국 우리는 오지 않은 고도를 또다시 기다려야 하는 것일까?

공리주의의 건조한 핵심을 고매한 훈계의 불꽃으로 태워버릴 디즈레일리 같은 정치가를 고대한다.

'김남국 코인 사태'는 정치인도 물질주의와 사익추구의 강화 경향에 지배당하고 있음을 다시금 확인시켜준다. 전수 조사하자는 주장에 정치권이 머뭇거리는 것을 보면 그 확신은 타당한 것일 수 있다.

정치인도 물질주의와 사익추구의 강화 경향에 지배당하고 있다는 문장은 그러지 않아야 한다는 가정을 담고 있다. 즉, 정치인은 물질주의에서 자유로워야 한다는 것이다. 그래야 이해갈등 조정의 힘인 권위를 얻을 수 있고, 그 기반인 신뢰를 쌓을 수 있다. 어느 원시 부족의 늙은 족장에게 젊고 힘센 전사들도 복종하는 이유가 바로 신뢰에 기반한 권위, 즉 '진정한 리더십' 때문이라고 하고, 그것이 '무소유'에서 나온다고 하는 데서 알 수 있듯이.

어떤 현상을 두고 경향에 지배당하고 있다고 보는 시각은 작금의 사태를 특정 개별 정치인의 문제로 보지 않아야 한다는 관점을 담고 있는 것이기도 하다. 김남국 코인 사태는 '세태'다. 나는 이러저러한 사적 공적 자리를 통해 여러 번 보고 들은 경험이 있다. 지금의 세계에서는 정치인이 부를 좇는 걸 이상하게 볼 게 아니며, 오히려 금융자산 축적과 증대에 밝아야 하고 그게 더 진보적인 것이라고 주장하는 정치인과 그 주변의 전문가들을. 나는 그런 주장을 탐욕을 정당화하는 궤변에 불과한 것이라고 생각한다. 정치인의 자산 축적과 증대가 민생 개선과 같은 공익 증진에 효과를 내는 것을 본 바도 들은 바도 없기 때문이다. 또 학력과 부동산 등의 자산을 보유하지 못한 채 장시간 노동과 저임금에 시달리는 서민층의 경우에는 여전히 금융 자산 축적과 증대의 기회를 갖고 있지 못하기 때문이다.

경제활동인구(2923만명, 통계청 2023년 4월 기준) 중 거의 절반(1440만명, 한국예탁결제원 2022년 기준)과 올해 3월 이창용 한국은행 총재가 밝힌 바처럼 성인 인구 16% 정도(약 640만명)에 달하는 많은 사람들이 주식과 가상자산에 투자를 한다. 하지만 가상자산의 경우 싱가포르 기반 업체인 트리플에이(Triple-A)의 통계

분석에 따르면, 2021년 기준 투자자 82%가 대학 수준의 교육을 받았으며 32% 이상이 월 급여 10만달러 이상을 받는다. 보유 주식 수는 서울 강남 거주 50대 남자(11억4000만주), 40대 남자(8억3000만주), 경기 성남시 거주 40대 남자(3억7000만주) 순으로 많다. 즉 학력, 소득, 지역 등을 볼 때 주식 및 가상자산 투자는 기본적으로 '자산 보유자들의 게임'이다. 보유 자산에는 투자시장 안팎에 걸친 정보 및 인적 네트워크도 포함되어 있다. 직접 투자자 10명 중 7명이 최근 2년간 손실을 보고(한국리서치 2022년 6월 기준), 투자자의 40~50%를 차지한다는 '영끌 MZ세대'가 가장 많이 손해를 본 계층으로 꼽히는 이유가 여기에 있다.

가. 여도 야도 '고매한 상상력' 결여

자산 증식의 기회 보유 여부와 투자 손실의 유무와 정도를 개인의 능력 혹은 운의 문제로 몰고 갈 수도 있다. 그러나 정치인이라면 그리해서는 안 된다. 정치는 전체 사회의 질서와 그것을 추구하고 지탱하는 가치와 원칙을 문제 삼는 실천이다. 정치가 그리해야 한다는 게 아니라, 그런 실천을 가리켜 정치라고 하는 것이다.

정치인도 투자자의 이름으로 스스로를 개인이라 부르며, 시장에 나가 보통 사람과 경쟁한다면 정치는 설 자리가 없어진다. 자신이 투자경쟁에 직접 나서지 않으면 되지 않느냐고 항변할지도 모른다. 그래도 문제가 남는다. 아니 더 심각한 문제가 생긴다. 사회 전체에 걸쳐 만연하고 있는, 이제는 정치인과 공직자마저 지배하는 물질주의와 사익추구 강화 경향을 방치하는 것이기 때문이다. 그러면 소수의 특권층만 구현할 수 있는 탐욕과 그것을 개인의 문제임을 내세워 정당화하는 궤변이 다시금 새어 나온다.

작금의 상황에서 정치를 논하고 행하려면 물질주의와 사익추구 경향이 갖는 해악의 이유에 대해 살펴야 한다. 그래야 소수가 유리하고 다수가 손해를 보는데도 개인의 책임으로 몰고 가는 게임과 규칙을 제어할 필요성을 찾아낼 수 있기 때문이다. 난 그 해악의 이유를 러셀 커크의 <보수의 정신>이 선보인 '자유주의 비판론' 에서 찾고자 한다. 특히 영국 보수당의 아버지로 불리며 총리를 지냈던 벤저민 디즈레일리의 관점에 기대고자 한다. 한국에서 보수는 물론, 진보임을 자처하는 자들마저 실상은 커크와 그가 불러낸 디즈레일리가 비판하는 '자유주의의 그물망' 에 걸려 있기 때문이다. 물질주의와 사익추구의 경향 강화를 정당화하는 그물망에. 커크에 따르면 이 그물망에는 이름이 있는데, '고매한 상상력의 결여' 가 바로 그것이다.

커크가 주목한 디즈레일리는 흥미롭게도 동시대 영국에서 살았던 카를 마르크스와 마찬가지로 최대 다수의 최대 행복을 기치로 내건 벤담의 공리주의에 기댄 자유주의를 '낡은 질서의 몸체에 붙어사는 기생충' 에 지나지 않는다고 생각했다. 자유주의 스스로가 부인하는 귀족적 충성 같은 전통적 정치질서에 의존하고 있기 때문이다.

지금으로 보자면 기득권층의 지배에 대한 수용을 조건으로 삼고 있다는 것이다. 이로부터 자유주의는 마르크스의 평등과 같은 미래 목적의 구현이나, 디즈레일리의 사회적 다양성을 인정하는 권리와 의무의 위계질서의 복원 같은 가치와 질서에 대한 상상력을 가질 수가 없다. 그래서 결국 자유주의는 -자기 자신에 다름 아닌- 기득권층의 지배로 귀결될 개인주의와 물질적 성공만이 최고라는 철학적 분위기에 머물게 된다.

나. '상상력의 힘' 있는 정치 기대한다

커크는 디즈레일리가 탐욕스러운 산업주의와 사회를 파고드는 벤담주의 철학이 없애버린 것들을 인류에게 되돌려 주려 했다면서, 그 도구로 내세운 것이 '상상력의 힘' 이었다고 말한다. 그 상상력의 힘을 발휘해 추진한 것이 바로 '국민공동체(하나의 국민 · One nation)' 다.

디즈레일리는 마르크스처럼 계급이론을 제시했으나, 계급 간의 진정한 이해는 서로 적대적이지 않다고 선언하고 계급 간 이해는 국가의 복지라는 측면에서 하나로 묶인다고 했다. 그의 정치적 목적은 계급 간의 조화로 가난하고 부유한 두 개의 영국을 하나로 통합하는 데 있었던 것이다. 그는 각 계급에 승인되고 균형

잡힌 고유의 특권이 있기 때문에 공동체의 모든 중요한 이해 집단은 국가의 모든 일에 자신들의 견해를 반영할 수 있다고 했다. 자유는 바로 그런 계급 간의 균형으로 이루어지는 것이다. 디즈레일리는 엄존하는 계급 차별을 '원자화된 개인 간의 평등'을 내세워 무시하고 은폐하면서 국민공동체라는 원칙을 이해하지 못하거나 혐오하는 자유주의와도, 질서의 근간인 계급의 철폐를 외치는 사회주의와도 다른 길을 바라봤던 것이다.

커크는 디즈레일리가 진정한 평민들, 즉 선거권이 없고 유산을 상속받지 못한 하층 계급들을 불행에서 구해 문명공동체로서의 국가공동체를 건설해냈다고 평가한다. 공리주의적 이기심과 개인주의를 거부하고 공동체를 되살리기 위해 하층계급들이 잊혀지지 않고 있으며, 사회의 지도자들은 일반 대중들과 공통의 이해를 지녔다는 사실을 국민들에게 확신시켰다는 것이다.

디즈레일리는 노동계급이 땅이나 자본 등 지킬 게 없기 때문에 보수당을 찍지 않을 거라는 주장에 대해 비판하고 반박하기도 했다. 그런 주장은 세상에 고귀한 것은 땅과 자본밖에 없다는 시각을 담은 것에 불과하며, 노동자들에게는 자유, 정의, 신체와 가정의 안전, 법의 평등한 집행, 자유로운 노동도 있다고. 그리고 이러한 '특권'들은 보호할 만한 가치라고.

대통령이 전면에 나서서 자유를 최고 가치로 내세우면서도 노동배제라는 개발독재 시절의 전통에 기대고 있는 현 집권세력, 진보로 불리면서도 금융자산 증식에 몰두하며 물질주의의 추종과 사익추구 시비에 연이어 휘말리는 제1야당. 그들에게 하나의 국민과 같은 디즈레일리의 정치적 상상력을 기대하기는 어려울 터이다. (결국 오지 않은) 고도를 (또다시) 기다려야 하는 것일까? 커크의 표현처럼 공리주의의 건조한 핵심을 고매하고 아름다운 훈계의 불꽃으로 태워버릴 디즈레일리 같은 정치가를 말이다. 디즈레일리 스스로 말했던 것처럼 "상상력에 호소할 때 인간은 가장 매혹적"임을 아는 정치가 말이다.[122)123)]

96. 형평사 100년, 차별과 인권을 되씹다

100년 전인 1923년 백정(白丁)에 대한 차별에 맞선 형평운동(衡平運動)이 전면화하기 시작했다. 그해 4월25일 경상남도 진주에서는 조선형평사(朝鮮衡平社)가 창립되었다. 조선형평사는 "공평은 사회의 근본이고 애정은 인류의 근본 강령이며, 계급을 타파하고 모욕적 칭호를 폐지하며 교육을 장려하여 우리도 참다운 인간이 되는 것을 기대" 한다는 설립 목적을 내세웠다. 이어 5월20일 전북 김제에서 창립된 서광회(曙光會)는 "백정! 백정! 부합리의 대명사, 부자연의 대명사, 모욕의 별명, 학대의 별명인 백정이라는 명칭하에서 인권의 유린, 경제의 착취, 지식의 낙오, 도덕의 결함을 당하여 왔다" 고 선언했다. 1926년의 형평사 선언에는 "인생은 천부불가침의 자유가 있다. 인격과 자유를 억압된 자에게 어찌 생의 의의가 있으랴!" 는 외침과 함께 인권 해방을 근본적 사명으로 한다는 강령을 담았다.

조선에서 가장 차별받던 계층인 백정들이 스스로 사회운동을 시작하고, 전국적인 조직을 결성하여 차별의 철폐와 인권의 증진을 도모했던 형평운동이 소환하는 기억은 뜨겁고도 강렬하다. 갑오개혁(1894~1896) 이후에도 여전히 호적에 따로 표시가 이루어졌을 만큼 이들에 대한 차별은 체계적이었다. 만인의 평등을 내세우는 기독교 교회에서조차 종종 함께 예배보기를 거부당했으며, 학교에 입학해 신학문을 공부하는 데도 어려움이 있었다. 특히 백정 중에서도 도축업에 종사했던 백정들에 대한 차별은 깊었다.

이들의 저항인 형평사 100년을 기념하여 국사편찬위원회는 학술회의를 개최하였고, 형평사가 처음 결성된 진주에서는 국립진주박물관 특별전 <공평과 애정의 연대, 형평운동>을 통해 형평운동을 재조명하고 있다. 우리 시대가 형평운동을 기억하는 방식은 신분 차별이라는 봉건적 굴레를 철폐하고 근대적이고 평등한 사회를 실현하는 과정이었으며, 다양한 사회단체 및 일본의 평등운동인 수평운동과의 국제적 협력과 연대까지도 이룩했던 선도성을 강조하는 것이다. 1948년 세계인권선언보다도 25년이나 앞서 이루어진 인권운동임을 강조하는 것도 같은 맥락에서일 것이다.

형평운동의 서사는 아름답고 교훈적이다. 평등을 받아들이지 못하는 낙후된 사회와 투쟁하여 근대적 사회를 건설하는 데 이바지했고 이 운동에 반대한 사람들은 모두 차별의식 때문일 뿐 양반 중에서도 선각자는 처음부터 이 운동에 함께했기 때문이다. 하지만 이렇게만 이야기 해서는 현실적으로 들리지 않는다. "공평은 사회의 근본이고 애정은 인류의 근본 강령"이라고 하지만, 무엇이 공평함이고 인간이 서로 애정에 기초한 연대를 통해 만들어내는 차별 없는 사회란 어떤 것인지는 결국 따져보면서 실현해가야 할 과제이지 그 이상만으로 힘이 되는 시대는 지났기 때문이다.

실제로 형평운동은 낡은 계급의 철폐를 내세웠지만, 이때의 계급은 당시의 사회주의 운동이 말하던 무산·유산 계급의 계급과는 반드시 같은 의미는 아니었다. 일반적인 통념과는 달리 백정들은 사회의 가장 빈곤한 계층도 아니었다. 백정 중에는 비록 소수이긴 하지만 자산을 축적한 계층부터 일반 소작농들보다는 생계에 여유가 있는 계층, 빈곤한 계층이 혼재되어 있었다. 따라서 일부 노동자들이 신분에 대한 차별의식 때문에 형평운동에 반감을 품은 것도 사실이고, 백정을 자신들을 위협하는 존재로 보아 충돌을 빚은 예도 있었다. 또한, 형평운동의 일부 세력은 도축업을 둘러싼 이권에 치중하거나, 연대와 투쟁보다는 계몽을 통한 협력적 노선을 추구하기도 했다. 신분이라는 이름의 계급을 철폐하는 운동과 새롭게 등장하는 무산 계급의 운동은 서로 연대를 모색했지만 쉽지 않았고, 이러한 갈등은 인권이라는 이름으로 봉합될 수는 없었다.

여기서 분명히 해야 할 사실은 형평사를 둘러싼 갈등이 형평운동의 한계는 아니라는 점이다. 오히려 문제가 되는 것은 형평운동 당시 차별을 둘러싸고 벌어진 현실 속의 역동에서 교훈을 찾기보다는 우리는 이미 알고 있다고 생각하는 인권이라는 정답의 기원으로 투쟁의 역사를 박제화하는 습관이다. 형평운동 속의 다양한 흐름과 갈등, 하나의 차별을 바로잡으려는 운동이 현실세계 속에서 마주하게 되는 다른 운동과 빚게 되는 충돌은 형평운동의 역사를 살아 있는 현재로서 느끼게 한다. 세계에 존재하는 차별이 단지 신분적 차별만이 아니며, 인권의 실현이라는 것이 그리 단순하지 않다는, 어찌 보면 당연하지만 종종 잊곤 하는 사실을 형평운동은 일깨워주고 있는 것이다.[124]

97. 노동 없는 '자유' 민주주의

정권과 공권력의 직접적인 탄압 때문에 노동자가 스스로 목숨을 끊는 일은 상당히 오랫동안 없었다. 노무현 정권 때의 배달호·김주익 등과 2000년대 이후 노동자들은 1970~1990년대의 전태일·박영진·양봉수들과는 다른 상황에서 죽음으로 항거했다. 기업의 손해배상 소송 같은 신종 탄압이 원인이 되었다. 2014년 서울 압구정동 현대아파트의 경비노동자나 2019년 '타다 사태' 때의 택시 노동자도 억울함을 풀고 호소하기 위해 목숨을 버렸지만 건설노조 양회동씨의 경우와 달랐다.

더 생각해보면 이번 사건은 '민주화' 이후엔 없던 일이다. 정권의 수뇌부가 노동조합을 구체적인 타깃으로 정하고, 해당 부처의 장관이 갈등을 조정하기는커녕 광기에 들린 듯 밀어붙이는 가운데 일어났다. 여당과 보수언론은 총력으로 허위 프레임과 선동을 쏟아부었으며, 검찰·경찰이 행동대로 나서 사람들을 괴롭히며 노조 자체를 말살하려 하고 있다. 형사들에게는 '일계급 특진'이 걸리고 건설회사 사람들에게도 억지 수사의 압박이 가해졌다 한다. 간첩이라도 찾아내는 것처럼 전국의 건설현장에 '신고하라'는 플래카드가 내걸리고, 계엄령이라도 내려진 듯 600여명의 노동자들이 소환 조사를 받았다. 대한민국 시민들이 그토록 사랑하는 아파트가 그렇게 많은 '간첩'과 '조폭'들에 의해 지어져왔는가. 왜 두 아이의 아빠이며 평범한 노동자 양회동씨는 '조폭'으로 몰려 목숨을 버렸는가.

권력의 동맹은 하도급 부조리 같은 건설산업의 진짜 고질에 대해서는 방치한 채 모든 책임을 (그들이 굳이 '민노총'이라고 줄여 부르는) 노조에만 들씌우고 있다. 작업복 입고 머리띠 두른 얼굴 검은 그들을 폭력배 또는 부조리의 화신이라 부르는 것이, 이런 시대의 문화적 감각에 어울리는지 모른다. 누가 이 시대의 진짜 조폭이며 공동체의 위험인가. 밤늦은 유흥가 사시미집에서 회식을 마친 후 오야붕에게 사열받던, 수십수백만원짜리 가다마이 걸친 중년사내들을 떠올리는 것은 내 문화적 감각이 이상하기 때문인가. 〈내부자들〉 같은 영화를 너무 많이 봤기 때문인가. 한국 언론사 중 건설자본과 직간접적으로 결탁해 있거나 아예 지배를 받는 곳은 어디어디라던가.

그런데 일련의 사태와 양회동씨의 죽음은, 노조 탄압이 대통령 지지율에 도움이 된다는 '사실'과 일부 시민들의 '노조 혐오'가 빌미가 된 일이다. 또한 건설현장의 부조리를 점잖게 '우려'하고 민주노총에 비판적인 '건전한' 시민과 자유주의자들이 방관하는 와중에 벌어진 일이라는 점도 기억될 필요가 있다.

소위 '촛불혁명'은 5년 만에 반전되어 시중에는 '검찰 독재' 같은 말이 입길에 오르내리고 있다. 이런 반전은 어떻게 가능했을까. 5년의 과정 자체뿐 아니라 '혁명'과 '독재'에 대한 인식의 한계에 이 사회의 정치적·문화적 허점이 들어 있다고 생각한다. 재벌, 강남, 언론, 종교, 사학재단, 검찰 등의 동맹이 과거와 비슷한 '반민주 독재' 세력인가. 또는 새로운 동의의 기제(헤게모니)를 틀어쥔 실체 있는 문화적 권력인가. 많은 이들이 새삼 분개하고 있는 조선일보 등의 행태도 짚어야겠다. 실로 그들은 1991년 유서 대필 조작 사건 같은 일을 다시 만들고 싶은 듯, 선동과 저주의 프레임을 쏟아내고 있다. 민주노총을 위시한 재야단체에 '간첩' 이미지를 씌우기 위한 보도도 계속되고 있다. 우리는 또다시 지지율이 낮고 정당성이 허약한 정권과 극우 언론이 '간첩'과 '노동(조합) 혐오' 프레임에 의지해서 폭력을 휘두르는 사회에 살고 있다.

그런데 지배동맹은 '법'과 중산층의 생활양식은 물론 교육·종교를, 그리고 미적·윤리적 감각을 지배하고 있기도 하다. 허약한 한국 '자유주의'는 '독재'에 대항한다 하지만 여기에 쉽게 동조하고 결탁한다. 현 정권의 퇴행과 '독재'는 그 자체로 문재인 정권과 민주당의 무능·부패에서 비롯됐으며, 그것을 여전히 가장 큰 방패로 삼고 있다. 특권층의 '합법적' 투기에 대해 "뭐가 문제냐" "진보는 돈 벌면 안 되냐"는 식의 인식은 매우 안일하며 위험하다. 그것은 쉽게 '노동혐오'와 '노동 없는 민주주의'에도 공모한다. '어른 김장하'를 존경하고 따르겠다는 그 많은 사람들은 어디에 있나. 이 시대에 부의 획득, 유지, 환원에 대한 다른 철학과 실천 없이 '진보'일 수 있을까. 투기자본주의와 민주주의가, 민주주의와 노조 혐오가 공존할 수 있을까. 따라서 민주노총과 건설노조를 위협하는 힘은 조선일보와 윤석열 정권만은 아니다. 민주노총과 건설노조를 지키는 데에는 복잡한 많은 것이 걸려 있다.[125]

98. 피의자의 일방적 진술이 넘쳐나는 세상

5월 초 경향신문 기자에게서 전화가 왔다. 반가운 마음에 전화를 받았다. 기자는 SG증권발 '주가조작' 혐의를 받는 회사 대표가 한 진술의 신빙성을 물었다. 혼란스러웠다. 최근엔 한 국회의원의 코인 거래가 연일 언론의 주목을 받고 있다. 이 의원은 한 인터넷 매체와의 인터뷰에서 자신의 무고함을 주장했다. 아니나 다를까? 기자들이 또 진술의 신빙성을 물어 왔다. 답답했다.

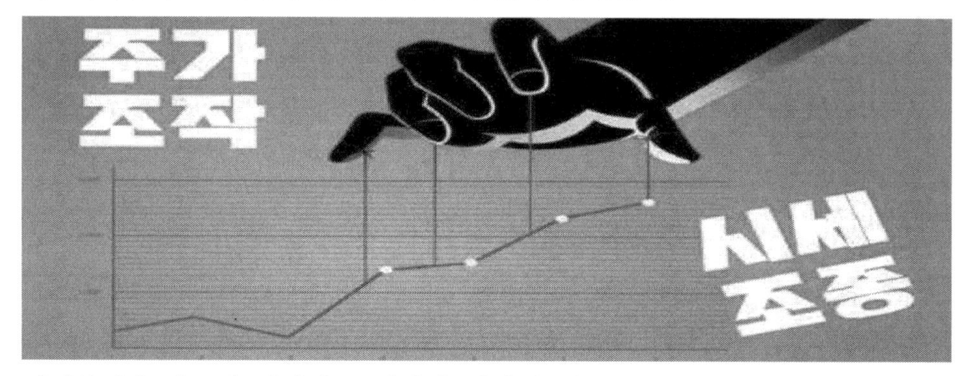

언제부턴가 언론엔 피의자로 입건된 사람의 진술이 넘치고 있다. 아무런 제한 없이 각종 언론에 인터뷰하고 그 내용은 기사화된다. 피의자로 입건된 사람이 자신의 잘못에 대해 이실직고하기 위해 언론 인터뷰를 하겠는가? 절대 아니다. 온갖 감언이설로 자신에게 유리한 정황만 말할 것이다. 문제는 누구도 피의자 진술의 진위를 모른다는 것이다.

이번 SG증권발 '주가조작' 혐의를 받는 회사 대표의 진술도, 국회의원이 한 인터뷰 내용도 현재까지 밝혀진 사실관계와 사뭇 다르다. 일정 부분 거짓임이 드러난 것이다. 이 과정에서 발생한 사회적 신뢰 손상에 대해 누군가는 책임을 져야 한다.

피의자에게 책임을 물어야 할까? 안 된다. 피의자가 언론에 거짓 진술을 했어도 처벌할 수 없기 때문이다. 거짓말을 할 때 처벌하는 죄가 있긴 하다. 위증죄다. 그런데 오직 법률에 따라 선서한 '증인'만 위증죄로 처벌받는다. 재판정 안에서 판사 앞에서 거짓말해도 처벌받지 않는데 하물며 언론 앞에서 거짓말을 했다고 처벌할 수 없는 것이다.

그렇다면 이를 받아쓴 언론에 책임을 물을 수 있을까? 역시 안 된다. 기자는 국민의 관심이 있는 사건을 취재해야 한다. 그리고 해당 사건을 공정한 시선에서 보아야 한다. 해당 피의자 진술의 진위를 따져보기 위해 수사기관에 취재 요청을 할 것이다.

그러나 수사기관은 사건과 관련된 어떠한 내용도 기자에게 말해 줄 수 없다. 그래서 반론권 없는 기사를 쓸 수밖에 없다. 결론적으로 후일 기사와 다른 사실이 밝혀져도 이는 기자의 책임으로 볼 수 없는 것이다.

그러나 지금과 같이 사회적 신뢰가 무참하게 깨지는 상황은 막아야 한다. 과거엔 수사기관이 국민의 알권리 보장을 이유로 피의사실을 먼저 언론에 알렸다. 하지만 최근엔 수사기관의 피의사실공표는 무죄추정의 원칙에 반하기 때문에 수사기관의 피의사실공표를 전면 금지했다. 검찰의 '형사사건의 공보에 관한 규정'과 경찰의 '경찰 수사사건 등의 공보에 관한 규칙'이 그것이다.

검찰 훈령에 따르면 공소제기 전의 형사사건에 대하여는 혐의사실 및 수사상황을 비롯하여 그 내용 일체를 공개할 수 없도록 하였다. 경찰 훈령 역시 사건관계인의 명예, 신용, 사생활의 비밀 등 인권을 보호하고 수사 내용의 보안을 유지하기 위하여, 수사 사건 등에 관하여 관련 법령과 규칙에 따라 공개가 허용되는 경우를 제외하고는 피의사실 등을 공개할 수 없도록 규정하였다.

주의해야 할 점은 해당 훈령에 '수사업무 종사자의 명예, 사생활 등 인권을 침해하는 등의 오보 또는 추측성 보도가 실제로 존재하거나 취재 요청 내용 등을 고려할 때 오보 또는 추측성 보도가 발생할 것이 명백하여 신속하게 그 사실관계를 바로잡는 것이 필요한 경우'엔 예외적으로 사건의 내용을 공개할 수 있도록 하고 있다.

피의자의 일방적 진술로 진실과 다른 추측성 보도가 발생할 것이 명백한 경우 수사기관은 신속하게 사실관계를 바로잡아야 한다. 피의자들이 입을 열어 거짓을 말할 때 수사기관은 가만히 있어선 안 된다. 진실을 밝혀야 한다. 사회에서 가장 중요한 무형적 가치가 '신뢰'다. 진실을 왜곡할 수 있는 범죄자의 일방적 진술이 넘쳐나는 현재의 세상은 잘못된 세상이다. 국가는 이를 바로 잡아야 한다.[126]

99. 이상한 상점이 오래가도록

우리 동네에는 이상한 상점이 있다. 얼마 전 상점과 관련된 단톡방에 공지가 올라왔다. 봄이 되고 행사가 많으니 팝업 스토어가 수시로 있을 예정이라며 행사에 나와 일할 자원봉사를 신청하라는 내용이다. 날짜도 참으로 고약한 토일토일, 어쩌다 금요일이 양념처럼 끼어있다. 꽃피고 화사한 봄의 주말을 여기 나와 무급으로 일하라는 요상한 권유다. 내 돈 주고 내가 사서 쓰는, 요즘 말로 내돈내산하는 가게에서 일까지 하라니, 정말 뻔뻔스러운 곳이다.

이뿐만 아니라 동네사람에겐 개미지옥 버금가는 소비의 공간이기도 하다. 새로 나온 실리콘 용기도 사고, 천연수세미도 사고, 물비누도 필요한 만큼 따라서 사가고, 누군가가 내놓은 중고물품도 사간다. 기념품으로 받았지만 딱히 쓸 일이 없었다는 귀여운 볼펜, 아이가 좋아했지만 이제 더 이상 보지 않는다는 동화책, 작아진 옷까지 다양한 물건들이 새로운 가족들을 만난다. 중고거래 애플리케이션(앱)에서 못 파는 게 없는 세상이지만, 심지어 그곳에선 돈도 받을 수 있고 흥정도 될 텐데 여기에선 무료로 내어놓고 정해놓은 값을 묵묵히 치르고 나간다. 충동구매했는데 손이 안 가는 아이템이 있다면 반품이 아니라 다시 기증을 요구한다. 참으로 신박한 고객관리 방법이다.

요즘에는 무턱대고 무료봉사 운운하다간 열정페이 논란으로 혼쭐날 수 있는데, 이곳이 세상의 변화를 몰라서 이렇게 당당한 것은 아닐 테다. 그저 고정적인 출퇴근으로 매장을 꾸준히 책임질 단 한 사람의 인건비, 그리고 공간의 임대료조차 겨우겨우 힘겹게 만들어내고 있는 2023년의 자영업, 더 세분화해서 말하자면 제로웨이스트 숍의 현실과 한계 때문일 것이다. 구경하는 사람도 많고 감탄하는 사람도 많고 칭찬하는 사람도 많지만 구입하는 사람은 한정적이랄까. 가게란 모름지기, 손님들이 돈을 내고 무언가를 자꾸 사야 수입이 늘어날 텐데 끝까지 쓰라고, 조금씩 쓰라고, 덜소비하고 더 존재하라고 주장하는 가게라니 결국 상점은 늘 위태롭다.

자원봉사를 신청하는 사람들도, 갈 때마다 바리바리 살림 아이템을 구입하는 사람들도 모두 이곳이 얼마나 소중한지 잘 알기 때문이다. 빠르게 쓰고 버릴 수 있는 물건들을 얼마든지 저렴하게 살 수 있는 방법이 넘쳐나는 이 시대에 장바구니도 들고 오고, 담아갈 빈 용기도 들고 오고, 이왕이면 기증할 물건도 갖고 오고, 온 김에 자원활동도 하라는 이 불편한 가게가 한 달씩, 1년씩 그럭저럭 버티고 있어 모든 사람에게 감사하고 또 감사하다.

자연에서 온 소재가 주는 특유의 안정감, 목재나 면화 제품이 주는 부드러운 온기, 지구를 생각하는 이웃들의 다정함은 제로웨이스트 숍의 한쪽 모습일 뿐이다. 어쩌면 인건비와 매출을 고민하고, 구매를 요청하지만 소비를 지양하자고 외치기 위해 어떤 맥락에서 어떤 물건을 팔아야 하는지 머리를 싸매는 모습이 제로웨이스트 숍의 숨은 진짜 모습인 셈이다. 그러니 만약 우리동네에 의미있는 가게가 들어서서 좋다는 생각이 든다면, 환경을 고민하는 사람들이 더 늘어나면 좋겠다고 생각한다면 지도에서 제로웨이스트 가게에 즐겨찾기를 해두자. 용기를 내어 시작한 사람들이 오래갈 수 있도록 동네사람들의 힘을 보여주면 좋겠다.

제로 웨이스트는 쓰레기 배출을 '0(제로)'에 가깝게 최소화하자는 것으로 모든 제품이 재사용될 수 있도록 폐기물을 방지하는 데 초점을 맞춘다. MZ세대를 중심으로 SNS를 통해 제로 웨이스트 실천을 인증하고 공유하는 문화도 인기를 끌고 있다. 일명 '제로 웨이스트 챌린지'로 텀블러, 장바구니 사용, 개인 용기에 음식 포장하기, 옷 수선 등을 인증한다.

100. 하인을 거느리는 가족국가

풍요로운 국가에서 미래세대의 인구 감소는 오래된 문제다. 미래세대 인구가 감소하면 여러 측면에서 국가 경제가 어려워진다. 무엇보다 '노동인구'가 감소한다. 특히 풍요로운 국가에서 성장한 젊은 세대들은 더럽고, 힘들고, 어려운 일들을 피하는 경향이 있어 하부 경제를 돌리는 데 큰 어려움을 겪는다. 여기에 더해 노동인구가 줄어드니 연금을 내는 이의 숫자가 줄어들어 사회보장제도를 유지하기도 힘겨워진다.

이 때문에 풍요로운 국가들은 대체로 두 가지 방식으로 대응한다. 첫째, 국가 하부 경제를 돌리기 위해 외국인 노동자를 싼 비용으로 데려다 쓴다. 둘째, 국내 출산율을 늘리기 위한 다양한 정책을 쓴다. 곤란한 문제는 외국인 노동자로 해결하고 장기적으로 출산율을 높이겠다는 전략이다. 하지만 이런 대응 방식은 이내 문제점을 드러냈다. 외국인 노동자의 경우엔 정당성의 문제를, 국내 출산율의 경우엔 효율성의 문제였다.

우선 대다수 국가에서 출산율 증가 정책은 별달리 효과가 없었다. 한 국가의 인구를 유지하기 위해선 최소 2.1명의 합계출산율이 필요한데, 경제협력개발기구(OECD) 국가 중 2020년 기준으로 이를 넘긴 나라는 이스라엘, 남아프리카공화국, 사우디아라비아밖에 없다. 우리나라 2020년 0.84명, 2022년 0.78명으로 유일하게 1명이 안 되는 초저출산 국가다.

한편 당장 급한 노동력을 채우기 위한 수단으로 채택한 외국인 노동자 제도 역시 많은 비판에 직면했다. 각 정치공동체의 자율성을 강조하는 '공동체주의'자들조차 비난한다. 예를 들어, 마이클 월저는 이 제도로 인해 '국가가 마치 하인을 거느리고 사는 가족과 같은 형태'가 되어버린다고 일갈한다. 이런 제도는 잘사는 국가의 구성원이라는 자격만으로 그렇지 못한 국가의 구성원을 하인으로 부릴 자격을 얻는 것이나 다름없다.

월저는 만약 이런 제도가 정당성을 얻고자 한다면, 자기 영토 내로 들여오는 모든 노동자에게 '손님(guest)'이라는 자격 대신 '잠재적' 시민권을 부여해야 한다고 주장한다. 누군가는 이 노동자들이 원해서 다른 나라에서 일하는 것이라고 말할 수 있다. 하지만 아무리 그들이 원해도 그들을 필요로 하는 국가가 승인하지 않는다면 다른 영토에서 일할 자격을 얻을 순 없다. 외국인 노동자들은 우리가 그들의 노동력을 원했기 때문에 이곳에 와 있다.

그런데도 외국인 노동자들은 일하고 임금을 받는 것 외에 어떤 권리도 행사할 수 없는 경우가 허다하다. 심지어 국가 권력은 외국인 노동자들의 삶 구석구석까지 침투해 수용된 영토 내에서 일거수일투족을 규제한다. 그런데도 국가 권력은 이들에게 어떤 견해도 묻지 않는다. 월저에 따르면, 자유로운 공동체는 이런 삶의 방식을 단호히 거부한다.

누군가는 월저의 주장을 헛소리로 치부할 수도 있겠다. 하지만 최근 독일의 인구 정책을 보면 월저의 주장은 오히려 힘을 얻는다. 독일은 노동력 문제를 해결하기 위해 2015년부터 난민을 대거 받아들였다. 2015년에서 2016년 사이 시리아 전쟁으로 생겨난 중동 난민 119만명을 받아들였다. 우크라이나 전쟁 이후엔 121만명을 수용했다. 총 240만명에 이른다.

독일은 난민 1명당 1만유로(약 1400만원) 정도를 쓰고 있는데, 240만명을 수용했으니 240억유로 정도를 쓴다. 노동력을 확보하기 위한 정책이니 당연히 난민들은 일자리를 얻을 수 있다. 게다가 생활비와 학교 교육 지원을 받고, 사회보장제도까지 이용할 수 있다. 이뿐만 아니다. 외국인 중에 배움이 모자란 사람들이라 할지라도 일정한 직업교육을 받고 독일어를 배우는 과정을 거치면 독일에 쉽게 이민하도록 제도를 개편했다.

최근 우리나라에서도 출산율 장려 정책으로 외국인 가사도우미 제도가 해법으로 제시되고 있다. 하지만 이 제도를 이미 도입한 일본·싱가포르·대만·홍콩의 사례를 보면 이 제도와 합계출산율은 아무 상관관계가 없었다. 정책으로서 전혀 효과적이지 않았다.

게다가 도입하는 방식도 문제다. 이들을 근로기준법과 최저임금 적용 대상에서 제외하는 법이 발의되어 있다. 국가가 '하인을 거느리고 사는 가족의 형태'를 옹호하는 셈이다. 그러면서 배고픈 쪽이 최저임금을 주지 않아도 괜찮다는데 무슨 상관이냔 논리를 내세운다. 그럼 우리 내국인들도 배고픈 사람이 괜찮다고 하면 최저임금과 상관없이 노동할 수 있게 허용해야 할까? 한 나라의 주요 '정책'을 보면 그 나라의 '격'이 보인다. 우리의 '격'이 진정, 이 정도에 불과한 것일까?[127]

101. 피해자 탓하는 정권

사람들은 일생에서 종종 억울하고 부당한 폭력을 경험한다. 그런 폭력들은 대개 이유 없이 일어난다. 권력관계를 바탕으로 강자가 약자에게 가하는 폭력에는 마땅한 이유가 없다. 강자의 폭력은 약자를 지배하고 통제하면서 스스로가 그만큼의 권력을 가지고 있다는 걸 확인하고자 행해진다. 이유는 사후적으로 덧붙여진다. '개는 맞을 만한 인간' 이라는 이유 말이다. 가해자는 모욕의 언어를 통해 피해자가 '나는 맞을 만한 인간' 이라고 생각하도록, 그래서 더 이상 폭력에 저항하지 못하도록 그 마음마저 지배하려 한다. 그 결과 '피해자 탓' 이란 논리가 생겨난다.

얼마 전 '정순신 사태' 가 그랬다. 정순신 변호사의 아들은 피해자를 향해 일상적으로 빈번하게 모욕을 가했다. "제주도에서 온 돼지XX" "빨갱이" "더럽다" 등과 같은 폭언들은 폭력인 동시에 폭력을 합리화한다. 출신 지역이나 정치적 입장 따위가 폭력을 촉발한 게 아니다. 피해자를 모욕 주고 괴롭히기 위해 갖다 붙인 이유에 지나지 않는다. 법정에서 변호인 측 역시 폭력에 적극 대항하지 않은 피해자의 태도를 문제 삼고, 피해자의 기질이 유난한 것처럼 탓했다.

가해자는 친구들에게 "아빠는 아는 사람이 많다" "판사랑 친하면 재판에서 무조건 승소한다" 며 자랑했다고 한다. 반면 그 모습을 두고 "정말 악마인 것 같다" 고 토로했던 피해자는 학폭 이후 외상 후 스트레스장애, 공황장애를 겪으며 수업을 정상적으로 받은 날이 이틀밖에 되지 않았다. 정순신 일가는 사회에 만연한 약육강식의 논리를 보여주었다. 힘이 없다면 부당한 일을 당할 수밖에 없다. 힘이 있으면 사람 하나 망가뜨리는 건 일도 아니고, 어떤 잘못을 해도 제대로 처벌받지 않는다.

정 변호사를 국가수사본부장에 임명했던 윤석열 정부 역시 같은 세계관을 공유하는 것처럼 보인다. 시민들을 힘으로 찍어 누르면서 폭력의 이유를 피해자에게서 찾는, 약자를 향한 강자의 폭력을 보여주고 있기 때문이다. 지금 건설노조를 향한 정권의 국가폭력이 그러하다. 고용노동부는 건설현장의 채용 강요와 노사관계 불법행위를 점검 및 감독하고 불법 사례를 접수받는다고 밝혔다. 경찰은 건설현장 불법행위 특별단속에 나섰다. '50명 특진' 을 걸고 노조 불법행위를 집중 단속하고 있다. 털면 먼지가 나올 거라는 믿음으로 노조 사무실 압수수색 16차례,

소환조사 1000여명, 구속 16명이란 ‘성과’를 달성했다.

정권은 건설노조의 ‘불법과 폭력’을 이유로 든다. 이에 건설노조는 건설현장의 불법적 관행은 많은 경우 사용자에 의해 이뤄지며 오히려 노조가 그것을 개선해 왔다고 말한다. 노조가 체결한 단체협약은 불법 하도급 관행을 해결하려는 노력의 결과다. 하지만 정권은 굳이 반론하지 않는다. 이유가 중요한 게 아니기 때문이다. 정권과 검경, 보수언론은 여론을 다루고 프레임을 만드는 데 이골이 난 전문가들이다. 이들은 ‘메시지가 아니라 메신저를 공격하라’는 정치권의 격언을 따르고 있다. 법원 판결에서 무죄가 나오더라도 문제는 없다. 중요한 것은 ‘팩트’가 아니라 ‘폭력 집단’이란 이미지를 만들어 낙인을 찍고 혐오를 조장해 ‘피해자 탓’의 논리를 만드는 것이다.

최근 건설노조 조합원을 대상으로 한 트라우마 검사에서 응답자의 30%가 ‘자살을 생각해 봤다’고 답했다. 지난 1일 분신한 양회동 건설노조 지대장은 “업무방해 및 공갈”이라는 자신의 혐의에 대해 “자존심이 허락되지 않는다”고 유서에 썼다. 그는 몸에 불이 붙은 상태에서도 ‘억울하다’ 외쳤다고 한다.

그러나 고인이 지키려던 “자존심” 마저 조선일보는 ‘유서 대필’이라며 모욕했다. 약자에게 모욕을 주고 “폭력을 쓰면서 행패를 부리고 못된 짓을 일삼는 무리”가 정권을 차지하고 있다. 국립국어원 표준국어대사전은 그것을 ‘깡패’라 정의하고 있다.[128]

남녀, 보수와 진보, 국가 간, 세대 간 양극화가 극단으로 치달으며 혐오와 불통으로 점철되는 사회가 심화된다면 마쓰자키 유리의 SF단편소설 모음집 ‘슈뢰딩거의 소녀’ 속 디스토피아의 모습일지도 모르겠다.

늘어나는 인구 때문에 환경파괴, 식량부족 등의 문제가 심각해지자 정부가 세운 65세면 죽어야 하는 정책과 반드시 이루고 싶은 걸 적은 ‘65 리스트’ 존재하고 죽음을 두려워 하는 사람들에게 힘이 돼주는, 죽음의 공포를 전문적으로 치유하는 불법의사도 존재한다.[129]

102. 혁신과 평등, 진보의 좁은 길

실업 및 나쁜 일자리 문제와 겹친 불평등의 심화는 공동체를 해체시킨다. 국제통화기금(IMF), 경제협력개발기구(OECD) 같은 국제기구를 중심으로 유행처럼 '포용적 성장'을 지향하는 흐름이 출현했던 배경이다. 그러나 그 '포용'이 현실에서 제대로 작동하고 있다는 증거는 별로 안 보인다. 유행이 지났는지 포용적 성장이 지체되는 원인도 진단되지 않는다. 오늘날 불평등 문제가 경제성장의 동력인 혁신 과정과 어떻게 연결되는지 경제학자들 사이에 합의된 의견 자체도 많지 않다.

경제학자들이 혁신과 평등의 관계에 관심을 갖게 된 하나의 계기는 저임금 노동자의 처지를 악화시키는 '숙련 편향적 기술진보'를 둘러싼 논의가 진전됐다는 것이다. 그 논의에서 기술진보는 불평등을 초래하는 '필요악'으로 여겨졌다. 그것은 가난을 면하려면 평등은 희생할 수밖에 없다는 전통적 인식과 맥을 같이하는 것이었지만 이후 만만치 않은 반론과 마주해야 했다.

예를 들어 경제학자 토마 피케티의 연구는 현실의 불평등을 기술 요인만으로 설명할 수는 없음을 보여주는 것이었다. 노동의 교섭력 약화가 불평등의 더 근본적인 원인이라는 '임금주도 성장론'도 유력한 반론이었다.

다만 조지프 슘페터의 영향을 받은 내생적 성장이론의 진전된 연구들을 참고하면 혁신이 최상위 부자들한테 부를 집중시키는 효과만큼은 꽤 뚜렷하다. 그에 비하면 혁신 때문에 소득 분포가 전체적으로 불평등해진다는 증거는 미약한 편이다. 오히려 혁신 기업이 노동자들에게 '사회적 엘리베이터'를 제공해 사회적 지위의 변동성을 높인다는 연구도 보고된 바 있다. 그러나 혁신이 미숙련 노동에 있어 연공서열을 강화하고, 동일 노동에 대한 기업 간 임금 격차를 키울 수 있다는 결과는 해석이 간단치 않다. 혁신의 지속성도 고려하면서 평등을 추구하는 전망은 여전히 좁은 길이다.

그럼에도 불구하고 현대사회에서 진보적인 정치권력이 국내 자본권력과 어떤 관계를 맺을 수 있느냐에 따라 혁신과 평등의 경제성과에 차이를 만들어낼 수 있음도 분명하다. 그런 점에서 우리가 살아가고 있는 신자유주의적 자본주의를 변화시키려는 노력은 필연적으로 정부와 기업, 시민사회 사이의 관계, 특히 근저에 깔린 권력 지형을 전환하는 과제를 피할 수 없다. 그렇다면 진보적인 정부는 주류 질서를 뒷받침하는 이론과 접근법으로 그와 같은 전환 과제에 임할 수 있을까. 그보다는 기성의 것들과는 다른 대안적 정치경제학 개념 틀을 필요로 하는 것은 아닐까.

경제학자 마리아나 마추카토와 윌리엄 라조닉의 대안적 설명에 따르면 혁신은 경영자나 주주들의 의지에 기초한 선택이기보다는 기업과 정부, 시민사회가 함께 가치를 창조하는 집합적 과정이다. 혁신은 노동자들이 참여하는 조직적 학습을 거치며 실현된다. 그 과정에서 납세자를 대표해 정부가 자본 집약적이고 위험이 큰 기술 영역에서 기업이 회피하려는 위험을 감수하는 경우 또한 적지 않다. 정부는 혁신의 성공을 위해 새로운 시장을 형성해내는 역할을 맡기도 한다. 혁신이 이처럼 집합적인 노력의 결실이라는 사실로부터 가치 창조의 방향성과 가치 분배에 있어 지켜져야 할 원칙이 자연스럽게 정해진다. 그것은 공공의 목적을 해치는 것이어서는 안 되며, 공동체의 지속 가능성을 담보하는 것이어야 한다. 가치 창조에 기여한 노동자들을 배제하는 것이어서도 안 된다.

자본의 궁극적인 이해관계는 혁신 자체가 아니라 얼마나 더 많은 가치를 사적으로 전유할 수 있는가에 있다. 단기 실적을 중시하며 자사주 매입이나 고액 배당으로 내부 자금을 소진해 혁신의 동력을 약화시키기도 한다. 따라서 부자 감세, 재벌 감세 등으로 그들의 몫을 늘려준다고 혁신의 성공이 보장될 리는 없다. 그렇지 않다면 혁신 이론의 선구자 슘페터 자신부터 왜 자본주의의 몰락을 예견했겠는가. 혁신 성과를 홀로 차지한 자본의 기득권이 새로운 혁신을 막을 것으로 봤던 것 아닌가.

인공지능이든, 양자기술이든, 수소경제든 기술 변화의 방향과 혁신 성과의 분배는 어떤 운명적인 과정이 아니며 한 사회의 집단적 선택의 결과다. 불평등 역시 사회계급 간 세력 불균형을 반영할 뿐으로 변경 불가능하지 않다. 로베르토 웅거의 대담한 구상에도 불구하고 '지식경제'의 확산만으로는 문제가 해결되지 않으며 거꾸로 문제의 새로운 공간이 열릴 뿐이다. 그 지식경제의 공간에서 시민들과 정치권력이 어떤 결정을 하는가에 따라 혁신도 평등도 그 결과가 달라질 것이다. 바로 그 결정의 길이 머지않은 미래 한국의 진보 정권이 걸을 좁은 길이다.[130]

103. 민주주의의 위기

2009년 5월23일은 토요일이었다. 주 5일 근무도, 주 52시간 노동도 모르던 시절, 일주일 중 유일하게 하루 쉬는 날 회사 선배로부터 전화가 왔다. 다급한 목소리로 노무현 전 대통령의 서거 소식을 전했다. 뒤통수를 얻어맞은 듯 잠시 정신이 혼미해졌다. 세수도 하는 둥 마는 둥 회사로 튀어나갔다. 황망함 속에서도 '일'은 해야 했다. 그날 오후 "그동안 힘들었다. 원망하지 마라"라는 큰 제목이 달린 8쪽짜리 신문이 나왔다. 경향신문 77년 역사에서 마지막으로 발행된 호외다. 엊그제 같은데 벌써 14년이 흘렀다. "역사는 더디다, 그러나 진보한다."

지난주 김해 봉하마을에서 열린 노 전 대통령 14주기 추도식의 주제다. 노 전 대통령의 어록에서 따온 문구인데, 한국 민주개혁 세력에는 뼛속 깊숙이 각인된 믿음과 희망이다. 1987년 6월 민주화운동 이후 그 기대는 현실이 돼왔다. 수십년 동안 치열한 싸움 속에서 수많은 좌절과 절망을 딛고 우리 사회는 한 걸음 한 걸음씩 민주화의 길을 갔다. 좀 더 자유로워진 집회와 시위에서 시민들은 자기 목소리를 낼 수 있었고, 좀 더 힘이 실린 노동조합을 통해 노동자들은 자기 권리를 찾을 수 있었다. 언론의 자유도 개선됐고 시민단체의 역할도 커졌다. 여전히 부족한 점은 많지만 그래도 역사는 진보했다. 그 과정에 민주개혁 세력은 김대중·노무현·문재인 정부 등 3차례 정권을 잡았다.

그 민주개혁 세력은 지금 부패 세력으로 몰리고 있다. 대통령과 정부, 여당, 검찰, 보수언론은 '원팀'이 돼 민주개혁 시대를 주도했던 야당을 공격하고 있다.

권력을 쥐고 있는 동안 그들 중 어떤 이들은 자신들이 비판했던 바로 그 기득권 세력처럼 변했을 거고, 잇속 빠른 기회주의자들이 그 권력에 편승하기도 했을 것이다. 그 약한 고리가 집중 타깃이다. 공격의 최종 목적지는 내년 총선이다.

더 무서운 것은 시민들의 피와 땀으로 일궈온 역사의 진보가 부정되고 민주주의의 가치가 후퇴하는 모습을 보는 것이다. 노동조합은 '조폭'으로 몰리고 시민단체는 '선진화'의 대상이 되고 있고, 비판적 언론은 '수사'를 받고 있다. 민주주의 핵심 요소의 하나이자 헌법이 보장하는 시민들의 권리인 집회와 시위의 자유도 위협받고 있다.

정부와 여당에서 불법 전력이 있는 단체의 집회를 불허하겠다, 물대포가 없어서 난장 집회를 막지 못한다 등등 집회·시위에 대한 강경 대응 주문이 쏟아졌다. 경찰은 6년 만에 강도 높은 집회 강제 해산 훈련을 시작했다. 요즘 한국에서 집회와 시위가 폭력적 양상으로 흐르는 일은 거의 없다.

'민주주의 선진국' 프랑스에서는 연금개혁에 반발하는 노동자와 시민들이 돌멩이를 던지고 기물을 파손하고 불을 지르는 시위를 하고 있다. 쇠파이프와 곤봉, 화염병과 최루탄이 난무하는 시위는 한국에선 20세기 유물이 된 지 오래다.

집회와 시위로 호소하는 이들은 윤석열 대통령이 선호하는 이른바 "메이저 언론"을 통해 자기주장을 하기 어려운 사람들이다. 한국의 '메이저 언론'은 그들의 목소리에 귀를 기울이지 않는다. 그들에겐 집회와 시위 외에는 자신들의 목소리를 낼 방법이 없고, 심지어 자신의 몸에 불을 붙여야만 자신들의 주장을 알릴 수 있는 곳이 지금의 대한민국이다. 정부·여당은 자신들을 반대하고 비판하는 주장이 분출하는 집회와 시위가 싫을 것이다. 하지만 그것이 민주주의다. 미국의 정치철학자 마이클 샌델은 <공정하다는 착각>에서 "민주사회를 통치하려면 반대 의견에 대한 고려가 필요하다. 반대에 직면하며 통치하면 어떻게 그런 반대가 나오게 되었는지 알게 되고, 그것을 극복하려면 어떤 공적 목표를 달성해야 할지도 알 수 있다"고 충고한다.

민주주의의 모범이 돼야 할 정치권은 희망을 보여주지 못하고 있다. 진영은 물론 젠더·세대·빈부·노사 등 사회 전반에서 극단으로 치닫는 갈등을 어떻게 치유할지에 대한 전망과 철학이 없다. 이런 난제의 해결 방안을 찾아야 할 정치 체계는 무너져 있고, 그저 상대방을 박멸하겠다는 증오의 난타전만 벌이고 있다. 결국 민주주의의 위기를 극복할 주체는 시민들이다.

7년 전 촛불집회도 정치권이 아니라 시민들이 먼저 나서 불이 붙었다. 시민들이 일어나지 않으면 우리가 소중히 지켜온 민주주의는 이 퇴행적인 시대의 흐름 속에서 부서지고 말 것이다. 민주적 시민이 없으면 민주주의도 없다. 다시 또 노 전 대통령의 묘비 받침판에 적힌 글귀가 소환되는 시대다.

"민주주의 최후의 보루는 깨어 있는 시민의 조직된 힘입니다." [131]

104. 인구절벽과 비수도권 대학 구조조정

인구절벽(人口絶壁)은 미국의 경제학자 해리 덴트(Harry Dent)가 주장했던 이론이다. 어느 순간을 기점으로 한 국가나 구성원의 인구가 급격히 줄어들어 인구 분포가 마치 절벽이 깎인 것처럼 역삼각형 분포가 된다는 내용이다.

지방대학의 대량 폐교가 코앞에 닥치자 교육부는 '라이즈(RISE) 사업'과 '글로컬(Glocal) 대학'이란 두 가지 대학 구조조정 전략을 내놓았다. '라이즈 사업'은 기존에 별개 사업으로 진행되던 네 개의 지역혁신형 대학 재정지원 사업들을 연계·통합하고 그중 50%를 지자체가 시행 주체가 되도록 변형한 지역혁신 중심 대학지원체계 사업이다. '글로컬 대학'이란 비수도권 지역의 우수 대학 30곳을 선정해 향후 5년간 1000억원씩을 지원하는 사업이다. 벌써 라이즈 사업에 7개 광역시·도가 시범 선정됐고, 글로컬 대학 사업에도 100개가 넘는 대학들이 신청서를 제출했다.

원칙적으로 중앙정부 일변도의 대학교육의 거버넌스를 광역시·도가 주도하도록 하는 것은 환영할 만한 일이다. 지금까지 대학들은 교육부의 획일적 사업 기준을 맞추느라 지역 적합성을 제대로 고려하지 못했던 측면이 있다. 현재 진행되고 있는 라이즈 사업의 목적이 광역 지자체에 고등교육 재정사업권을 부여하겠다는 점에서 볼 때, 지금부터라도 광역시·도별로 지자체와 대학, 주민과 산업체가 함께하는 협치적 교육자치가 가능하다면 구태여 여기에 반대할 이유는 전혀 없다.

하지만 이유가 어쨌든 간에 현재 교육부는 시·도 지자체들을 서로 경쟁시키면서 그들의 기준과 관점에 맞는 시·도를 '시범 지역'으로 선정하고 있다. 이 과정에서 시·도 지자체들은 다시 한번 교육부의 의중이 무엇인지를 놓고 눈치를 보는 현상이 나타날 수밖에 없다. 오히려 처음부터 산업-대학 연관 생태계 구도에 따른 광역 고등교육 권역을 구분한 후 일정 비율의 고등교육 예산을 일괄적으로 이양하는 것이 바람직했다. 지자체가 대학을 관리해 본 경험이 부족할 테니 전체 광역시·도에 대해 단계적인 역량 강화와 인큐베이팅 시범사업을 실시하면 될 일이다.

반면, 이와 함께 실시되고 있는 글로컬 대학 사업은 사실 언뜻 이해가 되지 않는다. 5년 동안 1000억원이라는 예산을 한꺼번에 퍼붓는 방식은 비유컨대 단비를 기다리다가 폭우를 맞는 형국이 될 수 있다. 학생은 부족한데 학교는 때아닌 돈 잔치를 벌여야 하게 되며, 방만한 지출과 예산 낭비는 불 보듯 뻔하다.

게다가 이러한 대규모 재정지원사업의 대상이 대부분 사립대학이라는 점도 간과되어서는 안 된다. 사립대학들은 기본적으로 개별 기업처럼 각자도생을 위해 노력하며, 공공성 차원에서 서로 연대하고 협력하며 교류하는 공동재로서의 큰 그림을 그리기 어렵다. 그래서 한국의 대학들은 서로 살아남기 위해 경쟁하는 개별 대학들만 존재할 뿐, 통합된 형태의 입학방식, 대학 간 학생 이동, 공동 수업 및 연구 등을 활성화할 수 있는 통합된 고등교육 생태시스템을 만들지 못하고 있다.

상황이 이렇다면, 이 재정보조금을 대학의 공공 거버넌스 체계를 확장하는 마중물로 사용할 필요가 있다. 예컨대 사립대학들이 이 지원금을 받기 위해서는 사립대로서의 정체성을 내려놓고 거버넌스 차원에서 준공립대학으로 전환하도록 하는 방법을 심각하게 고려해 보아야 한다. 또한 예산 지원이 끝나는 5년 후에는 그 결과에 대한 책임을 물을 수 있는 평가 장치를 갖춰야 한다. 과연 5년 후에는 교육부가 기대하는 '글로벌 수준의 로컬 대학들'의 기초가 다져질까? 혹은 입학자원 고갈의 태풍을 피한 30개의 대학을 제외한 나머지 대학들이 아무런 대책도 없이 파산선고를 기다리는 상황만 남게 될까? 그 결과에 대해 교육부도 책임을 피해갈 수 없다.

마지막으로 이러한 사업의 주 타깃이 되는 지역대학 입학 가능 인구 가운데는 젊은 학생들뿐만 아니라 86세대를 비롯한 곧 노동시장에서 밀려날 40·50대들도 포함돼 있다는 점도 잊어서는 안 된다. 이들은 청년층과 비교했을 때 상대적으로 그 지역에 남아 있을 정주민들이며, 은퇴 후에도 다시 노동시장의 문을 두드려야 하는 사람들이다.

지금까지 진행돼온 '대학의 평생교육 체제 지원사업(LIFE)'은 대학과 평생학습을 연계하면서 중장년층에게 대학교육의 기회를 제공하려고 했던 시도였다. 이것이 앞으로 라이즈 사업과 글로컬 대학 사업 속에 통합되더라도 이들에 대한 관심이 희석되어서는 안 된다.

참고로 올해 교육부의 전체 교육예산 96조원은 각각 유초중등교육에 84.5%, 고등교육에 14%가 배정돼 있지만 평생 직업교육에는 단지 1.5%만 배정돼 있을 뿐이다. 말하자면 25세 이상 성인 인구에게 투자되는 공적 교육예산은 눈에 띄지 않을 정도로 작다. 올해부터 신설된 고등평생교육지원 특별회계를 포함해 라이즈 사업과 글로컬 대학 사업이 이들을 외면하지 않기를 바란다.[132)]

105. 이상하기 짝이 없는 정치논리

2020년 9월22일 발생한 서해 공무원 피살 사건 은폐·왜곡을 둘러싼 감사원의 최종 감사 결과가 어제 발표됐다. 감사원은 이날 청와대 국가안보실, 해양경찰, 통일부, 국방부, 국가정보원 등 관계 기관이 해양수산부 소속 어업지도 공무원 이대준씨 사망 전에는 손 놓고 방치했고, 북한의 피살·시신 소각 후에는 사건을 덮으며 '자진 월북'으로 몰아갔다고 결론 냈다. 사건 발생 3년3개월 만에 감사를 통해 월북몰이 전모가 밝혀진 것은 만시지탄이나 다행이 아닐 수 없다.

감사 결과를 보면 마치 관련 부처가 공모라도 한 것처럼 이씨 피살 사실을 외면하고, 증거를 왜곡·인멸까지 했다. 중대범죄가 아닐 수 없다.[133)]

정치논리라는 게 그렇다. 유권자들은 '그놈이 그놈'이라고 생각한다. 그럼에도 권리를 포기할 순 없어 '덜 나쁜 놈'을 뽑고자 하지만, 판단하기 쉽지 않고 결국은 속는 처지다. 두 번 속는 사람이 되고 싶진 않기에 유권자들은 지지한 대상에 실망했더라도 '상대편이었다면 이렇게 되진 않았을 것'이란 확신이 없으면 생각을 잘 바꾸지 않는다.

윤석열 정권의 등장도 그랬다. 문재인 정권에 실망한 사람들에게 '개혁'은 자기들끼리 나눠 먹기 위한 핑계 같은 걸로 비쳤다. 물론 이런 생각이 곧바로 보수정치 지지로 이어진 건 아니다. 과거 정권의 사례를 보면 보수정치도 다를 바 없었기 때문이다. 정권교체는 '개혁'을 핑계로 한 길들이기 시도에 저항하는 검찰총장이 나오면서 가능해졌다. 위선적이고 자의적인 '개혁'의 시대를 청산할 수 있는 법치주의자가 등장한 것처럼 보인 것이다.

이런 기대는 집권 1년도 안 돼 산산조각 났다. 법치는 없고 편가르기만 횡행한다. 야당 입장에선 기회인데, 쉽지 않아 보인다. 윤석열 정권 비판은 세 가지로 요약할 수 있다. 첫째, '자유 민주주의'를 내세운 정권이 오히려 민주주의를 훼손한다. 둘째, 미국과 일본에 과도하게 밀착하는 '이념편향적 외교 안보'로 일관한다. 셋째, 이 때문에 민생에 불필요한 부담을 안기는 아마추어적 행태에서 벗어나지 못한다. 이런 지적에 공감하는 유권자들은 곧이어 생각할 것이다. 더불어민주당 정권이었다면 달랐을까? 이념편향적 외교를 바로잡을 대안으로 인식되려면 편향 없는 실리 외교를 구사할 능력을 보여줘야 한다. 그런데 이래경 혁신위원장 논란은 편향이 없는 게 아니라 반대쪽 편향 아니냐는 의심을 갖게 한다. 지금 필요한 건 미국·일본·중국을 상대로 한 외교에 적절한 전략을 갖고 임하는 것이지, 미국과 일본을 반대하다 중국·러시아의 가짜뉴스 전략에 포섭되는 게 아니다.

싱하이밍 주한 중국대사를 둘러싼 논란도 마찬가지다. 싱하이밍 대사는 대선 당시 윤석열 후보 주장에 대한 반론을 신문에 직접 기고할 정도로 주도적으로 움직이는 인사이다. 대사관저에 제1야당 대표를 초청할 때에는 나름의 의도가 있을 수밖에 없다. 그걸 간파 못하고 외국의 자기 나라 공격에 제1야당 대표가 들러리를 선 모양이 된 건 이해 못할 일이다.

보수정치는 자신들을 주류로 규정하고 민주당을 '시대에 뒤떨어진 이념을 답습하는 비주류'로 공격해왔다. 집권을 3차례나 한 민주당의 가장 효과적인 반격 방식은 오히려 자신들이 주류의 최첨단에 있으며, 좌파 타령하며 감세와 낙수효과를 신봉하는 보수정치가 구시대적이라는 것을 증명하는 것이다.

그러나 이래경과 싱하이밍, 두 키워드는 민주당이 오히려 보수정치의 공격 논리를 인정하고 앞으로도 비주류를 고수하겠다고 선언한 것처럼 보인다. 윤석열 정권 입장에선 이보다 더 좋을 수 없는 그림이다. 이는 사상이라기보다는 능력의 문제다. 이 사태는 민주당의 정무적 기획 및 판단 능력이 고장났다는 것을 보여준다. 중도적 유권자가 보기엔 민주당 역시 '아마추어' 집단인 것이다. 아직도 '개딸' 얘기를 하는 민주당이 더 민주적인 것 같지도 않다. '민주당이 집권했다면 달랐을 것'이라고 생각하기에는 어떻게 봐도 어려운 것이다. 그러니 윤석열 정권에 실망해 민주당을 새롭게 지지하기로 했다는 흐름은 눈에 띄지 않는다. 물론 총선은 '조국 대 우병우' 구도로 지지층만 갖고 치를 수도 있다. 우리 사회가 치러야 하는 비용은 별론으로 하더라도 말이다.

그러나 대선은 어떻게 할 건가? 정권 잃은 야당에게 5년은 '빌드 업'의 시간이다. 윤석열 대통령은 재출마하지 못하지만 여전히 민주당의 가장 유력한 대권주자는 이재명 대표다. 상대는 선수를 바꾸는데 '고장난 민주당'을 계속 유지해서 이길 수 있겠는가? 재집권하고 싶다면 지금 정신을 차려야 한다.[134]

106. 복지까지 시장화하겠다는 위험천만한 대통령

복지(福祉, welfare)의 사전적 의미는 '행복한 삶', '좋은 건강, 윤택한 생활, 안락한 환경들이 어우러져 행복을 누릴 수 있는 상태'로서, 유의어로는 후생(厚生) 또는 복리(福利)가 있다.[135]

문제는 "행복"이라는 개념이 상당히 추상적이고 시대에 따라 상대적이며 경우에 따라서는 같은 것도 입장 따라 상충된다는 것이다.

지난달 31일 청와대에서 주재한 사회보장 전략회의에서 윤석열 대통령은 복지에 대한 '과감한' 속내를 거침없이 쏟아놓았다. 돌봄 등 사회서비스에 대해 "시장화, 산업화가 되고 경쟁 체제로 가야 한다"며 "시장화되지 않으면 성장 동력이 되지 않는다"고 했다. 뜬금없이 방위산업과 국방비의 관계를 언급하며 "사회보장이나 사회복지서비스도 마찬가지 논리"라고 했다. 대체 무슨 뜻인가. 상식으론 도저히 이해하기 어렵다.

필자만 이해 못하는 게 아니라는 것을 위안 삼아야 할까. 대통령 발언 직후 비판이 이어졌다. 김동연 경기도지사는 "사회보장제도는 자본주의 경쟁사회가 돌봐주지 못하는 취약계층을 보호하는 것이 가장 큰 목적이다. 경쟁 체제 도입은 어불성설"이라고 직격했다. 유승민 전 국민의힘 의원도 "복지를 방산처럼 한다? 무슨 말인지 국민이 납득할 수 있겠나"라고 반문했다. 정의당도 "과도한 시장화의 한계를 극복하기 위한 것이 복지정책인데 이것을 다시 시장화하겠다는 것은 사실상의 국가 역할 포기 선언"이라고 비판했다.

정부는 이날 '사회서비스의 고도화 방안'도 발표했다. 취약계층 위주의 사회서비스를 양적·질적으로 확대해 중산층도 일부 자부담으로 이용할 수 있게 하겠다는 것이다. 표면적으론 서비스 질 향상을 내세웠지만, "국가가 각종 규제를 완화해줄 테니, 기업들이 투자하고 추가적인 서비스를 가미해 유망 산업으로 키워라, 필요한 사람들은 돈을 내고 알아서 '구입'하라는 의미"라는 해석과 우려가 나오고 있다. 정작 이날 회의에선 복지 규모나 분배 방식 등 복지 전략의 중요한 사항들은 거론되지도 않았다.

설사 액면 그대로 서비스의 질을 위해서라 치더라도, 민간의 경쟁 체제가 저절로 서비스의 질로 연결되지 않는다는 건 이미 여러 연구와 사례들로 보고되고 있다. 시장의 속성상 최소한의 투자로 더 많은 이윤을 남길 수 있는 돈 되는 부가

서비스에 치중할 것이 불 보듯 하다. 서비스 가격은 올라가고 경제적 약자부터 사회서비스에서 소외될 것이라는 것이 합리적인 예측이다. 시민들이 필수서비스에 대해 공공의 개입과 투자를 원하는 이유다. 보육에서 노인요양까지 국공립 시설의 엄청난 대기줄과 경쟁률을 보면 가야 할 방향은 명확하다. 민간의 경쟁이 아닌 공공성 강화와 투자다.

코로나19 위기를 벗어나며 경제협력개발기구(OECD)가 올해 전 세계 평균 경제성장률을 2.6%에서 2.7%로 상향조정했지만, 한국은 이례적으로 성장률 전망치가 거듭 낮아지고 있다. 하반기로 갈수록 경제가 호전될 것이라던 한은과 정부의 호언은 언제부터인지 쏙 들어갔다. 경기 둔화 속 서민들이 직격탄을 맞고 있다. 은행 연체율이 급등하고, 은행에서 돈을 빌리기 어려운 계층에 빌려주는 '소액생계비대출' 엔 전기·수도요금 몇만원이 아쉬워 찾아오는 이들이 몰린다고 한다. 개인파산이 급증하고 전당포를 찾는 젊은이들이 늘고 있다고 한다. 어려울수록 필요한 것이 복지 확대인데, 정부는 복지마저 시민들이 각자 알아서 해결하라고 한다.

복지부는 돈을 더 내면 고품질의 사회서비스를 받을 수 있도록 가격을 차등 적용하는 가격탄력제 시범사업을 하반기 중 시행하겠다고 한다. 음식점 메뉴도 기본메뉴만 있다가 '특' 자가 붙은 고급형이 생기면 상향 평준화가 아니라 기본메뉴가 나빠지기 십상이다.

현 정부의 국정과제에 등장한 '사회서비스 고도화' 는 시간이 지날수록 복지 민영화, 시장화의 다른 말이라는 윤곽이 나타나고 있다. 물론 아직은 짐작일 뿐, 정확한 실체는 드러나지 않았다. 그러나 벌써 장기요양서비스 시장이 20년 내로 50조원에 달할 것이라는 전망과 함께 큰 장이 서기 위한 규제완화 방안, 자본을 댈 만한 대규모 금융회사 등의 이름이 오르내리고 있다. 세금으로 급여 항목 비용을 지원하고, 비급여 항목은 개인들이 지불하는 의료서비스처럼, 사회서비스도 국민이 모든 비용을 치르게 될 공산이 크다.

한국은 세계 10위권의 경제대국이지만 공공 사회복지 지출 규모는 OECD 최하위 수준의 '복지 포기 국가' 다. 재가 장기요양서비스의 경우 제공 기관 2만1334곳 중 2만1208곳(99.4%)을 민간이 운영 중일 만큼 사회서비스의 민간 비중은 극단적이다. 그런데도 '고도화' 라는 그럴듯한 이름으로, 손톱만큼의 공공부문마저 무너뜨리려 하고 있다.

'이익은 사유화, 비용은 사회화.' 민영화의 폐해에 매번 반복되는 이 뼈저린 교훈을 되풀이할 순 없다.[136]

107. 의료위기 부르는 기형적 의료체계

대한민국 의료체계가 붕괴하고 있다. 대도시에서 받아주는 병원이 없어 응급환자가 거리를 떠돌다 사망하고, 소아 환자는 병원을 찾아 길게 줄을 선다. 인구 80만명이 넘는 청주시는 연봉 10억원으로도 의사를 구하지 못한다고 한다. 지난 수십년 동안 정부가 의사와 병원에 질질 끌려다니면서 만들어낸 의사와 병원에 유리한 정책들이 기묘하게 조합된, 기형적인 의료체계가 위기의 근인(根因)이다.

대한민국 의료체계를 왜 기형적이라고 할까? 첫째, 병상은 자유롭게 늘릴 수 있는데 의사는 늘리지 못한다. 미국은 의료 수요에 비해 병상이 부족하다는 근거가 있어야 병원을 허가해주고, 유럽은 수요에 맞춰 정부가 공공병원을 짓는다. 그런데 우리나라는 수요와 상관없이 병원이 원하면 자유롭게 병원을 지을 수 있게 허용하고 있다. 그 결과 병상 수는 경제협력개발기구(OECD) 평균에 비해 3배나 많다. 병상이 늘면 의사도 늘려야 하지만 의사협회가 반대하니 18년째 의대 정원을 늘리지 못하고 있다. 병상을 늘리고 싶어 하는 병원과 의사를 늘리기 싫어하는 의사들의 이익이 합쳐져 병상은 넘쳐나는데 환자를 볼 의사가 없는 의료체계가 한계에 도달한 것이다.

둘째, 민간병원에 아무 곳에나 자유롭게 병원을 세우도록 해놓고, 정부는 의료 취약지에도 병원을 짓지 않는 것도 기형적이다. 민간에 병상 공급을 맡겨놓으니 대도시에는 큰 병원이 넘쳐나지만 소도시와 군지역에는 작은 병원만 넘쳐난다. 대학병원 의사들이 대도시를 벗어나려고 하지 않기 때문이다. 소도시와 군지역에 환자가 적어 큰 병원이 없다는 말은 근거 없는 탁상공론이다. 의사들은 자기 전공을 충분히 발휘할 수 있는 큰 병원을 더 선호한다. 의사가 절대적으로 부족해지며 소도시와 군지역 의사들은 대도시로, 광역시 의사는 수도권으로 이동하면서 지방에선 24시간 365일 환자를 봐야 하는 응급·중환자 진료체계가 무너진다. 지방 의료체계가 붕괴하는 근본 원인은 병상 공급을 민간에 맡겨두고 시장 실패를 보완하기 위해 의료 취약지에 공공병원을 짓지 않는 정부에 있다.

셋째, 의사들이 자기 전공과 무관하게 자유롭게 진료 영역을 선택할 수 있게 한 것도 이상한 일이다. 선진국에서는 자기 전문과목의 환자만 진료하는 것이 당연하지만, 우리나라에서는 자기가 배우지 않은 과목의 환자를 진료하는 것을 넘어 아예 진료과목 간판을 바꿔달고 진료하는 의사가 적지 않다. 동네 의원 5개

중 1개는 자기 전문과목이 아닌 다른 진료과목을 걸고 진료를 한다. 외과 의사가 내과 간판을 걸고, 가정의학과 의사가 성형외과 간판을 걸고 진료한다. 의사들이 원하는 간판을 걸고 개원하는 무한한 자유를 누리는 반대편에선 환자들이 소아과 진료 대란과 '응급실 뺑뺑이'를 감수해야 한다. 예를 들어 소아 환자 수에 맞춰 전문의 100명을 배출했는데, 이 중 20명이 피부 미용을 하겠다고 하면 소아과 진료 대란은 피할 수 없다. 외과·흉부외과 의사가 내과 간판을 걸고 고혈압·당뇨병 환자를 보는 것도 문제이다. 혈압·혈당 관리가 제대로 안 돼 심장병·뇌졸중이 더 많이 생기고 결국 병원비도 더 들어간다. 이처럼 의사들이 누리는 무한한 진료의 자유는 의료 수요에 맞춰 전문과목별 전문의를 배출하는 의료체계를 무력화시키고, 분야별로 돌아가면서 '진료 대란'이 일어나게 만든다.

넷째, 병원이 진료능력에 관계없이 암, 심장병, 뇌졸중 환자를 자유롭게 볼 수 있는 것도 해괴한 일이다. 반드시 방사선 치료를 해야 하는 대장암 환자를 치료 방사선과가 없는 대장항문병원에서 수술하고, 1년에 달랑 한두 명밖에 심장병·뇌졸중 환자를 보지 않아 진료의 질을 유지하기 어려운 병원도 아무런 규제를 받지 않는다. 심장병·뇌졸중 환자를 진료하는 병원 중 최소 환자 수 기준을 못 맞추는 병원이 50~70%에 달한다. 환자에 비해 병원이 많다 보니 의사가 분산되고, 의사가 분산되니 밤에 당직할 의사가 부족해진다. 심장병·뇌졸중 환자를 진료하는 병원은 넘쳐나는데, 정작 밤에 응급환자를 받아주는 병원이 없어 '응급실 뺑뺑이'가 생기는 역설적인 상황이 벌어진다. 급성심근경색 환자당 심혈관중재의사 수는 미국에 비해 우리나라가 3.8배 더 많다. 환자 수에 맞게 심장병 환자를 보는 병원을 지정했으면 심각한 대란은 피할 수 있었을 것이다.

국민과 환자를 중심에 두고 의료체계를 전면 개혁하지 않으면 지금의 의료위기는 해결되지 않을 것이다. 국민 중심 의료개혁을 하려면 국민이 참여하는 투명한 공론의 장에서 정책을 결정해야 한다. 의대 정원 증원을 정부와 의사가 밀실에서 협의해서는 의료체계 붕괴 위기를 결코 막을 수 없다.[137]

감사원은 하루 75명으로 되어 있는 진료 적정인원 상한선에 대해서도, 의료법 시행규칙에 1일 외래환자 60인당 의사 1인을 두어야 한다는 규정에 비춰 60명으로하향조정할 필요가 있다고 제기했다. 또 의사 1인당 1일 적정 진료 환자수는 의과,치과, 한방 등 진료 부문별로 의사의 업무량이 다른 점을 고려해야 하지만일률적으로 75명으로 정한 것은 비합리적이라고 지적했다. 적정 진료 환자수를획일적으로 적용한 결과 2003년의 경우 차등수가제가 적용된 치과의원은 전체의0.1%, 한의원은 0.6%에 그쳤다.[138]

108. '진영공화국'의 고착 막아, 나라의 살 길 틔워야 한다

많은 흐름과 지표들이 뚜렷하게 보여주었듯 대한민국은 압축성장에서 압축소멸로 치닫고 있다. 벼락발전에서 벼락소멸로 나아가고 있다. 인간이 만든 기적의 나라에서 인간이 만든 재앙의 나라로 돌변하고 있다. 나라를 살려야 한다. 나라를 먼저 살리는 길이 나를 살리는 길이고, 나의 자녀를 살리는 길이다. 침몰하는 나라에서 나와 내 진영만 살려고 해서는 나도 진영도 함께 죽는다. 존망의 갈림길에 선 대한민국은 다시 살아날 수 있을 것인가? 우리는 소멸로 치닫는 이 나라를 과연 다시 살려낼 수 있을까? 그때 '우리'는 대체 누구를 말하는가? 지금의 대한민국 국민인가, 아니면 미래의 청년들인가? 청년들에게 이 짐을 떠넘기면 안 된다.

오늘날 한국 사회는 인간공동체로서 본질과 속성이 사라지고 삭막한 사막으로 바뀌고 있다. 위로는 국가의 공적인 보편적 역할이 실종되고 아래로는 시민들의 인간적 관계의 그물망이 해체되고 있다. 이 둘의 결합이 대한민국 소멸 흐름의 근원이다. 위와 아래를 함께 살리자. 여기에서 말하는 위와 아래는 결코 높고 낮다는 뜻이 아니다. 아래는 토대·바탕·근본을 말하고, 위는 대표·선도·책임을 말한다. 둘 다 변해야 한다. 아래의 변화는 내일을 살릴 것이고, 위의 변화는 오늘을 살릴 것이다.

먼저 위를 보자. 최근 연도 기준 경제협력개발기구(OECD) 전체 국가들의 집합 통계를 보면 공적 제도가 초래하는 삶의 차이는 매우 분명하다. 특히 나라의 근간인 권력구조와 정부 형태는 가장 중요하다. 대통령책임제와 의회책임제의 차이는 강조할 필요조차 없을 정도다. 각각 대통령책임제 대 의회책임제의 순서다. 먼저 지니계수는 0.43 대 0.30이다. 민주주의 지수는 10점 만점을 기준으로 할 때 6.96 대 8.35다. 수치가 클수록 격차가 적은 성(性) 격차 지수는 0.73 대 0.77이다. 정부에 대한 신뢰도는 41.18% 대 47.94%다. 국내총생산(GDP) 대비 공공지출은 15.22% 대 22.31%다. 삶의 만족도는 10점 만점 기준으로 5.99 대 6.85다. 합계출산율은 1.54 대 1.59다. 정규직 고용률은 66.63% 대 67.11%, 여성 정규직 고용률은 44.73% 대 57.43%다. 실업률은 7.37% 대 5.21%다. 상위 10%의 소득 점유율은 52.34% 대 34.74%다. 1인당 GDP 역시 (동일하게 OECD에 한정하더라도) 3만6860

달러 대 6만2589달러다.

가. 정치와 제도가 혁명의 최우선 순위

전체 평균을 통해 볼 때, 우연인지 필연인지 모르지만-아마 개연(蓋然)일 것이다- 정부지표, 경제지표, 사회지표, 삶의 지표, 마음지표에서 단 한 부문도 대통령제가 나은 것은 없다. 여기에서 우리는 나라의 체제와 제도가 정부 성격과 경제수준, 그리고 사회와 개인 삶과 마음의 지표로 연결된다는 개연성에 승복하지 않을 수 없다. 제도가 인간들의 삶과 마음까지 연결될진대 더 이상 제도 우열 논쟁은 할 필요가 없다. 물론 이 지표들이 제도 변수 하나의 차이는 아닐지도 모른다. 또한 특정 제도가 특정 국가들에서 동일한 효과를 낳는다는 보장은 없다. 그렇다고 하더라도 제도는 개연적 확률의 결정요소인 동시에, 특히 권력독점과 권력분산 체제가 서로 다르게 산생하는 삶과 사회의 차이들인 것만은 분명하다. 대통령책임제 대신 의회책임제를 채택할 경우 더 나은 정부와 경제, 더 나은 사회와 삶과 마음 상태를 가질 확률이 높다는 점은 분명하다.

기실 권력의 승자독식 구조를 해체하지 않는다면 다른 모든 개혁은 불가능하거나 효과가 없다. 그것 없이 재벌·법조·금융·남성·교육·노동·수도의 상층 기득권 소수가 지배하는 과두 구조를 해체하는 것은 불가능하다. 한국은 국내와 국외의 거의 모든 조사와 분석들이 보여주듯 정치·사회·경제의 갈등과 양극화 최선두권 국가이다. 그리고 조사들이 또한 보여주듯 항상 그 갈등과 진영 대결의 중심은 정부(대통령)와 국회다. 즉 정치다.

국민주권과 민주주의 원리에 의해 견제받는 공적 정치 영역조차 특정 개인과 부문과 진영이 민심과 유리된 채 불비례적으로 독점·과점하면서 사적이며 자율적인 민간 영역의 독점과 과점 구조를 혁파한다는 것은 윤리적으로 어불성설이며 현실적으로 불가능하다. 그것은 공공과 사사, 권력과 경제, 제도와 개인 삶의 관계에 대한 오랜 역사가 보여주는 바 그대로다. 우리의 경로를 봐도 정치의 승자독식과 민간의 집중·과점은 함께 극심해져왔다. 개혁과 혁명의 대상은 정치와 제도가 가장 우선이다. 정치의 대표성과 형평성과 비례성 없이 가치와 물질을 고르게 나눈다는 것은 불가능하다. 그런데도 우리는 제도에 관한 한 자신의 정념적 선호를 고집한다. 객관적 지표와 사실에 결코 승복하지 않는다.

이제 아래를 보자. 지금 한국에서 이웃은 없거나 몹시 드물다. 국제조사 결과를 보면 공동체 네트워크의 질도, 이웃에 대한 신뢰도, 삶에서 중요한 가치에 대한 질문에서도 유독 한국민들은 건강과 가족, 이웃과 공동체보다는 물질을 가장 중시한다. 우리들이 답변한 부끄럽고 객관적인 자화상이다. 누가 지금 마을에서 이웃과 자신의 문제를 상의하는가? 상의는커녕 이웃이 나를 잘 알게 되는 것조차 원치 않는다. 아파트건 연립이건 단독주택이건 다양한 형태의 1인 거주이건, 주거 공간에 따른 차이는 없다. 이웃은 사람이고 주체이기 이전에 그저 사물이고 소음이고 공포다.

아파트값을 같이 올리는 물질적 담합자요, 욕망의 동맹자. 우리에게 이웃이 필요한 이유는 거기까지다. 인간적 교류와 연대는 불필요하다. 같은 아파트 단지, 같은 동(棟)일지라도 윗집과 아랫집과 앞집의 개인 신상과 가족 사정, 일가친척, 질병과 아픔을 알면 안 되며 관심도 없고 물으려 해서도 안 된다. 아무런 간섭과 대화도 나누지 않는 재산과 사물일 때는 안전하고 고맙지만, 인간적으로 접근하고 아는 척을 하면 부담스럽고 거북하며 무엇보다도 귀찮고 내 삶을 방해하는 존재로 다가온다. 물적 존재로는 편안하지만 인간적 존재로는 불편하다. 아니 싫다. 다투고 고소만 안 해도 최선이다.

나. 인간 평등 추구 땐 인구 문제 풀려

이게 인간집단의 모습이 맞는가? 물론 맞다. 나의 사적 독립과 자율을 방해하기 때문이다. 그러나 그 독립과 자율은 곧 절연과 고립을 의미한다. 인류에게 '이웃'의 말뜻은 동양과 서양에서 완전히 같다. 이웃은 '가깝다'는 말과 '사람·거주자'라는 말의 결합이다. 시민과 국민도 같은 뜻이다. 도시와 성읍과 나라 안의 '이웃 전체'를 말한다. 내 이웃이 동서남북에 걸쳐 있는 것이 시민이고 국민이다. 실제 마을과 동네가 사라지고, 내 마음과 삶에 이웃 '사람'이 존재하지 않는데 (내) 이웃 전체로서 도시와 나라가 있을 수는 결코 없다.

가까운 사이? 이웃보다 훨씬 더 무섭다. 우리의 최근 집계인 2021년 살인 통계를 보자. 10명 중 7명의 범죄자는 피해자와 가까운 사람이다. 친족이 30.2%이며, 이웃·지인이 17.1%, 친구·직장동료가 9.8%, 애인이 9.3%이다. 범죄자는 피해자의 가장 가까운 옆 사람인 것이다. 대부분의 살인 사건은 가족·친족 살해이거나, 이웃·지인·동료·친구 살해이거나 애인 살해인 것이다(대검찰청·2022). 부모를 죽이는 존속살해 비율 역시 다른 나라들에 비해 2~3배나 압도적으로 높다. 부모와 자녀, 가족과 친척, 동료와 애인은 사랑과 연대의 상대인 동시에 증오와 살해의 상대인 것이다.

이제 위와 아래를 합쳐보자. 나는 이 나라의 생명과 인간 문제에 대한 방대한 자료와 통계를 오래도록 모으고 조사해왔다. 그럴 때마다 묻고 또 묻게 된다. 이 나라는 과연 인간국가가 맞나? 이때 인간국가는 인간적인 국가를 말하는 것이 아니라 인간으로 이루어진 국가를 말한다. 올해는 한국전쟁이 끝난 지 70년이 되는 해다. 한국전쟁 종식 이후 오랫동안은 구타 사망을 포함해 군내 사망사고가 실로 가공할 수치였다. 그 뒤로는 산업재해 사망률과 교통사고 사망률이 OECD 1위 또는 세계 선두권을 오랜 기간 차지하였다. 지금 수치를 열거하지는 않지만 우리는 오랫동안 군대도 일터도 거리도 세계 최선두권의 사고사망 나라였다. 오늘날에는 자살과 저출산에서 세계 최선두권이다.

하나하나 깊이 살펴보면 모두가 깊은 격통(激痛)의 단말마적 신음소리를 자아내는 목숨 통계들이다. 나는 자주 물었다. 목숨과 생명을 이리도 가벼이 여기는 인간공동체가 또 있을까? 이들은 모두 오래도록 OECD 또는 세계 1위를 지켰고, 지켜오고 있고, 앞으로도 지켜갈 것이다. 사고사망이 이토록 만연한 사회에서 '자연사'라는 말은 얼마나 큰 축복인가. 가장 소중한 사람 목숨이 파리 목숨처럼 가벼운 사회에서 사고사망을 피하는 것만으로도 행운이 아닌가. 자연사가 행운인 나라, 여기에 이르면 한숨과 탄식이 터지지 않을 수 없다.

체제 성격의 반영이자 연장인 출산과 소멸을 포함한 인구 문제 역시 전적으로 시민 문제이며 국민 문제이다. 또 인간 문제이자 개인존중의 문제이다. 어제와 오늘의 인류 지혜가 보여주었듯 같은 시민과 국민, 같은 인간과 사람으로 대우받고 존중받으면 인구 문제는 풀린다. 여기에 반드시 눈을 떠야 한다. 거기에 눈을 뜨지 않으면 해결은 불가능하다.

장구한 인류 역사를 보면 고등한 문명사회의 소멸을 초래할 인구 감소 문제는 ① 인간(의 성·계층·세대·지역) 형평과 평등, ② 결혼과 동거, 부부와 가구의 전면적인 재개념화와 재구성, ③ 이민자 수용, 이 세 가지가 아니면 해결된 사례가 거의 없다. 이 중 하나라도 실천하지 않으면 안 된다. 우리는 사회적 합의를 위해서는, 지원을 포함한 형평과 평등이 그나마 가장 쉽다. 나머지 둘은 아직은 합의가 쉽지 않다. 한국은 혼인과 부부 출산이 아닌 비혼 출산은 거의 없는 수준에 가까울 정도다. 이민자 수용에도 극도로 배타적이다.

지금 대한민국은 최악 수준의 자살국가·청년자살국가·지방소멸국가·저출산국가·노인빈곤국가·인구소멸국가이다. 이번 연재에서 우리는 대한민국의 여러 다른 이름들을 발견하였다. 그것은 선진 민주국가들 중 최악 수준의 승자독식국가이자 불평등국가이며, 갈등국가이자 격차국가라는 점이다. 후자를 먼저 고치지 않으면 전자는 고칠 수 없다. 후자를 고치면 전자도 고칠 수 있다.

다. 정부가 나라와 국민의 뜻 따라야

정권과 파당으로부터 사회와 사람을 보호하고 보전해야 한다. 매 정권의 파당화와 극단적 양극 대결로 인한 국가소멸과 파멸의 길로부터 사회와 시민을 지켜내야 한다. 더 이상의 정치적·이념적·경제적 양극화는 안 된다. 대통령 1인과 한 줌의 정치파당들 뜻에 따라 좌와 우로 요동하는 나라를 지속해서는 안 된다. 나라를 구할 길이 없게 된다. 이제 정녕 끝내야 한다고 간절히 호소한다. 정권과 정부가 나라와 국민의 목적과 뜻을 따라야지, 나라와 국민이 정권과 정부에 좌지우지되어선 안 된다. 이 말의 무게는 천금 같다.

그러나 불행하게도 지금 한국은 진영국가와 진영시민의 등장을 목도하고 있다. 좌파국가와 우파국가, 보수시민과 진보시민으로 정렬되고 있다. 진민(陣民)의 탄생이다. 진영은 본래 극, 군대 주둔 진지, 파벌·부족이라는 뜻에서 나왔다. 공통점은 투쟁대오 또는 시민 이전 상태를 말한다. 이성과 대화, 도덕과 법률 이전의 가족과 혈연, 명령과 복종의 단계나 상태를 말한다. 민주공화국에서 국민과 시민들의 갈등은 결코 진영과 진지 간의 죽기살기 투쟁이 아니다. 지금 우리가 가고 있는 진영화·진민화의 길은 문명화·시민화·근대화·공화화의 반대다.

포퓰리즘과 중우정으로 치닫는, 국민과 시민이 아니라 신민(臣民)과 우민(愚民)의 토대가 되고 있는 진민의 고착을 막아야 한다. 일부는 벌써 확실히 국민과 시민을 넘어 철저하게 신민과 진민으로 행동한다. 진민들에게 상대 절반은 증오와 혐오, 적대와 척결의 대상일 뿐이다. 진민들은 마음속에서는 이미 반대 진민들이 사라져주길 바라고 있다. 안 된다. 반대다. 자기 진영과 진영 주자의 승리 때 흘리는 눈물을 옆 사람과 이웃을 위해 흘릴 수 있을 때 나도 나라도 살아남을 수 있다. 내가 남을 사랑하지 않으면서 남이 나를 사랑하기를 바라는 것은 불가능하다.

나라도 똑같다. 나라는 나와 같은 생각을 가진 사람들과 나와 다른 생각을 가진 사람들이 함께 만든다. 그 남들을 내가 인정하지 않는다면 내가 속한 진영과 나라가 살아남는다는 것은 불가능하다. 대한민국을 망칠 진영국가, 즉 대한진국(大韓陣國)의 지속과 고착만은 막아야 한다.

물론 대한민국(民國)에서 인간은 사라지고 물질과 땅만 남는 대한물국(物國)과 대한토국(土國)도 막아야 한다. 장중하고 장엄한 대한민국의 애국가는 동해로 시작한다. "동해물과 백두산이 마르고 닳도록…." 이때 '동'(東)은 밝다, 해가 뜬다는 뜻이다. 바다도 같다. 바다는 밝고 밝은 해를 처음 맞이하는 곳이다. 동해는 마르지도 않고 닳지도 않을 밝디밝은 바다를 말한다. "대한사람 대한으로 길이 보전하세." 우리는 애국가를 부를 때마다 이 후렴을 반드시 부른다. 나라를 뜨겁게 사랑하게 하는, 부를 때마다 우리 가슴속에 애국의 불을 지피는 가장 감동적인 문구다. 그러나 이 나라가 지금처럼 계속 간다면 대한이 존재하지 않는데 대한사람이 보존될 수는 없다. 마르지도 않고 닳지도 않게 길이 보존될 수는 더더욱 없다.

개인이든 집안이든 나라든 안에서 스스로 망할 징조를 보인 다음에야 밖에서 망하게 한다. 우리는 지금 외국에 침탈을 당한 것이 아니다. 즉 망국이 아닌 스스로 멸국의 길을 가고 있다. 지금 당장 나라를 살리는 혁명이 시작되어야 한다. 우리말에 '트다'가 있다. 싹이 트다, 동(曈)이 트다, 길을 트다, 마음을 트다. 참 좋은 말이다. 이제 다시 틔워야 한다. 사람과 나라를 살리기 위한 새 길과 새 동, 새싹과 새 마음을 틔워야 한다. 여기까지 발전해온 우리들의 나라, 우리들의 사랑 대한민국은 지금 그 싹과 동, 그 길과 마음을 트기 위한 정치혁명과 사회혁명, 정신혁명과 인간혁명이 절실하다. 그 혁명을 싹틔우지 못한다면 대한민국은 살아남지 못할 것이다. 지금까지 숱한 난관을 극복해온 우리다. 여기서 주저앉을 수는 없다. 절대로 그럴 수는 없다.[139][140]

109. '민주화 역사의 기생충'이 될 것인가

1987년 6월10일, 운명의 날이었다. 직선제 개헌을 거부한 전두환 정권은 민정당 전당대회 및 대통령 후보 지명대회를 열었다. 간선제 선거로 '체육관 대통령'을 뽑겠다며 대통령 후보로 노태우를 선출했다. 꽃가루가 쏟아지고 1만여명의 함성으로 잠실 실내체육관이 터질 듯했다. 노태우의 애창곡 '베사메무초'가 울려 퍼졌다. 같은 시각 대한성공회 대강당에서는 호헌철폐 범국민대회가 열렸다. 삼엄한 감시망을 뚫고 대회장에 모인 민주헌법쟁취국민운동본부(국본) 간부들은 소수였다. 국본은 옥외방송을 내보냈다. 비장한 목소리가 하늘로 퍼져나갔다. "우리는 민주주의를 갈망하는 국민의 이름으로 지금 이 시각 진행되고 있는 민정당의 대통령 후보 지명이 무효임을 선언한다."

그날 오후 6시, 길 위에 있던 차량들이 일제히 경적을 울렸다. 깨어난 시민들의 약속된 행동이었고 무도한 정권을 향한 경고음이었다. 도심으로 시위대가 돌진했다. 그 속에는 사무직 노동자들이 섞여 있었다. 이른바 '넥타이부대'였다. 전두환 정권은 최루탄으로 하루하루를 연명했다. 마침내 신군부 세력이 백기를 들었다. 바로 '6·29선언'이다. 그렇게 직선제 개헌을 쟁취했다.

붉고 고왔던 6월을 기억한다. 누구나 한번쯤은 최루탄 가스에 눈물을 흘렸고, 절망적인 현실에서 꿈처럼, 기적처럼 피어난 민주화의 희망에 눈물을 흘렸다. 6월 민주항쟁은 그렇게 우리 모두의 것이다. 국민들은 8차례나 직접선거를 치러 대통령을 뽑았다. 역사에 가정은 없지만 직선제를 쟁취하지 않았다면 기업인 이명박, 독재자의 딸 박근혜가 대통령이 될 수 있었겠는가. 또 국가안전기획부의 위세에 눌려 숨도 못 쉬던 검찰이 막강한 힘을 가질 수 있었겠는가. 막 검찰총장에서 물러난 윤석열이 일거에 대권을 움켜쥘 수 있었겠는가. 그래서 한국 정치는 6월 민주항쟁을 잊어서는 안 된다.

올해 6·10민주항쟁 기념식에 정부 인사들이 불참했다. 2007년 국가기념일로 제정한 이후 처음이다. 민주화운동기념사업회가 '윤석열 정권 퇴진'을 구호로 내건 행사를 후원했다는 이유 때문이다. 윤석열 정권은 시원과 근본을 팽개쳤다. 그럼에도 야권은 대수롭지 않게 지나쳤다. 언론 보도 또한 미지근했다. 이는 진영 논리에 갇혀있는 현실을 그대로 보여주고 있다. 그렇다. 우리 사회는 이처럼 '엄연히' 분열되어 있다.

속이 좁은 옹졸한 처사였다면 그나마 다행이지만 이는 윤석열 정부의 '계산된 이탈' 일 것이다. 국민의힘은 '5공화국 청산' 이후 새롭게 출발했던 민주자유당(민자당)을 이어받았다고 하지만 그 뒤에는 여전히 박정희와 전두환의 그림자가 어른거리고 있다. 끊임없이 독재자들을 끌어들여 표(민심) 관리를 해왔다. 민주당 또한 이를 부각시켜 지지자들을 결집시켰다. 지금 한국 정치는 거대 양당이 적대적 공생을 하며 1987년 체제에 머물러 있다. 과거는 흘러가지 못하고 미래는 오지 않고 있다. 정치평론가 김욱은 최근에 펴낸 <민주화 후유증>에서 적대적 공생관계를 이렇게 설명하고 있다.

"우리 사회는 민주화를 이룬 지 벌써 수십여년이 흘렀지만, 여전히 '적대적 공생' 이라는 민주화 후유증을 앓고 있다. 좀 더 명확하게 개념적으로 구체화하면, 이 '민주화 후유증' 이란 우리나라 민주화는 10여년(1987~1997)에 걸친 타협적 민주화였고, 그로 인해 냉전적 파시스트 세력과 혁명적 사회주의·공산주의 운동권 세력을 민주적인 헌법이념으로 청산 못했으며, 그 결과 그 세력들이 퇴행적·위선적인 강성 이데올로기로 민주화 이후에도 여전히 정치적 주도권을 행사함으로써 저강도의 적대적 공생체제가 무기한 연장된 채, 정상적인 민주체제의 발전이 만성적으로 저해되고 있는 사태를 의미한다."

적대적 공생체제는 서로를 공격하며 다른 세력이 끼어들 틈을 내주지 않는다. 유권자들에게 선택의 여지를 없애버린다. 지금 정치권은 여론에 떠밀려 선거제 개편을 논의하고 있다. 하지만 저들은 비례대표제를 개선한다면서 위성정당을 띄웠다. 시늉만 내고 다시 적대적 공생을 택할 가능성이 높다.

짐작건대 모든 검찰의 총구는 총선을 겨누고 있을 것이다. 이대로라면 정치권은 다시 적대적 공생을 할 것이다. 그럴 경우 윤석열 열차는 국민의힘과 민주당, 두 레일 위를 거침없이 폭주할 것이다. 김욱이 표현한 대로 '민주화 역사의 기생충' 이 될 것인가. 걸핏하면 국민들을 들먹이는 당신들에게 6월의 국민들이 묻는다.[141]

대형태극기를 앞세우고 민족민주화대성회 참석을 위해 교문을 벗어나 금남로로 향하고 있는 전남대학교 교수들. 이들 뒤를 학생들이 따르며 민주주의를 위한 구호를 외치고 있다.

전남도청 앞 광장에서는 분수대를 중심으로 2만 여명의 시민과 학생들이 모여 민족민주화대성회를 열고 대대적인 횃불행진을 벌였다.

110. 밀실 거래가 아닌 사회적 논의로

어린이 환자, 중증 응급환자들이 진료받을 곳을 찾지 못해 거리를 떠돌다 사망하는 사례들이 속속 알려지면서 대책을 요구하는 사회적 목소리도 커졌다. 특히 서울에서마저 이런 일들이 벌어지면서 정부의 위기의식도 더 커진 듯하다. 진단과 처방들이 쏟아져나오고 있지만, 결국 문제는 한 가지 이슈로 수렴 중이다. 바로 의사 인력이다. 어떻게 하면 의사들이 필수의료 분야에서, 지방 병원에서 일할 수 있게 만들 것인지가 고민이다. 그동안 채택해왔던 주된 방법은 '보상'이었다. 이를테면 필수의료 분야의 건강보험수가를 인상하거나, 지방에서 일하는 의사들의 급여를 높게 책정하는 조치가 그것이다.

하지만 이것도 한계에 다다랐다. 연봉 4억원에도 의사를 구할 수 없다는 뉴스가 화제에 오른 것이 몇년 전이었는데, 그 숫자는 5억, 6억원으로 가파르게 올라 최근에는 연봉 10억원의 채용공고가 등장했다.

이제 의사인력 확충 방안, 즉 의대입학정원을 확대하는 쪽으로 여론이 기울고 있다. 정부와 대한의사협회도 '의료현안협의체'를 통해 이 문제를 본격적으로 논의하기 시작했다. 예상대로 의료계의 반대가 거세다. 세 가지 논거가 대표적이다.

첫째, 의사가 늘어나면 국민의료비가 늘어나고 건강보험 재정이 악화된다는 것이다. 지난 수십년 동안 건강보험 저수가를 악의 축으로 지목해왔던 이들의 갑작스러운 건보 재정 우려에 당황한 사람은 나만이 아닐 것이다. 그러나 여기에도 일말의 진실은 존재한다. 현재와 같은 행위별 수가제가 그대로 유지되는 한, 의사 숫자가 늘어나고 서비스 제공량이 많아지면, 게다가 필수의료 수가를 인상하기까지 한다면 건보 재정에 부담이 될 것은 분명하다. 지불보상체계 개편 같은 의료개혁이 반드시 함께 논의되어야 하는 이유다. 둘째, 지금도 의대가 블랙홀처럼 이

공계 인재들을 흡수하는 마당에, 의대 정원이 늘어나면 이공계 공동화 현상은 더욱 심해질 것이란 우려다. 한 의사단체는 "그나마 무너지고 있는 이공계를 나락으로 빠뜨리는 결정타" 라고 표현했다. 이공계의 다른 진로를 선택하지 않고 의대에 진학해 의사가 된 것은 정작 본인들인데, 이제 와서 이공계의 미래를 걱정하는 의식의 흐름을 따라가기란 쉽지 않다. 그러나 이 또한 생각할 거리를 던져준다. 왜 의대가 블랙홀처럼 사람들을 빨아들이는가 말이다. 2020년 실태조사에 의하면, 의원급 의사의 평균 연봉은 약 2억6000만원, 병원 의사의 평균 연봉은 3억2000만원이었다. 다른 직종과의 '압도적' 격차가 줄어들지 않는다면 의대 쏠림 현상은 해결되지 않을 것이다.

셋째, 아무리 그래봤자 필수의료 전공자나 지방에서 일하는 의사는 늘어나지 않을 것이라는 자기 예언적 '호언장담' 도 존재한다. 어떻게 하라는 말인가. 수가를 높이고 연봉을 높게 책정해야 할까? 그것은 다시 문제의 처음으로 돌아가는 도돌이표. 그게 아니라면, 백약이 무효이니 현실을 그대로 받아들이라는 뜻일까? 국민들의 불안과 불만은 그대로 놔두고? 사실 아무리 급여가 높아도 매일 당직을 서고 위험을 혼자 감당해야 한다면 지속 가능하지 않다. 의사만이 아니라 다른 어떤 직종에서도 말이다. 그래서 노동강도가 높은 다른 직종, 사업장에서는 인력 확충이 중요한 과제가 된다. 만일 이런 이유로 필수의료 분야에서 일하는 의사 숫자가 적은 것이라면, 어떻게든 의사 숫자를 늘려 그들의 부담을 줄여주어야 한다.

대통령이 존경하는 미국의 경제학자 밀턴 프리드만은 일찍이 <자본주의와 자유>에서 면허를 통한 의사의 의업 독점이 자유의 침해에 해당한다는 대담한 주장을 펼쳤다. 동의하기 어려운 내용으로 가득찬 책이지만, 의사인력 충원과 관련한 현재의 논의를 보면 의사의 독점이 사회적 비용을 초래하고 있는 것만은 분명해 보인다. 이 문제는 시민들의 삶에 너무나 중요하다. 정부는 이를 독점적 공급자와의 '거래' 를 통해 결정해서는 결코 안 된다.[142)]

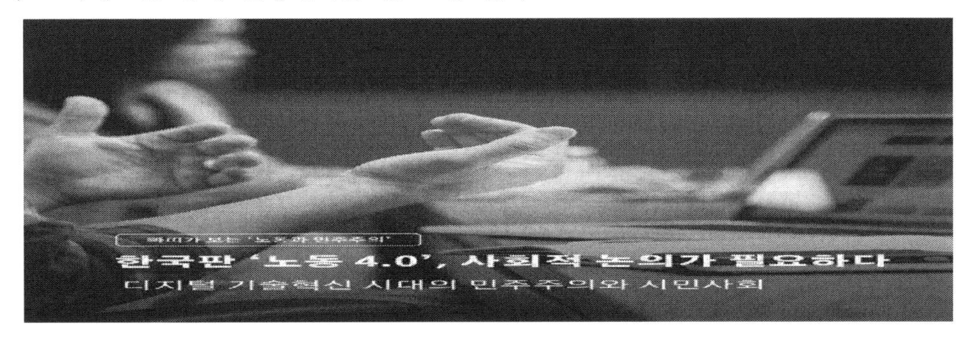

111. 균형 잃은 사회복지와 국민연금

그리스신화에 나오는 거인 키클롭스는 오디세우스의 계략에 넘어가 포도주에 취해 하나뿐인 눈을 잃고 오디세우스 일행을 놓치고 만다. 거인의 눈이 두 개였다면 오디세우스를 놓치지 않았을 것이다. 어린 새의 한쪽 날개를 묶어 자라지 못하게 하면 날개를 펴고 날려고 할 때 무슨 일이 일어날까?

얼마 전 청와대에서 열린 사회보장전략회의는 키클롭스의 실패를 떠올리게 한다. 윤석열 대통령은 '현금 복지는 제한하고, 서비스 복지는 산업으로 육성하자' 고 했다. 복지에 대한 시장중심적 관점도 문제이지만, '사회서비스는 돈이 되는 일이고, 소득보장은 돈 쓰는 일' 이라는 이분법도 이상하다. 특히 "현금 복지는 식생활 등을 스스로 해결할 수 없는 사회 최약자를 중심으로 제한적으로 제공해야 한다" 고 했다는 데 지침이 꽤 구체적이다.

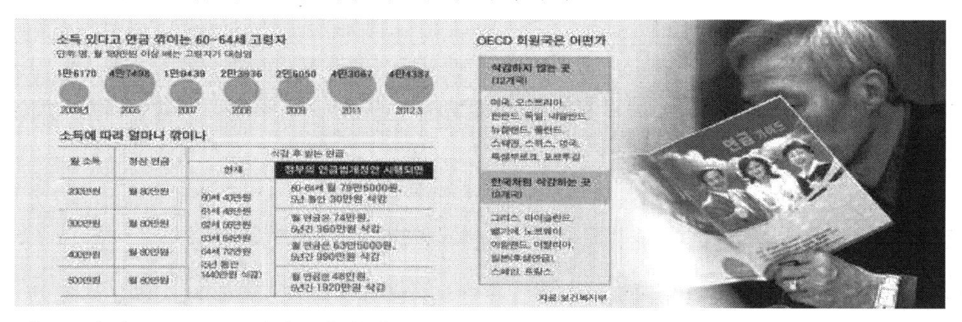

현금 복지는 소득보장을 가리키는 것 같다. 소득 보장은 산재, 장애, 실업, 질병, 은퇴와 같은 삶의 국면에서 교육, 출산, 가족돌봄 등으로 돈을 벌기 어려울 때 빈곤에 빠지지 않게 해주는 장치이다. 이러한 상황에서 소득보장을 하는 것은 시민에게 삶의 안정성을 부여해주는 장치인 것은 물론, 사회가 제대로 작동하는 데에도 꼭 필요하다.

소득보장을 통해 소득재분배도 이루어지고 빈곤도 예방된다. 자본주의 역사는 사회가 소득보장을 제대로 하지 못할 때 기능부전 상태에 빠지게 된다는 것을 보여준다. '식생활 등을 스스로 해결하지 못하는' 지경에 이르러서야 소득보장을 받을 수 있다면, 삶의 고비마다 각자 버티다 결국 빈곤해지기 쉽다. 실직하면, 은퇴하면, 가족을 돌보면, 무방비 상태로 가난해진다. 더욱이 날로 커지는 시장 불평등을 줄이는 데 복지가 별다른 역할을 하지 못한다면, 차별과 좌절감은 커진다. 이럴 때엔 아무리 복지국가라는 팻말을 내걸고 있어도 복지국가라 말할 수 없다.

이런 사회는 경제적 성취도 기대하기 어렵다. 불평등한 곳에서는 기회도 공평할 수 없다. 초고령사회에서 노인에게 적정한 소득보장을 하지 않는다면 안정적 수요 창출과 경기 순환은 어렵다. 예를 들면 사회보장전략회의에서 밝힌 대로 노인이 민간업자가 제공하는 돌봄 서비스를 능력에 따라 차등적으로 구매해야 한다면, 적정 노후 소득보장 없이는 돌봄 욕구를 제대로 충족시킬 수도 없고, 정부가 원하는 서비스산업 육성도 어렵다. 부실한 노후 소득보장은 돌봄에서의 소외와 불평등을 가중시킨다. 이른바 '선택의 자유'는 그들만의 자유가 될 것이 뻔하다.

한국 사회는 노후 소득보장의 기본을 제대로 지키지 않고 있다. 국민연금은 월평균 약 60만원에 불과하고, 보장 수준을 올리자는 주장은 '미래세대 부담론'에 가로막혀 있다. 보험료를 내고 급여를 받게 되는 국민연금 수준이 낮은 상황에서는 무기여 연금인 기초연금도 빈곤 대응이 가능한 수준으로 계속 올리기 어렵다. 이런 상황에서 노인빈곤 문제의 크기는 상당하다. 그럼에도 사회보장전략회의에서 이런 문제는 제대로 다뤄지지 않았다. 국민연금이 세대 간 연대에 기초한 제도라는 인식은 물론, 적정 노후보장이 가지는 경제적 효과에 대한 인식도 일천하다. 오히려 세대 간 공정과 재정 건전성 논리만 강조됐다. 이는 국민연금과 같은 노후 소득보장 강화를 도외시하는 데 알리바이가 될 가능성이 높다.

국민연금이라는 날개를 묶어놓는 것은 현재 청년세대의 노후 전망을 어둡게 만든다. 복지국가를 설계하며 청년세대에게 노후에도 각자도생하라고 하는 것은 예의가 아니다.

사회서비스는 수익이 창출되는 산업으로 시장에 넘기고, 소득보장은 최소수준으로 억제하는 전략으로는 '약자복지'라는 소극적 목표조차 달성하기 어렵다. 사회서비스와 소득보장이라는 두 개의 날개를 달고 어느 누구도 시야에서 놓치지 않으려는 사회보장전략이 절실하게 필요한 때이다.[143]

112. 한 달 가짜 인생을 살다

한 달간 감쪽같이 가짜 인생을 산 사람이 있다. 인공지능을 이용하니 얼마든지 가능했다고 한다. 미국 작가·감독이자 크리에이터인 카일 보바흐의 얘기다. 시작은 지난해 10월, 소셜미디어에 올릴 새 프로필 사진을 궁리할 무렵이었다. 그는 '스테이블 디퓨전' 을 쓰기로 했다. 키워드를 입력하면 안성맞춤 사진을 줄줄이 만들어내는, 이미지 생성 인공지능이다.

유명 배우 라이언 고슬링을 닮았다는 소릴 듣던 보바흐는 그와 매우 비슷한 이미지를 금세 얻었다. 고슬링에다 매컬리 컬킨을 조합시킨 결과였다. 그 사진을 인스타그램에 올리고 "지난 몇년간 찍은 사진 중 최고"라는 설명을 붙여 공유하자 가족·친구들이 모두 진짜, 실제 사진으로 믿었다. 그때부터 일사천리였다. 인공지능이 만든 가짜 얼굴이 통한다면 가짜 삶도 생성 가능한 게 아닐까. 예상은 적중했다.

그는 뉴욕 여행기 전체를 가짜 이미지로 꾸며냈다. 핼러윈 복장으로 파티에 간 것도 거짓이었다. 로스앤젤레스로 이사해 비싼 차를 사고 고급 아파트에서 여유롭게 지내는 일상생활도 공유했는데, 그는 뉴욕의 부모 집에서 지냈을 뿐이다. 나중에는 고슬링과 편하게 만나고 있는 장면까지 올렸다. 그래도 누구 하나 의심하지 않았다.

그의 가짜 인생은 결국, 스스로 그만두고 나서야 중단됐다. 처음에는 인공지능 프로그램을 재미있게 가지고 놀아볼 요량으로 시작한 일이 점점 이상한 방향으로 흘러간다는 걸 직감하고는 그간의 과정을 고백하는 영상을 찍어 유튜브에 올렸다. 결과적으로, 한 달 실험은 성공이었다. 인공지능 기술이 '믿을 수 없을 만큼 믿을 만한' 이미지를 생성해 누구든지 마음만 먹으면 가짜 인생을 사는 일이 가능해졌음을 입증한 것이다.

이제 다시, 가짜를 더 진지하고 심각하게 고민해야 할 때다. 흔히 가짜뉴스로 통칭되기도 하는 허위·조작 정보가 이미 홍수라 하는데 챗GPT가 촉발한 생성형 인공지능 시대가 급속히 닥치면서 가짜 자체는 물론이고 진짜보다 더 진짜 같은 가짜까지 넘쳐날 지경에 이르렀기 때문이다. 한마디로 기계가 만드는 거짓 정보에 직면한 시기인 것이다.

지난 수개월 동안 챗GPT를 겪어본바 많은 사람들이 인공지능의 위력을 실감하면서도 한계와 위험성을 지적했다. 문제를 주면 순식간에 기존 데이터를 매끄럽게 정리한 답을 내는 점은 일부 유용하지만 때때로 미확인 사실이나 거짓을 섞어 허무맹랑한 답변을 그럴싸하게 늘어놓는 허점을 보였다는 것이다. 세종대왕이 훈민정음 초고를 작성하다 분노해 맥북프로를 던진 사건이 조선왕조실록에 기록돼 있다고 한 챗GPT의 답변이 그 오류를 상징하는 사례로 널리 알려져 있다.

그러나 인공지능 기술은 그 수준에 머물러 있을 리 없다. 오류는 날로 줄어들고 답변은 더욱 정교해질 것이다. 그간 사실 확인 수단이던 인터넷 검색의 역할이 인공지능으로 넘어가고 있는 터라 검증이 한층 어려워질 수도 있다. 인공지능이 생성한 결과가 사실인지, 믿을 수 있는지를 판단할 사람의 몫이 커진 것이다. 보바흐는 인공지능과 함께한 작업에 대해 이렇게 말했다. “당신이 어떻게 생겼는지조차 알 수 없을 때까지, 당신의 얼굴에 대한 기계의 아이디어를 밤낮으로 응시하며 수천개의 이미지를 선별했다.” 이쯤되면 어느 쪽이 진정한 진짜일까 헷갈려진다.

밀려드는 가짜·거짓 정보를 원천봉쇄할 방법은 없어 보인다. 규제와 단속도 미치지 못할 것이다. 그렇다면 가짜를 맞닥뜨려도 속아넘어가지 않는 길밖에 없다. 인공지능은 24시간 가짜를 쏟아낸다는데 사람의 지력으로 판별해낼 수 있을까. 할 수 있고, 해야 한다는 생각부터 가져야 한다. 미 중앙정보국(CIA) 정보 분석가를 지낸 신디 오티스는 날짜·출처와 제시된 증거부터 확인하라고 했다. 그리고 나를 속이려 하는 이야기일 가능성이 높은 만큼, 말하는 이가 누구인지와 이 말을 하는 이유를 따져보라고 조언했다.

인공지능은 가짜 정보를 수월하게 만들어내고 그것이 사실이라고 계속 주장하기도 한다. 가짜 정보를 전파하고 편견을 증폭시키는 게 더 큰 문제다. 각자 입맛에 맞는 내용만 골라서 더 확실히 믿는 ‘확증 편향’에 기대는 것이다. 이를 안다면, 아무것도 믿지 않는 게 속편하겠다는 생각은 금물이다. 아무것도 진실이 아니라고 생각하게 만드는 것이 가짜 정보 유포자들이 바라는 바이기 때문이다. 인공지능이 생성하는 거짓 정보의 편향을 가리는 일 또한 중요한 과제가 됐다.[144]

113. '영장 자판기'라는 오명

함부로 항공기 문을 열려고 했던 소년이 구속되었다. 영장실질심사에 출석하기 위해 가던 길에서 만난 기자들에게는 굳이 얼굴까지 내보이며 횡설수설했다. 항공기 문을 열면 위험한지 몰랐냐고 물으니 "대한민국 권력층에게 공격받는다는 느낌을 받았다"고 했다.

피해망상이 심각하고 불안해보였지만, 판사는 구속영장을 발부했다. 18세로 나이는 어리지만, 구속해야 할 '부득이한 사유' 때문이라고 했다.

형사소송 절차를 진행하면서 구속해야 할 부득이한 사유는 널리 알려진 것처럼 증거를 인멸하거나 도망칠 염려다. 구속은 재판을 통해 실제로 죄가 있는지 없는지 따져보기도 전에 피의자, 피고인이 도망치거나 증거를 없앨 경우에 대비하는 일종의 대비책이다.

구속되면 구치소에 갇혀 신체의 자유가 제한되는 고통을 받는다. 유죄 선고로 형이 확정되기 전부터 고통이 시작된다. 사회적 평판에 금이 가고 가족관계에 위기가 오고 직장에서 쫓겨나는 등의 부가적 피해를 받는다. 피의자, 피고인 입장에서는 한꺼번에 많은 것을 잃어버리는 것이다.

재판을 앞두고 헌법과 법률이 보장하는 방어권을 행사하기도 힘들어진다. 그러니 구속은 꼭 필요한 경우에만 제한적으로 해야 한다. 바로 형사소송의 원칙이다. 구속 자체가 인권침해적 속성이 있으니 검사의 영장 청구와 법관의 영장 심사와 발부라는 이중의 안전장치를 거치도록 하고 있다.

소년은 한국으로 들어오는 항공기 안에서 소란을 피웠으니, 도망의 염려는 별로 없다고 보는 게 맞다. 불구속 상태에서 재판을 받아도 출국금지만 해놓으면 도망의 염려는 얼마든지 차단할 수 있다. 항공기 문을 열려고 했던 범죄야 자백을 한 데다 증인까지 많으니 증거인멸의 가능성은 전혀 없다. 게다가 소년법의 적용을 받는 18세 미성년자라는 점을 감안하면 구속의 필요성은 찾기 어렵다. 도망과 증거인멸의 우려 말고 내세울 만한 '부득이한 사유'는 형사소송법에 없다. 소년에 대한 구속은 신중했어야 했다.

형사소송법은 범죄의 중대성, 재범의 위험성, 피해자 및 중요 참고인 등에 대한 위해 우려 등도 중요한 표지로 꼽고 있지만, 이건 구속 사유가 아니라, 고려 대상일 뿐이다. 범죄가 중대하거나 재범의 위험이 있다고 반드시 구속을 해야 하는 것은 아니다.

검사 출신 대통령에다 검사 출신 법무부 장관까지 등장하면서 기세등등해진 검사들이 압수수색과 구속영장 청구를 남발한다는 지적이 많다. 대통령이 불편해할 수사는 전혀 진행하지 않지만, 대통령이 불편해하는 사람에 대한 수사에는 엄청난 인력을 투입해 공을 들이고 있다.

이럴 땐 수백 번의 압수수색마저 거침없다. 검사의 무분별한 영장 청구에 대한 안전장치는 법관의 통제가 유일하지만, 실제 상황에서는 제대로 작동하지 않고 있다. 압수수색이든 구속이든 형사소송을 위한 하나의 절차에 불과하지만 피의자, 피고인이 당할 고통은 유죄 선고와 다름없는 결과로 이어질 정도로 구체적이니 신중을 거듭해야 하지만, 현실은 딴판인 경우가 많다.

수사는 경찰, 기소는 검찰, 재판은 법원이 각각 나눠 맡는 형사사법 구조가 정착하면 그나마 자유민주적 기본질서에 부합할 수도 있을 것이다. 국민의 인권을 두고 서로 다른 국가기관이 옳고 그름을 따질 수 있기 때문이다. 수사기관의 과욕을 기소 기관이 걸러내고, 수사와 기소기관이 놓친 문제를 법원에서 다퉈볼 수도 있기 때문이다.

그러나 지금처럼 검찰이 수사와 기소를 동시에 틀어쥐고 사실상 형사사법 절차를 주도한다면 문제는 심각해진다. 법률에서는 진작 없어졌지만, '검사동일체' 원칙이 엄연한 상황에서 수사 검사의 결과물을 기소 검사가 걸러내는 일은 없다. 그러니 법관은 검사가 청구한 영장이 꼭 필요한 것인지 꼼꼼하게 따지며 제동을 걸어야 한다. 검사는 영장을 내주지 않으면 수사를 할 수 없다는 볼멘소리를 반복하겠지만, 그렇다고 검사의 압력에 굴복하면 안 된다. 수사를 못하는 일이 있어도 적법절차 원리는 철저하게 지켜야 한다. 바로 형사소송의 대전제다.

검사는 영장을 마구잡이식으로 청구하고, 법관은 별다른 통제 없이 영장을 기계적으로 발부하는 것은 이미 형사소송의 대전제가 상당한 정도로 무너져버렸다는 것을 확인시켜 주고 있다. 단지 어떤 사건에서 누군가 이익을 보거나 불이익을 당하는 문제가 아니라, 검사와 법관 등 법집행 공무원들이 법의 원칙을 훼손하는 일이 잦아지면, 법의 근간 자체가 허물어질 수 있다. 위험한 일이다. 적어도 '영장 자판기' 라는 비난은 듣지 않도록 법관들이 더 많이 노력해야 한다.[145]

114. 관계를 유지하는 사소한 예의

반경 5㎞ 안에 모여 살게 된 덕분에 하루가 멀다 하고 만나며 의기투합했던 친구들이 있다. 2년 전 한 친구가 미국으로 이민을 가서 허전했는데 이번에 한국에 잠시 오게 돼 오랜만에 여행을 갔다. 푸른 자연 속에서 잘 쉬다 왔는데, 여행 중 몇몇 장면의 여운 때문인지 친밀한 사람들과의 여행, 관계에 대해 잔상이 남았다.

여행은 익숙했던 일상, 관계를 다시 생각하게 하는 힘이 있다. ‘다르게 만나기’ ‘다르게 보기’가 가능한 게 여행이다. 평소에는 잘 안 보이던 것들이 보이기도 하고, 쉽게 꺼내지 못했던 이야기가 술술 나오기도 한다. 또 크건 작건 여행은 선택과 결정의 연속이다. 어디로 갈까 장소를 정할 때부터 시작된다. 지인 중 한 분은 친구들과 단톡방에서 해외여행을 어디로 갈까 의논하다가 옥신각신 의견 충돌로 포기했던 일화를 들려주었다. 아무리 친한 관계여도 식당, 카페 추천을 먼저 하는 건 꽤 용기가 필요하다. 일정과 코스를 짤 때도 보이지 않는 신경전을 피하기 어렵다. 그래서 여행은 ‘친밀한 관계의 시험대’가 되기도 한다. 여행을 통해 더 돈독해지기도 하지만 가끔은 그 반대도 생긴다. 이런 이유로 친밀한 관계일수록 여행도 연습이 필요하고, 무언의 약속, 규칙 같은 것들이 필요하다.

내 경험으로 가장 유익했던 방법 중 하나는 ‘따로 또 같이’를 유지하는 거다. 일정이 길든 짧든 이 방법은 꽤 유효하다. 쇼핑은 하고 싶은 사람끼리, 각자 체력에 맞춰 걷고 싶은 만큼 걷기, 아침밥은 먹고 싶은 사람만 먹기 등. 이럴 거면 왜 같이 가냐 반문할 수 있겠지만 몇번 해보니 확실히 덜 피곤하고 만족도가 높았다. 이번 여행에서도 숲길을 걸었을 때 발목이 부실한 나는 중간까지만 걷고 혼자 먼저 내려왔다. 이미 이런 방식에 익숙해 있었기에 전혀 이상하지 않았다. 가족들과도 마찬가지다. 라이프스타일이 너무 다른 아들과 단둘이 여행을 갈 때면 방도 따로, 오전 일정은 각자 하는 식이다. 잔소리할 일도 없고 서로 리듬을 유지하면서 세상 편하고 좋았다.

이십년, 삼십년 오래된 친구들 간에도 각자의 처지, 환경에 대한 차이로 가끔씩 미묘한 기류가 흐를 수 있다. 퇴직한 사람, 대출에 허덕이는 사람, 부모 돌봄으로 늘 좌불안석인 사람, 만성질환으로 힘들어하는 사람, 자식 문제로 애간장을 태우는 사람 등. 평상시와는 달리 여행이라는 시공간에서는 이런 민감한 이야기도 술술 나오기 쉽다. 어찌 보면 아킬레스건에 해당되는 이런 얘기가 나왔을 때는 그저 말없이 대나무숲이 되어주는 게 최고의 지혜다. 어설픈 충고는 금지다. 이번에 이걸 잠시 망각하고 사족을 달려다 한 친구를 서운하게 했다. 돌아와서 내내 찜찜했다.

건강과 행복, 삶의 만족도에 가장 중요한 요소는 양질의 사회적 관계다. 노년에 가까울수록 가장 중요한 인물은 멀리 사는 형제보다 가까운 친구들일 수 있다. 그렇지만 우리 모두 불완전한 인간들이기에 익숙함, 친밀함에서 오는 리스크도 늘 따라다닌다. 친밀한 관계일지라도 한 번씩 자신만의 동굴에서 안 나오고 싶고, 명랑한 척하느라 힘들 때가 있다. 그럴 땐 적당한 거리와 시간이 특효약이다. 좋은 관계를 유지하며 산다는 건 늘 시시콜콜해 보이는 훈련과 예의를 쌓아가는 과정이 아닐까?[146]

건강(健康)은 몸이나 정신에 아무 탈이 없이 튼튼함이며, 행복(幸福)은 생활에서 기쁨과 만족감을 느껴 흐뭇한 상태이다.

삶은 태어나서 죽기에 이르는 동안 사는 일이다. 흔히 사회적 조건 따위가 규정하는, 사람이 일상적으로 살아가는 모습이나 형편이며, 태어나서 죽기에 이르는 동안 하나의 개체가 행하거나 겪는 의미 있는 일들의 전체이다.

115. 모기와 평화 협정 맺기

“모기하고 싸워서 졌다….”, “난 이기는 중이야. 언니도 힘내!” 알레르기가 심한 우리 가족은 모기 알레르기를 여름마다 겪는다. 모기는 다른 동물의 피를 흡입할 때 대상의 피부 안에 자신의 타액을 주입한다. 통증을 못 느끼도록 하는 마취제이자 피가 응고되지 않도록 하는 역할을 한다. 이 성분이 알레르기를 일으키는 것이다. 모기에 물린 부위가 빨갛게 부어오르고 물집이 생기기도 하며 1~2주가 지나도 가라앉지 않는다.

여름철 알레르기 연고는 상비약이다. 밤낮 가릴 것 없이 연고를 손 닿는 곳에 두고 모기에게 물렸다 하면 바로 바른다. 하지만 나는 최근 모기와의 싸움에서 졌다. 연고를 발랐는데도 차도가 없어 얼른 병원으로 가 주사를 맞고 약을 처방받았다. 그냥 내 피만 뽑아가면 될 것이지 꼭 이렇게 알레르기까지 나타나게 해야 속이 후련했냐고 모기에게 소리치고 싶다. 환절기 온도 차나 먼지, 햇빛에도 알레르기 반응이 나타나지만 모기 알레르기가 유독 두려운 건 여름내 언제 어디서 모기와 맞닥뜨릴지 모른다는 것이다.

나는 벌레를 엄청 무서워한다. 특히 날벌레는 날갯소리만 들어도 무섭다. 날벌레가 어느 방향으로 사라지고 나타나는지 내 시야에서 확인되지 않을 때 불안감이 엄습해 온다. 그런데 나는 왜 벌레를 무서워하는 것일까? 곰곰이 생각해보면 모기 알레르기가 있긴 하지만 다른 벌레 때문에 피해 본 일은 없는 것 같다. 역시 모기 이 녀석들…!

프라우케 피셔와 힐케 오버한스베르크의 <모기가 우리한테 해 준 게 뭔데? -절박하고도 유쾌한 생물 다양성 보고서>는 말 그대로 모기가 우리에게 해 준 게 무엇이 있는지 얘기해준다. 수분(受粉)은 곤충, 새, 바람을 통해 이뤄진다. 세상의 꽃 모양은 다 다르므로 최대한 다종다양한 수분자가 있어야 하지만, 위대한 수분자, 벌의 개체 수는 줄어들고 있고 자연적인 수분이 불가능해져 바닐라꽃처럼 인간이 직접 수분하는 식물 개체가 늘고 있다. 여기서 모기가 활약을 한다. 좀모기과는 카카오꽃의 유일한 수분자다. 카카오꽃은 너무 작고 구조가 복잡해서 3㎜를 넘지 않는 좀모기과만이 수분할 수 있다. 그러니까 좀모기과가 없다면 우리는 세상 모든 초콜릿을 먹을 수 없다. 이쯤 되면 초콜릿 없이 살 수 없는 나는 모기와의 평화 협정을 준비해야 겠다.

러브버그(Plecia Nearctica)는 1cm 크기가 조금 안 되는 파리과 곤충이다. 러브버그는 각 더듬이에 7~12개의 마디가 있고, 몸 대부분은 검은색을 띠고 있다. 흉부 상단은 주황색 또는 빨간색을 하고 있으며, 성충이 된 러브버그는 번식을 위해 교미를 준비하는데, 수컷이 먼저 나타나 암컷이 나타날 때까지 주위를 맴도는 특징이 있다.

지난해에 이어 올해도 서울 은평구를 중심으로 '러브버그'가 나타나고 있다. 집 안이며 카페, 야외에 퍼진 러브버그 사진만 봐도 무섭다. 그것도 암수 두 마리가 쌍으로 다니다니 공포감이 2배다. 러브버그의 애벌레는 토양을 비옥하게 만들고 성충은 수분도 하는 등 생태계에 긍정적인 영향을 끼치는 벌레라 하니 무차별적 방충을 할 수도 없다고 한다.

어릴 때 아빠를 따라 옥상에 올라가 화분마다 물을 주었다. 한 날은 거미가 열심히 지어 놓은 거미집을 끊으며 놀고 있었는데 아빠는 거미가 있어야 모기도 잡을 수 있다고, 식물에 나쁜 영향도 끼치지 않으니 거미줄을 끊지 말라고 말했다. 어떤 벌레가 해충인지 익충인지 구분하는 것은 너무나도 인간 중심적인 사고다. 벌레가 무섭기는 해도 우리는 같은 생태계의 구성원으로서 모기와 또 다른 벌레와, 동식물과 공존을 위한 평화의 길을 찾아야 할 것이다.[147)]

116. 재현의 권력과 권력의 재현

일어났던 일을 남김없이 기록한다고 해서 그대로 '역사'가 되는 것은 아니다. 누가 언제 어떤 입장에서 서술하는가에 따라 서로 대립하는 여러 관점의 이야기들이 있을 따름이다. 그러하므로 '있었던 그대로의 역사'는 일종의 환상일지도 모른다. 머릿속에 떠오르는 생각을 낱낱이 쓴다고 해서 내가 하고 싶은 말이 온전히 재현되는 것도 아니다.

재현의 근본적 불가능성 같은 철학적 명제를 얘기하려는 것은 아니다. 내가 어떤 정치적 맥락에 놓여 있는가에 따라 할 수 있는 말과 할 수 없는 말이 결정됨을 얘기하고자 함이다. 강자의 언어와 약자의 언어는 결코 같은 힘을 갖지 않는다. 강자의 말이 위에서 아래로 흐를 때, 때로 그것은 분수처럼 흩어지며 최초에 의도하지도 않았던 파급효과까지도 가져온다. 약자의 말은 아래에서 위로 치솟지 못하고 입속으로 삼켜지거나 스러진다.

경제학 교과서에서는 정보를 많이 가진 쪽이 그렇지 못한 쪽에 대해 권력을 행사할 수 있다고 가르친다. 그런데 현실에서는 권력을 가진 쪽으로 정보가 흘러가며, 실제로 정보를 많이 가지고 있는가와 무관하게 많이 가지고 있는 것으로 인정된다. 역사적으로 시대와 장소를 불문하고 수많은 독재자들이 '현지지도'나 '교시', 심지어는 그에 만족하지 않고 어록이나 철학적 저술까지 남기려 했고 남길 수 있었던 까닭이다.

수능시험에서 킬러 문제를 배제해야 한다는 권력의 언어가 내뱉어지자 그 권력 사다리의 아래쪽에선 "문제 해결 과정에 상당한 시간이 요구되거나 실수를 유발"한다거나 "상당히 고차원적 접근방식을 요구"한다는 등의 정의가 만들어진다. 취미모임의 회칙으로서도 추상적이고 엉성한 것들이지만, 내겐 그 문장을 붙들고 모니터 앞에 앉아 야근했을지도 모를 어느 공무원의 퀭한 눈빛이 먼저 떠오른다. 인터넷엔 벌써 간단한 나눗셈으로 풀 수 있는 초등 수학문제를 엉뚱한 이차방정식으로 만들어 푼 다음 초등수학 킬러 문제라며 비아냥대는 패러디가 돌아다닌다. 학생들을 성적순으로 촘촘히 줄 세우지 말자던 이른바 '진보'는 킬러 문제가 필요한 듯 주장하고, 변별을 통한 교육의 수월성과 자유경쟁의 원리를 그토록 강조하던 이른바 '보수'는 어느새 사교육 분쇄에 목숨이라도 건 듯 행동한다.

킬러 문항 색출을 위한 위원회 구성이란 모든 객관식 문제에는 반드시 하나의 답이 있다고 믿는 사고구조만큼이나 단편적인 논리의 결과물이다. 드라마나 예능 프로그램의 주역으로까지 등장했던 일타강사들은 공공의 적이 된다. 1980년대 이후 출생이 대부분인 그들을 좌파 운동권세력이라 몰아붙이는 시간 착오에서 비극은 희극으로 바뀐다. 사슴을 가리켜 말이라 하는 고사성어에나 나오던 일화가 현실에서 재현되는 이 시대, 이 분수효과의 끝이 어디일지는 가늠하기조차 어렵다.

문제는 수능만이 아니라 거의 모든 영역, 정확하게 말하자면 권력이 선별적으로 규정하는 모든 영역에서 비슷한 일들이 일어나고 있다는 것이다. 기준금리는 올라도 금융감독자의 말 한마디로 은행금리는 내리고, 고위 경제 관료의 발언에 라면이나 과자 가격이 일부지만 실제로 내려가도, 자유시장의 원리를 외치던 그 많은 경제학자들은 어디로 갔는지 보이지 않는다. 2017년 대통령선거에서 좌우를 가리지 않고 대다수 유력후보들은 최저임금을 1만원으로 인상하겠다고 공약했다. 그러나 막상 문재인 정부에서 최저임금 인상을 결정했을 때 대선 당시 똑같은 공약을 만들거나 적어도 묵인했던 다른 후보 캠프의 경제학자들은 앞장서서 시장논리 침해라며 공격했다. 지금은 그들조차 명백한 시장논리 침해에 침묵하고 있다. 경제학적 의미에서 카르텔이라 부를 근거가 별로 없는 일타강사들의 고소득에 대한 공격에 앞장선 한 보수언론이 앞서 종합부동산세나 법인세 인상 등에 맞서 부자에 대한 증오를 거두라고 일갈했다는 사실 또한 마찬가지일 것이다.

역사발전에 그나마 법칙이라 부를 수 있는 것이 존재한다면, 인간의 자유가 확대되는 방향으로 변화해간다는 것일 것이다. 밀턴 프리드먼의 이념적 할아버지쯤 되는 프리드리히 폰 비저가 최근 한국에서도 번역된 <권력의 법칙>에서 주장한 내용이다. 그렇지만 누구의, 무엇을 위한 자유인가는 추상적 구호로서가 아니라 구체적인 영역에서 구체적으로 결정되는 것이다. 당장에는 그러한 결정을 독점한 것처럼 보이는 그 소수가 결국에는 어떤 식으로건 대가를 치르게 된다는 것, 그때쯤이면 권력의 재현은 지속되지 않는다는 것, 바로 그것이 재현의 권력을 지닌 이들에게 줄 수 있는 충고이다.[148]

117. 차라리 '인류애' 라고 해라

국익(國益)의 뜻은 '나라의 이익' 이다. '나라' 는 뭘까. 사전에는 "영토와 사람들로 구성되고, 주권을 통한 하나의 통치 조직을 가진 집단" 이라고 쓰여 있다. 요컨대 국민과 영토, 주권이라는 3요소로 나라는 이뤄진다. 나라와 국익 얘기를 꺼내는 것은 후쿠시마 원자력발전소에서 생긴 오염수를 바다에 방류하려는 일본 정부의 움직임과 관련이 있어서다.

오염수는 어떤 식으로든 한국의 국익에 도움을 주지 않는다. 오염수를 방류하지 않으면 한국 국익이 보존될 뿐이고, 방류하면 국익은 훼손된다. 여기서 말하는 국익은 '국민의 건강' 이다. 이런 관점에서라면 오염수 방류는 반드시 막아야 할 일이다.

반면 미량의 방사능은 국민 건강에 큰 영향을 끼치지 않으니 설사 일본 정부가 오염수를 방류해도 국익은 훼손되지 않는다고 보는 시각도 있다. 엄청나게 많은 태평양 바닷물에 섞일 오염수를 두고 호들갑을 떨지 말라는 주장이다. 하지만 국제방사선방호위원회(ICRP)가 1977년 제기한 '알라라(ALARA) 원칙' 을 보면 이런 주장에 의문이 생긴다.

알라라 원칙은 한국과 일본을 포함한 전 세계 원자력 규제기관이 따르는 국제 규칙이다. 알라라 원칙의 핵심은 '합리적으로 달성 가능한 한 피폭량을 낮게 유지하라' 는 것이다. 한마디로 피할 수 있는 방사능은 무조건 피하는 게 좋다는 뜻이다. 컴퓨터단층촬영(CT) 같은 꼭 필요한 상황을 빼놓고는 미량이라고 해서 쪼여도 '괜찮은' 방사능 같은 것은 없다는 의미이다.

그런데도 정부와 여당이 오염수에 대해 큰 문제 없을 것이라는 식의 태도를 보이는 이유는 뭘까. 한·일관계 개선을 염두에 뒀기 때문일 가능성이 커 보인다. 북핵이나 경제 문제에서 협력하려면 일본 정부가 사활을 걸고 있는 오염수 방류를 반대해서는 곤란하다. 게다가 미국은 대중국 전략 차원에서 한·일관계의 복원을 원한다.

하지만 이런 외교적인 목적이 달성된 뒤에도 한번 방류가 시작된 오염수는 멈추지 않고 계속 바다로 나갈 것이라는 게 문제다. 일본 정부 계획으로도 오염수는 30년간 방류된다. 국내 일부 전문가들은 금세기 말까지도 방류가 이어질 수 있다고 본다. 2023년의 국제 정세에 대응하려는 현세대가 정책 결정에 전혀 참여하지 못한 미래세대에게 "방사능이 미량 섞인 바닷물은 건강에 큰 문제가 없으니 안심하라" 고 말할 권리가 있는지 의문이다.

오염수 방류가 해도 될 법한 일이라는 판단이 든다면 "괴담을 퍼뜨리지 말라" 고 할 게 아니다. 차라리 일본에 '인류애' 를 발휘해야 한다고 주장하는 게 낫다. 일본이 곤란한 일을 겪고 있으니 오염수 방류를 이해해 주자고 국민을 설득하는 게 명쾌하다. 그게 '괴담' 이란 표현을 써가며 오염수 방류를 걱정하는 사람들을 조롱하는 것보다 바람직하다.

나라의 3요소는 국민과 영토, 주권이라고 했다. 오염수가 '국민' 의 건강을 해칠 가능성이 발생했다. 영해 개념을 포괄하는 '영토' 가 방사성 물질을 품게 될 수도 있다. 이런 상황에 '주권' 을 위임받은 정부가 "이 정도 방사능은 괜찮다" 고 말하는 게 온당한지 돌이켜볼 일이다.[149]

중국과 일본 정부가 후쿠시마 제1원자력발전소 오염수(일본 정부 명칭 '처리수') 해양 방류에 관한 전문가 협의를 내년 조기에 개최하는 방향으로 조율하고 있다고 마이니치신문이 31일 보도했다.

중일 전문가 협의에는 일본 측에서는 원자력규제청 직원 등이, 중국 측에서는 관련 부처 직원이 각각 참가할 것으로 알려졌다.

양국 전문가는 상호 방문이나 온라인 회의 등을 통해 협의를 진행할 계획이다.

마이니치는 "양국이 해양 방류의 안전성에 관한 입장차를 좁히고 중국의 일본산 수산물 수입 재개 등 문제 해결로 이어질 수 있을지가 초점"이라고 전했다.

앞서 기시다 후미오 일본 총리와 시진핑 중국 국가주석은 지난달 열린 정상회담에서 오염수 방류에 관해 서로 입장차가 있다고 인식하면서 전문가가 참여하는 논의를 시작하는 쪽으로 뜻을 모았다.

기시다 총리는 이 회담에서 오염수 해양 방류에 따른 중국 측 대응 조치인 수산물 수입 금지를 즉시 철회해 달라고 요구했다.[150]

118. 내면이 단단한 어른, 몸만 큰 어린아이

올해 초 '제1회 미래와 인구전략 포럼'에서는 만 18세 이상의 국민들을 대상으로 자신이 완전한 성인임을 자각하는 정도를 묻는 설문조사 결과가 발표되었다. 그 결과 성인기를 코앞에 둔 18세의 경우 10%, 법적으로 완벽한 성인인 20세와 25세의 경우 각각 24%와 35%만이 자신이 성인임을 완벽하게 자각하고 있다고 대답했다.

더욱 놀라운 것은 30세가 되어서도 그 비율이 56%에 불과했다는 점이다. 법적 성인으로 인정받고 10년이 지나도 절반에 달하는 이들이 스스로가 성인이라고 자각하지 못하는 경우가 많다는 것이다. 이미 육체적으로는 충분히 성숙했음에도 불구하고, 왜 이토록 많은 이들이 스스로가 아직 '덜 자란' 상태라고 여기는 것인가.

인간의 성장 과정은 연속적이나, 발달은 단계적이다. 시간이 지나면 어린아이의 몸은 시나브로 어른의 몸으로 바뀌지만, 그 내면까지 저절로 바뀌는 것은 아니다. 그러므로 어린아이가 어른으로 제대로 성장하기 위해서는 일종의 과도기를 거쳐야 한다. 이 시기를 얼마나 충실하게 거쳤는지에 따라 내면이 단단한 어른이 될지, 몸만 큰 어린아이로 남을지가 결정되는데, 과도기의 특성이 다소 과격하다. 무모하고 저돌적이며, 무신경하고 이기적이면서도, 예민하고 극단적이기 때문이다. 도무지 생존에는 도움이 되지 않을 것 같은 이러한 특성들이 왜 어린아이가 어른으로 변모하는 중요한 시기의 특징으로 자리매김되었을까.

진화생물학자 바버라 호로위츠는 과학저널리스트인 캐스린 바워스와 함께 저술한 〈와일드 후드〉를 통해 성체가 되기 전에 겪는 좌충우돌의 성장 진통은 사람뿐 아니라 모든 동물들에게 나타나는 현상이라고 말한다. 펭귄과 여우원숭이와 해달과 박쥐와 앵무새들이 천적 근처에서 일부러 얼쩡거리거나 별것 아닌 작은 신호에 호들갑을 떠는 거의 유일한 시기가 바로 이때인 것이다. 이에 저자들은 한 개체가 오롯이 성장해 성체로서의 삶을 독립적으로 이어가기 위해서는 4가지 과제를 성공적으로 수행할 수 있어야 하는데, 성체가 되기 전 시기는 이 과제를 처음 맞닥뜨리는 시기라 낯설기 때문이라고 말한다.

오롯한 성체가 되기 위해 습득해야 하는 4가지 과제는 안전, 지위, 성적 소통, 자립이다. 성체는 무릇 자신의 몸을 스스로 돌보고 지킬 수 있어야 하며, 자신에게 주어진 사회적 지위에 적응해 제 역할을 수행해야 하며, 성적 욕구를 적절히 통제하면서 상대와 소통할 수 있어야 하고, 생존을 보장할 수 있는 자원을 스스로 구할 수 있어야 한다. 어린 개체와 성체를 구분할 수 있는 가장 큰 기준은 바로 이 4가지 과제를 수행할 수 있느냐는 것이다.

어린 시절에는 이런 책임으로부터 면제되지만, 10대 혹은 '준성년기' 에 들어선 개체들에게는 더 이상 이런 유예가 허락되지 않는다. 그래서 10대는 충동적이고 무모하다. 눈앞에 놓인 과제들은 난생처음 겪는 일이다. 이때 주어진 과제를 피하려는 이와 어떻게든 맞부딪쳐 해결하려는 개체가 있다면, 다소 위험성은 있어도 후자 쪽이 성공적인 어른으로 변모할 가능성이 더 높다.

그래서 준성체에게 있어 무모함이란 불확실한 두려움에 맞서는 용기의 극단적인 표현형이며, 성체로서의 성공적인 이행을 위한 리스크를 감수하는 투자 전략인 셈이다. 또한 그래서 10대는 예민하고 음울하다. 모든 신호가 불확실하기에, 모든 신호에 날을 세워 수신하고 일단은 부정적인 것으로 해석하여 회피하는 것이 생존에 조금 더 유리하기 때문이다.

진화론적인 관점에서 본다면, 10대의 좌충우돌과 극단성은 개인의 일시적 안녕에는 부정적이지만, 집단의 장기적 존속에는 오히려 유리한 행동일 수 있다. 그래서 이를 충분히 겪어내는 과정은 더 단단한 내면을 지닌 어른으로 성장하는 바탕이 될 수 있다. 하지만 우리 사회는 이들이 스스로의 과제를 수행할 수 있도록 충분히 부딪치고, 충분히 좌절하고 다시 회복할 때까지 너그럽게 기다려주는 데 인색하다. 그렇게 성인기의 과업을 수행하기 위한 연습은 부족한 채, 몸만 자란 이들은 스스로를 어른으로 인식하는 것이 낯설 수밖에 없다. 그렇게 성숙한 어른들의 수가 줄어든 사회가 과연 성숙한 사회의 풍모를 유지할 수 있을까.[151]

119. '쇼를 하라'

2007년 '똑같은 걸 하느니 차라리 죽지' 라는 다소 도발적인 카피를 내세운 텔레비전 광고가 있었다. 끊임없는 변화로 이동통신의 지각변동을 꿈꾸는 기업과 건강한 상호 소통적 메시지를 경쾌하면서도 파격적으로 풀어낸 백남준의 예술과 버무린 한 통신회사의 '쇼(SHOW)를 하라' 이다. 이 광고에는 3D작업으로 부활한 고 백남준을 비롯해 '물고기 하늘을 날다' 등의 작품들 속에서 다양한 퍼포먼스를 벌이는 생전의 모습이 담겼다. 1003개의 모니터로 구성된 '다다익선' 을 포함해 권위에의 저항 및 모든 격식에 대한 도전을 상징하는 '피아노 부수기(총체 피아노)' 와 같은 전위예술 역시 주요 장면으로 삽입됐다. 이 중 시청각을 넘어 감각까지도 경험할 수 있도록 한 '피아노 부수기' 는 도래할 영상시대의 다면성을 반영하는 장치였다. '파괴를 통한 창조' 라는 백남준의 예술행위를 빌려와 기존 이동통신시대의 종언을 고하고 다른 차원의 세계가 열렸음을 알리기 위한 도구이기도 했다.

'쇼를 하라' 는 부정적인 이미지를 지닌 단어인 '쇼' 를 혁신이라는 지향가치와 새로운 영상의 세기를 예고하는 브랜드 이름으로 사용한 역발상으로 많은 이들의 주목을 받았다. 백남준의 행위예술 중에도 '쇼' 로 비춰지는 퍼포먼스가 적지 않았으니 맥락도 잘 맞았다. 실제로 백남준은 1998년 백악관 인턴 르윈스키와의 성추문으로 곤혹을 치르던 빌 클린턴 미국 대통령 앞에서 바지를 내리는 해프닝을 벌였으며, 1984년엔 미국 뉴욕과 프랑스 파리를 실시간으로 연결해 전 세계인과 교류한 최초의 인공위성 생중계 쇼인 '굿모닝 미스터 오웰' 등을 선보였다. 이밖에도 공연 중 느닷없이 남의 넥타이를 가위로 잘라버리기 등의 기행도 숱했다. 독창성을 담보한 그의 '쇼' 는 다다(DADA)와 플럭서스(Fluxus)를 계승한 백남준의 철학을 대리하는 다원주의적 예술이었다. 빼어난 상상력으로 건강한 미래를 견인하는 한편, 유익한 '충격' 을 선사하는 이벤트로의 역할도 맡았다. 일본의 입장을 대변하는 국민의힘 의원들의 '생쇼' 가 빚은 충격이 있기 전까진 그랬다.

지난 6월부터 국민의힘 의원들은 '릴레이 횟집 회식' 을 진행하고 있다. 일본 후쿠시마 원전 오염수 방류에 따른 국민 불안감을 해소하고, 문제가 없다는 것을 직접 보여주겠다는 취지다. 같은 달 30일에는 횟감 생선이 들어 있는 노량진 수산시장 수조물을 떠 마시는 괴기스러운 광경까지 연출했다. 그야말로 국민을 개·돼지로 여기지 않는 한 실행 불가능한 '쇼'의 극치, 한심한 작태였다.

수산시장을 찾아 생선을 구입한 후 카메라 앞에서 함지박만 한 쌈을 입에 구겨 넣거나 오염수를 방류하기 전의 수조물을 마시는 국민의힘 일부 의원들의 '시음쇼'는 보는 이들의 속을 메스껍게 만들었다. '한국 총독부'도 아니건만 일본 정부가 적극 해명해야 할 일을 앞장서서 증명하려는 그들의 행태는 분노를 유발했다. 후쿠시마 바닷물을 들이켤 용기는 없으면서도 어떻게든 튀기 위한 몸부림에선 '윤심'을 향한 측은한 읍소마저 읽힌다. 그렇게 일본의 국익을 우선한 채 우리 국민의 희생을 강요하고 싶다면 차라리 일본으로 귀화해 출마를 하지 왜 대한민국에 기생하며 세금을 축내고 있는지 모를 일이다.

방사능 오염수 방류 문제는 '쇼'의 대상이 될 수 없다. 국민의 생명과 국가의 앞날이 걸린 중대 사안이다. 떼로 몰려다니며 회와 수조물을 먹는다고 시민들의 불안감이 해소되지도 않는다. 국회의원이 할 일이란 방류를 막거나 정말 문제는 없는지 꼼꼼하게 검증하고 확인해주는 것이다. 혐오스러운 '먹방' 코미디로 예술보다 더한 충격을 주는 '쇼' 따위가 아니라.[152]

방사능 오염수(放射能汚染水)는 원자력 발전소나 핵시설에서 발생하는 방사성 물질이 물과 접촉하여 생성되는 물을 말한다. 이러한 물은 방사성 물질이 물에 녹아들어 있는 상태로, 인류와 환경에 중대한 위험을 안고 있다.

방사능 오염수의 발생 원인은 원자력 발전소나 핵시설에서는 핵분열 과정이 진행될 때 방사성 물질이 생성된다. 이러한 물질은 원자력 발전소의 냉각재로 사용되는 물과 접촉하거나, 지하수와 같은 다양한 방법으로 물과 접촉하게 된다. 그 결과 방사성 물질이 물에 녹아들어 방사능 오염수가 생성되는 것이다.

방사능 오염수는 인체 건강에 심각한 위험을 안고 있다. 방사능은 인체 세포에 손상을 줄 수 있으며, 오랜 기간 동안 노출될 경우 암 발생 가능성을 증가시킬 수 있다. 또한, 방사능 물질이 해양 생태계에 유출될 경우 수중 생물에 영향을 미치며 생태계 균형을 깨뜨릴 수 있다.

120. 국민 여러분, 아프면 큰일 나요

대한민국 의료체계가 붕괴하는 조짐이 점점 더 뚜렷해지고 있다. '응급실 뺑뺑이'와 소아과 진료대란이 계속되는 가운데 이번에는 조기 진통으로 병원을 찾은 임신 9개월 산모가 미숙아를 받아주겠다는 병원이 없어 1시간 이상 분만이 늦어지는 일이 벌어졌다. 그것도 수도권에서 일어난 일이다. 소방방재청 자료에 따르면 이 같은 응급실 뺑뺑이는 지난해에만 약 8200건 발생했으며, 지난 5년 동안 1.6배 늘었다. 안타깝게도 이런 사건은 적어도 앞으로 몇년 동안 계속 늘어날 가능성이 크다. 의사 수가 절대적으로 부족한 상태에서 지난 10여년간 간신히 버텨온 응급환자와 중환자 진료체계가 최근 대학병원과 종합병원 의사들이 동네 병·의원으로 대거 빠져나가면서 급격하게 무너지고 있기 때문이다.

지금 당장 의대 정원을 늘린다고 해도 배출되기까지 10년 넘게 걸리니 당장 의료체계가 붕괴하는 것을 막기 어렵다. 최근 의사들이 대학병원과 종합병원을 그만두고 동네 병·의원으로 썰물처럼 빠져나가는 근본적인 원인이 기형적인 의료체계에 있으니 해결하기 쉽지 않은 것이다. 이제까지 의사와 병원이 반대하는 정책은 아무리 시급하고 중요한 일이라 해도 해본 적이 거의 없고, 땜질식 처방으로 문제를 덮는 데 익숙한 보건복지부가 과연 의료체계의 판을 새로 짜려고 할까 의문이다.

의사가 부족한 상태에서 아슬아슬하게 버텨 온 응급환자와 중환자 진료체계에 회복 불능의 치명타를 날리는 것이 비급여 진료다. 지난 정부에서 동네 병·의원은 도수치료와 피부미용, 초음파 검사, 건강검진 같은 비급여 진료를 크게 늘렸다. 비싼 비급여 진료가 늘면서 동네 병·의원 의사 수입은 대학병원과 종합병원 의사 월급의 거의 2배가 되었다. 대학병원 교수라는 사회적 지위만으로는 연봉이 2억원 더 많고 워라밸이 더 좋은 동네 병·의원으로 의사들이 빠져나가는 것을 막기엔 역부족이다. 지난 5년간 동네 병·의원 의사는 6500명 넘게 늘어난 반면 대학병원과 큰 종합병원 의사 수는 거의 늘지 않았다.

복지부는 지난 수십년 동안 비급여 진료를 방치했다. 선진국 의사들은 의학적 근거가 없어 거의 하지 않는 비급여 검사와 치료를 동네 병·의원들이 남용해도 관리하지 않았다. 같은 비급여 검사와 치료를 해놓고도 다른 병원에 비해 진료비를 몇배씩 더 받는 것도 방치했다. 비급여 진료가 폭발적으로 늘어도 관리할 방법이 없는 '이상한' 실손보험도 문제다. 그 결과 동네 병·의원에서는 환자에게 "실손보험 있으시죠?"라고 묻고 비급여 진료로 돈을 버는 게 아무렇지도 않은 일이 돼 버렸다.

의사와 병원에 유리하면 규제하고 의사와 병원에 불리하면 필요한 규제도 하지 않는 뒤틀린 의료제도 역시 의사 부족 문제를 악화시킨다. 응급의료법은 응급의학과 전문의만 응급센터 전담전문의가 될 수 있도록 제한하고 있는데 최근 개원하는 응급의학과 전문의가 늘면서 응급실에 의사가 부족해지고 응급실 뺑뺑이는 늘고 있다.

병원이 자유롭게 병상을 늘리고 진료 범위를 정할 수 있게 허용하면서 의사 수는 자유롭게 늘리지 못하는 것도 문제다. 심장병을 진료하는 병원이 환자 수요에 비해 3배 더 많다보니 심장병을 진료하는 의사는 분산되고, 많은 병원이 24시간 365일 심장병 응급환자를 진료하지 못하고 있다. 응급의학과 의사가 동네 의원을 개원할 수 있으면 다른 과 의사도 응급실 전담전문의로 인정해주는 게 맞다. 병원이 자유롭게 병상을 늘리고 진료 범위를 정할 수 있게 허용해줬으면 의대 정원도 자유롭게 늘릴 수 있도록 허용해주는 게 맞다.

의사와 병원 말만 듣고 엉뚱한 대책을 남발하는 복지부의 무능력도 의사 부족 문제를 악화시키고 있다. 응급환자 수가 미국의 3분의 1, 영국의 2분의 1에 불과하고 경증환자가 외국에 비해 많은 것도 아닌데, 의사들 말만 듣고 응급실 뺑뺑이 문제를 대학병원 응급실을 찾는 경증환자 탓으로 돌리는 것이 대표적인 예이다. 응급실 뺑뺑이의 진짜 원인은 미국의 3분의 1밖에 되지 않는 응급실 의사 수와 대학병원이 가진 의사와 병상의 80% 이상을 외래를 통해 입원한, 응급하지도 않고 중증도 아닌 환자를 보는 데 쓰는 병원에 있다. 응급실 전문의 수를 늘리고 응급환자 수에 비례해 병상을 배정하고 응급수술을 할 당직 의사를 배치하는 게 응급실 뺑뺑이의 진짜 해결책이다.

아직 시간은 있다. 수습할 수 없을 정도로 붕괴하기 전에 의료체계를 전면 개편해야 한다. 복지부가 의사와 병원 눈치 보지 않고 비급여를 관리하고, 필요한 규제를 도입하고, 국민과 전문가의 말에 귀를 기울이고, 투명한 공론의 장에서 정책을 결정해 나가길 기대한다.[153)]

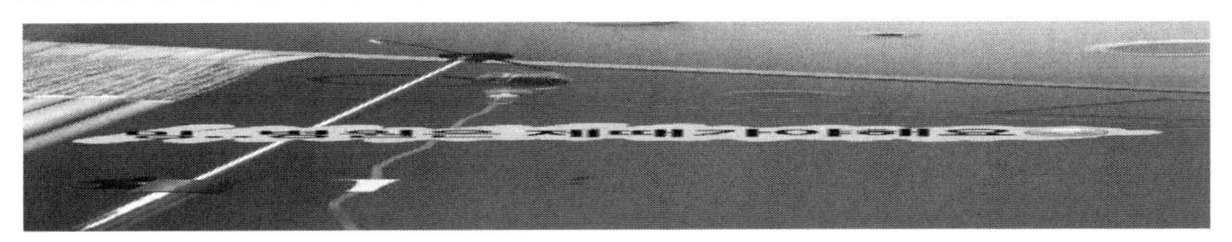

121. 노동 보도서 반복되어온 형식과 언어 바꿔야

실업급여 폐지를 거론하며 '노는 사람이 더 번다' '여성 노동자는 실업급여를 받아 명품 액세서리를 산다' 라는 요지의 발언을 한 현 여당과 정부 담당자의 발언이 비판을 받고 있다. 실업급여 수령자를 비난의 대상으로 삼는 이러한 발화들은 현 정부가 반노동 정책을 기조로 삼아 노동자 권리를 축소하는 정책을 펴고 '노동자' 를 비난의 대상으로 삼아온 것과 그 궤를 같이한다.

아쉽게도 다수 언론 보도는 '노동자 비난' 을 그대로 전달하는 데 그치거나, 여야 간 정쟁으로만 다루면서 우리 사회가 노동에 대해 논의할 공론장을 만들어 주지 못하고 있는 것 같다. 노동과 삶, 노동자의 권리에 대해 접할 수 있는 공교육의 기회조차도 편향된 교육이라는 비판을 받아 예산이 삭감되고 있다. 이러한 상황에서 언론이 노동과 삶에 대한 의제를 '파업 갈등' 과 '노동자 비난' 을 넘어서 어떻게 설정할 수 있을지에 대한 고민이 필요하다.

우리 사회는 이제까지 노동의 의미에 대한 공적 논의의 장을 만들어내지 못했다. 그러다보니 노동에 대한 인식이 사무직 정규직 노동자 중심으로 형성되어 다양한 노동의 가치가 제대로 인정받지 못하고 있다. 노동자가 권리를 보장받지 못하는 상황이 마치 개인의 선택 문제 혹은 임금이 높은 직장에 취업하지 못한 실패 때문인 것처럼 이야기되는 것을 온라인 공간에서 흔히 볼 수 있다.

하지만 노동 환경은 청소년 시기 획득한 학교 성적에 따른 징벌이나 포상이 아니고 안전하고 평등한 직장에서 일하는 것은 노동자의 당연한 권리이다. 파업 보도 기사 댓글란에 해당 일을 하는 노동자는 당연히 부당한 환경을 참고 감수해야 한다는 식의 맹목적 비난이 늘어나거나, 실업급여는 고용보험 관련법에 의해 노동자가 부담해온 것이며 근본적으로는 노동 안정성의 이슈임에도 불구하고, 실업 급여를 수령하는 노동자가 국가 재정을 편취하는 게으른 사람인 양 비난하는 댓글이 게시되는 것은 우리 사회가 노동과 삶에 대한 이해를 제대로 구성해오지 못한 결과일 것이다.

그런데 저널리즘이 노동 주제를 잘 다루기가 쉽지 않아 현장의 고민이 있다고 한다. 아무래도 노동 관련 주제는 사건·사고와 관련되어 파업이나 산업재해의 경우에만 주요 소재가 되고, 경과 중심의 스트레이트 보도가 주가 되며 이 경우 결국 정부 대 노조, 경영진 대 노조 등 갈등 주체들의 발화를 전달하는 데 집중하게 된다. 산업재해 관련 보도, 이주노동자 관련 보도가 몇 년 전이나 지금이나 반복되는 것처럼 보이는 까닭은 이 때문일 것이다. 문제 해결을 위한 사회적 감시가 이루어지지 않아 언론은 관련 사건을 자극적으로 반짝 보도하는 데 그친다. 특히 포털을 통해 뉴스가 소비되는 현실에서 정파적 대립 구도에 따라 주목이 달라지는 현재의 언론사 수익 구조에서는, 노동 보도가 결국 정파 대결 구도로 수렴된다는 것이 여러 연구자에 의해 지적되었다.

경향신문의 기획 기사 '당신은 무슨 옷을 입고 일하시나요'는 작업복을 매개로 노동의 안전 문제가 추상적인 것도 아니고 특정한 직종의 것만이 아니라는 점을 현장의 목소리를 통해 전달했다. 이외에도 여러 언론에서 여성 노동자의 현실, 이주노동자의 현실을 기록하는 기획을 진행 중이다. 정부의 반노동 정책이 강화될수록 현장의 목소리가 언론에 의해 더 많이 알려져야 한다는 점에서 이처럼 언론이 노동자의 목소리를 기록하는 작업이 더욱더 적극적으로 진행될 필요가 있다.

물론 노동 보도가 모두 기획 보도여야 한다는 의미는 아니다. 반노동 정책하에서 기득권에 의한 노동자 비난의 언어를 그대로 전달하는 데 그치지 않기 위해서는 노동 보도에서 반복되어온 형식과 언어를 바꾸기 위한 시도가 이루어져야 한다. 노동자가 하는 일과 경험을 기록하는 것이 보도 방식의 변화 방향을 만들어 내는 가장 기본적인 일이 될 수 있다.[154]

122. 1605년 안동 대홍수

1605년 음력 7월, 예안 고을(현 경상북도 안동시 예안면 일대)은 열흘 가까이 내린 비로 마을 형태가 거의 남아 있지 않았다. 안동부 관아를 비롯하여 안동 상징인 영호루와 여강서원마저 떠내려갔으니, 약 20킬로미터 정도 상류에 위치한 예안 지역이야 말해 무엇할까 싶다. 당시 이 홍수는 낙동강을 따라 안동과 선산, 경주까지 물바다를 만들었고, 〈실록〉 기록에 따르면 "둥둥 떠다니는 시체가 부지기수"였다. 안동 풍천면 구담 지역 강가에 '밀려 나온' 시신만 40구가 넘었다고 하니, 얼마나 많은 사람들이 목숨을 잃었을지는 짐작하기도 어렵다.(출전: 김령, 〈계암일록〉)

특히 예안 고을을 지나는 낙동강 상류는 분천(汾川)이라는 별도의 이름을 갖고 있었다. '큰물 분(汾)' 자가 하천 이름일 정도였으니, 물살 빠르기와 돌아나가는 모양새가 얼마나 거센지 짐작할 만하다. 이러한 물이 강원도에서부터 폭우를 만나 덩치를 키웠으니, 경상도 북부 지역의 피해는 가늠하기 힘들었다. 김령의 기록에 따르면, 큰 나무도 뿌리째 뽑혔고 집들은 채 부서지기도 전에 급류에 휩쓸렸다. 하층민들이 사는 낮은 지역 집들은 형체도 찾을 수 없어, 차라리 빗자루로 쓸고 지나갔다는 표현이 적절했다.

의외의 일도 있었다. 숨가쁜 급류는 뿌리째 뽑힌 나무와 목재들을 안고 내려오다 예안에 이르러 강가 이쪽저쪽에 토해냈다. 잠시라도 비가 잦아들면, 강가 들판은 나무들이 산더미처럼 쌓였다. 음력 7월22일, 빗줄기는 가늘어졌고 마을 들판도 드러나기 시작했다. 홍수에서 목숨을 건진 이들이 안도의 숨을 쉴 무렵, 예안 사람 이협(李莢)의 눈에 들어온 것은 분천 건너편 들판에 산더미처럼 쌓인 나무와 목재였다. 거센 낙동강 상류의 물살이 나무란 나무를 모두 예안 고을의 들판에 토해 놓은 듯했다.

재난을 정리할 시간이었지만, 이협은 눈에 들어온 나무 더미의 유혹을 뿌리치지 못했다. 이를 빨리 정리하면, 한몫 톡톡히 잡을 것만 같았다. 생각이 여기에 미치자, 여전히 거세기만 한 강물은 이제 안중에도 없었다. 강을 건너가 나무를 정리할 사람이 필요했다. 자신의 노비와 이웃집 노비, 그리고 고을 양인들까지 10여명의 일꾼들을 동원했다. 그러나 홍수 뒷정리를 위해 모인 것으로 알았던 일꾼들은 거센 분천의 물줄기를 보고 아연실색했다. 목숨을 내놓을 수도 있는 상황임을 알았지만, 쏟아지는 이협의 협박으로 강을 떠나지 못했다.

그러나 분천을 건너는 일은 쉽지 않았다. 사공은 당연히 이를 거절했다. 눈에 보이는 이득이 아무리 커도, 목숨보다 중요하지는 않았기 때문이다. 그러나 이협은 막무가내였다. 그는 양반신분을 십분 활용하여, 강을 건너다 빠져 죽을 가능성이 강을 건너지 않고 맞아 죽을 가능성보다 낮다며 협박했다. 결국 사공은 "이렇게 험한 물을 억지로 건너려 하니, 많은 사람들이 죽어도 나는 모르겠다" 면서, 협박에 못 이겨 노를 잡았다. 그러나 사공의 예측은 한 치도 틀리지 않았다. 험한 물살에 배는 전복되었고, 물살을 뚫고 헤엄쳐 나온 몇몇을 빼고 10여명이 물살에 쓸려 내려갔다. 욕심이 불러온 대참사였다. 억지로 일을 시킨 이협은 헤엄쳐 살아 나왔지만, 그렇게 대부분의 일꾼들은 목숨을 잃었다.

어쩔 수 없는 재난이라 해도, 목숨을 잃는 사람이 나오면, 그보다 억울한 일도 없다. 하지만 이러한 재난 위에 인재가 겹쳐 목숨을 잃는 사람이 나오면, 그보다 애통한 일도 없다. 물론 현대사회에서 이 같은 어처구니없는 일이 있을까 싶기는 하다. 그러나 책임 회피를 위한 권력자들의 말 한마디가 현장에서 최선을 다하는 사람들의 명예를 물길에 밀어넣고, 정치적 이익을 위한 행동이 수해로 다친 국민들의 마음을 죽이는 일은 이미 하루 이틀 일이 아니다. 큰물 건너편에 있는 나무 더미보다 큰물 앞에서 목숨을 걸고 재난 극복을 위해 노력하는 사람들을 먼저 봐야 하는 이유이다.[155]

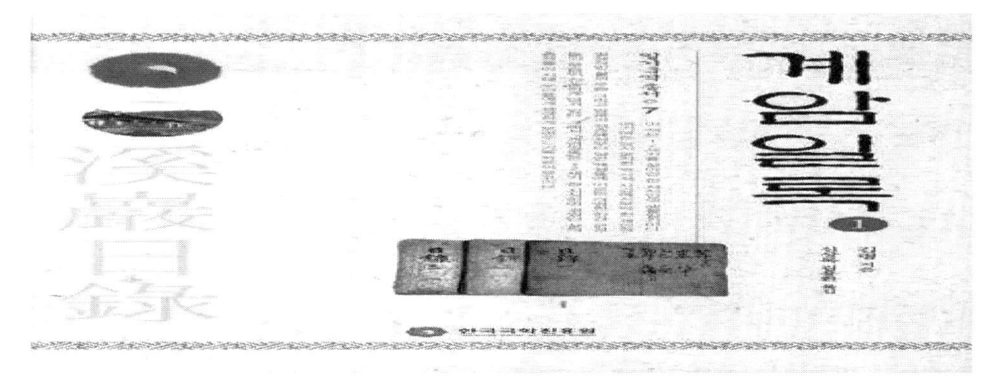

123. 불가능에 도전하는 교도관들

교도소는 신체의 자유를 제한하며 고통을 주는 곳이지만, 범죄자가 구금되었다고 피해자의 무너진 삶이 복원되는 건 아니다. 범죄자가 죗값을 치른 다음, 또 범죄를 저지를까 하는 걱정이 앞서는 것도 사실이다. 범죄자가 사회로 돌아온 다음, 다시는 범죄를 저지르지 않도록 하는 게 중요하다. 교도소는 범죄를 저지르지 않도록 돕는 곳이기도 하다. 감옥(監獄)과 교도소(矯導所)는 같은 곳을 일컫지만, 감옥은 응보적 구금을, 교도소는 교정교화를 강조한다. 국가의 공식 명칭은 교도소다. 교도소를 관장하는 부서는 교정본부다.

한국형사법무정책연구원이 2011년 조사 한 결과, 주요 범죄로 인한 사회적 비용은 연간 158조원, 재범으로 인한 사회적 비용은 102조원 이상이다. 12년 전 조사이니, 지금 치러야 할 비용은 훨씬 더 많을 거다. 그래서 교도소는 학교 같은 곳이 되어야 한다. 범죄자에게는 물론, 평범한 시민을 위해서도 그게 바람직하다.

교도소에는 처음 수감된 사람(2022년 기준 56.5%)이 가장 많지만, 4회 이상 수감된 사람도 13.1%로 적지 않다. 감옥을 제집처럼 드나드는 사람이 많다는 것은 교정교화에 실패하고 있다는 거다. 과밀 수용이 일상화된 교도소가 학교 같은 곳이 되기 위해서는 풀어야 할 숙제가 많다. 시설・인력・예산은 늘 부족한데, 해결할 방법도 마땅치 않다.

필요는 절실하나 성과를 내기 힘든 조건이다. 게다가 수용자 중엔 상태가 좋지 않은 사람도 많다. 멀쩡한 사람도 갇히면 힘들어한다. 우울감과 원망하는 마음이 커지기 마련이다. 교정교화는커녕 아프고 상처받은 재소자를 챙기는 것만으로도 교도관들은 지칠 수밖에 없다. 방을 바꿔달라, 교도소를 옮겨달라는 등의 요구도 많다. 이런 기본적인 요구에도 일일이 응하지 못하는 상황이다.

교정교화는 교도관을 통해 실현된다. 교정은 어쩌면 상반된 것처럼 보이는, 범죄자에게 벌을 주면서도 동시에 범죄자의 사회복귀를 돕는 두 가지 역할을 수행해야 한다. 교도관은 마치 양쪽으로 뛰는 두 마리 토끼를 한 번에 잡아야 하는 것처럼 실현 불가능해 보이는 직무를 수행해야 한다. 그러니 교도관은 탁월한 역량을 갖춰야 한다. 전문성과 남다른 사명감에다 인문학적 소양도 필요하다. 모든 사람은 얼마든지 변할 수 있다는 신념도 중요하다. 경찰관, 교사, 사회복지사, 심리상담사와 때론 종교인이나 부모의 역할까지 수행해야 한다.

교도관 양성은 국가적으로 중요한 과제지만, 현실은 그저 공백 상태에 머물러 있다. 일단 대학에서 교도관을 양성하는 곳이 거의 없다. 유일하게 '범죄교정학과'를 운영하던 경기대학교는 올해부터 학과 이름을 '범죄교정심리학과'로 바꿨다. 백석대학교가 '범죄교정학과'를 운영하며 겨우 공백을 메우는 수준이다. 경찰 관련학과를 설치한 대학이 100개가 훌쩍 넘는 것과 비교하면 충격적이다.

국가의 양성시스템도 공백이 많다. 교정직 신입 공무원 직무교육은 법무연수원에서 받는 3주 과정이 전부다. 예전에는 2개월 과정이었는데, 이직으로 인한 결원이 많아 3주로 줄였다고 한다. 인력이 모자란다고 아우성치니 현장의 수요를 좇아갈 수밖에 없었던 거다. 교도관에게 필요한 지식과 자질은 현장에서 일하며 선배에게 간헐적으로 배우는 게 전부다.

경찰은 신임 순경 교육을 중앙경찰학교에서 34주 동안 진행한다. 교도관과 11배 넘는 차이다. 겨우 3주 교육만으로 교도관 임무를 수행하는 것은 불가능한 일이다. 정원 1만6652명의 조직이 최소한의 안정감도 갖추지 못하고 갈팡질팡하고 있다.

이 문제를 풀어야 할 법무부는 여전히 검사만의 조직이다. 장차관을 비롯한 핵심 고위직이 모두 검사 출신이고, 주요 업무도 검찰을 중심으로 진행한다. 교정, 보호, 출입국 등은 일상적 홀대에 시달린다. 그저 사고만 나지 않으면 다행인 부서 취급을 받는다. 그동안 '문민화'니 '탈검찰화'니 하는 구호를 외치기도 했지만, 현실은 1990년대쯤으로 돌아갔다.

그래서 교정청 설립이 더욱 절실하다. 검찰청처럼 교정을 법무부 외청으로 독립시켜 책임과 권한을 동시에 부여해야 한다. 경찰청이 중앙경찰학교, 경찰종합학교, 경찰대학교 등 다양한 교육기관을 운영하는 것처럼, 독립적인 교육기관을 설치해 안정적으로 교도관을 양성할 수 있어야 한다. 지금처럼 잡아 가두는 일에만 골몰하고, 그다음은 제대로 신경 쓰지 않는 행태를 반복할 수는 없다.

검사들이 국정 전반을 장악한 상황이라 전망이 어둡겠지만, 이럴 때일수록 교정은 검찰과 달리 제 길을 갈 수 있어야 한다. 그 시작이 바로 교정청 설립이다.[156)]

124. 누구를 위한 관료제인가

국가공무원법 제1조는 공무원이 '국민 전체의 봉사자로서 행정의 민주적이며 능률적인 운영'을 기해야 한다고 규정한다. 그러나 실제로 공무원이 그렇게 행동할 것이라 믿는 시민들은 많지 않다. 오히려 공무원이 자기 자신이나 소수의 이익에 봉사하며 비민주적이고 비합리적인 방식으로 일한다고 생각하는 시민들이 더 많다. 왜 그럴까?

가. 한국 관료제의 잘못된 경로

얼마 전까지 여러 사람들과 '한국의 관료주의'라는 주제로 공부모임을 했다. 일제강점기부터 현재까지 행정조직의 변화와 관료조직의 특징을 다룬 여러 논문과 자료들을 함께 읽으면서 서로의 고민을 나눴다. 공부를 할수록 그동안 선출직 공무원(정치인)에 대한 관심만큼 경력직 공무원에 대한 관심을 가지지 못했다는 점과 선거제도의 개혁이 더디지만 행정의 개혁은 더욱더 어렵다는 점을 깨달았다.

관료제의 잘못된 첫 단추는 일제강점기 때 끼워졌다. 통치의 효율성을 위해 운영되었던 계급제식 행정운영과 의법(依法) 전통이 관료제의 골격을 만들었다. 공무원의 전문성에 기초한 직무제와 달리 계급제는 중앙정부가 인사와 행정을 관리하고, 하위 공무원을 신규 채용해서 내부 승진을 통해 고위 공무원을 충원하며, 계급 내의 동질성을 확보하기 위해 연령과 학력을 제한하고, 정기적인 인사이동과 순환보직을 통해 직무를 수행하도록 했다.

부서 이동과 승진이 위계적인 조직 내에서 이루어지니 상급자나 인사에 영향을 미치는 권력자의 말을 따르는 것이 중요했고, 개인적인 친밀함이나 학연, 지연 같은 연줄이 직무의 전문성을 앞섰다. 부당한 지시를 따르다 징계를 받아도 나중에 승진으로 보상받을 수 있으니 윗선을 보호하는 것이 가장 중요하다. 반면에 내부 고발은 꼬리표가 따라다니는 한국에서 가장 위험한 선택이다.

공무원이 법과 규정에 얽매이는 의법 전통은 중앙집권적인 행정과 기계적이고 폭력적인 사업집행을 정당화시켰다. 법은 식민지 본국에서 제정되기에 식민지의 공무원은 법의 정당성을 따지지 않고 기계적으로, 때론 공권력을 동원해 집행만 하면 되었다. 그 이상의 역할은 책임을 져야 하니 자신과 조직을 위태롭게 한다고 교육받았다.

이런 의법 전통은 지방자치제도 이후 중앙정부와 지자체의 관계로 재현되기도 했다. 지방자치제도의 취지는 행정이 사업에 필요한 근거를 스스로 마련하고 시민들과 함께 책임지는 것인데, 지금도 지방 공무원들은 중앙정부의 법률과 지침만 기다리고 있거나 그것을 핑계로 시민들의 요구를 거부한다. 법이나 지침이 계속 바뀌는데도 예전 관행대로 일을 진행하는 경우도 많다.

나. 관료에 잠식되는 정치

이런 과정에서 자연스럽게 발생하는 것이 부패였다. 역대 모든 정부가 정권 초기에 공직자 부패척결과 관료제 개혁을 부르짖었다. 하지만 몇몇 부서를 합치거나 없애는 것에 그칠 뿐 그 체계를 근본적으로 손보지 않았다. 김대중 정부 때부터 개방형 직위제도가 도입되었지만 관료들의 내부 반발로 제한적으로 시행되었고 기존의 조직문화를 바꾸지 못했다.

공무원의 전문성과 책임성, 민주성을 강화시키는 것보다는 외환위기 이후 도입된 기업식 성과관리와 규제완화, 내부경쟁 논리가 개혁의 탈을 쓰고 등장했다. 성과를 위해 민주주의는 후순위로 밀려났고, 직책을 이용해 기업의 뒤를 봐주고 퇴직 후 그 기업에 취업하는 '회전문 인사'가 늘어났다.

다. 낭만이 사라진 2023년의 지방의회

지방의회(Local council, Local assembly, 地方議會)는 근대적 의미의 대표의 관념에 기초한 의결기관은 근대정치의 산물로서, 일정한 구역·신분·이익의 대표가 아니라 전구역·전주민의 전체적 이익의 대표라는 뜻을 지니고 있다.

더 심각한 문제는 이런 조직에서 길러진 공무원들이 민주적으로 결정을 내리고 책임을 져야 하는 정치계로 계속 진출해 왔다는 점이다. 윤석열 정부 초기 차관급 이상 고위공직자 96명 중 관료 출신이 48명으로 절반이나 된다. 중앙선관위의 당선인 직업별 통계에 따르면 2022년 지방선거에서 당선된 광역단체장 4명, 기초단체장 38명이 관료 출신이다. 이 통계에서 정치인으로 분류되지만 그 이전 선거에서 당선된 관료를 포함하면 그 수는 훨씬 더 늘어날 것이다.

앞으로의 민주주의는 관료조직을 어떻게, 얼마나 통제하고 변화시킬 수 있는지에 달려 있다고 말해도 지나치지 않다. 이번 폭우로 인한 참사도 마찬가지이다. 재난과 참사가 일어날 때마다 책임자 처벌, 대책 마련이 주장되었지만 실효를 거두지 못했다. 단순한 사람의 교체가 아니라 관료제도의 근본적인 개혁이 필요하다.[157]

125. 퇴직연금을 연금화하려면 ‘호갱’은 면하게 해야

행정학의 세부 분야 중 규제정책이 있다. 여기에서 다루는 대표적인 주제가 ‘포획(capture) 현상’이다. 정부가 규제 대상의 감언이설(?)에 넘어가 느슨한 규제를 행하고, 그럼으로써 애초의 목적 달성에 실패하는 것을 지칭한다. 국민의 안전이나 건강, 혹은 공정경쟁 및 환경보전 등을 위해 기업을 규제할 때 흔히 발생한다. 정부가 기업을 비롯한 다양한 이익집단에 포획되는 현상은 도처에 존재한다. 많은 사람들도 각자의 분야에서 어렵지 않게 볼 수 있을 것이다.

가. 퇴직연금을 연금화하려면 ‘호갱’은 면하게 해야

행정학 교과서는 정치인과 공무원이 공익을 추구해야 한다고 기술하지만, 현실 행정이 이익집단을 무시할 수 없다는 것쯤은 누구나 알고 있다. 다만 그 정도가 문제이겠다. 이익집단 눈치 보기가 지나쳐 다수 국민의 이익을 부당하게 침해하면 곤란한 일이 발생하기 마련이다. 요즘 핫 이슈인 ‘사교육 카르텔’ 혁파도 정도가 지나쳐 선을 넘었다는 판단에서 비롯됐을 것이다.

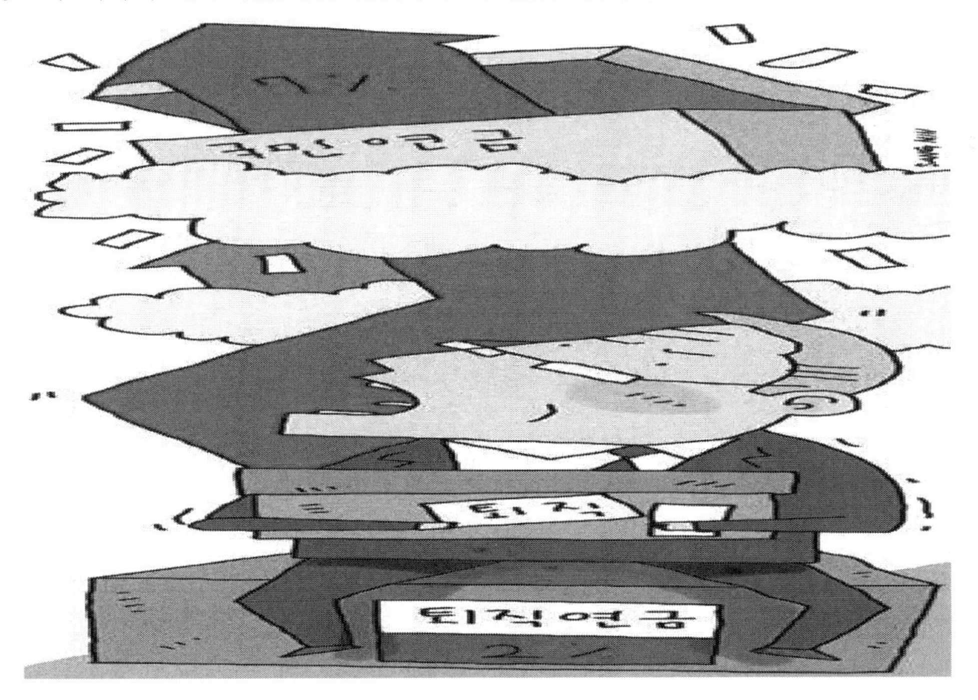

내 전공 분야에서도 포획 현상은 흔한데, 그중에는 너무 심해 국민이 큰 피해를 입는 것도 여럿 있다. 퇴직연금이 그렇다. 2021년까지 5년간 퇴직연금 평균 수익률은 2% 정도다. 같은 기간 국민연금 수익률은 7%가 넘으며, 우리가 흔히 벤치마킹하는 외국 퇴직연금 수익률은 비슷하거나 더 높았다.

만약 국민연금이 퇴직연금 정도의 수익률밖에 못 냈다면 난리가 나도 한참 전에 났을 것이다. 담당자 문책은 물론이고 국민연금을 탈퇴하겠다고 목청 높이는 사람들이 부지기수였을 것이다. 틀림없이 국민청원도 들어갔을 것이다.

하지만 퇴직연금은 신기하게도 조용하다. 낮은 수익률에도 불구하고 잠잠한 것은, 의도한 것인지는 모르겠으나, 그럴 수밖에 없는 구조가 만들어졌기 때문이다. 확정급여형(DB형), 확정기여형(DC형), 개인형 퇴직연금(IRP)의 세 유형으로 구분된 퇴직연금에는, 가입자는 수익률을 알 필요 없게 하거나, 수익률이 나쁜 걸 내 잘못으로 돌리게 하거나, 세금 감면을 미끼로 관심을 돌리는 등 다양한 장치가 마련돼 있다.

고의든 우연이든 가입자들이 침묵하게 짜인 구조는 퇴직연금 사업자에게는 '행운'이고, 규제당국에는 '다행'이다. 그러나 그로 인한 가입자 피해는 어떡하나. 월 급여 400만원인 사람이 30년간 퇴직연금에 가입할 때 수익률 2%와 7%가 얼마나 큰 차이를 가져오는지 따져보자.

수익률 2%로 30년 가입했을 때 원리금은 1억6000만원 정도다. 수익률이 7%면 4억원이 넘는다. 두 배가 훨씬 넘는 차이다. 이번에는 개인이 아니라 퇴직연금 전체로 계산해 보자. 2022년 퇴직연금 적립금은 336조원이다. 적립금이 300조원일 때 수익률이 2%면 수익은 6조원이지만 7%면 21조원이다. 무려 15조원 차이다. 이것도 큰 액수지만, 이게 매년 복리로 누적된다고 생각해 보라.

예를 들어 2017년 초 150조원 정도였던 적립금이 2021년까지 5년간 매년 2%가 아니라 7%의 수익률을 냈다면 2022년 적립금은 60조원 가까이 더 많아졌을 것이다. 적립금이 적을 때도 이 정도인데 앞으로 적립금이 계속 쌓이게 되면 잠재손실이 얼마나 커질 것인가. 2022년 336조원인 퇴직연금 적립금은 10년 뒤에는 거의 900조원에 달할 것으로 전망된다. 이런데도 계속 묵묵히 낮은 수익률을 감수해야 만 하는 것일까.

최근 논의되는 공적연금 개혁안 중에 퇴직연금의 연금화가 있다. 국민연금만으로는 노후소득 보장이 부족하니 퇴직연금과 역할을 분담하자는 것이고, 그러려면 퇴직연금을 일시금이 아닌 연금으로 수급해야 한다는 얘기다. 2021년 퇴직연금 수급자 중 연금 선택자는 4.3%였으며 나머지는 일시금을 선택했다. 연금 선택자의 적립금 평균은 1억9000만원인데 비해 일시금 선택자는 1600만원이었다. 두 집단의 적립금액이 이토록 다른 것은 거의 직장 경력 차이 때문이다.

연금 선택자는 대부분 한 직장에 평생 다닌 사람들이다. 일시금 선택자는 여러 번 직장을 옮긴 사람들이다. 직장을 옮기게 되면 기존에 부은 퇴직연금을 일시금으로 찾고, 새 직장에서는 다시 처음부터 붓게 되니 적립금이 쌓이지 않게 된다. 액수가 너무 적으니 연금으로 수급할 여지도 없다.

이로 인해 직장을 옮길 때 일시금으로 빼가는 것을 막자는 방안도 나왔다. 이직해도 계속 부으면, 퇴직할 무렵 제법 큰 액수가 될 것이고, 그러면 일시금 대신 연금을 선택할 것이라는 계산이다. 일리 있지만, 제대로 짚은 것은 아니다. 적립금액이 커서 연금 선택한 사람도 본래 의미의 연금을 선택한 것은 아니기 때문이다. 이들은 거의 전부 10년간 소액으로 연금을 수급하고, 10년 넘으면 일시금으로 찾는 방식을 선택했다. 일시금 대신 10년 넘게 수급하면 세금 감면 혜택이 있기 때문이다. 연금 선택 퇴직자들은 대부분 50대 후반이니 10년 후면 60대 후반이다. 본격적으로 대비가 필요한 시점에서 일시금으로 찾는 것이다.

왜 국민연금처럼 사망할 때까지 연금으로 수급하려 하지 않을까? 왜 직장을 옮기면 일시금으로 빼갈까? 구체적인 사유야 다양하겠지만, 근본적인 원인은 하나다. 수익률이 너무 낮기 때문이다. 일시금으로 찾아 내가 굴리면 그보다 높은 수익률을 올릴 것으로 여기기 때문이다. 생각해 보라. 자신의 퇴직연금 적립금이 7% 이상의 수익률을 올린다면 구태여 일시금으로 찾겠는가.

나. 황당한 퇴직연금을 어찌할까

퇴직연금이 노후소득 보장에 중요한 역할을 하는 나라들은 예외 없이 수익률이 우리보다 훨씬 높다. 가입자가 운용을 잘해 그런 것이 아니다. 가입자는 보험료만 내더라도, 알아서 높은 수익률을 내게 하는 구조이기 때문이다. 이게 정상이다. 우리만 가입자가 '호갱' 노릇을 한다. 국민연금이든 퇴직연금이든, 가입자의 책무는 성실하게 보험료를 내는 것이다. 이를 잘 운용해서 안정된 노후소득을 보장하는 것은 정부의 책무이다.

수년 전 유엔무역개발회의(UNCTAD)는 대한민국이 선진국이라고 공식적으로 선언했다. 선진국이란 무엇인가. 젊어서 수십년 일했고, 일하는 동안 국민연금과 퇴직연금 보험료를 꾸준히 납부했다면, 누구나 안정된 노후소득을 누려야 한다. 내가 아는 한, 선진국 중에 이게 안 되는 나라는 대한민국밖에 없다.[158]

126. 동방예의지국의 '비밀'

동방예의지국(東方禮儀之國)은 동쪽에 있는, 예의를 잘 지키는 나라라는 뜻으로, 예전에 중국에서 우리나라를 이르던 말이다. 지금은 좀처럼 듣기 힘든 이 말은 옛날 중국이 우리나라를 부르던 말이다. <후한서>의 '동이열전'에 따르면 동이는 풍속이 순후하여 길을 가는 이들이 서로 양보하고, 음식을 먹는 이들이 먹을 것을 미루며, 남자와 여자가 따로 거처해 섞이지 않으니 공자마저도 살고 싶어 했던 '예의의 땅'이었다는 것이다.

왜 우리나라는 예의의 나라로 불리게 됐을까. 바깥에서 보이듯, 예의 바른 사람들이 잔뜩 살아서 예의의 나라가 된 것일까. 과거 우리나라가 예의를 중시했던 것은 의심할 바 없는 사실이다. 많은 사람들이 그 이유를 삼강오륜을 강조한 유교의 영향이라 생각해 왔으나 기록에 드러나듯이 유교가 전래되기 훨씬 이전부터 이 땅은 예의의 땅이었다.

문화에는 그것이 수행하는 기능이 있다. 단적으로 말하면 구성원들의 생존과 사회의 유지다. 하지만 구성원들의 생존과 사회의 유지라는 문화의 핵심적 기능은 겉으로 쉽게 드러나지 않는다. 어떠한 문화가 발생한 뒤 오랜 시간이 흐르면서 문화의 핵심적 기능은 점차 숨어들고 관습적인 이유만 남게 되는 것이다.

예를 들면, 예의는 사람이라면 당연히 지켜야 한다는 당위나 양반은 비가 와도 뛰지 않는다는 식의 왜곡된 규범으로 남아 기능보다는 폐해가 강조되기에 이른다. 그러나 문화의 본질적 기능을 이해하는 것은 중요하다. 달리 말해, 예의라는 가치가 우리나라에서 강조되었다면 예의는 여기서 대대로 살아왔던 사람들의 생존에 꼭 필요했다는 뜻이다.

예의란 사회생활이나 사람 사이의 관계에서 존경의 뜻을 표하기 위해 예로써 나타내는 말투나 몸가짐(국어사전), 즉 상호존중이라는 전제에서 관계를 유지하고 상호작용을 이어나가기 위한 사회적 기술이다. 한국인들이 예의를 대단히 중요시했다는 사실은 우리의 인간관계에 상호존중이 필요했었음을 의미한다. 딱히 한국인들이 천성적으로 예의가 바르기 때문이 아니라는 것이다.

예의는 사회적 규범이다. 모든 사회에 존재해 온 법과 도덕, 윤리 규범들은 사회 유지를 위해 개인의 욕구를 제한하려고 만들어졌다. 예의범절이 제한하는 개인의 욕구는 무엇일까. 상대방의 기분이나 입장과 관계없이 내 멋대로 하고 싶은 욕구다. 사람은 다른 사람들보다 우월하고자 하는 욕구가 있다. 그리고 다른 사람들에게 자신의 영향력을 행사함으로써 그 사실을 확인하고자 한다. 한국인들에게 이러한 욕구는 매우 중요하다.

문화심리학의 연구들에 따르면 한국인들은 자신의 사회적 영향력을 타인에게 미치고자 하는 주체성 자기가 우세하다. 이러한 주체성 자기는 자신의 가치를 다른 이들보다 높게 평가하는 자기 가치감에서 비롯된다. 요약하자면, 한국인들 중에는 자신이 다른 이들보다 잘났다고 믿기 때문에 다른 이들을 제 마음대로 하려는 유형의 사람들이 존재한다는 뜻이다.

한국 문화의 어떠한 측면이 이러한 유형의 사람들을 만들어내는지는 아직 명확한 설명이 없다. 하지만 한국에서 이러한 유형의 사람들은 꾸준히 존재해 왔고 이들로 인한 사회적 갈등과 비용을 경험해 왔던 한국인들은 사회적 상호작용에 있어 상호존중의 필요성을 깨달았을 것이다. 세대에 걸친 교육의 결과가 사람들의 행동에 반영되었고, 그것을 관찰한 외부인들은 이 나라에 동방예의지국이라는 이름을 붙였다.

한때는 뭇 사람들이 자랑스러워해 마지않던 동방예의지국이라는 이름은 어느새 잊혔다. 아마도 구한말 국권을 빼앗기는 치욕을 겪고 근대화 과정에서 숱한 수치를 경험한 후, 그 이유를 유교에서 찾게 되면서부터가 아닌가 한다. 특히 '공자가 죽어야 나라가 산다' 류의 주장이 주류로 떠오르면서 공자의 이름은 물론 유교의 가르침과 관계된 것들을 입에 올리는 일 자체가 썩 자랑스러운 일로 여겨지지 않게 되었다.

유교(儒敎)는 춘추시대에 태동한 동양철학의 일종으로써 동양의 철학을 지탱하는 동양삼교의 하나로 자리매김했다. 유교에 대한 부정 또한 시대의 산물이다. 삼강오륜과 예의염치로는 새 시대를 살아갈 수 없음을 뼈저리게 깨달은 한국인들은 전통과 과거를 부정하고 새 시대에 필요한 새로운 가치들을 받아들였다. 자유, 평등, 독립, 자기주장, 성취…. 듣기만 해도 가슴이 설레는 가치들을 추구해 온 지난 수십년간 우리는 무엇을 얻고 무엇을 잃었을까.

높은 자기 가치감으로 자신의 영향력을 타인에게 미치려는 욕구를 가진 이들에게 현대사회는 부와 권력과 지위를 성취하기에 적합한 환경을 제공했다. 지난 시간, 한국의 눈부신 성취는 이를 반영한다. 하지만 그 과정에서 내버린 예의의 결과가 타인에 대한 존중이 없는 사회, 타인과의 공존이 불가능한 사회라면 다른 이들과 함께 살아가기 위한 전제로서의 예의라는 개념을 다시 한번 생각해 보아야 하는 시점이 아닐까.[159)]

127. 유머와 폭력

언어는 사람들 사이의 약속이다. 언어를 매개로 대화할 때도 사회구성원들 간에 통용되는 일종의 규칙 같은 것들이 존재한다. 그 규칙을 어길 때 이미 대화는 대화가 아니라 독백이다. 언어학자 그라이스가 말한 대화의 격률이 그러한 규칙에 해당한다. 양의 격률이란 대화가 불필요하게 많은 정보를 담고 있어서는 안 된다는 것이다. 거짓이라 믿는 것, 증거가 없는 것은 말하지 말아야 한다는 질의 격률도 있다. 관련성의 격률은 논의 주제에 알맞은 것을 말하라는 것이고, 태도의 격률은 모호하거나 중의적인 표현을 피하고 명료하게 말하라는 것이다.

많은 경우 이러한 격률을 지키는 척하면서 교묘하게 어기는 화법은 유머코드로 작용한다. 아재개그는 대부분 중의적인 표현으로 듣는 이의 예측을 배반함으로써 웃음을 주려 한다. 예를 들어 잘못에 대한 용서를 구하는 사과를 말하는 맥락에서 먹는 사과를 언급한다면, 거짓을 말하지 않았으니 질의 격률을 어기지는 않았으되 논의 주제와 다른 엉뚱한 것을 말했으니 관련성의 격률을, 모호함을 불러들였으니 태도의 격률을 어기는 것이다. "역술인 아무개가 왔었냐" 는 물음에 아니라고 답한 것이 실은 "풍수학과(?) 겸임교수인 다른 아무개가 왔다" 는 뜻이라 우긴다면 이 또한 일종의 격률 위반이다. 격률 위반이 지나치게 반복될 때 더 이상 웃음을 줄 수 없다. 너무 적은 정보만을 제공하는 바람에 정작 논의 주제와 관련된 중요한 내용을 말하지 않거나 자신만이 생각하는 함축적 의미를 따로 숨겨두는 것은 때로는 유머코드가 되지만 때로는 선전선동의 코드가 되기도 한다. 정치가의 언어나 광고의 언어, 코미디의 언어에 본질적으로 비슷한 측면이 있는 까닭도 그 때문이다.

2016년 가을부터 수많은 사람을 거리로 나오게 만들었던 촛불집회는 그 다음해 봄 헌법재판소의 탄핵심판이라는 절차를 통해 대단원의 막을 내렸다. 사실 이것은 다소 엉뚱한 결말이라고도 볼 수 있는데, 시민들의 집단적 의사표현이 그토록 오래, 나름 체계적으로 지속되었음에도 그 성패 여부가 열 명도 안 되는 헌법재판소 재판관의 결정에 달려 있었기 때문이다. 물론 제 맘대로 헌법을 고치고 파괴하던 과거의 독재자들을 견제하기 위한 최후의 보루라는 점에서 헌법재판소는 이른바 1987년 체제의 중요한 성과이며 시대적 의의를 지녔음에는 틀림이 없다. 그러나 법조계 엘리트 내부에서조차 이를테면 대법관에 비해 "학식과 덕망" 을 딱히 더 갖춘 것으로 인정받지도 못하는 것으로 보이는 이들의 때로는 우스꽝스러운 판결(저 유명한 관습헌법, 요컨대 "서울은 우리 마음속의 수도이다"라는 식의 행정수도 위헌판결을 생각해 보라!)에 중대한 정치적 결정이 좌우되는 것은 적어도 민주주의의 위기를 가져오는 요인 중의 하나는 될 수 있을 것이다.

이미 2017년 당시에도 "정치의 사법화" 현상을 우려하는 이들이 많았다. 간단히 말해 시민사회의 숙의를 통해 해결되어야 할 정치적 사안들이 "법대로 하자"는 간편한 논리에 내맡겨지는 것을 의미한다. 그 이후 사태는 갖가지 우연과 제 나름의 동학을 가지고 움직여 어느새 "사법의 정치화" 단계로 이행하였다. 사법적 수단을 동원하여 "법대로 하는 것" 그 자체가 매우 강력한 정치적 행위로 바뀌어 버린 것이다. 적어도 정치세계에 관한 한, "법은 멀고 주먹은 가까운" 세상이 "법 그 자체가 주먹이 되는" 세상으로 변화한 셈이다. 요즈음 쏟아져 나오는 수많은 드라마들 속에 등장하는 검사나 변호사들이 십중팔구 법 지식을 활용하여 자신이나 조직의 이익을 추구하는 '찌질한' 인물로 묘사되는 것은 일종의 시대정신을 반영한 것일지도 모른다.

최근 한국사회는 드디어 사법의 정치화도 넘어 정치적 언어가 유머코드화하는 단계에까지 이른 듯하다. 통제되지 않는 강한 권력 앞에서 약자가 보호받기 위해서는 명문화된 법률 체계가 필요하다. 논리와 격률을 지켜 정확하게 규정되는 법적 체계 속에서 자신의 죄 없음을 증명해내고 감추어진 함축에 기초하여 억울하게 죄를 저지른 것으로 간주되는 일이 없도록 하는 것이다.

보호받아야 할 약자가 아니라 권력을 쥔 강자가 그러한 화법을 구사할 때 그것은 그 자체로는 유머가 된다. 그러나 그 유머가 다름 아닌 본의를 숨긴 함축을 통한 공격과 결합될 때 이내 공포로 변한다. 교실 뒤편에 졸개들을 거느리고 앉은 일진이 맥락에 맞지 않는 유머를 구사할 때 그것은 더 이상 유머가 아니라 폭력이다. 1987년 체제가 가져온 정치의 사법화는 그렇게 민주주의의 손상으로 연결될 만반의 준비를 마친 셈이다.160)

128. 국가의 보험사기

"더 많은 플랫폼 종사자들이 고용 불안정과 산업재해로부터 보호받을 수 있도록 지난해 고용보험, 산업재해보상보험 제도를 개선했습니다."

지난 7월21일 인도에서 열린 'G20 고용노동장관회의'에서 이정식 고용노동부 장관이 세계에 자랑한 내용이다. 이 장관의 연설이 있은 지 3일 뒤 웹툰작가, 대리운전, 배달라이더 등으로 구성된 '플랫폼노동자 희망찾기'는 규탄성명을 발표하면서 새로운 고용, 산재보험이 '국가 주도의 보험사기'로 전락할 판이라며 강도 높게 비판했다. 장관 말대로 고용보험 납부자가 늘어나긴 했다. 과거 특수고용노동자로불리던 보험설계사, 택배, 퀵서비스 기사 등 '노무제공자'의 고용보험 가입자 수는 2022년 4월 기준으로 100만명을 넘겼다. 배달노동자들도 2022년 1월1일부터 고용보험료를 납부하기 시작했는데 배달업체 사장들은 이를 핑계로 각종 수수료를 높이는 바람에 노동자들은 내야 할 보험료보다 많은 금액을 부담했다.

그런데 구직급여를 받았다는 사람을 본 적이 없다. 여러 업체에서 일하면서 실업과 취업을 반복하는 플랫폼노동자에게 장기 실업을 전제한 현행 고용보험은 의미가 없다. 정부도 이를 의식해 소득이 줄면 구직급여를 받을 수 있도록 제도를 설계했다. 그러나 4~5개월간 소득이 거의 없어야 하고 구직급여를 받더라도 하루 2만6600원이 하한액이라 이 돈을 받고 마음 편히 취업준비를 할 사람은 없다. 산재보험 역시 내는 보험료는 높이고 받는 휴업급여는 최저임금 미만으로 삭감해버렸다. 라이더유니온의 항의에 노동부는 문제가 있다는 건 알고 있지만 당장의 대책은 없다고 했다. 결과적으로 이 장관은 전 세계 장관들과 자국 노동자를 기망한 셈이다.

배달노동자들 사이에서는 고용·산재보험 의무가입을 없애달라는 목소리까지 터져 나온다. 그러나 사회보험을 선택에 맡겨버리면 제도에 대한 지식과 보험료를 낼 경제적 여유가 있는 국민만이 실업, 사고, 질병, 장애, 은퇴 후의 삶을 보호받는다. 사회보험을 지원하는 두루누리 홈페이지에는 사회보험을 의무화하는 이유로 "미래를 준비하지 못하는 사람들은 빈곤층으로 추락할 위험이 크고, 이는 다른 사람에게 피해를 줄 우려가 있으므로 사회정의를 위한 공동체 합의가 필요하기 때문입니다"라고 설명한다. 공동체 합의를 위해서는 서로에 대한 강한 믿음과 연대가 전제되어야 한다.

그런데 정부가 나서 사회보험에 대한 신뢰와 연대 정신을 훼손하고 있다. '시럽급여' 논란은 집권 여당과 정부가 각자도생이라는 지옥의 문을 달콤한 말로 열어젖힌 최악의 행위였다. 산업구조 변화와 임시직 노동자의 반복적 실업에 기존 고용보험이 대응하지 못하는 구조적 문제를 국가가 개별 국민 책임으로 돌린 셈이다. 이제 국민들은 서로가 서로를 비난하며 사회보험은커녕 공동체에 대한 최소한의 신뢰조차 상실한 채 생존경쟁을 벌여야 한다.

길을 걸어가는데 목에 깁스를 한 라이더가 내 옆을 빠르게 지나갔다. 그는 아마 배달 건마다 보험료를 떼 가면서 마음 편히 쉴 수 있는 보험료는 주지 않는 사회보험을 원망하며, 치료비·생계비를 위해 하루 12시간, 주 6일을 달릴 것이다. 이 장관이 이 노동자 앞에서도 긱·플랫폼노동자를 위한 사회안전망을 마련했다고 당당히 얘기할 수 있는지 묻고 싶다.[161]

플랫폼노동희망찾기는 오늘 기자간담회를 갖고 플랫폼노동자에게 고용·산재보험 등 사회보험이 제대로 작동되지 않는 현실을 고발하고 시급한 대책 마련을 촉구하고 나섰다. 특히 오늘 간담회 자리에는 배달 라이더, 대리운전기사, 웹툰작가 등 현장에서 일하는 플랫폼 노동자들이 생생한 현장 사례들을 직접 증언해 주었다. 플랫폼·특수고용 노동자들의 고용·산재보험 가입자 수가 각각 100만 명을 넘어섰지만, 정부와 국가 행정은 보험료 징수에만 유능할 뿐 해고·실직과 업무상 재해로부터의 보호에는 아무런 대책도, 준비도 되어 있지 않는 현실이 다양한 현장 사례로 제시되었다.

문제점에 대한 대안으로 플랫폼노동희망찾기는 플랫폼노동자 사회보험 가입을 가로막는 모든 형태의 진입장벽 철폐, 모든 사회보험에서 평범한 노동자와 차별 없는 제도 적용, 부분실업 인정, 문자 그대로의 실업급여 제도 도입을 비롯한 제도 개선, 플랫폼기업과 정부의 사회보험 책임 강화 등의 대책을 제시하고 정부 차원의 대책 마련을 촉구했다.

129. 나를 일깨운 '책으로 비즈니스'

책을 한 권 펴낼 때 처음 찍는 부수가 2000부라고 하면 많다고 느껴질까, 적다고 느껴질까(참고로 한국 남자 프로농구 정규시즌 평균 관중이 2000명을 조금 넘는다). 초판 발행 부수가 점차 줄어드는 과정을 겪어온 출판계 사람이라면 대체로 너무 줄어 문제라고 생각하겠지만, 업계 바깥에서는 관심 영역도 아니고 흥미도 없는 책이 2000부나 만들어진다고 하면 그 책을 사볼 사람이 그렇게 많은가 반문할 이들도 적지 않을 거라 예상한다. 물론 꼭 2000명의 독자를 바탕으로 2000부를 찍는 건 아니다. 제작 부수가 줄어들면 단가는 그만큼 올라가고, 지금의 인쇄·제작 방식에서 효율을 유지할 수 있는 최소 부수도 반영된 수치다. 어쩌면 당연하게도 2000부, 그러니까 1쇄를 다 팔지 못하는 책들이 적지 않다.

출판사로서는 손해다. 출판사만 손해를 보는 건 아니다. 저자가 책 한 권을 쓰는 데 걸리는 시간과 들이는 비용을 고려하면, 2000부의 인세로 얻게 되는 수익은 너무 적다. 보통 인세가 정가의 10%이니 1만5000원짜리 책 2000부의 경우, 저자는 300만원의 세전 수입을 갖게 된다. 중위소득, 도시가구 생활비용 등 어떤 지표를 떠올려도 한두 달에 책 한 권을, 그것도 꾸준히 펴내야 삶의 유지가 가능한 상황이다.

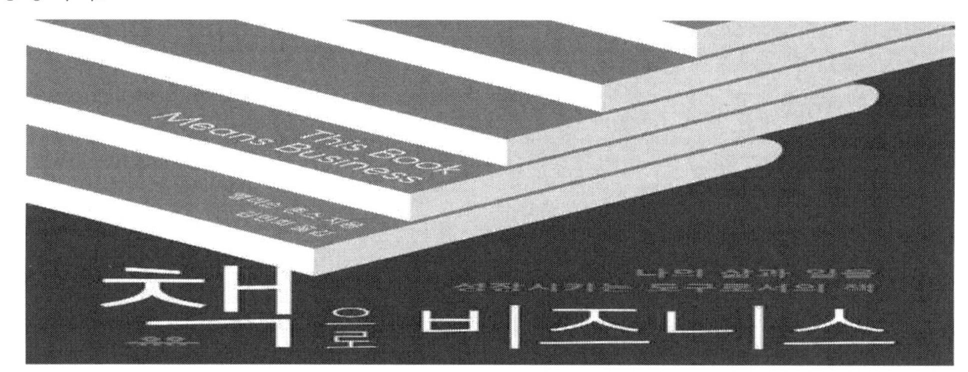

저자가 인세로만 수입을 얻는 건 아니다. 출판사도 책 판매만으로 수입을 얻는 건 아니다(라고 적지만 대다수 출판사 매출의 90%는 종이책이다). 매출 다각화는 가능하고 필요하다. 브랜딩과 독자 커뮤니티에 남다른 관심을 갖고 다양한 시도를 이어온 출판사 '유유'가 최근에 펴낸 〈책으로 비즈니스〉는 모두가 필요하다고 하면서도 마땅한 해법을 찾지 못해 결국 해오던 것에만 집중하는 '출판 비즈니스'에 구체적인 지혜를 전해 눈길을 끈다.

영미권 대형 출판사에서 25년을 근무하고 출판사를 차린 후 '범상치 않은 비즈니스 북클럽' 이란 팟캐스트를 만들어 출판계의 무수한 도전을 나눈 저자는, 이 책의 목적이 "수익성 있는 일을 운영하기 위한 책 쓰기" 라고 말한다. 내용의 적용 가능성을 따지기 전에 책과 비즈니스를 함께 드러낸 제목, 수익성과 책 쓰기를 연결한 표현이 신선하고 반갑다.

책이 출간된 이후에만 초점을 맞출 게 아니라, 책을 쓰는 "과정 자체를 사업과 브랜딩의 일부로 간주해 단계별로 프로필을 구축하고, 관계망을 확장하고, 수익을 창출하고, 검색 엔진에 최적화된 콘텐츠를 제작하는 방법" 을 찾자고 제안하는데, 여러 분야에서 이뤄지는 브랜딩 구축과 플랫폼 확보가 자연스레 떠오른다. 여러 출판 마케팅 활동을 시도하고 경험해본 저자와 출판사라면 책에서 소개하는 각각의 활동이 새롭지 않다고 느낄지도 모르겠다. 그렇다. 각각의 방법을 잘 몰랐을 리도, 충분히 시도하지 않았을 리도 없다. 핵심은 개별 활동을 어떤 맥락과 방향 위에서 일관되게 연속되도록 설계하느냐에 있겠다.

핵심은 '비즈니스(business)' 다. 비즈니스는 어떤 일을 일정한 목적과 계획을 가지고 짜임새 있게 지속적으로 경영함이다. 직접 번역하고 싶은 책을 펴내기 위해 1인 출판사를 차려 10년 가까이 자영업자로 생존한 이 책의 번역가는 책의 제목을 듣고는 자신에게 딱딱하고 멀게 느껴진 '비즈니스' 라는 말을 어떻게 하면 안 쓸 수 있을까 고민했다고 한다.

하지만 오히려 이 거부감을 넘어서야 하지 않을까 하고 생각을 바꾸게 되었다고 고백한다. 그러고는 출판 비즈니스를 "규모가 크든 작든 자신의 장점과 특성을 살려 일을 만들고 돈을 벌고 관계를 맺고 원하는 삶을 찾아가려는 '시도' 에 가깝" 다고 설명하는 데 이른다. 늘 비즈니스를 하면서도 이 용어에 거리감을 느꼈던 업계 동료들과 이 말을 깊이 나누고 싶다.[162]

〔책으로 비즈니스 삶을 변화시키고 성장을 부르는 비법〕

130. 디리스킹의 세계와 냉전장화하는 한반도

역사는 예정된 것이 아니라 행위 주체들이 만들어간다. 한반도는 점차 냉전시대로 회기하고 있다. 한·미·일 대 북·중·러의 대결 양상은 더더욱 강화되고 있다. 미·중 전략경쟁 시대에 북한 김정은 정권은 유일하게 현 국제정세를 신냉전 상황으로 규정하였다. 북한으로서는 신냉전이 그간 핵무기 개발로 인한 국제적 고립에서 탈피하여 중국과 러시아 같은 강력한 우방을 확보하고, 경제·전략적 지원을 획득할 유리한 조건을 확보하게 해준다. 북한은 이제 핵미사일 도발을 해도 국제적인 압박에 대한 염려가 없다.

북한의 미사일 도발에 대한 대응이자 한·미 핵확장 억제정책의 일환으로 미국의 전략핵잠수함이 부산에 입항하자 지난 7월20일 북한 강순남 국방상은 담화문을 통해 이러한 상황은 2022년 9월 공포한 '핵무력정책 법령'에 의거하여 핵을 사용할 조건에 해당한다고 대놓고 협박하였다. 북한은 7월27일 한국전쟁 정전 70주년을 계기로 러시아 및 중국과 긴밀한 관계를 구축하고 있음을 대내외에 과시하였다. 러시아는 우크라이나와 전쟁 중임에도 세르게이 쇼이구 국방장관을 파견하였다. 중국은 상대적으로 신중한 태도를 취하면서 격이 낮은 리홍중 전인대 상무부위원장을 파견했지만, 시진핑 국가주석은 축전을 통해 중·북이 피로 맺어진 인연임을 강조하였다. 이는 시진핑 시대 중국이 북한과 정상적인 국가관계를 추구하면서 공개석상에서는 좀처럼 사용하지 않았던 개념이다. 물론 김정은 위원장은 이러한 혈맹관계 표현에 적극 호응하였다.

윤석열 정부가 2023년 발행된 국가안보전략보고서나 그간 주요 지도자들의 언행을 보면 실제 신냉전적인 국제정세관을 이미 수용하고 있는 것으로 보인다. 중국과 북한의 위협에 대응하기 위해 미국과의 동맹을 적극 강화하고, 국내정치적인 부담과 무리수임에도 불구하고 일본의 입장을 전폭 수용한 대일관계 개선을 통해 미국이 희망하는 한·미·일 안보협력 체제를 국가안보 정책의 핵심으로 수용하였다. 윤석열 대통령은 조만간 미국을 방문하여 일본의 기시다 후미오 총리와 함께 캠프 데이비드에서 중·러·북 권위주의 체제에 대항하는 한·미·일 협력체제의 구축을 더욱 강화하는 조치를 취할 예정이다. 역대 최상의 한·미, 한·일관계로 평가된다. 미·중 전략경쟁 시기 일변도 외교의 강화는 상대 진영에 대한 적대적 관계의 강화로 전이된다. 이는 윤 정부가 의도하든, 의도하지 않든 간에 향후 한반도 냉전구도는 더욱 강화될 것이고, 한반도에서 핵전쟁을 포함한 군사적 충돌의 가능성은 크게 제고되고 있다는 것을 말해준다.

미국의 조 바이든 행정부는 국제관계를 민주주의와 권위주의의 대결로 인식하는 이분법적인 프레임을 제시하였다. 권위주의 체제에 대항하여 민주주의 국가들이 (미국을 중심으로) 단합하여 대항해야 한다는 것이다. 그러나 바이든 행정부 스스로는 미·중관계를 신냉전이라기보다는 장기적인 전략적 경쟁관계로 규정하였다. 여기에는 충돌-경쟁-협력이 공존한다. 바이든 행정부 초기 대중정책은 협력에 비해 경쟁과 충돌이 더 주가 되는 듯이 보였다. 백악관 NSC 인도·태평양 조정관 커트 캠벨, 백악관 NSC 중국 담당관 루스 도시, 상무부 장관 지나 러몬도 등이 '탈동조화', 탈중국 압박 리스트 강화 등 공세적인 대중 전략을 주도하였다. 미·중 충돌의 불가피성을 주장하는 공격적 현실주의자인 존 미어샤이머 교수나 공화당의 주요 전략가들이 이를 지지하고 있다.

그러나 최근 들어 미국의 대중 전략에 미묘한 변화가 일고 있다. 미국 백악관 안보보좌관 제이크 설리번은 지난 4월 그간의 대중 전략으로서 '탈동조화' 개념 대신 대중 강경파였던 유럽연합 집행위원장 우르줄라 폰데어라이엔이 제시한 '위험회피' 개념을 전격 수용하였다. 일부 논자들은 두 개념 간 차이가 없다고 하지만, 폰데어라이엔의 '위험회피' 전략은 중국을 냉전적 대상으로 상정하거나 과도한 충돌은 불가하다는 독일 및 프랑스 등 유럽 주요 국가들의 입장을 명백히 반영한 개념이었다. 대중 및 대러 전선의 약화를 우려한 미국으로선 마지못해 수용한 것이다. 미국의 매파들이나 중국이 다 같이 '탈동조화'나 '위험회피' 두 개념 사이에 본질적 차이가 없다고 인식한 것은 아이러니하다.

바이든 대통령을 포함한 토니 블링컨 국무장관, 제이크 설리번 백악관 안보보좌관, 재닛 옐런 미 재무장관, 헨리 키신저 전 미 국무장관 등은 중국과의 전면적

인 충돌이나 탈동조화는 불가능하다고 생각한다. 제한된 갈등과 공존의 길을 모색하는 온건파라 할 수 있다. 2024년 대선을 앞둔 바이든 대통령이나 민주당의 입장에서 중국과의 전면 충돌은 경제적 재앙이며, 대선에서의 필패를 의미한다. 당장 전례없는 재정 적자에 시달리면서, 막대한 채권의 이자를 경감하고, 새로운 채권을 팔아야 하는 옐런의 입장에서는 중국과 다툴 여력이 없다. 미국은 절박하다. 중국은 이를 최대한 활용하면서 바이든 행정부에 대중 무역제재의 전면적인 해제를 요구하면서 압박하고 있다.

디리스킹(de-risking)이란 '위험 줄이기', '위험 감소' 라는 뜻의 영어 단어로 중국을 경계하고자 하는 서방 진영의 전략 개념으로 통한다. 옛 냉전 시절처럼 중국과 적대적으로 관계를 끊는 디커플링(de-coupling)을 추구하는 게 아니라 적대적이지 않은 관계를 유지하면서 위험 요소를 점차 줄여나가는 것이다. 중국과 경제협력을 유지하면서도 중국에 대한 과도한 '경제적 의존' 을 낮춰 이로 인해 발생할 수 있는 위험 요소를 줄여나가겠다는 뜻에서 등장했다.

현재의 미국은 전략적 조율 역량이 강한 리더십, 필요한 규범과 규칙의 제정, 강력한 경제·산업 역량이 크게 약화되었다. 세계화로 상징된 전면적 자유주의 해법은 이미 그 기능이 다했다. 제한된 목표와 방어적 본질을 지닌다고 설파한 방어적 현실주의는 중국의 야심과 공세 앞에 적실성을 잃었다. 불가피한 충돌을 예고하는 공세적 현실주의의 미래는 너무 암울하고, 그 대안도 없다. 트럼프의 재선 성공과 공세적 현실주의로 무장한 공화당의 전략가들이 대중 정책을 지휘한다면 세계는 더 안정적일까? 그리고 미국은 효과적으로 중국에 대응할 수 있을까? 답이 없다. 새로운 세계질서를 만들어갈 구조적 역량을 어느 국가도 보유하지 못한 상황에서 세계는 기존의 서방중심 질서, 중국과 러시아를 중심으로 한 브릭스(BRICS)의 부상, 그리고 그 중간지대에 놓인 글로벌 사우스(Golbal South·남반구에 위치한 개발도상국들) 사이에서 혼돈의 시기를 맞이할 것이다. 공급망 교란은 극심하고, 경제위기는 물론 군사적 긴장과 충돌로 인한 안보적 위기가 동시에 다가올 것이다.

한반도는 더더욱 불안정해진다. 소모전과 장기전에 들어간 우·러 전쟁에서 미국과 서방은 이기기 어렵고, 중국의 장기전에 대만과 한반도가 우려스럽다. 미국중심의 일변도 외교를 추진하는 윤석열 외교는 다른 대부분의 국가들처럼 당장 내년 미국의 대선 이후 다가올 미국발 정책 변화와 위험 강화, 우·러 전쟁과 중국·러시아발 경제위기, 공급망의 다변화, 북한발 핵위협 등 복합위기에 대응할 좀 더 유연한 시나리오가 필요해 보인다.[163]

131. 학습된 무기력을 떨쳐버리고

세상이 펄펄 끓고 있다. 기후위기는 징후가 아니라 전면적 현실로 우리 앞에 당도했다. 만기가 도래한 약속어음처럼. 집중호우에 제방은 무너지고, 편리를 위해 만든 터널이 무덤으로 변한다. 벌목과 택지 개발이 이루어졌던 산은 흘러내린다. 흔히 재앙은 무차별적이라 말하지만 그건 사실이 아니다. 해는 악한 사람에게나 선한 사람에게나 똑같이 떠오르고, 비도 의로운 사람과 불의한 사람을 가리지 않지만 그 결과는 공평하지 않다. 재난의 1차적 희생자들은 늘 안전의 취약지대에 사는 이들이니 말이다.

우리의 살림살이를 위협하는 것은 자연재해만이 아니다. 철근을 빼먹고 지은 아파트가 곳곳에 서 있다. 순살 아파트라는 신조어가 돈을 우상으로 섬기는 우리 시대의 슬픔을 고스란히 드러내고 있다. 책임을 져야 할 당국자들은 언제나 그렇듯이 남 탓하기에 분주하다. 무엇이든 정치화하는 순간 책임 소재는 불분명해지고 거친 싸움판이 만들어진다는 사실을 그들은 너무나 잘 알고 있기 때문이다. 세상에 믿을 사람 하나 없다는 비관주의가 스멀스멀 우리 의식을 파고든다. 공공성에 대한 의식의 쇠퇴를 차가운 미소로 반기는 이들이 있다. 누릴 것을 다 누리고 사는 이들이다.

역사의 과정에 의해 이미 심판을 받은 이들이 속속 귀환하고 있다. 숨 죽여 살아왔던 시간에 대한 복수심 때문인지 그들은 이전보다 더 독한 말로 무장하고 있다. 그들의 입에서 가르는 말, 조롱하는 말, 격동하는 말이 폭죽처럼 터져 나온다. 일단의 사람들은 시원하다고 말하고, 다른 이들은 이를 간다. 평화로운 공존이 가능할 것 같지 않다. 가름의 대상이 된 이들은 처음에는 분노하지만 똑같은 일이 뻔뻔할 정도로 반복되면 실소를 터뜨리고 만다. 학습된 무기력이다. 지금 할 수 있는 일은 아무것도 없다는 절망감에 포획되는 순간 역사의 퇴행은 기정사실이 된다.

열여섯 살에 아우슈비츠 수용소에 끌려갔다가 살아난 에디트 에바는 한동안 과거로부터 숨기 위해 몸부림쳤다. 과거에 잡아먹힐지 모른다는 두려움 때문에 어딘가에 소속되고 싶었다. 이를 위해 자기 고통을 계속 감추는 전략을 구사했다. 하지만 수용하기를 거부하는 것들은 고통을 줄여주기는커녕 오히려 더 강고한 감옥이 되어 우리를 가둔다는 사실을 깨닫는 순간 그는 과거의 중력을 떨쳐버리고 앞으로 나갈 수 있게 되었다. 〈마음 감옥에서 탈출했습니다〉라는 책에서 그는 '희생되는 것(victimization)' 과 '희생자 의식(victimhood)' 을 구분한다. 희생되는 것은 나의 의지나 선택과는 상관없이 외부로부터 발생한다. 희생자 의식은 내면으로부터 발생한다. 그는 '자기 자신을 제외한 그 누구도 우리를 희생자로 만들 수 없다' 고 말한다. 어떤 일이 닥쳐오든 우리 앞에는 언제나 선택의 가능성이 주어진다. 절망의 심연에 속절없이 끌려 들어갈 것인가, 심연의 가장자리에서 명랑하게 새로운 삶을 시작할 것인가?

수해 복구를 위해 구슬땀을 흘리는 분들을 본다. 토사와 탁류가 밀려와 안온했던 삶의 자리를 파괴한 현장에서 그들은 피눈물을 흘렸지만, 절망감을 딛고 일어서 일상을 회복하기 위해 일하는 모습이 내게는 차라리 성스럽게 보인다. 자기 삶의 상황을 있는 그대로 받아들이고, 새로운 목표를 세우고, 상황을 변화시키기 위해 노력하는 것이야말로 희생자 의식에 삼켜지지 않을 묘책이다.

미겔 데 세르반테스 사아베드라가 창조한 인물 '돈키호테' 는 자신을 편력기사로 생각하는 일종의 광인이다. 풍차를 거인으로 착각하여 돌진하고, 양 떼를 무도한 군인으로 생각하고 칼을 휘두른다. 객줏집을 성으로 오인하기도 한다. 그는 정상의 범주에 들지 못한다. 그러나 그를 섬기는 산초 판사는 돈키호테를 '꿍심' 이라고는 전혀 모르는 아름다운 사람으로 본다. 그가 사방에서 두들겨 맞고 불운한 일을 겪으면서도 차마 주인 곁을 떠날 수 없는 것은 돈키호테가 누구에게도 나쁜 짓을 할 줄 모르고, 악의라고는 전혀 없는 순박한 사람이라고 믿기 때문이다. 돈키호테 또한 자기가 겪는 불운이 마법사들의 농간이라고 굳게 믿지만 그 때문에 절망에 빠지지 않는다. "진정한 용기를 이길 마법이 있겠는가? 마법사들이 내게서 행운을 앗아갈 수는 있을지 몰라도 노력과 용기를 빼앗지는 못할 것이야." 이 담대한 희망이 그를 위대한 존재로 만들어준다. 학습된 무기력에서 벗어나 우리가 꿈꾸는 세상이 도래할 수 있는 조그마한 틈을 만들어야 한다. '새 일은 늘 틈에서 벌어진다' (김지하)지 않던가.[164]

132. 의사소통이 불가능한 사회

중국의 마오쩌둥에 대해 “공(功)이 7이고, 과(過)가 3” 이란 말이 있다. 후대의 평가든, 마오 자신이 그 정도 평가면 만족한다는 말이든, 그런 실용적 관점은 중요하다. 선과 악의 스펙트럼에서 한 극단에는 천사가, 반대편 극단에는 악마가 있겠지만, 대부분의 사람은 중간 어디쯤 있다. 그러나 우리는 누군가를 영웅이나 천사로 또는 역적이나 악마로 보려는 경향을 피하지 못한다.

이 사회는 증명에 소홀하다. 누가 어쨌다는 이야기를 들으면, 반대의 목소리나 다른 가능성을 따져 볼 여유 없이 공격성을 드러낸다. 멀쩡하게 살아가던 유명인이나 평범한 사람이 한순간에 죽일 놈이 된다. 그런 성향은 어쩔 수 없는 인간 본성의 한 부분인지라 동서고금에 흔한 일이기는 하다. 더 신중한 사람과 덜 신중한 사람의 차이가 있을 뿐이다. 어차피 평균적인 사람들은 남의 일을 쉽게 말하고, 군중심리에 휩싸이며, 책임지지 않는다.

그런데 그 현상이 사적 영역을 넘어 공적 영역에 장애를 일으키고, 이성적 대화를 통한 평가와 해결책 마련을 좌절시킨다. 한국의 뛰어난 인터넷 인프라, 성급한 문화, 비인간적인 사회구조가 그런 경향을 극대화시켰다. 세계 문화를 선도한다는 나라에서 ‘후쿠시마 오염수 방류’ 하나를 놓고도 이성적 토론이 불가능하다.

마이크와 스피커는 소리를 잘 전달하려고 고안한 장치다. 마이크와 스피커가 서로 피드백을 주고받으면, 고막이 찢어질 듯한 하울링 현상이 발생한다. 지금 우리 사회의 의사소통은 인터넷을 매개로 끝없이 하울링을 일으키고 있다. 먼저 책임을 통감해야 할 곳은 언론이다. 사적 영역과 공적 영역의 의사소통을 매개하는 언론이 균형감각과 철저한 사실확인이라는 임무를 다하지 않은 지 오래다. 언론사와 기자 개인의 성향에 따라 큰 차이가 있지만, 언론은 하울링을 막기는커녕 증폭하는 데 주요 역할을 하고 있다. 이 지경이 된 것에는 언론사나 기자도 어쩌지 못하는 속도주의, 성과주의, 생존경쟁의 문제가 있겠지만, 면죄부를 줄 수는 없다.

지금도 인터넷에 올라온 매체들의 기사 제목을 살펴보면, 선정성·낚시질·편향성으로 도배돼 있다. ‘약 탄 음료’ ‘엉덩이’ ‘대박’ ‘섬뜩’ ‘거지’ ‘와르르’ ‘발칵’ ‘변기’ ‘박살’ ‘쾅’ ‘찌르겠다’…. 이것이 종합일

간지 기사 제목에서 지금 몇 초 만에 찾은 단어들이다. 언어가 아니라 불을 지를 때 쓰는 불쏘시개다.

책임을 져야 할 다른 곳은 당연히 정치다. 공적 의사소통의 체계를 시대에 맞게 정립하고 운용할 책임은 정치인들에게 있는데, 그러기는커녕 시류에 편승한 천둥벌거숭이 같은 정치인이 허다하고, 양식 있는 정치인들은 거대한 부조리를 어쩌지 못하고 있다.

누리꾼들을 욕할 것인가? 악성 댓글의 폐해가 지적된 지 오래지만, 인류 중 일정한 비율은 어차피 그런 사람들이다. 그들이 익명성에 기대어 자신들의 부정적 성향을 드러내는 것뿐이다. 그들이 어떤 이의 명예를 훼손하거나 모욕하면 법적 책임을 져야 하지만, 그들은 주어진 토양에서 번성하는 것이지 그런 토양을 일군 책임자는 아니다. 개인의 목소리를 억압하지 않고 존중하되, 사회의 의사소통을 지나치게 교란하지 않도록 해야 하는데, 그런 의사소통 방식을 설계하고 운영할 책임과 능력은 정치와 언론, 그리고 거대 커뮤니케이션 회사에 있다.

매주 몇명의 사람이 여론의 심판대에 끌려 온다. 패턴은 일정하다. 최초의 사건 보도, 죽일 놈 만들기, 해명, 후속 보도, 이 틈바구니에 참전하는 관종들, 거듭되는 논란에 지쳐가는 사람들, 상황을 비판적으로 성찰하는 기사의 등장, 그리고 새로운 죄인의 등장과 함께 망각의 세계로. 한국의 뉴스와 사회관계망서비스(SNS)는 의사소통을 위한 장이 아니라, 원님 재판의 현대적 판본이다. "네 죄를 네가 알렷다" 라는 준엄한 호통과 함께 형틀에 올려진 사람을 고문하고 취조하다가, 마침내 옥에 가두거나 들판에 버린다.

인터넷은 한 사람 한 사람에게 발언의 길을 열어 주었으나 사회의 의사소통 능력을 하향평준화시키고 있다. 게다가 SNS는 이분법, 진영논리, 희생양 만들기를 구사하는 사람에게 금전적으로 보상하고 인지도를 높여주는 시스템이다. 언론과 정치는 손을 놓고 있거나 편승하고 있다. 이 불통의 시스템과 문화는 미래로 나아가려는 한국 사회의 뒷덜미를 계속 잡을 것이며, 어느 순간 현대 사회가 직면한 극도로 복잡한 문제와 대결할 능력을 빼앗음으로써 사회를 후퇴시킬 것이다. 우리는 그 심판의 시간이 점점 다가오는 것을 망연히 기다리고 있다.[165]

133. 통일부 흔들면 미래도 잃는다

통일부(Ministry of Unification, 統一部)는 남북으로 나뉜 한반도의 정국 하에 북한과 교류하고 통일을 위한 정책을 관장하는 중앙행정기관. 1969년 개원한 국토통일원을 전신으로 하며, 이후 20여 차례에 걸친 직제개정을 거쳐 국민의 정부인 1998년 통일부로 승격・개편되었다. 통일 및 남북대화, 교류, 협력, 인도적 지원에 관한 정책 수립 등 통일에 관한 사무를 담당하고 있다.

최근 통일부의 조직과 역할을 둘러싸고 논란이 일고 있다. 남북 간에 대화와 교류・협력을 기대할 수 없으니 조직을 대폭 축소해야 한다거나 해체 수준으로 개편해야 한다는 주장도 나온다. 참으로 우려스럽다. 헌법 4조에는 "대한민국은 통일을 지향하며 자유민주적 기본질서에 입각한 평화적 통일정책을 수립하고 이를 추진한다" 고 돼 있다. 이에 기반해 정부조직법에서 통일부가 통일 및 남북대화・교류・협력 업무를 관장하도록 명시하고 있다.

먼저 짚어야 할 것은 통일정책 수립과 추진은 헌법의 요구사항이란 점이다. 통일정책은 대한민국의 정체성과 결부돼 있고, 지난 54년간 통일부가 담당해왔다. 통일정책은 건별 결과를 중시하는 일반 정책과 달리 그 자체가 민족사의 미래를 결정짓는 과정의 축적이다. 주변 정세와 북한 움직임을 정확히 읽고 예측해야 할 뿐만 아니라 북한을 변화로 이끌기 위한 창의적이고 능동적인 노력을 지속해야 한다. 혹자는 통일부가 조직 이익을 위해 북한 체제의 연명을 강화시켜 왔다며 통일부 직원들이 반통일세력이라고 허튼소리를 하고 있다. 그 밑바닥에는 북한과 결별하고 2개 국가로 살고 싶다는 것과 북한이 빨리 붕괴되면 좋겠다는 두 가지 의식이 깔려 있다. 전자는 '통일 포기론' 이고 후자는 근거 없는 '통일 낙관론' 인데, 통일을 명분과 깃발로서만 이해하고 있다. 통일 노력을 굳이 할 이유가 없다, 즉 통일정책이 필요 없다는 것을 전제함으로써 헌법에 도전하고 있다. 통일을 회피하거나 실현 가능성을 외면하고 '감 떨어지기' 를 기다리는 쪽이 반통일세력이 아닐까?

둘째, 통일을 지향하려면 확고한 의지와 역사에 대한 통찰력을 지녀야 한다. 80년 가까운 분단 세월이 흐르면서 남북은 동질성이 훼손되었다. 그동안 모든 정부가 지지해온 민족공동체 통일방안이 점진적이고 단계적인 접근을 중시해온 이유이다. 국민들은 통일 한반도의 비전 실현을 위해 '통일의 집' 의 설계・시공 과업을 통일부에 맡겼다. 이를 담보하는 철근 기둥은 남북 대화와 교류·협력이다. 전쟁을 원하지 않는다면, 북한과 '헤어질 결심'을 하지 않는다면 남북이 상호 인정하며 특수관계를 유지할 수밖에 없다. 대화와 교류·협력이라는 철근을 빼먹자고 하면 설계를 파탄 내자는 것과 다름없다.

관련 기관들도 조직 이기주의에 숨어 공기(工期)를 허비하지 말고 통일부에 자재만 잘 공급해주면 된다. 국정원은 정보, 외교부는 국제협력, 국방부는 빈틈없는 전쟁 억지력으로 제 역할을 충실히 하는 것이 성업에 기여하는 길일 것이다.

셋째, 통일은 우리의 미래가 걸린 중차대한 과제다. 우리가 경제개발과 민주화로 선진국 대열에 올라섰지만, 분단의 무거운 짐에 억눌려 국민적 활력이 임계치에 도달해 있다. 남북 대결·긴장으로 인한 자원 배분 왜곡은 물론, 자유와 번영을 갉아먹는 여러 문제점은 분단과 상당 부분 연결돼 있다. 세계질서 전환기에 중추 국가로서 제대로 역할을 하려면 한반도 질서를 묶어둔 정전상태를 마감하는 현상변경이 따라야만 한다. 북한의 무대응을 핑계 삼아 남북관계의 방관자가 된다면 현상유지를 바라는 주변국의 원심력이 커지고 우리가 주도력을 잃을 가능성이 크다. 미래를 위해 통일을 국민적 에너지를 모으는 새로운 동력으로 삼는 것이 필요하다. 남북 대화·교류·협력 추진은 북한에 대한 굴종의 표지가 아니라 담대하고 장기적인 전략을 펼쳐나가는 데 필수 요소다. 북한을 냉전의 추억 속에 가두면 북한의 폭정은 지속되고 우리도 트라우마에서 벗어날 수가 없다. 서로가 공존의 신뢰 속에 있어야 통일의 시간표가 작동한다.

한·미·일과 북·중·러가 맞대결로 가는 가운데 서로가 '힘에 의한 평화'를 고집하면 큰 위험을 초래할 수 있다. 지금이라도 통일부가 평화와 통일을 위해 본연의 역할을 다할 수 있도록 뒷받침해 주어야 한다. 통일문제에 정치를 개입시키려는 시도는 더 이상 없어야 한다.[166]

서울 강남구 코엑스에서 열린 2023 북한이탈주민 일자리 박람회에서 구직자들이 채용게시판을 살펴보고 있다(뉴시스).[167]

134. 사이렌이 울리면

죽음을 부른다고 했다. 하지만 그녀의 감미로운 노랫소리를 꼭 듣고 싶었다. 그래서 목숨을 걸었다. 선원들은 밀랍으로 귀를 틀어 막게 하고, 자신은 귀를 막는 대신 돛대에 몸을 묶어 유혹에 반응하지 못하도록 했다. 그렇게 그는 악명 높은 '세이렌의 유혹'에서 벗어났다. 고대 그리스 시인 호메로스가 쓴 서사시 '오딧세이아'에 나오는 트로이 전쟁의 영웅 오디세우스 얘기다. 그리스 신화에 등장하는 '세이렌(Siren)'은 상반신은 여자, 하반신은 새의 모습을 한 바다 요정이다. 감미로운 노랫소리로 뱃사람들을 홀린 뒤 배를 암초로 유인해 침몰시켰다고 한다. 우리나라에서 더 유명한 독일 민요 '로렐라이'에 나오는 전설 속의 라인강 로렐라이언덕 위 여인도 세이렌이다.

고대 신화와 전설 속의 요정 세이렌은 지금도 살아있다. 세계 최대의 커피회사 스타벅스는 인어 모습을 한 세이렌의 형상을 로고로 택했다. 전설의 힘이 대단하다. 이 또 다른 세이렌의 유혹에 지구촌 커피 애호가들이 홀딱 넘어갔으니 말이다. 오늘날 비상 상황을 알리는 경보장치를 칭하는 용어 사이렌의 어원이 바로 세이렌이다. 곧 닥쳐올 위험이나 지금의 긴급상황을 알려 경계하도록 하는 경보음에 치명적인 노랫소리로 죽음을 부르는 신화 속 요정의 이름을 가져다 붙인 것이다.

사이렌이 울리면 무조건 긴박한 상황이다. 소중한 생명이 달려있는 경우도 많다. 갑작스러운 상황에 대비하기 위해 평상시 훈련이 필요했다. 민방위 훈련이다. 매월 정해진 날, 훈련 공습경보를 알리는 사이렌이 전국에 울리면 차량 이동이 통제되고, 보행자들은 가까운 대피소나 지하공간으로 일사불란하게 이동했다. 우리 사회 전쟁의 상흔과 공포가 남아 있던 20세기 후반 매우 익숙했던 모습이다. 이후 공습 대비 훈련(민방공훈련)은 2017년 8월, 지진・화재 등 재난 대비 훈련은 2019년 10월까지 실시된 후 중단됐다. 같은 시각, 전국에 울리던 요란한 사이렌 소리도 오랫동안 들을 수 없었다.

그런 사이렌이 6년 만에 다시 울린다. 오는 23일 전국민이 참여하는 공습 대비 민방위훈련이 전국에서 일제히 실시된다. 가상의 비상 상황을 설정해놓고 울리는 사이렌에 시민들은 어떻게 반응할까.

우리나라의 첫 민방위훈련은 1972년 1월이라고 한다. 어느덧 반세기가 지났다. 전국민이 참여하는 이 대규모 훈련의 풍경, 그리고 시민들의 자세가 어떻게 달라졌을지 사뭇 궁금하다.

사이렌(siren)은 신호나 경보 따위를 알리기 위해 소리를 내는 장치

사람을 홀려 죽음의 길로 끌어들이는 요정의 치명적인 노랫소리에서 목숨을 잃을 수 있는 긴급 상황을 알려 이를 경계하도록 하는 경보음으로…. 사이렌의 의미는 정반대로 바뀌었다. 귀를 막고, 몸을 움직일 수 없게 결박한 오디세우스와는 정반대로 대응하는 게 맞다. 귀를 쫑긋 세워 신호음을 정확하게 파악하고, 몸은 최대한 민첩하게 움직이는 게 사이렌에 대처하는 자세일 것이다.[168]

135. '개탄스러운 사람들'과 '미래가 짧은 분들'

미국의 대통령 선거전이 막바지로 치닫던 2016년 9월9일. 대부분의 언론에서 당선이 유력하다고 보고 있던 민주당의 힐러리 클린턴 후보가 뉴욕 맨해튼에서 성소수자 단체가 마련한 모금 행사에 참석했다.

그는 이 자리에서 공화당 후보인 도널드 트럼프 지지자의 절반이 '개탄스러운(한심한) 사람들(A basket of deplorables)'이라고 비난하는 연설을 했다. 이들이 인종주의자, 동성애 혐오자, 여성차별주의자, 이슬람 및 외국인 혐오자들이라는 이유를 들었다. 발언에 대한 비판이 일자 힐러리는 '절반'이라는 표현은 실수라고 인정하며 유감을 표했지만 '개탄스러운'이라는 표현에서는 물러서지 않았다.

좋은 대학(예일대 로스쿨)을 나와 민주주의와 인권에 대한 공부도 많이 한 진보 성향의 힐러리 관점에서 그런 트럼프 지지자들이 개탄스럽게 보이는 것은 있을 법한 상황이다. 하지만 치열한 대선 레이스 중에 이런 식으로 자신의 생각을 공격적으로 표출한 것은 정치적으로는 악재가 될 수밖에 없었다. 무엇보다 힐러리는 트럼프를 강력하게 지지하는 미국 '백인 노동자 계급'의 현실을 주의 깊게 보려 하지 않았다. 수십년 동안 몰아친 신자유주의 변혁 속에서 힐러리 같은 전문직과 관리직 엘리트층은 과실을 독차지하며 번성하고 있었다. 반면 그 번영에서 소외된 미국 제조업 노동자들은 직장을 잃고 아메리칸드림이 산산조각 났다. 이들이 얼마나 좌절 속에서 분노하고 있는지 힐러리는 이해하지 못했다. 힐러리의 발언은 미국의 쇠락한 백인 노동자들을 더욱 트럼프 쪽으로 똘똘 뭉치게 했다. 결국 그해 11월 트럼프 대통령 시대가 개막했다.

자신과 이념이나 생각이 다른 이들은 올바르지 않은 사람이라 여기는 진보개혁 엘리트들의 오만과 편견이 사달을 부르는 것은 종종 보는 일이다. 김은경 더불어민주당 혁신위원장이 지난달 30일 청년 간담회에서 "미래가 짧은 분들"이라며 노년층의 투표권을 폄훼하는 언급을 한 것도 유사한 사례다. 힐러리의 '개탄' 발언은 대선 패배로 이어졌고, 김 위원장의 발언으로 불거진 논란은 혁신위의 존립 근거를 흔들고 민주당 전체에 큰 타격을 주고 있다.

한국의 노년층은 미국의 백인 노동자 계급과 처지가 비슷하다. 둘 다 지난 세기에 가족과 회사, 국가를 위해 열심히 일하면서 경제적 안정을 이루고 사회적 인정도 받았다. 그런데 지금은 상대적, 절대적 빈곤 상태에 빠져 있고 사회로부터 존중받지 못하는 신세가 돼 있다. 특히 한국 노년층의 경우 유교적 전통이 약화되면서 사회적 인식과 대우가 변한 것이 좌절감을 더욱 부채질한다. 이런 토양에서 합리적이고 포용적이고 미래지향적인 생각들이 싹트기를 바라는 것 자체가 무리다.

개혁(改革, Reformation)은 제도나 기구 등을 새롭게 만들거나 재(再)제작하는 상황에 사용되는 단어다. 긍정적인 어휘로 받아들여지는 단어이지만, 좋게 바꾼다라는 뜻의 '개선(改善)' 과 달리 그저 새롭게 바꾼다는 뜻만 있다.

한국의 진보개혁 세력에게 노년층은 우군이 아니다. 노년층이 인권이나 성평등, 분배 정의 등의 진보적 가치를 적극적으로 수용하지 않는다고 여기기 때문일 것이다. 노년층이 선거 때마다 보수세력에 표를 몰아주고 있으니 더더욱 이쁘게 보일 리 없다. 이번 노년층 투표권 논란도 뿌리를 찾아 내려가면 진보개혁 세력들의 기저에 깔려 있는 이런 인식이 있을 것이다. 시대의 변화를 거부하며 과거의 생각과 가치에만 꽁꽁 묶여 있는 노년층이 존재하는 것도 사실이다. 그렇다고 그들의 좌절과 분노가 어디서 왔는지 이해해보려 하지 않고 외면만 한다면 끝없는 혐오가 반복될 뿐이다.

정치공학적으로 노년층의 표를 어떻게 얼마나 끌어올 것인가가 중요한 것이 아니다. 진영, 노사, 남녀, 세대가 극단적으로 분열돼 혐오하는 현실을 개선하겠다는 의지가 있는 정치세력이라면 뜻이 맞지 않는 집단도 포용할 방법을 찾아야 한다. 빈곤 퇴치 연구로 2019년 노벨 경제학상을 공동 수상한 아브히지트 바네르지와 에스테르 뒤플로 부부는 "개탄스러운 사람들이라고 비난하는 것은 전혀 도움이 되지 않는다. 그들을 분노하게 만들기 때문이다. 그들은 즉각 귀를 닫고 더는 듣지 않으려 할 것" 이라며 "사람들은 스스로를 좋은 사람이라고 여기고 싶어 하기 마련이므로, 나의 가치 판단을 상대에게 부여하기 전에 먼저 상대가 스스로의 가치를 긍정하게 하는 것이 상대의 편견을 줄이는 더 좋은 방법" (<힘든 시대를 위한 좋은 경제학>)이라고 조언한다.

부모가 아이에게 "착하게 행동해야 해" 보다 "너는 착한 아이야" 라고 말하는 것이 착한 아이를 만드는 데 더 유효하다는 얘기다. 그러면서 경제적인 생존 보장을 넘어 그들의 존엄성을 회복시켜 주는 정책이 필요하다고 말한다. 존엄성을 잃은 사람만큼 위험한 존재는 없다. 우리는 성공보다 실패를 통해 더 많이 배울 수 있다. 지금 충분히 실패하고 있는 민주당이나 한국의 진보개혁 세력이 '겸허하게' 새겨둘 만한 얘기다.[169]

136. 유급 병가, 그땐 맞고 지금은 틀리다

3년 반 전. 지금은 아득하게만 느껴지는 코로나19 유행 초기로 시계를 되돌려 보자. 회사나 학교, 심지어 방문했던 식당에서 확진자가 발생하면 사람들은 무조건 검사를 받고 결과가 나올 때까지 집에 머물렀다. 회사에서도 눈치는 줄지언정 출근을 강요할 수는 없었다.

확진이 되면 입원·격리 기간 동안 정부가 생활지원금을 지급하고, 직원에게 유급휴가를 제공한 사업주에게도 일부 비용을 지원했다. 이내 '아프면 3~4일 집에 머물기'는 정부의 5대 생활 방역수칙 중 하나가 되었다. 의심 증상이 있지만 노동자들이 쉽사리 일을 중단할 수 없거나 작업장 내 방역 조치가 미흡했던 콜센터, 물류센터 등에서 유행이 시작되어 지역사회로 급속히 확산되자, 병가의 중요성이 크게 부각된 것이다. 한국의 노동자들이 누려보지 못한 '호사'였다.

하지만 지난 6월1일부터 코로나19 감염과 관련한 격리 '의무'가 사라지고, 5일 격리 '권고' 조치가 시행되면서 일터의 시계는 빠르게 코로나19 이전으로 돌아가고 있다. 요즈음 코로나19 감염은 경미한 경우가 대부분이라지만, 질환 초기 심한 발열이나 상기도 증상을 경험하는 이들도 적지 않다. 예컨대 최근에 지인 두 명이 각각 코로나19에 감염되었는데 두 명 모두 첫 이틀 동안 발열과 인후통이 심했다. 한 명은 병가를 사용하여 쉴 수 있었지만, 다른 한 명은 그럴 수 없었다. 그나마 회사에서 출근은 하지 않아도 된다고 하여 재택근무를 했다.

국내에서 유급 병가는 법정 의무가 아니라 노사협약이나 취업규칙에 따라 정해지는 '기업 복지' 프로그램이다. 물론 병가 제도가 있어도 회사 눈치가 보여서, 혹은 일손이 달려서 병가 사용을 주저하는 경우가 많다. 그래도 어쨌든 유급 병가 제도가 있으면 원인이 계절독감이든 코로나19든 아프면 병가를 사용할 수 있다. 코로나19 유행 동안에는 이런 제도가 없는 회사에 다녀도 감염병예방법 덕분에 최소한 코로나19 감염에 대해서는 병가를 쓸 수 있었다. 하지만 이제는 그것조차 불가능해진 것이다. 유급 병가, 그때는 맞고 지금은 틀리다.

한국은 경제협력개발기구(OECD) 회원국 중에서 병가로 인한 결근일 수가 가장 적다. 한국 노동자가 유독 건강하기 때문은 아닐 것이다. 아픈데도 출근하는 '프리젠티즘'은 노동자의 건강에만 악영향을 미치는 것이 아니라 작업장 안전사고로 이어지거나 업무 효율성 저하를 가져올 수 있다.

그래서 전 세계 대부분의 나라에서 업무 외 상병으로 일을 할 수 없을 때 일정 기간 소득을 보장해주는 상병수당 제도를 운영하고 있다. 한국도 코로나19 유행을 계기로 논의가 급진전하면서 2022년 7월부터 시범사업을 진행 중이다.

그런데 상병수당 제도가 제대로 작동하려면 유급병가 제도가 '세트' 로 움직여야 한다. 상병수당 제도가 있는 대부분의 국가들은 짧게는 4일, 대개 7~14일의 '대기 기간' 을 설정하고 있다. 이 기간 동안은 기업이 아픈 노동자의 생계를 책임지고, 이 기간이 넘어가면 상병수당 제도를 통해 국가가 책임지겠다는 뜻이다. 국내 상병수당 시범사업도 이런 개념에 따라 설계되어 있다. 그런데 정작 유급병가 제도의 법제화는 추진되지 않고 있다. 이미 작년에 국가인권위원회가 이를 고용노동부에 권고했지만, 과감하게 '불수용' 되었다.

예전에 누군가 코로나19 유행을 경험하며 우리 사회가 얻은 가장 큰 성과가 무엇이냐고 물었을 때 '아프면 쉴 권리' 의 인정과 상병수당 제도의 시작이라고 답변한 적이 있다. 당장은 코로나19에만 적용되지만, 이제 아프면 쉬는 것이 당연한 '규범' 이 될 것이라고 예상했다. 한데 지금 생각해보니, '코로나19 퍼뜨릴까 봐 집에 있으라고 마지못해 허락해준 것' 을 '아프면 쉴 권리' 가 인정된 것이라고 나 혼자 착각했던 것이다.

일하다 죽지나 않으면 감지덕지해야 하는 마당에, 내가 경솔했다.[170]

유급병가 지원 제도는 근로취약계층을 대상으로 유급병가를 지원하는 서울시의 복지제도이다. 최대 14일의 기간 내에서 입원치료나 진료 건강검진으로 일을 하지 못한 경우 생활비를 지원해 주는 제도이다.

2021년 9월 30일 자로 "서울형 유급병가 지원" 신규 사업이 확대되어, 코로나19 예방접종 후 이상반응으로 4주 이내 외래진료(검진) 시 유급병가 지원 일수를 1일 추가해 최대 15일까지 지원받을 수 있다.

137. 전체주의 싫어하는 대통령님께

전체주의(totalitarianism, 全體主義)는 개인의 자유를 억압하고 극단적으로 집단의 이익만을 강조하는 정치 사상 또는 체제. 이탈리아의 무솔리니가 파시즘 국가를 지칭하기 위해 만들었다.

존경하는 대통령님. 지금, 자유전체주의를 맹종하며 공동체를 교란하는 반인권 세력이 활개치고 있습니다. 이들은 차별할 자유도 있다고 당당하게 말합니다. 저는 한국 사회의 혐오 문제를 한 아파트에서 임대아파트와 같은 학군 배정을 반대하는 게시물을 올린 사례로 언급한 후 어떤 항의를 받았을까요? “내 아이가 좋은 환경에서 공부하도록 하는 게 왜 차별이냐! 내 자유지.”

존경하는 대통령님. 지금, 자유전체주의를 추종하며 역사를 왜곡하는 반민주주의 담론이 곳곳에서 튀어나오고 있습니다. 저는 민주주의가 보편적 인권을 누리는 사람이 더 많아지는 제도라고 생각합니다. 이를 설명하기 위해서는 군부독재 시절 빈번했던 인권유린의 실상을 짚을 수밖에 없죠. 어떤 e메일을 받았을까요? “왜 전직 대통령을 나쁘게 묘사하냐! 빨갱이 잡은 게 인권탄압이냐! 당신의 사상이 수상하다.”

존경하는 대통령님. 사상검열이 늘어난 듯한 느낌, 기우겠죠? 사실을 제대로 말하고 눈치 안 보고 자유롭게 글 쓸 자유가 상당히 위축된 기분입니다. 과민반응이 아니라 지난 시절 야비하고 패륜적인 공작의 희생자가 한둘이 아니었으니까요. 용공조작은 위장, 잠입, 교란이란 단어를 나열한 후 ‘저 인간은 공산주의 사상을 지녔다’는 이유로 한 사람을 짐승 취급한 사건인데 한국 현대사의 핵심이죠. 제주4·3 사건이 ‘학살’인 건, 숨어 있는 공산전체주의 세력 찾겠다고 ‘전체를’ 쑥대밭으로 만들었기 때문이죠. 수십년이 지나서도 같은 이유로 광주가 피바다로 물들었죠. 그러니 한국 사회에서 자유전체주의 세력들의 준동은 쉽게 사라지지 않을 것입니다.

존경하는 대통령님. 사회는 ‘좋은’ 체계는 유지(보수)하고 ‘나쁜’ 관성은 방향을 틀어야지만(진보) 좋아지는데, 요즘에는 조금이라도 진보 냄새가 나면 내용 불문 정치적이라면서 비난을 받습니다. 사회를 비판했을 뿐인데, 사회를 분열시킨다며 욕을 먹고 특정 정당에 유리한 발언을 했다는 이유로 날카로운 칼 앞에 서야 합니다. 아무리 진보가 좌익, 용공세력, 친북·종북좌파로 오랫동안 불렸지만 2023년에도 그런 오해를 받는다는 게 과연 상식적일까요?

존경하는 대통령님. 자유주의 전파자로 위장한 전체주의 세력을 꼭 발본색원해 주세요. 이들은 민주주의 사회가 보장하는 법적 권리를 충분히 활용하여 다양성을 기반으로 하는 인권의 범위를 축소하고, 권력에 저항하며 만들어간 민주주의의 맥락을 왜곡하고, 일상 속 차별과 혐오의 씨앗을 찾자는 진보적 가치를 이념의 굴레로 재단합니다. 우리가 절대 속거나 굴복하지 않게 해 주세요. 자유전체주의는 반드시 실패한다는 믿음과 확신을 주세요.

인권·진보·민주주의는 언제나 '색깔론'의 희생양이었습니다. 그래서 오해도 많이 받습니다. 달라진 건, 어느 순간 더 가혹해졌다는 것이죠. 공격하는 쪽은 갑자기 믿는 구석이 생긴 건지 더 확신에 차서 더 강하게 난도질을 합니다. 조롱과 빈정거림의 수위도 끔찍할 정도로 높아졌죠. 그 신호탄, 아무리 생각해도 대통령님의 광복절 경축사 외에는 도무지 찾을 수가 없네요. 설마 이런 칼럼 하나에 기분 나쁘신 건 아니시죠? 공산전체주의를 싫어하시니까, 세상의 다양한 목소리를 분명 존중해 주실 거라고 믿어 의심치 않습니다.[171]

전체주의에 대한 정의나 속성에 관해서 확정된 정설이 있는 것은 아니다. 일반적으로 전체주의는 개인주의와 대립되는 개념으로 이해되고 있다. 이러한 일반적 의미에서의 전체주의는 부분에 대한 전체의 선행성과 우월성을 주장한다.

즉, 전체주의란 개인의 이익보다 집단의 이익을 강조하여 집권자의 정치권력이 국민의 정치생활은 물론, 경제·사회·문화생활의 모든 영역에 걸쳐 전면적이고 실질적인 통제를 가하는 것을 말한다.

전체주의에는 파시즘과 공산주의를 포함하고 있지만, 이 양자를 일괄적으로 규정하기는 매우 곤란하다. 양자는 그 이데올로기의 기원에 있어서나 그 사회적 배경에 있어서도 서로 다르다.

전체주의의 발생원인을 획일적으로 해명하기는 어려우나, 그 지배형태에서 전체주의적 특징을 찾아낼 수는 있다.

138. 잘 징징거린다는 것

새로운 프로젝트 준비로 두 달째 '글쓰기 감옥'에 갇혀 지내는 중이다. 손에 모터 달렸냐는 소리를 들을 만큼 일처리가 빠른 편인데, 글쓰기는 예외다. 마음은 급한데 진도는 안 나가니 지인들을 붙잡고 징징거리는 일이 잦아졌다. 사전에서는 '언짢거나 못마땅하여 계속해서 자꾸 보채거나 짜증을 내는 것'을 징징거림이라고 정의한다.

이런 부정적인 뉘앙스를 넘어 팔딱팔딱 생명력 있는 동사로 '징징거림'에 의미를 불어넣은 이는 친구 J다. 갱년기를 겪으며 이유를 알 수 없는 통증으로 일상이 피폐해져 가고 있을 때 J가 말했다. "아플 땐 징징거리는 게 최고 명약이야. 언제든 전화해. 나한테 얼마든지 징징거려!" 그리고 "징징거림도 총량이라는 게 있다"고 덧붙였다. 정말 그랬다.

실컷 징징거리고 나면 좀 덜 아팠고, 그 힘으로 한동안은 버틸 수 있었다. 오래전 믿었던 사람의 배신으로 힘들어하고 있을 때도 그랬다. "내가 가서 뺨따귀라도 갈겨줄까? 네가 원하면 언제든 해줄게. 나한테 징징거려!" J는 정말 달려갈 기세였다. 그 말이 얼마나 통쾌하고 시원하던지, 웃음까지 빵 터졌다. 그런 일은 벌어지지 않았지만 말만으로도 든든한 보험을 든 기분이었다. 이 얼마나 신박한 징징거림인가?

정신분석학자 이승욱 박사는 우울에 대해 '분노하지 못한 자의 형벌'이라고 표현한다. 자신이 착한 사람이라는 걸 보여주고 싶고 스스로 분노를 삭이려고만 할 때 우울이 찾아온다는 것이다. 나는 분노의 첫 표출이 '징징거림'이라고 생각한다. 그러니 징징거림 자체는 좋은 신호이자 건강하게 문제를 푸는 시작으로 볼 수 있다. 징징거리되, 누구에게 어떻게 잘 징징거릴 거냐가 관건이다.

징징거릴 상대로 가족은 추천하고 싶지 않다. 일상을 함께하는 가족 간에는 지구력이 약하기 때문이다. 운전도 가족한테는 못 배운다고 하지 않는가. 물론 '우리 가족은 안 그래' 하는 사람이 있다면 그건 타고난 복이니 마음껏 하시길. 하지만 그렇지 않다면 먼저 징징거릴 대상을 잘 찾아보자. 꼭 절친일 필요는 없다. 비슷한 경험을 해봤다면 긴 말 필요 없이 공감이 잘 될 테니 금상첨화다.

지인 중에 없다면 커뮤니티를 찾아보는 것도 방법이다. 후배 중 한 명은 종종 전문 상담소를 애용한다. 대면하는 게 부담스러우면 전화상담으로도 충분하다. 징징거릴 때 중요한 건 '실컷'의 정도를 잘 알아차려야 한다는 것. 세상사 과유불급(過猶不及)은 여기에도 포함된다. 효과를 보고 나면 나도 누군가의 징징거림을 들어줄 수 있는 품이 넉넉한 사람이 되고 싶어지기도 한다.

분노와 징징거림이 필요하다고는 했지만 타인의 인권을 침해하거나 공동체에 해를 끼치는 경우라면 경중에 상관없이 용납될 수 없음은 당연하다. 다만, J의 말처럼 사람마다 징징거림의 총량이 있다고 할 때, 우리는 언제 어디서건 이걸 받아줄 부모, 교사, 어른이 부재한 사회에서 살고 있는 것은 아닐까. 징징거려서 해소될 수 있는 소소한 감정들이 쌓이고 쌓여 결국 파괴적인 방식으로 표출되고 있는 것은 아닌지, 요즘 끊임없이 이어지는 심란한 뉴스들을 보며 드는 생각이다. 아, 의식의 흐름대로 가다 보니 어느새 나라 걱정까지 왔다. 오지랖이 끝이 없다. 내 글쓰기 진도가 안 나가는 이유다.[172)]

justinlim, 출처, Unsplash

139. 이데올로기와 물질적 이해관계

자녀가 결혼할 때 증여세 면세 한도를 5000만원에서 1억5000만원으로 올리는 정책이 추진된다는 뉴스를 읽는다. 내 아이들의 머릿수에 1억5000을 곱해보는 계산이 채 끝나기도 전에, “다섯 집 중 네 집, 자녀 결혼 때 1.5억 증여해줄 여력 된다” 는 제목의 기사가 여러 일간지에 등장한다. 통계청의 2022년 가계금융복지 조사를 해석한 것이라는데 판에 박은 듯이 똑같은 문구로 보아 어느 공무원이 만든 보도자료를 그대로 옮겨 실었으리라 짐작한다. 계산인즉슨 25세 이상 40세 미만의 미혼 자녀가 있는 가구의 순자산은 평균 6억5000만원 정도, 그중에서 당장 증여하기 어려운 실물자산(아마도 대부분이 부동산일 것이다)을 뺀 나머지, 즉 돈으로 쉽게 바꿔 증여할 수 있는 금융자산 등이 1억6000만원을 약간 넘는다는 것이다.

사실 여기까지는 평균의 함정이 존재하므로 딱히 의미 있는 결론을 이끌어내기가 쉽지 않다. 예를 들어 1인당 국민소득을 3만달러로 잡고 어림 계산해도 4인 가구의 평균 재산이 11억원을 넘어야 하지만 실제로 그 정도면 상위 10% 안에 들고도 남는다는 냉정한 현실을 무시할 수 없기 때문이다(6월6일자 필자의 칼럼 ‘성장률과 사라져가는 평균’ 참조). 그런데 바로 그다음에, 순자산이 1억5000만원 이상인 가구가 전체의 80% 정도 되니 “이론상 결혼적령기의 미혼 자녀가 있는 다섯 가구 중 네 가구는 증여세 면제 혜택을 받을 수 있는 자산 수준” 이라는 어이없는 계산이 뒤따른다. ‘결혼적령기’ 의 자녀가 오직 한 명뿐이라는 가정, 순자산 1억원대의 가구가 2023년 한국 사회에서 누릴 수 있을 생활수준에 대한 사회과학적 상상력의 결여, 더구나 그 순자산을 자녀에게 모조리 증여해준다는 가정(대체 부모는 무엇으로 사는가?) 등 엉성한 논리에다 심지어 위험한 이데올로기 조작의 혐의까지 지니고 있다.

요컨대 결혼하는 자녀에게 1억5000만원 정도를 증여할 수 있는 가구, 그 면세 한도의 인상을 통해 몇 천만원의 세금을 아낄 수 있는 가구가 정책의 직접적 수혜대상이자 아마도 선거에서 ‘우리’ 를 지지해줄 수 있는 세력이기도 한 것이다. 인식했건 아니건 간에 그 ‘우리’ 안에는 어떻게든 정책효과를 강조해보려고 머리를 쥐어짰을 예의 공무원도, 그 기사를 퍼날랐을 기자들도 속해야 한다. 양가에서 1억5000만원씩 3억원이 초부자냐 아니냐를 두고 공방하는 동안, 추상적 평균에서 멀어진 보통사람들의 삶은 잊힌다. 다름 아닌 그 공방의 주역들, 즉 국회의원들의 2022년 기준 평균 재산이 (비정상적으로 많은 몇 명을 제외하고도) 20억원이 넘는다는 통계는 출산장려정책이 이른바 민중으로부터 괴리될 수밖에 없는 까닭 중의 하나를 보여준다.

자본주의 사회에서 재산이 많은 것은 죄가 아니다. 너무 적은 재산이 당사자의 무능력이나 게으름의 결과이지 말라는 법도 없다. 그러나 정책을 수립하고 집행할 때 다양한 계층의 관점이 고려되어야 한다는 원칙만은 분명히 지켜져야 한다.

선거결과는 얼핏 생각하듯 죽고 사는 문제가 아니라 그저 우리가 사는 세상이 조금 바뀌는 것뿐이라는 어느 진보지식인의 지적이 회자되고 있다. 아마도 그의 의도와는 다른 의미에서도 그 말은 전적으로 타당하다. 양극화한 정치지형에서 죽기 살기로 지지하는 '우리 편'이 집권한다 한들, 구조 그 자체는 거의 흔들리지 않는다는 것이다.

이미 1928년 독일노동조합총동맹이 출간한 경제민주주의에 관한 최초의 체계적 문건은 국가경제정책기구가 사적 이익이 아닌 보편적 이익을 위해 움직이도록 바뀌어야 함을 지적한다. 다양한 계층의 사람들이 영향받는 경제정책 결정에 있어 바로 그 다양한 계층의 이해가 대변되고 조정되어야 한다는 것은 너무나도 당연한 원칙이지만 현실에서는 너무나도 당연하게 무시되고 있다. 그것이 비열한 의도를 지닌 조작의 결과가 아니라 스스로의 물질적 이해관계로부터 자연스럽게 드러난 표현에 지나지 않는 것이라면? 구조만을 논하는 것은 현실의 단기적 모순에 눈감게 만드는 효과가 있다.

그럼에도 절망적인 현실은 오히려 우리가 구조의 문제를 잊어서는 안 될 것이라는 경고로 받아들여져야 한다. 탁구공이 테이블 이 편 저편을 어지러이 넘나드는 순간에도 경기의 규칙은 그대로 유지될 뿐이라는 인식, 그러므로 우리는 규칙을 설정하는 이들에 맞서 새로운 힘을 만들어내야 한다는 것, 그 힘을 만들기 위해 우리 자신을 설득해야 하는 동시에 어이없는 논리에 쉽게 설득당하지 않아야 한다는 것이다.[173]

140. 도시라는 회집체

우리 아파트엔 주민들끼리 소통하는 단톡방이 있다. 아파트 개·보수 등 정보 공유는 물론이고 그 안에서 무료 나눔도 이루어진다. 어느날 아파트 화재경보가 울렸을 때 경보 발원지를 찾는 데에도 단톡방이 한몫 톡톡히 했다. 단순한 단톡방 하나만으로도 도시를 살아가는 재미가 느껴진다.

최근 '스마트 도시'라는 개념이 사람들의 입에 오르내린다. 스마트 도시란 정보시스템 연결망을 통해 네트워크화된 도시를 일컫는다. 주로 정보통신기술을 활용해 교통 흐름, 공기 오염, 에너지 사용 등의 상황을 모니터링하고, 그로부터 산출되는 데이터를 통해 시민 생활의 편의성을 높인다는 개념으로 출발한 정책 사업이다. 이 사업의 핵심에는 '도시의 문제'를 '테크놀로지'를 통해 '해결'할 수 있다는 전제가 깔려 있다. 사람들이 만들어 놓은 문제를 기술이 해결할 수 있다는 발상은 일종의 테크노피아적 믿음에 근거한다.

이런 발상 뒤에 자본과 비즈니스적 구상이 숨어 있음은 당연하다. 민간 거대 정보통신 업체들이 지자체의 도시 설계 과정에 깊숙하게 결합해 도시를 기반으로 하는 투자 시장을 창출한다. 그 안에서 기업과 비즈니스는 도시를 하나의 거대한 상품시장이자 고용시장으로 만들어간다. 물론 이것은 좋은 일이다.

그러나 이 과정에서 도시 전체를 각종 센서, 디지털 키오스크, 사물인터넷, 공공 와이파이, 감시카메라 등으로 채워가는 것이 과연 도시에서 발생한 문제를 '해결'하는 길인지는 불분명하다. 투자 대비 효과가 얼마나 되는지는 검증이 필요하다. 이 과정에서 부지불식간에 도시는 '테크놀로지 팩터' 중심이 되었고, 반대로 '휴먼 팩터'는 오히려 간과되는 현상이 나타난다. 사람 중심의 거버넌스가 필요하다는 지적에 따라 2010년 이후 시민 거버넌스 개념으로서 '스마트 시티즌' 개념이 등장했지만, 그 비중은 여전히 미약하다.

현대 사회에 들어서면서 모든 것이 테크놀로지 중심으로 전개되는 반면, 왠지 모르게 인간은 늘 문제를 일으키는 주범이거나 혹은 '버그'를 일으키는 존재로 인식된다. 테크놀로지는 그 문제를 '해결'하고 휴먼 에러를 최소화하는 해결자를 자처한다. 예컨대 IBM, CISCO 또는 Siemens 등이 도시를 살리는 슈퍼맨이 되는 셈이다. 이 과정에서 인간은 단지 데이터를 생산하고 소비하는 원자화된 개별자들로 인식된다. 살아가는 '시민'들의 참여나 집합지성은 점차적으로 후경화된다.

나는 스마트 도시의 테크놀로지 집중 모형이 정말로 '도시 문제들'을 해결해 줄 것인지에 대해서는 회의적이다. 지금까지 세계의 스마트 도시들이 주목해온 문제들은 주로 도시 행정, 교통, 환경, 에너지 등의 부문에 집중돼 있었다. 반면 도시가 진정으로 맞닥뜨리고 있는 또 다른 중핵적 문제들, 예컨대 지방도시 소멸, 부동산 가격급등(락), 계층 양극화, 청소년 일탈과 마약, 과잉 교육경쟁과 사교육, 젠트리피케이션(둥지 내몰림) 등은 회피되고 있다. 왜냐하면 이런 문제들은 센서와 데이터 혹은 인공지능(AI)으로 해결될 수 있는 것이 아니기 때문이다.

도시란 일종의 '집합적 지능'을 가진 생명체 같은 것일 수 있으며, 그러한 도시 전체가 감각과 신경망, 지능을 가진 회집체(assemblage)처럼 작동하는 것을 상상해 본다. 이때 기술이 도시 문제를 모니터링할 수는 있지만 해결을 위한 결단은 시민들의 몫이다. 도시를 살아가는 시민들의 휴먼 팩터가 전면에 나설 수 있는 플랫폼과 프로토콜이 필요하다.

그렇다면 어떻게 시민들의 집단지성을 성장시키고, 그것과 '스마트' 인공지능의 연결을 통한 공진화를 가능하게 할 수 있을까? 답은 '연결'과 '소통' '학습'에 있을지 모른다. '스마트' 테크놀로지가 연결성을 통해 현실을 감지하고 학습하는 것처럼, 도시의 시민들도 서로 연결되고 토론하며 집합적 생각을 진화시켜 갈 수 있는 기회와 플랫폼이 적극적으로 제공되어야 한다. 갈라진 이해관계를 이어 붙이고 공존할 수 있는 연결을 가능하게 하는 도시 플랫폼이 요청된다.

최근 포스트 휴먼적 관점에서 도시는 생명과 물질, 인간과 비인간이 공생하며 공진화하는 공간이다. 그 공간 자체가 하나의 거대 기억체이며 학습하는 체계이다. 도시라는 회집체는 인간을 가르치는 학습공간이 된다. 예컨대 독일 베를린에 가면 유대인 묘지, 나치 박물관이 도시 한가운데 있으며, 베를린 장벽의 유적들이 곳곳에 배치돼 있다. 도시 전체가 역사성과 미래적 가치를 가르치는 커다란 학교이다. 반면, 우리는 어떤가? 기껏 세워놓은 홍범도 장군의 흉상을 치워버리지 못해 저리도 난리를 치고 있지 않는가?[174)]

141. 물이 흘러가는 곳마다

영웅 헤라클레스는 자기 죄를 씻기 위해 에우리스테우스 왕의 종이 되었다. 심술궂었던 왕은 그에게 열두 가지 과업을 해결하라고 명령했다. 아우게이아스 왕의 외양간을 하루 동안에 청소하는 일도 그중의 하나였다. 그 외양간에는 소가 수천 마리 살고 있었고, 여러 해 동안 한 번도 청소한 적이 없었다고 한다. 불가능해 보이는 과업이지만 헤라클레스는 알페이오스강과 페네우스의 강물 줄기를 외양간으로 끌어들여 단번에 외양간 청소를 끝냈다. 과거에는 일거에 일을 끝내버린 헤라클레스의 지력과 담력에 마음이 후련해지곤 했다. 하지만 이제는 더 이상 그럴 수 없다. 외양간의 오물들이 강물로 흘러들어갔을 거라는 합리적 의심 때문이다.

일본 도쿄전력은 8월24일부터 방사능 오염수 해양 방류를 시작했다. 주변국들의 우려와 반대의 목소리는 경청되지 않았다. 우리 정부는 그런 행태에 대해 항의하기는커녕 오히려 분노하는 국민들을 괴담의 생산자 혹은 유포자로 낙인찍고 있다. 일본 후쿠시마 원전 오염수를 방류해도 우리나라에 위험하지 않다는 취지를 담은 정부의 유튜브 홍보 영상 제작을 대통령실이 주도했고, 문화체육관광부가 영상 송출에 관여했다는 사실을 도대체 어떻게 받아들여야 할까? 정부와 과학을 믿어달라는 말은 공허하기 이를 데 없다. 과학이 객관적 사실을 담보하지 않는다는 사실을 우리는 경험을 통해 알고 있기 때문이다. 오염수 방류 사태를 두고 과학자들의 생각이 서로 다르다는 사실은 '과학적 사실'이라는 게 매우 주관적일 수 있음을 반증한다.

방사능 오염수 방류는 지구 공동체를 향한 생태 학살이라고 규정하는 종교인들도 있다. 오염수로 인해 생태계가 교란되고, 수많은 종의 죽음을 초래할 것이라는 것이다. 삼중수소가 인체에 무해한 수준이라 말하는 이들이 많지만 그것이 바다에 혹은 인체에 오랜 시간 누적될 때 어떤 사태가 벌어질지는 아무도 알지 못한다. 유전적 변형은 장기간에 걸쳐 서서히 일어날 수도 있다. 미래 세대에 미칠 영향을 염려하는 것은 괴담이 아니다.

도쿄전력이 내놓은 방류 계획서에 따르면 삼중수소 농도가 낮은 것부터 방류를 시작해 향후 30년간 점차 농도가 높은 오염수를 배출하는 것으로 되어 있다. 충격의 표백을 자신하기 때문일까? 주변국들의 우려와 충격의 시효가 길지 않으리라는 확신이 없다면 결코 짤 수 없는 계획서이다. 무엇이든 처음이 어렵지 그다음부터는 어렵지 않은 법이다. 방사능 오염수 방류 허용이 나쁜 선례가 되어, 여러 나라가 더 위험한 물질들을 해양에 투기하는 일을 망설이지 않을 가능성이 크다. 모든 생명을 품는 바다가 죽음의 공간으로 변하는 순간 인류의 미래는 어두울 수밖에 없다.

기원전 6세기의 히브리 예언자 에스겔은 바벨론에 의해 나라가 망하고 포로로 잡혀가 실의의 나날을 보내고 있던 동족들을 생각하다가 놀라운 비전을 본다. 성전에서 발원한 물이 흘러가면서 조금씩 수위가 높아지고 강폭이 넓어지는 광경이었다. 강 좌우편에는 잎이 무성한 나무들이 즐비하게 서 있었다. 유장하게 흐르는 강물을 바라보며 생각에 잠겨 있던 그에게 한 소리가 들려온다. 이 강물은 동방으로 향하여 흐르다가 아라바로 내려가서 마침내 바다에 이르게 될 것이라는 것이었다. 강물이 바다에 이른다는 것은 하나도 이상할 것이 없지만 주목해야 할 것은 다음에 들려온 소리였다. "이 흘러내리는 물로 바다의 물이 소성함을 얻을지라." "이 강물이 이르는 곳마다 번성하는 모든 생물이 살게 될 것이다." 이 장면에서 바다는 사해를 가리킨다. 사해는 해수면보다 낮은 곳에 있기에 출구가 없다. 사해에 이른 물은 더 이상 흐르지 못한다. 흐르지 못하고 막혀 있기에 사해는 염분이 많아져 아무것도 살 수 없는 죽음의 바다가 되고 말았다.

물론 죽음의 바다가 살아나는 꿈은 몽상일 수 있다. 그런데 역사의 새로움은 언제나 말도 안 되는 꿈을 꾸는 이들을 통해 개시되곤 했다. 강물이 흘러가는 곳마다 죽었던 생명들이 살아나고, 강 좌우편에서 어부들이 그물을 던지는 꿈. 이러한 꿈조차 없다면 삶은 얼마나 초라한가? 생명의 바다가 죽음의 바다로 변하도록 방치하면 안 된다. 생명이 넘실대는 세상의 꿈을 보여주던 에스겔의 비전은 경고음도 내포하고 있다. "그 진펄과 개펄은 소성되지 못하고 소금 땅이 될 것이다." 방사능 오염수가 흘러가는 곳마다 불모의 공간으로 바뀔 가능성이 크다. 경고의 나팔소리를 무시할 때 재앙은 예기치 않은 시간 우리 삶을 엄습하게 마련이다.[175)]

142. 시민이 동료 시민에게, 어떤 역사를 만들겠습니까

한국 사회가 느닷없는 역사전쟁의 소용돌이에 휘말렸다. 현 정부가 독립전쟁 영웅인 홍범도 장군에게 색깔론을 씌워 육군사관학교에 있는 흉상 이전을 추진하면서부터다. 홍 장군에 처음 서훈한 것이 박정희 정부였고, 해군 잠수함에 '홍범도함' 이라는 이름을 붙인 것은 박근혜 정부 때였다. 홍 장군은 보수·진보의 이견이 없는 독립운동의 영웅이다. 1943년에 작고한 국가적 영웅에게 80년 만에 덧씌워진, 아무짝에도 쓸모없는 이념 논란에 어안이 벙벙할 따름이다.

지난달 광복절 경축사에서 '공산전체주의' 를 거론한 이후, 지난달 28일 국민의힘 연찬회에 참석해 "제일 중요한 것이 이념" 이라며 이념·역사 전쟁의 불을 지피고 있는 것은 윤석열 대통령이다. 평소에도 강조하던 신념이었다면 이렇게 당혹스럽진 않았을 것이다. 1년 전, 불과 몇달 전만 해도 윤 대통령은 낡은 이념을 공격하는 쪽이었다. 1년여 전, 윤 대통령은 "새 정부에 국민이 기대하는 것은 이념이 아닌 민생 최우선" (2022년 7월22일 '윤석열 정부 장차관 국정과제 워크숍' 모두발언)이라고 했다. 3개월 전만 해도 "이념이나 정치 논리가 시장을 지배해서는 안 된다" (5월23일 제21회 국무회의 모두발언)며 탈이념을 강조했다. 그런데, 갑자기 본인의 입장을 아무 설명 없이 뒤집으며, 과거와는 180도 반대되는 말을 툭툭 던지고 있다. "왜 갑자기?" 라는 질문과 함께, 각종 총선용 악재들을 가리려 하는 포석이라는 분석이 나오는 이유다.

이국땅에서 쓸쓸히 작고한 지 80년이 지난 독립투사에게 부관참시에 비견될 만한 수모를 안기며 '이념 논란' 중인 우리 사회는 정작 부끄러운 현재사를 써가고 있다.

서울 시내 한복판에서 159명이 생명을 잃은 이태원 참사 이후 그 판박이인 오송 참사가 1년도 안 돼 일어났지만, 교훈도, 처벌도, 제대로 된 재발방지책도 없다. 오송 참사 분향소를 기습 철거한 뒤 재설치한 데서 보듯 서둘러 참사의 기억을 덮는 데 급급하다. 후쿠시마발 전례 없는 원전사고 오염수의 해양 방류에 시민들은 불안해하고 민심은 들끓고 있지만, 정작 주권국가로서의 책임 있는 태도와 답변은 듣기 어렵다.

SPC그룹 제빵공장에서 잇단 끼임 사망·부상 사고가 발생하며 '피 묻은 빵' 비판 목소리가 높아지는데도 노동자의 안전과 권리는 여전히 뒷전이고, 장애인도

지하철과 버스로 자유롭게 이동하게 해달라는, 시민으로서의 권리 요구엔 정치권의 혐오 조장과 갈라치기로 더욱 따가운 눈총이 쏟아지고 있다.

80년 전의 독립영웅을 소환해 이념전쟁을 벌이고 있는 정부·여당은 불과 1년이 안 된 이 같은 현재 진행형 사건들엔 눈을 감고 있다. 역설적인 몰역사 상황이다. 사회에, 국가에 기대할 것이 없다는 체념, 각자도생이라는 앙상한 구호 뒤로, 어느 하나 해결되지 않은 일들이 쌓이며, 시민들은 집단 우울증에 걸릴 지경이다.

내년은 총선의 해. 겉치레라도 여야 정치인들이 국민에게, 유권자들에게 반짝 관심을 가지고, 반짝 귀를 기울이는 때다. 경향신문 후마니타스연구소가 우리 사회의 현재사를 함께, 다시 써보자는 강좌를 진행한다. 제목은 '시민이 동료 시민에게'. 이슈의 중심에 선 시민들이 동료 시민들에게 한발 앞서, 전면에서 경험한 얘기를 전하며 변하지 않을 것처럼 보이는 내일의 변화를 함께 요구하고, 만들어 보자는 취지다.

곧 1년이 다가오는 이태원 참사 유족과 내년이면 10년을 맞는 세월호 유족이, 산업재해와 갑질로 공분을 일으키는 사업장 SPC 파리바게뜨 노조의 임종린 지회장과 크고 작은 일터에서의 일상적인 갑질을 고발해온 박점규 직장갑질119 운영위원이, 후쿠시마 원전사고를 겪은 후 한국에 와서 먹거리·환경운동을 하고 있는 일본인 주부와 가습기살균제 사건 등 환경·산업재해의 위험성을 알려온 백도명 서울대 보건대학원 명예교수가, 22년간 장애인 이동권 투쟁의 선봉을 지켜온 박경석 전장연 대표가 마이크 앞에 선다. 10월16일부터 매주 월요일 저녁 5차례의 특강. 첫 시간에는 정치의 좌우 스펙트럼을 모두 경험한 후, 우리 정치의 반전을 모색하고 있는 전 국회의원 김성식 정치학교 '반전' 운영위원장이 '더 나은 민주공화국을 위하여'를 주제로 시리즈 특강의 문을 연다.

30년, 50년 후에는 이 시대를 어떻게 평가할까. 우리 시대의 역사는 지금 만들어지고 있다. 철 지난 이념이 아닌, 현재의 역사 쓰기에 많은 시민이 동참하길 기대한다.[176)]

143. 청탁금지법, 엄격하게 적용해야 하는 이유

청탁 금지법(請託禁止法)은 공직자 등에 대한 부정 청탁 및 공직자 등의 금품 등의 수수(收受)를 금지하는 법률. 공직자 등의 공정한 직무 수행을 보장하고 공공 기관에 대한 국민의 신뢰를 확보하는 것을 목적으로 2016년 9월 28일에 시행되었다. 정식 명칭은 '부정 청탁 및 금품 등 수수의 금지에 관한 법률'이다.

"명절 때 공직자가 받을 수 있는 선물 한도가 30만원으로 올라갔습니다. 이번 추석부터 적용됩니다." 지난 8월30일 '부정청탁 및 금품 등 수수의 금지에 관한 법률(일명 김영란법)' 시행령이 개정된 뒤 한 방송국 뉴스의 시작은 이러했다.

그럼 공직자에게 30만원까지 추석 선물을 할 수 있을까? 이번 시행령 개정의 핵심은 '직무 관련 있는 공직자라 하더라도 원활한 직무수행, 사교 및 의례, 부조의 목적이 있는 경우'에 한해 허용하는 음식물·선물·경조사비 한도 중에서 선물의 한도를 높인 것이다. 넥타이·와이셔츠 등 일반 제품의 한도는 5만원을 유지하되, '자연재해와 경기후퇴, 물가상승 등으로 어려움을 겪는 농어민들을 돕기 위해'(국민권익위원회의 보도자료) 평시 10만원, 명절 전후 20만원이던 농수산물 및 그 가공품을 각각 15만원, 30만원으로 올린 것이다.

아울러 그동안 허용하지 않았던 유가증권 중에서 현금화가 가능한 백화점 상품권 등 금액이 기재돼 있는 상품권을 제외한 공연관람권 등 온라인 모바일 상품권도 5만원까지 인정했다.

그렇다면 시행령 개정에 따라 추석을 앞둔 요즘 직무로 만나는 공직자에게 30만원짜리 굴비세트나 농수산물 상품권을 선물할 수 있을까? 또는 5만원 상당의 모바일 상품권을 줄 수 있을까? 금액에 관계없이 1만원짜리도 선물할 수 없다는 게 실질적 답이다. 실제 학부모가 교사에게 9만원짜리 농수산물을, 급여 신청자가 급여처리 담당 공직자에게 1만3000원가량의 화장품을, 고소인이 담당 경찰관에게

4만5000원짜리 떡 한 상자를, 사유지 매수 상담 및 매수 요청 민원인이 담당 공직 유관단체 직원에게 3만4000원짜리 딸기 2상자를 보냈다가 과태료가 부과된 적 있다.

더욱 쉽게 설명하면 내 아이가 유치원에 다니고 있으면 담임교사에게, 내가 대학에서 논문 지도를 받고 있으면 지도교수에게, 내가 식당을 하고 있으면 구청 위생과 담당 공무원에게, 내가 건물을 갖고 있으면 소방 점검을 하는 소방 공무원에게, 내가 형사 사건의 피의자라면 담당 경찰관에게, 입찰에 참여했다면 계약 담당 공직자에게 금액에 관계없이 선물을 하지 말라는 게 김영란법의 핵심이다.

이렇게 이해하면 된다. 첫째, 일반인끼리 선물을 주고받는 것은 김영란법과 아무런 상관이 없다. 둘째, 공직자가 일반인에게 주는 것은, 직무 관련 여부를 떠나 규제대상이 아니다. 셋째, 직무 관련이 없는 공직자 친구나 지인, 은사에게 100만원 한도 내에서 선물을 해도 무방하다. 넷째, 직무 관련이 없는 공직자 중에서 친족이나 연인에게는 100만원이 넘어도 된다. 다섯째, 직무로 만나는 공직자에겐 원칙적으로 금액 제한 없이 선물하면 안 된다.

권익위 표현을 빌리면 '직접적 이해관계'에 있으면 어떤 선물도 인정하지 않는다는 것이다. 그런데 직무로 만나는 공직자의 경우 '직접적 이해관계'에 걸릴 수밖에 없다는 점에서 명절 선물 금액 한도 상향은 의미가 없다.

권익위 산하 청렴연수원의 전문강사로 1000번 넘게 김영란법을 강의하면서 공직자에게 "스승의날 담임교사나 학과목 교수에게 카네이션 한 송이도 인정하지 않는 것이 이 법의 내용입니다. 그러니 직무로 만나는 경우 원칙적으로 커피 한 잔, 명절 때 사과 한 상자, 경조사 때 5만원도 안 된다, 이리 생각하면 됩니다"라고 말하고 있다. 그러나 요즘엔 힘이 빠질 때가 많다. 일반 공직자에게는 커피 한 잔도 안 된다고 하면서 고위공직자, 이런 사람들은 몇억원, 몇십억원을 우습게 받고, 그러면서도 영전하는 것을 목도하기 때문이다.

정부는 청탁금지법을 고위직에 더욱 엄격하게 적용해야 한다. 그래야 법의 제정 취지가 확고해져 부패인식 지수 63점으로 180개국 중 31위인 한국의 국가 청렴도 순위를 끌어올릴 수 있다.[177]

144. 우리는 어떤 죽음을 맞게 될까

삶의 질 못지않게 죽음의 질이 점점 더 중요해지고 있다. 대부분의 사람들이 암이나 심장병 같은 만성질환으로 세상을 뜨면서 사망 전 1년 정도를 임종을 앞둔 환자로 지내게 됐고, 회생 가능성이 없는 환자도 인공호흡기·혈액투석기 같은 의료기술로 상당 시간 수명을 연장할 수 있게 됐기 때문이다. 이제 우리는 어떻게 살 것인가를 결정하듯이 어떻게 죽음을 맞이할 것인가도 선택하는 시대에 살고 있다.

우리 국민은 어떤 죽음을 원할까? 국민 10명 중 6명은 집에서 가족과 함께 지내면서 임종을 맞기를 원하지만, 실제 사망자 10명 중 8명은 병원이나 요양원에서 사망한다. 한국은 경제협력개발기구(OECD) 국가 중 병원에서 사망하는 비율이 가장 높은 나라이다. 다른 나라들은 대부분 집에서 임종을 맞는 비율이 높아진 반면 우리나라는 거꾸로 병원에서 임종을 맞는 비율이 늘어나고 있다.

대부분 임종 전에 병을 적극적으로 치료하기보다 정신적으로 안정된 상태에서 고통 없이 인생을 마무리하고 싶어 한다. 호스피스 진료가 필요한 이유이다. 하지만 의학적으로 호스피스 진료가 필요한 임종 환자 5명 중 1명밖에 호스피스 진료를 받지 못한다. 영국·호주의 호스피스 이용률(80%)에 비해 턱없이 낮고, 미국과 대만의 이용률(40~60%)의 절반에도 미치지 못한다.

호스피스 진료를 받지 못하는 사람들은 병원에서 무의미한 검사와 치료를 받느라 시간과 돈을 허비한다. 임종 전 1년간 평균 3개월 동안 병원에 입원하고, 병원비로 약 3000만원을 쓴다. 이들 중 절반 이상이 CT나 MRI 같은 검사(53%)를 받고, 일부는 중환자실에 입원(13%)하고, 항암치료(7%)를 받기도 하지만, 상태가 나빠져 응급실에 가는 경우(37%)가 적지 않다. 반면 호스피스 진료를 받은 5명 중 1명은 대부분 통증 조절을 위해 마약성 진통제를 더 많이 투여(76%)받고, CT나

MRI 같은 검사(3%)나 중환자실 입원 치료(0%)는 거의 받지 않는다. 환자 상태가 잘 관리되니 응급실을 방문하는 경우(7%)도 드물다.

왜 국민들은 자신이 원하는 것과는 정반대인 죽음을 맞고 있을까? 첫째, 정부가 호스피스 진료를 받을 수 있는 대상 질환을 제한하고 있기 때문이다. 세계보건기구(WHO)가 호스피스 진료가 필요하다고 권고한 질환으로 사망하는 사람은 약 20만명에 달하는 데 반해 정부가 인정한 호스피스 대상 질환은 약 10만명에 불과하다. 만성폐쇄성폐질환을 호스피스 대상에 포함시켰지만, 이는 전체 사망자의 2%에 불과하다. 정부가 생색내기를 하고 있는 것이 아닌가 싶다.

호스피스 진료가 필요한 모든 질환으로 대상을 확대해야 한다. 그런다고 큰돈 드는 것도 아니다. 호스피스 진료비와 무의미한 적극적 치료를 하는 데 들어가는 돈이 비슷하다. 2015~2017년 사망 1개월 전 호스피스 진료를 받은 사람의 진료비는 470만원으로 적극적 치료를 받은 416만원과 큰 차이가 없었다.

둘째, 호스피스 진료를 하는 병·의원이 턱없이 부족하기 때문이다. 집에서 임종을 맞으려면 의사와 간호사가 집에 찾아와서 진통제도 주고, 복수도 제거해주는 '가정 호스피스' 병·의원이 있어야 한다. 매년 호스피스 진료가 필요한 사망자가 약 20만명에 달하고 이 중 60%가 집에서 임종을 맞길 원하니 가정 호스피스가 필요한 사람은 약 12만명이나 된다.

하지만 전국에 가정 호스피스 기관은 38개에 불과하다. 정부가 가정 호스피스 사업을 시작한 지난 6년 동안 가정 호스피스 기관은 17개 늘어나는 데 그쳤다. 입원 환자를 위한 호스피스 기관도 부족하다. 입원환자에 대해 호스피스 진료를 하는 곳은 143개로 전체 병원과 요양병원 3400여개의 5%에 불과하다.

임종을 앞둔 모든 환자들이 원할 경우 호스피스 진료를 받도록 하려면 전국적으로 적어도 1000개의 가정 호스피스 병·의원을 지정해야 한다. 입원 환자를 위한 호스피스를 대학병원에는 의무화하고, 일정 규모 이상의 종합병원과 요양병원에는 호스피스 진료를 사실상 의무화해야 한다.

셋째, 병원과 의사가 임종을 앞둔 환자에게 호스피스 진료를 선택할 수 있는 권리를 보장하지 않기 때문이다. 호스피스 진료를 하는 병원 의사를 대상으로 한 설문조사 결과에 따르면 임종을 앞둔 환자에게 호스피스에 대해 설명하지 않는 경우가 26%에 달했다. 호스피스를 운영하지 않는 병원에서 호스피스에 대해 설명하지 않는 경우가 이보다 더 많을 것으로 추정된다. 임종을 앞둔 환자의 선택권을 보장하기 위해 담당 의사가 호스피스 진료에 대해 더 일찍, 더 적극적으로 설명하도록 하는 제도를 도입해야 한다.[178]

145. 독한 살충제

대학 시절에 애연가 교수님의 수업을 들은 적이 있다. 항상 수업이 끝나기 10분 전쯤에 강의를 마무리하셨다. 창문을 열고 담배에 불을 붙인다. 근엄하던 얼굴에 환한 미소가 차오른다. “자, 질문 있소?” 그러면서 담배 연기를 맛있게 내뿜던 교수님은 참으로 행복해 보였다. 물론 요즘은 상상할 수 없는 일이다.

나는 담배를 피우지 않는다. 그래서인지 한겨울에도 실외 흡연구역에 모여서 너구리굴을 만드는 흡연자들, 섬뜩한 경고 사진이 부착된 담배를 선뜻 사는 흡연자들을 보면 절로 혀를 차게 된다. 아니, 자기 목숨을 태우는 담배가 뭐가 그리 좋은 걸까? 옛날 그 교수님의 흐뭇한 표정을 떠올리니, 이러한 타박은 비흡연자가 뭘 모르고 떠드는 말임을 비로소 알겠다. 담배는 정말로 사람을 행복하게 한다. 담배를 끊기가 몹시 어려운 이유다.

왜 사람들은 니코틴, 코카인, 알코올, 카페인, 모르핀, 헤로인 같은 향정신성 약물에 빠져들까? 흔히 알려진 과학적 설명은 이렇다. 우리의 두뇌는 음식, 성관계, 운동, 남들의 인정처럼 먼 과거의 환경에서 조상의 번식에 필수적이었던 자극에 반응하여 도파민이라는 신경전달 물질을 쏟아낸다. 짜릿한 쾌락이 밀려온다. 결국 우리는 그러한 자극을 주는 특정한 행동을 계속 반복하게 된다. 갈비는 아무리 많이 먹어도 부족하고, 소셜 미디어에서 ‘좋아요’는 아무리 많이 받아도 부족하다.

운 나쁘게도, 니코틴 같은 약물은 우리 두뇌에서 뜬금없이 도파민을 방출시켜 우리에게 쾌락을 안긴다. 특히 지난 몇천 년 동안에 이루어진 기술 발전으로 인해 현대 사회에서 약물 남용은 진화적 과거보다 훨씬 더 심각한 문제가 되었다. 이를테면, 순한 맛의 필터담배를 대량 생산하게 되었다. 아편에서 헤로인을 고농도로 뽑아내게 되었다. 증류 기술을 통해 독주를 만들게 되었다. 요컨대 향정신성 약물은 두뇌의 보상 중추를 멋대로 ‘강탈’하여 우리가 백해무익한 행동을 일삼게 한다. 테러범이 항공기를 공중 납치하여 건물을 향해 돌진하게 하듯이 말이다.

이 하이재킹 가설은 문제가 있다. 바로 약물이 ‘어쩌다, 우연히, 뜻밖에’ 도파민을 방출시킨다는 대목이다. 약물을 추출하고 대량 생산하는 기술은 현대의 발명품이지만, 약물 자체는 수억 년 전부터 있었다. 왜냐하면 대다수 약물은 식물이 오랜 세월을 통해 제조해 낸 독소이기 때문이다(알코올은 흥미로운 예외다).

그 긴 시간 동안 우리 뇌가 독소를 피하긴커녕 열렬히 추구하도록 자연 선택이 내버려 두었다는 말인가?

동물과 달리, 식물은 병원체와 포식자로부터 도망칠 수 없다. 그래서 식물은 자신을 먹으려는 바이러스, 세균, 곰팡이, 기생충, 곤충, 초식동물 등을 물리치고자 독소를 진화시켰다. 예컨대 담배라는 식물 종은 초식동물의 신경계를 교란하는 니코틴을 만들었다. 이에 맞서서 초식 동물은 식물 독소를 한사코 피하도록 진화했다. 식물을 입에 넣으면 쓴맛수용체가 작동한다. 담배를 처음 피우면 심한 어지러움과 메스꺼움에 시달리는 현상도 니코틴 독소에 대한 방어이다.

그런데 식물을 공격하는 병원체의 상당수는 인간 같은 동물도 공격한다. 식물이 병원체에 대항해 공들여 만든 방패인 독소를 인간이 슬쩍 가져다 쓰면 어떨까? 독소를 무작정 피하기보다는, 이득은 늘리고 손실은 줄이게끔 독소 섭취를 세심하게 조절하는 편이 더 낫다. 진화인류학자 에드워드 하겐은 인류는 회충, 편충처럼 신경계를 지닌 장내기생충을 제거하는 건강상의 이득을 얻기 위해 향정신성 약물의 섭취를 꼼꼼히 조절하도록 진화했다고 제안했다. 실제로 니코틴은 장내에서 기생충의 신경계를 마비시켜 기생충이 장벽으로부터 떨어져 나가게 한다. 약국에서 파는 구충제도 니코틴과 동일한 원리로 장내기생충을 몰아낸다.

하겐과 그 동료들은 중앙아프리카의 아카족을 상대로 실험했다. 아카족은 마을에 자생하는 담배를 즐겨 피울 뿐만 아니라, 기생충에 많이 시달린다. 예측대로, 담배를 많이 피우는 사람은 기생충에 덜 감염되는 경향이 있었다. 게다가 상용 구충제를 복용한 사람들은 가짜 약을 복용한 대조군에 비하여 그 후에 담배를 피우는 양이 줄어들었다. 기생충을 없앤 마당에 굳이 독소를 흡입할 필요가 없기 때문일 것이다.

담배 속의 니코틴은 끔찍한 독소다. 먼 과거에는 천연 살충제로 약간의 쓸모가 있었다. 약국이 널려 있고 장내기생충 자체가 드문 오늘날에는 그 쓸모조차 사라졌다. 담배가 주는 위로는 기생충 감염을 피하게끔 자연 선택이 꾸며낸 환각이고 허상이다. 미련 없이 끊자.[179]

146. 한국이 망해가고 있다는 '합계출산율 0.7명'

올해 노벨 경제학상은 남녀 임금 격차를 연구해온 클로디아 골딘 미국 하버드대 경제학과 교수에게 돌아갔다. 골딘 교수는 수상 소식이 알려진 직후 기자회견에서 "한국의 합계출산율이 (지난해 1분기) 0.86명인 것을 잘 안다" 고 말해 한국 내에서도 관심을 끌었다. 한국 기자들이 "여성의 일·가정 양립이 한국 내 저출산 문제의 원인이 되고 있다고 보느냐" 고 질문한 것에 대한 답변이었다.

남녀 임금 불평등은 단기간에 해결하기 어려운 문제다. 세계경제포럼(WEF)이 지난 6월 발표한 '2023 글로벌 성 격차 보고서' 는 여성이 남성과 같은 경제적 능력을 확보하는 데 169년이 걸릴 것이라고 내다봤다.

아이슬란드 여성은 전 세계에서 상대적으로 남성과 가장 동등한 대우를 받는 것으로 조사됐는데, 남성의 91.2% 수준이었다. 여성과 남성의 격차가 20% 이내인 나라는 146개국 가운데 8개국뿐이었다. 한국은 108위로 하위권이었다.

미국은 1963년 '동일임금법(Equal Pay Act)' 을 시행하면서 남녀 임금 차별 금지를 법제화했다. 미국뿐 아니라 국제노동기구(ILO)와 유엔 등도 동일노동 동일임금을 기본 인권으로 보고 있다. 그럼에도 미국의 현실은 녹록지 않다. 골딘 교수는 200년 넘게 축적된 여성 임금 데이터를 분석했는데, 여전히 여성은 남성보다 적은 임금을 받는다. 물론 과거에 비해 그 격차는 개선되고 있다. 동일임금법이 시행됐을 당시 미국 여성의 임금은 남성의 60%에 그쳤다. 경제협력개발기구(OECD) 통계를 보면 2022년 미국의 남녀 임금 격차는 17.0%였다. 단순 비교는 어렵겠지만 60년 새 23%포인트 개선된 셈이다.

한국도 '근로기준법' '남녀고용평등과 일·가정 양립 지원에 관한 법률' 등에서 성별을 이유로 임금을 차별할 수 없다고 규정하고 있다. 하지만 2022년 남녀 임금 격차는 31.1%로 OECD 평균(11.9%)의 세 배에 가깝다. OECD에 가입한 1996년(43.3%)부터 27년 연속 압도적 1위를 달리는 중이다.

실제 남녀 임금 격차는 더 크다는 통계도 있다. 국세청이 국회에 낸 '성별 근로소득 천분위 자료' 를 보면 2021년 전체 근로소득자 가운데 남성 1인당 평균 임금은 4884만원, 여성은 2942만원이었다. 여성 임금은 남성의 60.2%였다. 그나마 5년 전에 비해 남성 대비 여성의 임금 비율은 2%포인트가량 높아진 것이다.

경제 규모 세계 10위 안팎의 선진국이 됐어도 '살기 좋은 나라' 와는 거리가 멀다. 유엔 산하 자문기구인 지속가능발전해법네트워크(SDSN)가 매년 발표하는 행복지수를 보면 올해 한국은 146개국 중 59위였다. 유엔의 행복지수가 높고 WEF의 성 격차가 작은 10위 이내 국가 중에는 아이슬란드와 노르웨이, 핀란드, 뉴질랜드, 스웨덴, 벨기에 등 6개국이 중복된다. 성 격차가 작은 나라의 국민 행복도가 높다고 추론할 수 있다. 또 이들 국가 대부분은 합계출산율이 1.5명을 웃돌아 한국의 두 배 이상이었다.

"소득은 행복과 비례하지 않는다"는 '이스털린의 역설'로 유명한 경제학자 리처드 이스털린은 "사람들은 잘사는 나라보다 행복한 나라를 더 좋아한다"고 주장했다. 그럼에도 사람들은 여전히 소득이 얼마나 늘어날지에 관심을 기울인다. 국제통화기금(IMF)은 '10월 세계경제전망'에서 한국의 내년 성장률을 2.2%로 전망했다. 지난 7월 전망보다 3개월 만에 0.2%포인트 낮췄다. 성장률이 낮아진다고 하니 정부와 언론이 앞다퉈 걱정을 쏟아낸다.

정작 외부에서는 한국의 생존을 더 염려한다. 구독자가 2130만명인 독일 유튜브 채널 '쿠르츠게작트(Kurzgesagt)'는 이달 초 '한국은 왜 망해가고 있나(Why Korea is Dying Out)'라는 제목의 영상을 올렸다. 572만명이 시청한 이 영상은 2100년 한국 인구가 2400만명으로 급감할 수 있다고 경고한다. 100년 안에 한국 청년인구가 94% 감소한다는 끔찍한 예언도 있다.

노벨 경제학상 수상자인 골딘 교수가 언급했던 지난해 1분기 합계출산율은 비교적 높은 편이었다. 지난해 연간 출산율은 0.78명이었고, 올해 2분기에는 0.7명까지 떨어졌다. 올해 연간으로는 0.7명이 무너져 0.6명대로 추락할 가능성도 있다.

이대로라면 세계에서 가장 빠르게 성장한 데 이어 쇠락하는 속도도 가장 급속한 국가가 될 수 있다. 한국의 문제는 저성장이 아니다. 생존과 지속 가능성에 대한 진지한 고민과 대책이 시급하다.[180]

147. 민생으로 돌아가라?

해변에 세 개의 아이스크림 가게가 같은 간격을 두고 양쪽 끝과 한가운데에 일렬로 늘어서 있다. 왼쪽 끝에서 오른쪽 끝까지 똑같은 밀도로 사람들이 흩어져 있다면, 가운데 가게가 가까운 사람이 가장 많을 것이다. 결국 아이스크림 가게들도 더 많은 손님을 찾아 해변의 중앙으로 옮겨갈 것이다. 이른바 중위투표자 정리의 알기 쉬운 강의용 버전이다.

이 정리가 과연 현실에서 들어맞는가 아닌가는 논쟁의 여지가 있음에도 그 함의만은 다양한 형태로 변주된다. 집토끼니 집 나간 토끼니 하는 따위의 비유도 그와 관련이 있다. 중위투표자 정리의 가장 중요한 전제는 정치세력이 하나의 스펙트럼 속에서 줄 세워질 수 있어야 한다는 것이다. 당연하게도 현실은 그리 단순하지 않다. 한국 사회에서는 아직도 북한에 대한 태도라는 문제가 들어오면 서구적 의미의 진보와 보수 구분은 흐트러진다. 세대별로 생각하는 주요 모순도 확연히 다르다. 2030세대에게 "우리의 소원은 통일"이라거나 "조국은 하나다"라는 감성은 "공산전체주의" 만큼이나 낯선 것이다.

모든 추상적 이론이 그러하듯 중위투표자 정리 또한 생생한 구체적 현실 앞에서는 힘을 잃거나 의도와는 다른 방식으로 활용되기도 한다. 뜬금없이 이념 문제를 강조하거나 모든 것을 전 정부 탓으로 돌리는 태도도, 설사 그것이 정교한 기획의 산물은 아니더라도, 선택의 대상이 되어야 하는 정치세력들을 하나의 기준으로 늘어세운 뒤 스스로에게 유리한 지형을 만들어내는 결과를 가져올 수도 있다. 전 정권 실적에 대한 긍정 혹은 부정이라는 양자택일적 상황을 만들어냄으로써, 요컨대 해변에 아이스크림 가게를 딱 둘만 남겨놓음으로써 더 많은 사람들이 우리 가게로 오도록 만든다면 그 나름대로 합리적인 전략이 되는 것이다. 미국-일본이냐 중국-북한이냐라는 어느 정도는 현실에 기초하면서도 어느 정도는 허구적인 양자택일 상황을 만들어내는 것 또한 마찬가지다. 그렇게 본다면 최근에 일어나는 여러 가지 이해하기 힘든 정치적 논쟁들이 이해될 법도 하다(실은 이렇게라도 이해해보려는 나 자신의 노력이 눈물겨울 지경이다!).

그럼에도 정치인들은 거의 본능적으로 선거가 다가올수록 중간을 향해 움직여야 한다고 주장한다. 어김없이 등장하는 키워드는 "민생"이다. 간단한 인터넷 검색만으로도 이 키워드는 무한복제된다. "여야 정치권은 민생 회복에 전념해야” (신문 사설), “이념논쟁보다 민생에 집중해야” (대통령), “기득권 내려놓고 민생중심 개혁정치로 거듭나야” (야당 정치인) 등등 모두가 대동단결하여 “민생 현장으로 가라” 고 외쳐댄다.

대저 민생이란 무엇일까? 실은 그 연세의 일반인들조차 잘하지 않을 시장통에서 어묵 먹기? 민생을 빙자한 지역유지들의 민원 들어주기? 사실 경제문제로만 국한하더라도 성장률 논쟁, 세수 펑크 논쟁 등등 진지하게 토론해야 할 문제가 널려 있다. 그중에는 끝장 논쟁을 통해 적어도 민주공화국 시민들에게는 더 이상 설득력을 가질 수 없음이 밝혀져야 하는 가짜 문제들도 있다. 민생이야말로 이 모든 문제들을 잊고 지나치게 해주는 마법의 키워드가 아닐까? 실체도 잡히지 않는 민생 논란을 벌이며 표를 얻는 경쟁이 일어날 것이고 그 과정에서 진정 논의되어야 할 주제들은 뒷전으로 밀려난다. 그렇게 선거가 끝나고 나면, 다시금 아무도 책임지지 않을 이데올로기 공격만이 난무할 것이다. 결국 수많은 말들이 어지러이 떠돈 기억, 그 기억 속에서 우리는 입맛에 맞는 입장만 편집하여 남길 것이고, 그 희미한 기억에 의존하여 다시 몇년 뒤에 새로운 투표장으로 향할 것이다.

정치적 행위가 상징을 그 본질로 함은 어쩔 수 없는 일이다. 그러나 그 상징의 배후에 놓인 본질을 향해 한 걸음씩이라도 다가갈 때 민주주의는 발전한다. 민생이 그저 상징, 심하게는 상징조작으로만 존재할 때, 민주주의의 위기는 반복될 것이다.[181]

전국민주노동조합총연맹 조합원들이 서울 여의도 국회 앞에서 전국노동자대회를 열고 노조법 2·3조 개정, 화물 안전운임제 확대 등을 촉구하며 구호를 외치고 있다(연합뉴스).

민주노총이 주최한 전국노동자대회가 열렸다. 민주노총은 대회에서 ‘화물연대 총파업 승리’ ‘노동개악 저지’ ‘노조법 2·3조 개정’ ‘민영화 중단’ 을 촉구했다. 이어 정부가 공공운수노조 화물연대에 내린 업무개시명령을 ‘반헌법적’ 이라고 규탄했다. 정부가 화물연대 파업을 ‘정치 파업’ 으로 규정한 데에도 ‘노동 혐오적 인식’ 이라며 우려를 나타냈다.[182]

148. 인간보다 더 ‘사람’ 다운 이태원

인간은 과연 사람인가? 바보 같은 질문 같지만, 지구상의 다양한 인간들을 만날 수 없던 시절 피부색과 외모가 다르며, 언어가 다른 종족을 만나면, 사람의 자격을 묻고는 했다. 비서구 지역을 탐방한 인류학자의 기록 속에는 ‘사람’ 의 의미가 ‘인간’ 을 초월한 사례가 많다. 실제로 바위, 나무, 곰, 그리고 번개마저도 ‘사람’ 이라 불리기도 했다. 즉, 사람이 되기 위해 인간과 꼭 닮아야 하는 것은 아니었다.

그렇다면, 사람은 무엇을 의미할까. 생태철학자 유기쁨 박사(<애니미즘과 현대세계> 저자)의 표현을 빌리자면, “사람이 아닌 것에 사람을 애써 발견하려는” 자세가 사람의 중요한 특성이다. 상호작용하며 자극을 받고 관계를 맺은 대상을 ‘사람’ 이라 상상하고 반응하는 존재가 곧 사람으로 여겨졌다. 즉, 사람의 조건은 스스로가 사람임을 주장하는 것으로 충분하지 않았다. 오히려 나 이외의 다른 대상을 사람으로 상상하고 대우할 때 그때 비로소 사람의 자격이 주어지는 것이었다. 음식도, 옷도, 집도, 그리고 다른 인간 모두가 사람이 될 수 있다고 받아들이며 관계를 맺을 때, 나 역시 비로소 사람의 자격을 얻게 되는 셈이다.

이처럼 생명이 없는 대상에게조차 생명을 불어넣어 주는 종교적 상상력을 ‘애니미즘’ 이라 불러왔다. 영국 사회인류학자 에드워드 타일러(<원시문화>의 저자)는 비서구 지역에서 관찰되었던 이러한 종교적 특징을 미개한 원주민만의 독특한 문화적 산물로 치부하지 않았다. 그는 이것을 인류 종교의 본질이라 여겼다. 즉, 인간의 생명을 지속시킬 수 있게 해주는 그 모든 대상을 인간과 같은 존재로 상상할 수 있는 능력이야말로 인간이 사람으로서 생존할 수 있는 근간이라 보았다.

159. 어느덧 이 세 자리 숫자가 수많은 이들의 마음속에 새겨진 지 벌써 1년이라는 시간이 흘렀다. 2022년 10월29일 직전까지 이태원이라는 공간은 그곳을 찾는 젊은 세대들에게 인간보다 더 ‘사람’ 다운 곳이었을지 모른다. 2000년 전후에 태어나 이미 2014년 세월호참사와 2020년 코로나19 팬데믹을 겪어온 젊은 세대는 ‘재난 세대’ 라 불릴 정도로 부모 세대와 다른 삶을 살아왔다. 그런 이들에게 이태원은 불안한 미래와 끝 모를 경쟁 구도에서 짐을 내려놓고 편견 없이 ‘사람들’ 속에서 ‘사람답게’ 숨 쉴 수 있는 축제의 공간이었을 것이다. 학벌과 능력으로 인간을 등급화하는 장소에서 벗어나 서로의 사람됨을 애써 찾아내려

는 환대의 공간. 이태원은 그렇게 사람답지 않은 인간사회보다 더욱 사람다운 곳이었을지 모른다.

그럼에도, 일부에선 159명의 안타까운 희생을 여전히 개인의 탓으로 바라보고 있다. 그들 눈에는 '이상적인' 희생자다움의 기준선이 존재한다. 그렇기에 희생자 모두를 연령, 성별, 국적, 방문 목적을 구별하지 않고 애써 사람을 발견하려는 자세가 상실되어 있다. 차별 없이 모두를 환대했던 이태원, 반대로 자신들만의 잣대로 희생자를 구별 짓기 했던 인간들, 이 둘 중 누가 더 사람다운 것인가.

인류학은 정상과 비정상이라는 기준의 사회적 기능에 대해 오랫동안 질문해 왔다. 영국 의료인류학자 세실 헬만은 인간의 사회적 행동을 평가할 때 정상과 비정상을 가르는 선(x축)과 '통제됨' 과 '통제되지 않음' 을 가르는 선(y축)이 함께 존재한다고 보았다. 이 분석에 의하면, 인간의 사회적 행동은 네 개로 구분된다. 정상적이며 통제되는 '정상적인' 행동, 정상적이나 통제되지 않는 '나쁜' 행동, 비정상적이나 통제되는 '상징적 반전' 행동, 비정상적이며 통제되지 않는 '미친' 행동이 있다.

여기서 상징적 반전 행동이 나타나는 대표적 사례가 바로 축제와 카니발이다. 평상시에는 비정상적 행동도 축제의 시공간에서는 통제 속에 허락된다. 인류 역사상 소위 '통제된 비정상성' 의 시공간은 사회적 긴장감을 해소하는 치유 역할을 수행해 왔다. 그런데 2년간의 코로나19 팬데믹 격리에서 벗어나 핼러윈 축제를 위해 대규모 인파가 1년 전 이태원에 모였을 때 그들은 어떤 통제를 경험했던가.

분명 그곳에는 통제가 있었다. 경찰력은 정상적 시민들이 통제 불가능한 '나쁜 사람' 이 될 수 있다며 불법 근절을 위해 통제력을 행사했다. 반대로 질서유지를 위해 통제력이 절실했던 곳에서는 후퇴했다. 누군가의 눈에 축제 인파는 이미 정상적이지도 통제가 가능하지도 않은 나쁜 인간, 미친 인간들이었을지 모른다. 이태원과 그곳을 방문한 모든 이들로부터 '사람됨' 을 빼앗아간 1년. 다시금 사람의 조건을 되묻고 싶다.[183]

149. 세계적 대혼란 시대를 돌아보며

이제 세계적 대혼란을 말하지 않는 이가 드물다. 2022년 2월 러시아·우크라이나 전쟁이 전면화할 당시에도 전쟁이 이렇게 길어질 줄 예상하기는 어려웠다. 러·우 전쟁의 종착점이 보이지 않는 와중에, 지난 10월7일 하마스·이스라엘 전쟁이 시작되었다. 가자지구의 하마스가 이스라엘을 기습 공격하자, 이스라엘은 보복공습을 가하면서 지상군 투입을 확대 중이다. 자칫 중동 전체로 전쟁이 확대될 가능성이 높아지고 있다.

세계가 대혼란 상태로 들어서 있는데, 미국은 상황을 통제하지 못하고 있다. 미국이 주도한 러시아에 대한 경제제재는 큰 효과를 거두지 못했다. 러시아의 2023년 성장률은 1%대 전후로 전망되고 있다(IMF 0.7%, 러시아 정부 2% 이상). 중동 위기는 미국과 서방에 비중이 큰 문제여서 우크라이나 지원 여력은 감소할 수밖에 없다. 미국 주도로 러·우 전쟁을 종식할 가능성은 크게 줄어들었다. 러시아의 입지는 상대적으로 강화되었다. 중동 원유 의존도가 높은 한국과 일본은 더 불리해졌다.

한국과 일본을 비교해보면, 최근 1년 반 사이 한국의 대외전략 변경 폭은 현기증이 날 정도다. 일본이 서방 선진국 입장에서 나름 '균형외교'를 혼합했다면, 한국은 서방의 가치를 따르는 '불균형외교'로 급선회했다. 윤석열 정부는 글로벌 중추국가를 지향한다면서, G7과 나토 정상회의에 참석하고 지난 8월에는 한·미·일 정상회의로 내달렸다. 이러한 움직임의 반작용으로 9월에는 러시아·북한 정상회담이 열렸다.

그러나 한·미·일 대 북·중·러가 적대하는 '신냉전' 구조가 아직 완전히 고착된 것 같지는 않다. 북·러 회담의 공동선언문이 공식 채택되지 않았다. 북·러 관계는 한·미·일 관계의 진전에 따라 연동될 것으로 여겨진다. 2024년 미국 대선의 상황, 도널드 트럼프의 당선 가능성을 고려하면, 한·미·일 관계의 환경도 좀 더 지켜볼 필요가 있다. 중국도 북·중·러 구도에 가담할지는 유동적이다. 세계체제 변동의 구조는 아직 고착되지 않았다.

그런데 이러한 세계적 대혼란 시대에, 왜 윤석열 정부는 대외전략 노선의 과격한 급변침을 시도했을까? 짐작건대, 정책적 비전이 잘 준비되지 않은 점, 확고한 정치적 지지기반을 갖추지 못한 점이 합쳐진 것 같다. 지난 정부와의 차별성 그 자체에 지나치게 몰두하여 극단 편향으로 가지 않았나 싶다.

그러나 친미냐 친중이냐를 택일해야 한다는 가치 프레임은 현실의 벽에 부딪힐 것이다. 미국에서도 애플이나 테슬라처럼 중국 시장을 포기할 수 없는 기업들이 있다. 2차 전지 산업처럼 도저히 중국을 배제할 수 없는 산업도 많다. 안보 일변도 정책에 대한 시장의 저항을 일방적으로 짓누르기는 어려울 것이다.

그러면 야권은 세계체제 변화에 대응하는 비전과 능력을 갖추고 있을까? 현재로선 윤석열 정부와의 정쟁 때문인지 야권도 정책 내용을 보여준 바 없다. 이전 문재인 정부는 진보적 정책 역량을 모아 신한반도체제, 소득주도성장, 혁신성장, 한국형 뉴딜 등 비전을 제시하려고 노력한 측면이 있었다. 그러나 이러한 정책 담론은 현실에서 잘 작동하지 않았다.

나는 그간 진보적 정책 담론에는, 분단체제론이나 한반도경제론에 내장된 세계체제·세계경제 관점이 결여되었었다고 본다. 소득주도 성장론이나 뉴딜 정책은 기본적으로 일국 모델이다. 문재인 정부의 신한반도체제론에서는 한국과 남북관계를 중심에 놓는 관점이 강하게 작동했다. 대표적인 예가 한반도 운전자론과 가교국가론이다. 한반도 운전자론은 한반도 비핵화를 위해 남북 당사자의 주도성이 중요하다는 논의다. 가교국가론은 남북협력을 중심에 놓고 한반도가 신북방과 신남방을 잇는 허브 역할을 하자는 것이다.

문재인 정부의 전략은 세계체제·세계경제의 맥락과 유리된 한계를 지녔다. 세계체제는 2008~2013년 사이에 중대한 전환점을 맞이했다. 2008년은 세계경제 위기, 버락 오바마 대통령 당선, 중국경제의 세계 2위 부상이 있던 해다. 2013년은 중국에서 시진핑 체제가 등장한 해다. 또한 2008~2013년에는 세계체제와 연동하여 분단체제가 다시 강화하는 압력이 작용한 시기다. 이후 2013~2017년 사이에 네 차례의 북핵 실험이 이어졌는데, 이는 미·중 간 갈등구조로의 전환 속에서 이루어졌다.

돌이켜 보면, 2016~2017년 촛불항쟁은 분단체제 강화 흐름을 저지할 기회였다. 광범한 촛불연합을 제도화하고 한·일 및 북·일 간 경제네트워크를 강화하며 핵위협을 축소하는 프로세스를 축적해야 했었다. 역사에 가정은 불필요하다지만, 미래에 기회가 다시 주어진다면, 역사의 교훈은 꼭 되새겨야 할 것이다.[184]

150. 정의가 시작될 자리

이스라엘의 팔레스타인 공습. 언제나 비슷한 구도다. 이스라엘 정부는 다양한 이유를 들어 또는 아무런 이유도 대지 않고 유대인 정착촌을 확장한다. 팔레스타인 사람들은 군사작전과 방화로 집을 빼앗기고 쫓겨난다. 도시에서 한두 사람이 총격을 당하는 일은 일상이다. 일자리는 불안정하고 물과 전기는 언제나 부족하다. 조직되거나 조직되지 않은 저항이 이어진다. 돌을 던지거나 행진을 하거나 무장하여 일어난다. 이스라엘 군대의 집중 공격이 시작된다. 병원과 학교가 포격을 당하고 가족과 이웃이 죽임을 당한다. 유엔이 제지하기 위해 나선다.

유엔은 팔레스타인 난민의 귀환 권리를 보장하라거나 불법 점령한 땅을 반환하라고 지속적으로 말해왔다. 국제사법재판소는 분리장벽이 위법하므로 철거하라 했고, 국제형사재판소는 이스라엘의 전쟁범죄 조사를 시작했다. 아주 느리게 이스라엘의 불법성을 확인해온 과정이 될 수도 있지만 실상은 이스라엘의 범죄에 대한 처벌이 지연되어온 과정에 가깝다. 남아프리카공화국이 유엔 회원국 자격을 정지당했던 것과 비교하면, 지금 세계는 이스라엘 정부의 인종학살을 승인 중인 셈이다.

미국이 늘 앞장서 정의를 지연시킨다. 얼마 전 유엔 긴급총회가 휴전을 촉구하는 결의안을 채택할 때에도 미국은 반대표를 던졌다. 올해 초 서안지구 불법 정착촌 건설을 규탄하는 결의안에도 반대했다. 영국을 비롯한 유럽 국가들도 대체로 미국과 비슷하게 움직인다. 팔레스타인에서 벌어지는 일의 역사적 맥락을 모르기 때문이기보다, 이스라엘의 불법성에 대한 그들 자신의 책임을 모르지 않기 때문일 것이다. 이스라엘 정부가 유엔 권고를 무시하는 상황은 방치된다. 가자지구를 반환하라는 결정에 이스라엘은 세상에서 가장 집요한 봉쇄로 응답했다.

이스라엘 정부는 자신을 향한 비판을 반유대주의로 지목하며 국제사회의 지속된 요구를 거부한다. 미국 정부는 이스라엘이 방어할 권리를 가진다며 거들고 나선다. 홀로코스트를 기억하기 때문이 아니라 제대로 기억하지 못하기 때문에 생기는, 지독한 전도다. 지그문트 바우만(《현대성과 홀로코스트》)은 홀로코스트를 문명으로부터의 일탈로 이해하는 것에 반대하며, '독일을 유대인 없는 곳으로 만들자' 는 나치의 목표를 실현시킨 것은 광기와 폭력이 아니라 현대(성)라는 문명 자체임을 강조했다. 이 기억을 "자국이 저지를지도 모르는 부당한 행위에 대한 선지급금" 으로 삼고 "어제의 고통에 복수하면서 내일의 고통을 예방하고 있다는 확신" 을 조직하는 이스라엘의 모습을, 유대인인 그는 홀로코스트의 가장 큰 저주로 느꼈다.

이스라엘 정부는 '팔레스타인인 축출' 을 '유대인 정착' 으로 부르고, 특정한 무감각과 고유한 사명감을 고취시키며 자국의 시민들을 마비시키고 있다. 국제사회는 팔레스타인 민중의 자결권을 보장하는 질서를 만들지 못했고 이스라엘 정부의 인종주의 범죄가 허용되는 질서에 가담하고 있다. 75년에 걸쳐 팔레스타인 땅이 팔레스타인인 없는 곳으로 되어가고 있다. 이것이 우리가 마주한 문명이라면, 더 늦기 전에 기원으로 돌아가 정의를 세울 방법을 찾아야 하는 것이 아닐까.

이달 시작된 유례없는 규모의 폭격을 보며 나는 어느 때보다 입을 떼기 어려웠다. 이스라엘 정부를 규탄하고 팔레스타인 민중의 저항을 옹호하는 말은 어렵지 않았다. 그게 익숙해서, 팔레스타인 민중의 편에 서 있다고 착각한 내가 부끄러웠기 때문이다. 수십명이 사망하는 공습은 뉴스도 안 되는 세계가, 나처럼 수많은 사람들이 죽고 나서야 쳐다보는 방관자들과 함께 만들어지고 있었다. 나는 팔레스타인 민중이 어떻게 당하는지를 알았을 뿐 그들이 무엇을 해내는지 알아보지 못했다.

"매일 '마지막 날' 을 살고 있다" 는 그들이 하루하루 만들어내는 삶, 그것이 정의가 시작될 수 있는 유일한 자리다. 지켜야 한다. 팔레스타인 해방을.[185)]

151. 가족보다 식구

가족이란 부부를 중심으로 하여 그로부터 생겨난 아들, 딸, 손자, 손녀 등으로 구성된 집단 또는 그 구성원. 혼인, 혈연, 입양 등으로 이루어지며 대개 한집에서 생활한다.

식구(食口)는 같은 집에서 살며 끼니를 함께 하는 사람 또는 한 단체나 기관에 속해 함께 일하는 사람을 비유적으로 이르는 말이다.

출출한 가을밤엔 짜장라면이 제격입니다. 물을 끓이고, 면을 삶으면 어디선가 나타난 3초 진돗개, 우리 나비는 제 무릎께에서 아련한 눈빛으로 저만 바라봅니다. 파기름에 검은색 수프까지 버무려 제대로 된 라면을 먹일 수는 없으니, 면 끓인 물을 덜어내는 공정에서 나비 몫 두어 젓가락을 찬물에 씻어 덜어둡니다. 제가 까만 면발을 한입 가득 먹을 때마다 나비에게는 희멀건 라면 한 올이 돌아가는데, 맛도 없고 몸에도 안 좋은 그 한 젓가락에 둘이서 키득키득 한없이 행복합니다.

동물병원 일을 하니, 자주 듣는 이야기가 '우리 강아지는 무, 배추를 좋아한다' '당근을 좋아한다' 좋아하니 먹여도 되느냐 묻는 것인데, 라면까지 나눠 먹는 수의사 나부랭이가 무슨 염치로 할 말이 있을까요? 그런데 개들은 정말 나물이며 야채가 맛있어서 좋아하는 것일까요?

포유강 식육목에 속한 갯과 동물이니 본디가 육식동물입니다. 밀가루나 푸성귀를 좋아할 리 없으나 무리를 짓는 그들의 습성에서 답을 찾을 수 있습니다. 무언가를 함께 먹는다는 건 무리의 일원으로 인정받는 것이고, 우두머리와 먹이를 나누는 행위엔 성취감이 따릅니다. 그 행복이 육식동물로 하여금 풀조차 먹게 만듭니다. 식구 되기를 갈망하여, 우리에게 식구가 되어주는 겁니다. 그들이 지어누리고자 하는 무리는 가족이 아니라 식구입니다. 인간에게는 가족만이 식구였던 역사가 있으니, 오늘날 가족과 식구는 얼핏 같은 것으로 혼용되고 있지만, 찬찬히 뜯어보면 꽤 다른 의미입니다. 혼인이나 혈연에 기반하여 인간들 스스로 규범과 법률로 정한 것이 가족이라면 '먹을 식'에 '입 구' 식구는 끼니를 나누고, 시간을 나누고, 감정을 공유하여 마음을 나누는 게 본질입니다.

핵가족이라는 말이 등장한 것도 어느새 50년이 훌쩍 지났습니다. 가족은 사람이 만든 제도이니 산업화, 도시화에 발맞춰, 사람의 편의에 따라 그 형태가 변해왔습니다. 이제는 '핵개인'의 시대에 접어들었다 하더군요. 스마트 기기의 보급과 발전, AI와 로봇과학의 발달이 핵개인화를 가속시키고 있다는 진단이지만, 매사 효율과 가성비를 따져 '갓성비'를 추구하고, 그저 인생이 아니라 '갓생'을 살고자 하니, 그 필요에 의해 가족의 형태는 또 한번 변하는 것이 당연합니다. 그 변화와 때를 같이하여, 영국에서는 외로움부 장관직이 신설되었고, 많은 나라가 뒤를 이어 인간의 고독으로 인해 발생하는 사회적 비용을 측정하고 개선을 모색하고 있습니다. 우연일까요? 빨라지고 편해지는 세상은 그 대가로 우리에게 외로움을 강요하고 있는지도 모릅니다. 식구가 없다면 그 대가가 더욱 가혹하겠지요. 외로움이라는 것을 겨우 가족이라는 구속과 규범에 실낱같이 기대고 있었던 것도 잘못입니다.

식구와 가족의 의미를 다시금 되짚어보는 게 필요한 대목입니다. 사람도 무리를 지어 사는 동물인데, 사람을 생존케 해온 무리 또한 가족이 아니라 식구였습니다. 가족의 형태가 변화하는 것은 오롯이 받아들여 놓아줘야 합니다. 놓아줘도 아까울 것 없습니다. 가족보다 식구를 갈망하고 누군가에게 식구가 되어주려 노력해야 하는 시대입니다. 가족과 남을 나누어 가르는 대신, 이미 나에게 식구가 되어주는 사람들을 알뜰히 살피고, 나 또한 당당히 무리의 구성원으로 인정받으려 노력할 때, 괜찮은 친구, 괜찮은 사람이 될 수 있겠습니다.[186]

152. 왜 근로조건 기준은 인간 존엄성인가

윤석열 대통령은 강서구청장 선거 참패 이후 ‘차분한 변화’를 당정에 주문하였다. 아직 보선 후 채 한 달도 지나지 않은 상황이라 섣부른 진단이긴 하지만 내용은 그대로 두고 ‘변화’는 스타일에 그치는 것이 그 실체인 듯해 보인다.

스타일의 변화는 국회 시정연설에서 야당을 배려하는 듯한 화법이나 제스처에서 읽힌다. 미국식 ‘타운 홀 미팅’을 변형한 ‘카페 미팅’을 ‘비상경제민생회의’의 이름으로 열고 있는 것도 ‘출근길문답’이 사라진 후 굳어진 불통이미지를 개선하려는 의도가 읽힌다.

그러나 정작 모두가 기대하는 국정기조의 변화는 실감하기 힘든 것이 ‘차분함’의 실체처럼 보인다. 대표적으로 반노동 정책이 그러하다. 윤 대통령은 세간의 이목이 집중된 첫 번째 카페 미팅에서 민생 현안으로 외국인 노동자의 인건비 문제와 소규모 사업장의 중대재해처벌법 완화 방안을 부각시켰다. 현실적 어려움 때문에 민원을 제기한 자영업자나 소규모 사업자의 처지는 이해한다. 그러나 정부 수반으로 헌법수호의무를 가지는 대통령이라면 이런 민원이 가지는 헌법적 의미를 고려하여 신중히 대응할 필요가 있었다. 외국인 노동자나 중대재해를 당한 소규모 사업장 근로자의 근로조건이 과연 우리 헌법의 정신에 부합하는지 따져볼 여지가 적지 않기 때문이다.

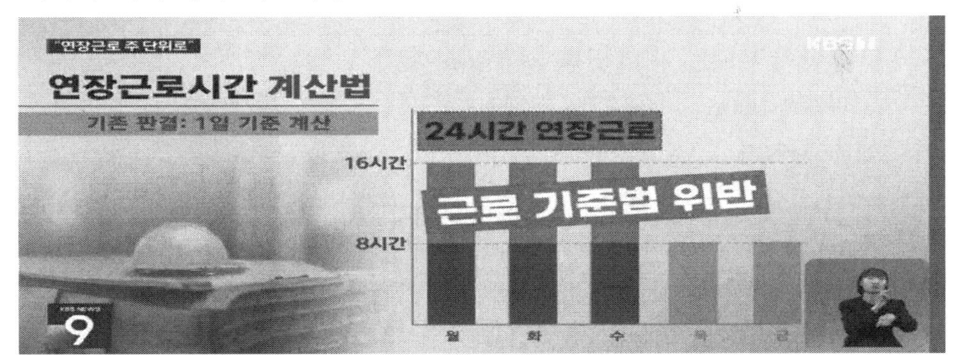

헌법 제32조 제3항은 근로조건의 기준을 인간의 존엄성을 보장하도록 법률로 정하도록 규정하고 있다. 이 헌법적 명령에 따른 법률이 근로기준법이다. 인간의 노동은 생존의 토대가 되는 경제활동의 중요한 요소이기도 하지만 기계나 재화와는 달리 인간이라는 이유만으로 존엄을 가지는 주체의 활동이라는 점에서 특별한 보호의 대상이 되는 게 문명국가의 보편적 원리이다.

그러나 헌법이 기본적 인권으로 근로의 권리를 보장하고 있음에도 경제적 부담을 이유로 한 현실론을 내세워 외국인은 물론 우리 국민인 근로자들에게도 인간의 존엄을 부정하는 근로조건이 만연하고 있다. 예컨대, 현행 근로기준법은 4인 이하 근로자를 둔 영세사업장에는 근로기준법의 적용을 면제하여 부당해고구제제도, 연장근로 가산임금 등 기본적인 근로보장마저 외면하고 있다. 헌재마저 이런 법률조항에 합헌의 면죄부를 여러 차례 부여하였는데, 그 논거로 영세사업장의 경제적·행정적 부담을 전면에 내세우고 있어 어처구니가 없게 만든다. 부당해고나 장시간노동에 대한 가산임금은 노동환경에서 인간의 존엄성을 보장하기 위한 본질적 내용인데 이런 핵심사항이 사업장의 규모에 따라 달리 취급될 사안이라는 발상이 납득되지 않는다.

영세사업자의 경제적·행정적 부담이 현실적으로 문제될 수는 있다. 그렇다면 이 부담을 해소해야 하는 것이 헌법상 기본적 인권의 보장의무를 져야 할 국가의 역할이지, 오히려 헌법이 근로의 권리를 보장하고 있는 근로자에게 그 부담을 고스란히 전가하는 것이 어떻게 정당화될 수 있을지 모르겠다. 중대재해처벌법을 완화하는 문제 또한 근로자의 생명과 신체가 훼손당하는 재해책임을 어떻게 사업장 규모에 따라 달리 취급하면서 근로자에게 위험을 전가할 수 있는가?

더구나 인간의 존엄성은 국적을 불문한 자연권이다. 일찍이 헌재도 고용허가를 받아 노동하는 외국인 근로자는 내국민과 마찬가지로 헌법적 보호를 받아야 함을 확인한 바 있다. 그러나 현실은 암담하다. 외국인 근로자의 임금체불만 연간 1200억원에 달한다. 사업장 변경 횟수와 사유가 제한되는 고용허가제의 맹점을 이용한 외국인 노동자에 대한 다양한 괴롭힘과 학대 등 인권침해 사례는 고질화되었다. 비닐하우스 숙소 등 참혹한 상태의 외국인 노동자 주거환경이 고발되어 온 것도 제법 되었다. 고용허가규정을 위반하고 외국인 근로자의 임금을 편취하는 취업사기가 공공연히 자행되는 현실에서 차별을 아예 법제도로 공식화하는 외국인 가사노동자 법안이 버젓이 제안되기도 한다. 강제퇴거명령을 받은 외국인을 '송환할 수 있을 때까지' 무기한 보호시설에 수용할 수 있는 출입국관리법 조항도 신체의 자유에 대한 국제인권법은 물론 우리 헌법의 기본원칙을 어긴 악법임에도 건재하다. 그리고 대통령이 민생예산이라고 강변한 내년도 예산에서 외국인 노동자 지원센터의 예산은 전액 삭감된 것으로 알려졌다.

이런 상황에서 인간의 존엄성이 우리 헌법의 최고가치이고, 무엇보다 근로기준에서부터 철저히 지켜져야 한다고 교육할 수 있겠는가? 제발 '차분한 변화'를 노동인권에 철저한 헌법정신의 실천에서 보여주기를 간절히 빌어본다.[187)]

153. 돌봄, 예산 복원 넘어 전환의 의제로

한국 사회의 돌봄 위기 자체는 코로나19로부터 시작되었다고 할 수 없지만, 돌봄이 중심적 가치가 되는 사회로 전환해야 한다는 목소리가 커지기 시작한 것은 그때부터였다. 감염병 위기 상황에서 필수노동을 지속하기 위해서라도, 돌봄 노동의 가치를 재평가해야 하며 돌봄을 사회의 중심적 가치로 삼아야 한다는 주장들이 코로나19를 계기로 제기되었다.

2023년 11월 현재, 한국 사회 돌봄의 현주소는 어느 정도에 와 있다고 해야 할까. 일단 돌봄에 관한 관심 차원이나 돌봄을 얼마나 입에 자주 올리느냐는 차원에서만 보면 여전히 돌봄은 속된 말로 '뜨는' 주제이다. 돌봄에 대한 사회적 지원의 필요성을 넘어서 기후위기와 관련하여 돌봄의 대상을 인간 너머로 확장하자는 문제의식도 확산하는 중이다. 형식적으로 가족의 테두리에 갇히지 않고 내용상으로도 기존 사회규범에서 자유롭고 다채로운 돌봄이 이루어질 수 있도록 하자는 논의를 포함하여 돌봄에 대한 새로운 담론도 많아졌다. 여성의 돌봄 노동과 일자리, 임금 격차를 주류경제학의 시각에서 연구한 클라우디아 골딘이 노벨 경제학상을 받은 것도 올해의 일이다.

하지만 담론의 영역을 벗어나서 지금 당장 벌어지고 있는 일들을 보면, 돌봄의 가치에 대한 상찬이 무색하게 돌봄의 현실은 명백히 퇴행 중이다. 우선 주목해야 할 것은 돌봄이 필요한 사람들 및 돌봄 일자리와 관련된 다양한 예산의 삭감과 서비스의 축소이다. 여성가족부는 내년 청소년 정책 예산을 올해 대비 173억원 감축했다. 이로써 학교폭력 예방과 '근로청소년'에 대한 부당처우 방지 예산이 모두 사라진다. 여성폭력 방지 예산도 142억원 삭감되면서, 가정폭력상담소와 성매매 피해자 지원 사업이 전면 중단될 위기에 처했다.

고용노동부에서 민간위탁을 하는 외국인노동자지원센터 산하 지역 거점 센터의 내년 예산도 전액 삭감되었다. 여성노동자들과 불안정노동자들에 대한 차별 해소와 고충 상담을 담당하던 전국 19개 고용평등상담실 역시 예산 전액을 삭감했다. 예산삭감의 명분은 민간단체 등을 통한 간접 지원을 줄이고 정부의 직접 지원을 늘린다는 것이지만, 투입되는 절대적 예산이나 인력 모두가 줄어드는 상황에서 좋아질 여지는 없어 보인다. 이 정도면 돌봄 논의의 활발함도 돌봄을 둘러싼 현실의 열악함을 반영하는 듯하여 씁쓸할 지경이다.

공공돌봄서비스에서도 축소가 이뤄지는 중이다. 보건복지부 역시 2024년 사회서비스원 운영 예산 중 지자체 보조금 148억3400만원을 삭감하였다. 사회서비스원은 기존에 민간위탁으로 운영되고 있는 사회서비스 운영 방식 때문에 주로 시간제 호출노동으로 운영되는 돌봄 일자리를 양질의 일자리로 만들기 위해, 사회서비스 질을 높이고 사각지대를 해소하겠다면서 만든 기관이다. 이런 공공지원의 공백을 메우는 건 급격히 플랫폼 노동화하고 있는 돌봄서비스이다. 가사와 돌봄서비스가 배달업을 앞지르면서, 플랫폼 노동의 대표적 얼굴은 젊은 남성에서 고령의 여성들로 바뀌는 중이다. 주 52시간도 짧다면서 노동 시간을 늘리자는 논의가 끝없이 시도되는 사회에서 돌봄의 공백은 필연적이다. 돌볼 시간과 안정적 일자리를 함께 가질 수 있는 사람은 없다. 이대로면 예산삭감의 횡포가 돌봄 지원을 좀 더 긴급하게, 남보다 더 많이 필요로 하는 사람들의 삶에 가져올 재앙을 목격하게 되는 데는 그리 긴 시간이 걸리지 않을지도 모른다.

하지만 잊지 말아야 할 건 지금 눈앞에 벌어지는 예산삭감이 문제적이라고 해서 예산 복원이 답은 아니라는 사실이다. 고용평등상담실을 비롯하여 외국인노동자지원센터는 이미 발생한 문제들의 해결을 돕는 기관이지, 그 존재만으로 성평등한 사회나 차별 없는 노동을 실현해주지는 않는다. 이들은 예산삭감 이전에도 삶이 이미 위기였던 사람들의 버팀목이었을 뿐이다. 그러므로 이 기관들과 예산을 지키는 건 중요하지만, 위기의 원인은 더 복잡하고 뿌리가 깊다. 사회서비스원 역시 공공기관을 통한 돌봄서비스 제공 방식에 대한 하나의 실험일 수는 있어도, 돌봄 문제의 해결과는 거리가 멀다. 애초에 돌봄을 공공이 모두 해결하는 건 불가능하기도 하지만 바람직하지도 않다. 자기돌봄도 타인을 돌보는 것도 모두 불가능해서 서비스화된 돌봄에 의존할 수밖에 없는 사회는 문제적이다. 한편에서는 삭감된 예산을 복구하는 것조차 쉽지 않을 거라고들 한다. 그러나 삭감되기 이전의 예산이라는 게 우리가 쟁취해야 할 목표라고 할 수 없기에, 이대로 가면 후년은 더 어려워질 거라는 이야기가 나오는 바로 이 시점이 오히려 더 크게, 더 세게 돌봄이 가능한 삶으로의 전환을 주장해야 할 시점이다.[188]

154. 무해함에 햇살 비추기

요즘엔 '무해하다' 라는 말이 찬사로 쓰인다. 갈등과 대립이 넘쳐나는 사회에 피로감을 느낀 탓일까. 누구에게도 해를 끼치지 않는 무해함이 최고의 덕목으로 여겨진다. 서사 장르도 예외는 아니다. 무해한 인물들이 등장하는 잔잔하고 평온한 이야기들이 유행한다. 하지만 무해한 서사가 각광받는 이 흐름이 달갑지만은 않다. 약자에 대한 폭력을 최소한의 고민도 없이 작품에 그대로 담아내던 '비윤리적인 재현 방식' 에 대한 비판이 있었고, 그 반향으로 이러한 경향성이 생겨났음을 이해하고 긍정한다. 그러나 무해함을 요구하는 독자 및 시청자에 맞춰 고통당하는 이들의 비명을 말끔히 도려낸 고요한 진공 공간만을 전시하는 작품들이 쏟아진다는 점은 문제다. 누구도 해치지 않지만, 반대로 해를 입을 일 또한 없는, 타인의 고통을 몰라도 되는 위치에 있는 '선인(善人)' 들이 평화롭게 살아가는 이야기가 무해 서사로 상찬받을 때면, 탄식하게 된다.

최근 공개된 넷플릭스 오리지널 드라마 <정신병동에도 아침이 와요>는 무해함만을 맹목적으로 좇지 않는다. 정신병(psychosis, 精神病)은 모든 주요한 정신적인 질환의 총칭으로 망상, 환각, 판단·통찰력·사고 과정의 결함, 현실에 대한 객관적인 평가능력 부족 등을 야기할 수 있다. 정신병이라는 소재를 자극적으로 소비하지 않으며 의료인과 환자라는 이분법적인 위계 구분을 흐트러뜨린다. 강박장애가 있는 항문외과 의사 '동고윤' 은 정신과 치료를 받고, 정신과 간호사 '정다은' 은 우울증이 생겨 입원한다. 나아가 정신질환을 다루는 전문가나 정신질환을 앓는 당사자도 정신병에 차별적 시선을 지니고 있을 수 있다는 사실까지 낱낱이 드러낸다.

정신 병동에 입원한 환자들을 극진히 보살피며 이들을 결코 낮잡아 보지 않는, 다정하고 친절한 간호사 '다은' 은 유독 유대감이 깊었던 환자가 죽자 우울증에 걸려 보호 병동에 입원하게 된다. 그는 병원에서 주는 약을 모아 몰래 변기에 버리며, '약을 먹으면 내가 정신병 환자라는 걸 인정하는 거니까' 라고 혼잣말을 한다. 더불어 자신이 다른 환자들과 똑같은 취급을 받고 있다는 데 분개하며 자신을 입원시킨 엄마에게 "내가 왜 그런 일을 당해야 돼?" 라고 따져 묻는다. 주치의에게 퇴원시켜 달라 청하며 "전 여기 있는 다른 사람들하곤 다르잖아요" 라고 호소하기도 한다. '선량한 차별주의자' 라는 역설적인 말처럼, 편견 없이 환자들을 사랑으로 보살피던 다은 역시 정신병 환자들을 나와는 다른 ‘그들’로 구분하고 있었으며, 이들과 같은 처지에 놓인다는 것은 다소 굴욕적인 일이라고 생각하고 있었던 셈이다. 수전 손택이 책 〈은유로서의 질병〉에서 지적했던, 질병을 은유적으로 생각하는 사고방식은 여전히 이어지고 있는 것이다. ‘정신력이 약한 사람들이 걸리는 병’이라는 식의 왜곡과 숨겨야 하는 치부라는 낙인에서 벗어나 질병을 질병 자체로 볼 수 있어야 한다.

“우리 모두는 정상과 비정상의 경계에 서 있는 경계인들이다”라는 드라마 속 대사는 울림을 주는 말로 호평받았지만, 정신병을 앓는 이들을 ‘비정상’으로 규정하는 기존 관점을 답습하는 듯 보여 아쉽다. 그러나 누구라도 힘든 일을 겪게 되면 정신병에 걸릴 수 있으며 누구든 정신병에 편견을 지니고 있을 수 있다는 드라마의 메시지만큼은 높이 평가하고 싶다.

편견이란 우리 몸 깊은 곳에 뿌리내리고 어둠 속에서만 살아가기 때문에 스스로 밝힌 소박한 내면의 촛불로는 결코 찾아낼 수 없다. 외부의 무엇과 부딪쳐 깨어질 때 비로소 번뜩이며 제 모습을 드러낸다. 드라마는 우리 모두의 캄캄한 내부에 자리한 ‘정신병에 대한 끔찍한 편견’에도 눈부신 아침볕이 들게 한다. 남에게 폐를 끼치지 않는다는 의미의 소극적인 무해함보다 나의 유해함을 제대로 들여다보고 개선해 나가는 적극적인 무해함이 필요하지 않을까 생각한다. 무해하기만 한 서사보다는 무해함의 허상에서 벗어나 다종다양한 해로움을 조명하되, 그것에 잠식되지 않고 덜 해로운 방향으로 나아가도록 독려하는 서사가 더욱 많아졌으면 한다.[189]

〔자연이 주는 무해함 오밀화 작가 개인전 《무해한 풍경들》〕

강원도 원주 카페 바탕에서는 오밀화(본명 박지효) 작가의 개인전《무해한 풍경들》을 개막했다.
오밀화 작가는 자연과 동물의 일상을 그리는 일러스트레이터로 작가의 따뜻한 시선으로 바라본 풍경을 이번 전시에 담아냈다.
자연과 동물을 디지털 드로잉으로 그린 일러스트 작품을 15점을 선보였다. 자연 속 동물들이 휴식을 즐기는 모습들을 감상하며, 바쁘게 흘러가는 시간 속 작은 쉼표를 찍어주는 전시이다(매일이 행복한 날, 2023, 디지털드로잉, 420x594. 사진 카페 바탕(정유철 2023. 5. 4).

155. 변해야 하는 것과 변하지 않아야 하는 것 사이에서

세상은 인연 따라 변한다. 그 변화 과정에서 조건을 따라가려는 원심력과 본질을 지켜내려는 구심력이 팽팽히 맞선다. 정치, 경제, 종교, 예술, 문화 할 것 없이 두 힘이 부딪치는 팽팽한 긴장 속에서 때로는 발전하거나 때로는 퇴보한다. 사람들은 이것을 보수와 진보로 분류하기도 한다. 시류에 민감하게 반응하고 끊임없는 혁신을 표방하는 비즈니스 업계와는 달리, 전통을 숭상하거나 수호하는 것을 중요한 가치로 여기는 종교단체의 경우는 매 순간 이런 고민에 직면하게 된다. 전통을 보존 혹은 보전한다는 것이 단순히 새로움을 거부하고 과거의 유산을 답습하는 것을 의미하지는 않음은 누구나 아는 사실이다. 하지만 현실에서 전통과 혁신 사이의 긴장관계가 그렇게 단순하지는 않다. 구체적인 삶 속에서는 두 가지 힘이 매 순간 충돌하게 되며, 새로운 의문과 문제를 제기하게 된다.

필자는 한국불교의 전통 사찰승가대학에서 기본 교육과정을 담당하고 있다. 갓 출가한 사미가 정식 스님이 되기 위한 과정인 비구계를 받기까지의 과정이라고 할 수 있다. 매일 수업과 일상에서 개성 넘치는 학인 스님들과 만나고 대화하면서, 느끼는 바가 많다. 디지털 문화가 체화된 이른바 'MZ세대' 라고 하는 이들의 감각과 세계관은 때때로 전통적 가치나 생활방식과 마찰을 빚는 경우도 허다하다. 예를 들어, 학인 스님들이 대학에 입학하면, 당장에 스마트폰을 사용할 수 있게 하는 것이 옳은지부터 고민이 시작된다. 애초에 스마트폰을 사용하게 하거나 혹은 그냥 불허한다면 단순히 끝날 문제지만, 사용할 수 있게 한다면 전면적으로 허용할 것인지, 아니면 제한적으로 할 것인지, 그 기준은 어떠해야 하는지 생각이 많아진다. 달리 보자면, 이 문제는 전통 가치를 중시하는 공동체에 막 들어온 수습 과정의 구성원에게 어느 정도 외부와의 연결을 허용할 것인지 혹은 외부 세계를 대하는 태도의 문제로 귀결된다.

학인 스님들과 살아가다 보면 짙은 안개가 낀 듯 눈앞에 길은 잘 보이지 않고, 답답한 느낌이 들 때가 있다. 하지만 오래된 전통 속에서 살아가는 장점은 이럴 때 옛 스승에게 길을 물을 수 있다는 점이다. 수연불변(隨緣不變), "법에는 영원히 변치 않는 '불변(不變)' 과 인연에 따라 뜻이 달라지는 '수연(隨緣)' 의 뜻이 있으니, 이에 맞추어 글이나 방편을 베풀 수 있다." 서산대사 청허휴정(淸虛休靜, 1520~1604) 스님은 〈선가귀감(禪家龜鑑)〉에서 이 같은 가르침을 남기셨다.

학인을 이끄는 방법에 대해서도 휴정 스님은 말하였다. “학인을 대할 때에는 반드시 먼저 본분(本分)을 단련하는 집게와 망치를 제기한 다음에 새롭게 훈습하는(新熏) 자물쇠와 열쇠를 보여주어야 한다. 출세간의 풍격에 어두워서도 안 되며, 여러 방면에 통하는 계략을 잊어서도 안 되고, 양쪽 모두에 밝아 나란히 해와 달이 뜬 것처럼 해야 하며, 하나의 눈을 갖추어 명백하게 고금을 판별해야 한다.” 이처럼 휴정 스님은 스승 역시 본분과 신훈, 출세간과 여러 방면이라는 양쪽을 모두 아울러야 한다고 말한다. 즉 학인과 스승 모두에게 수연불변의 자세를 요구하고 있다.

휴정 스님의 관점을 현대적인 언어로 풀어쓴다면 승가 교육에서의 전통과 혁신, 유지와 개혁은 대립하거나 둘로 나누어지는 것이 아니라 두루 갖추어져서 통합적인 교육을 이루는 것이라 할 수 있다. 전통과 더불어 시대의 급변하는 흐름, 그 연(緣)에 따른 변화에 기민하게 대응하는 능력 역시 중요하다는 것이다. 비단 승가에만 국한된 가르침이 아닐 것이다. 국가뿐만 아니라 과거의 전통 유산을 지켜나갈 책무가 있는 공동체 모두에 해당하는 이야기일 것이다. 돌이켜보면 전통을 지켜내고 발전시켜 온 것은 언제나 그에 상응하는 혁신적인 시도들이었다. 고려 팔만대장경이 한국을 대표하는 세계적인 문화유산이자 신앙과 연구의 대상으로 자리 잡을 수 있었던 데에는 당대 첨단의 과학 기술이 있었다. 습도, 통풍, 온도 조절이 가능한 내부 설계와 목판 조형 및 마감 등 최신 과학 기술에 열려 있는 자세가 불교를 대표하는 전통을 보존해 온 것이다. 인류 보편의 문화적 성취 뒤에는 혁신의 역사가 있었다고 할 수 있다.

이제 일주일만 지나면 스님들의 겨울 집중 수행 기간인 동안거가 시작된다. 다시금 해이해진 마음을 다잡고 안거에 들어간다. 변화시켜 나가야 하는 힘과 변하지 않게 지켜 나가야 하는 힘 사이에서 어떻게 지혜롭게 몸부림칠지가 화두가 된다. 산중에는 동안거를 시작하기도 전에 벌써 첫눈이 내렸다. 춥고 길고 긴 안거가 될 듯하다.[190]

156. 손잡고 더불어

정치의 계절이 돌아왔다. 지금 한국사회는 인간과 기계, 동과 서, 남과 북, 진보와 보수는 물론 세대, 남녀, 빈부에다 참과 거짓과 같은 세상 모든 벽들로 막혀 있다. 이런 갈등의 도가니는 광복 후 80여년간 내 편 네 편의 갈라치기와 이기심으로 똘똘 뭉쳐져 가기만 한다. 정치로는 도저히 풀 수 없음이 자명해졌고, 3만5000달러에 걸맞은 3만5000달러 이타적인 문화 창출만이 답이다.

이런 막다른 골목에서 보수의 린치에다 진보의 울타리에 갇혀 있는 신영복(1941~2016)의 '쇠귀체'는 죽어서 더 큰 울림을 준다.

쇠귀체로 쓴 '손잡고, 더불어'

'손잡고 더불어'를 보자. 내용과 조형의 일체다. 필획과 글자는 물론 '잡'과 '불'자는 아예 'ㅂ'을 공통분모로 한 글자로 연대해 있다. 더구나 전서필획으로 한글을 쓰고 있다. 훈민정음의 '자방고전(字倣古篆)' 원리 그대로 더 강한 한글글자꼴을 '쇠귀체'로 발명해냈다. 비첩(碑帖)혼융의 추사체와 같은 맥락이다. 미학에 가서는 동시대 궁체의 전형미와 반대의 역동적인 힘이 내장되어 있다. 신영복 선생은 <감옥으로부터 사색>에서 "궁체는 글의 내용에 상응하는 변화를 담기에는 훨씬 못 미친다"고 기술했다. 그러면서 쇠귀체에 대해 "어머님의 글씨에서 느껴지는 서민들의 체취와 정서는 궁체에서는 찾아볼 수 없는 새로운 미학으로 이해되었다"고 했다. 이처럼 쇠귀체의 조형은 내용이 규정하면서 현대 서를 도약시키고 있다. 여기에다 남천강, 영남루, 영남알프스, 아리랑은 물론 김종직, 사명대사, 김원봉과 같은 밀양 산천의 물성과 인물의 절의(節義)가 다 녹아 있다. '처음처럼' '더불어 한길' '더불어 숲' '만남'과 같은 무수한 시서화가 그것이다.

하지만 여기서 더 주목할 점은 통혁당 사건의 무기수라는 엄혹한 실존에서 꽃핀 '쇠귀체'의 나를 비운 연대정신이다. 〈강의 - 나의 동양 고전 독법〉에는 "연대는 반드시 하방(下方)연대라야 한다는 것입니다. 자기보다 약한 사람들과 연대해야 한다는 것입니다. 물은 낮은 곳으로 흐릅니다. 물이 가장 큰 바다가 될 수 있는 원리가 바로 하방연대에 있는 것이지요"라고 나직이 말한다. 바로 내가 먼저 무릎을 꿇고 약자와 눈높이를 맞춘 연대정신의 결정이 쇠귀체이다. 이것은 노블레스 오블리주와 다르다. 제주 유배에서 풀려난 추사 김정희의 '하심(下心)'과 오버랩된다. 추사가 '백파에게 써서 보인다(書示白坡)'는 편지에 나오는 주인과 종의 대화를 읽어보자.

[종] "어떤 것이 바로 소인의 진아(眞我)입니까?" [주인] (자신을 가리키며) "바로 나다." [종] "만약 그렇다면 주인 어르신은 무엇을 가지고서 나가 되었습니까?" [주인] "바로 너다." [종] "…." [주인] (종이 이해하지 못하자) "불법(佛法)이란 평등하여 남이니 나니, 귀하니 천하니 옳으니 그르니 하는 분별이 없느니라."

바로 '나가 너'인 하심과 하방은 여기서 둘이 아니다. 쇠귀체나 추사체가 던지는 정신은 강하다고 생각하는 내가 먼저 약자에게 무릎을 꿇는 것이다. 지는 것이 이기는 것이다. '아픔과 기쁨의 교직'에서 쇠귀는 다시 말한다. "우리는 아픔과 기쁨으로 뜨개질한 의복을 입고 저마다의 인생을 걸어가고 있습니다. 환희와 비탄, 빛과 그림자 이 둘을 동시에 승인하는 것이야말로 우리 삶을 정면에서 직시하는 용기이고 지혜입니다." 쇠귀의 행동대로 이제는 적과 '손잡고 더불어' 우리가 만든 벽을 우리가 허물자.[191]

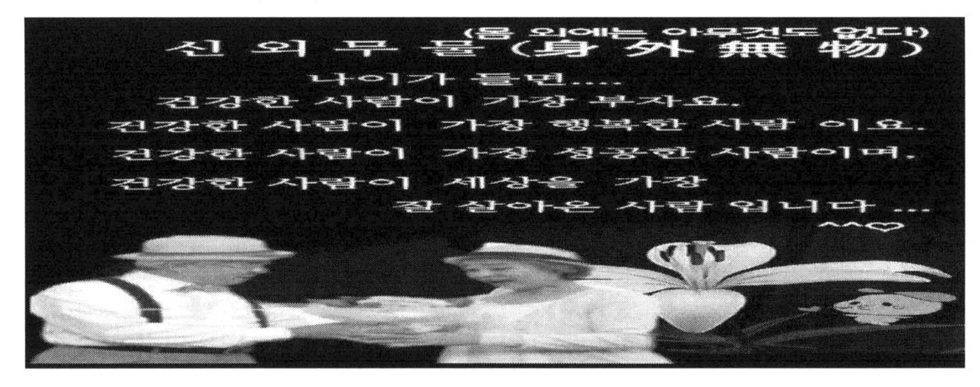

157. ‘떴다방 정치’의 시대에

보일러의 에어(air)를 한바탕 뺐는데도 온기가 느껴지지 않았다. 엊그제 아파트 관리실에 전화를 걸어 보일러를 제대로 때고 있는 것인지 확인하고 나서야 다행히 방바닥에 온기가 조금 돌기 시작했다.

몇 년 전부터 슬슬 재개발 이야기가 나올 정도로 아파트가 낡긴 했지만, 막상 재개발을 하면 어쩌나 하는 찬바람이 마음 한구석에 분다. 그것은 서울이나 서울 언저리에서 사는 게 일종의 난민 같다는 느낌을 아직 벗어버리지 못해서일 것이다. 그래서 재개발을 시작하면 어디로 가야 한단 말인가 하는 막막함이 드는 것인지도 모른다. 돌아보면 한자리에서 오래 살긴 했구나 하는 생각도 들지만 내게는 유목의 피가 부족해서인지 다른 곳으로 이사 갈 엄두가 잘 나지 않는다. 사실 이런 걱정도 ‘가진’ 자라서 하는 것인지도 모른다.(여기서 내 말문은 막히고 만다.)

겨울이 두려워지기 시작한 것은 얼마 되지 않은 현상이다. 지금은 사계절이 명확한 때가 아니어서일까. 사람이란 본래 미래의 일에 얼마간 예측 내지는 준비가 필요한 존재이기도 하고, 다른 한편으로는 나의 몸이 그동안 사계절의 순환에 익숙해졌을 수도 있다. 단순히 ‘나의 몸’의 문제만은 아니겠지만 어쨌든 기후변화를 구체적으로 느끼는 것은 ‘나의 몸’이고, 몸의 떨림에 따라 마음이 동요하고 있는 것도 ‘나의 사실’이다. 생각을 넓혀보면 우리가 사는 현실 자체가 오리무중이어서인지도 모른다. 내 주위에는 이런 예측하기 힘든 현실에 무너질 것만 같은 사람들이 적잖다.

가. 떴다방 난립이 새 정치일 리 없다

내년 봄에 치러질 국회의원 총선거 때문인지 정치인들의 언행이 부쩍 긴박해졌다. 마치 거대한 소용돌이 앞에 선 듯한 언행들을 보면, 저이들이 지금 내 주위의 추운 사람들보다 불쌍해보이기까지 한다. 이른바 각자도생이라는 우리 사회의 각박한 마음을 정치인들이 솔선수범해 보여주고 있는 것 같아서 말이다. 정치는 생물이라는 구태의연한 언어는, 대화와 타협 또는 시시각각 변하는 현실에 알맞은 실사구시의 정신을 가리키는 게 아니다. 그것은 정치인 자신들의 이합집산을 은폐하는 질 낮은 수사에 불과하다. 그런데 이합집산을 노회한 정치 모리배들만 꾀하는 게 아니라, 이른바 '청년 담론' 덕에 수월히 직업 정치인이 된 이들도 능하긴 마찬가지다. 거창한 이유로 (연합정치에 미치지도 못하는) 신당이니 선거연합이니 하는 것들을 보면 이렇게 가다가는 이번 국회의원 총선거는 그야말로 정치적 떴다방의 난립으로 어지러울 것이 명약관화하다.

낡아빠진 기성 정치인들이 그동안 보여준 벌건 욕망의 정치를 접어주자는 게 아니다. 그렇다고 떴다방의 난립이 새로운 정치일 리는 없다. 그것은 그냥 각자 자신들의 욕망을 정치에 투여하는 것에 지나지 않기 때문이다. 문제는 정치 계급 내부 투쟁이 계속됐을 때 나타날 현상들이다. 사실 이미 어떤 현상의 결과가 저 떴다방 정치일지도 모르지만 한 나라의 운영에 직접 참여하는 정치인들이 염치도 없이 날것으로 보여주는 욕망을 보면, 우리나라 정치에는 아직도 빼야 할 에어가 아주 많은 것처럼 보인다. 즉 우리나라 정치에는 아직도 녹물이 한가득이라는 것이며 우울한 것은 새로 주입된 물도 너무 빨리 녹물이 됐다는 사실이다. 이 녹물들이 과연 우리의 방바닥을 얼마나 따뜻하게 해줄 것인가, 내게는 이것이 문제인 것이다. 그리고 이러한 허송세월을 틈타 겨울은 점점 더 예측불허의 기후를 보일 것이다.(이게 겨울만일까!)

오늘날 민주주의는 기계적 분배와 권리의 평등으로 인해 질곡에 빠진 것처럼 보인다. 여기엔 물론 몫과 권리의 독과점이라는 역사적 선행(先行)이 있지만, 그렇다고 꼭 그 반대가 선(善, 좋음)이라곤 말하기 힘들다. 정치적인 분배와 권리의 평등 개념에 경제적 욕망의 오염수가 스며들지 않았다고 장담할 수 없기 때문이다. 우리는 혹 자신의 자본주의적 욕망을 은폐하면서 분배와 권리의 평등을 말하고 있는 것은 아닐까? 모두 정치적으로 옳다. 들려오는 모든 정치 언어들은 옳다. 그런데 어째서 점점 삶은 힘들어지고 불안해지고 눈앞이 뿌연 것일까. 감히 이 자리에서 그 원인을 말할 자신은 없지만, 자신들의 민주주의가 최상이라 생각했던 아테네 시민들을 직격한 소크라테스의 ‘변명’이 떠오르는 것은 어쩔 수 없다.

나. 정치언어들 옳은데 삶 왜 힘들까

“가장 훌륭한 양반, 당신은 지혜와 힘에 있어서 가장 위대하고 가장 명성이 높은 국가인 아테네 사람이면서, 돈이 당신에게 최대한 많아지게 하는 일은, 그리고 명성과 명예는 돌보면서도 현명함과 진실은, 그리고 영혼이 최대한 훌륭해지게 하는 일은 돌보지도 신경 쓰지도 않는다는 게 수치스럽지 않습니까?”

소크라테스는 법정에서도 선처를 구하기보다 ‘진실 말하기’를 멈추지 않아 독배를 받았고, 서슴없이 마셨다.[192)]

“잘못 탄 기차가 목적지에 데려다준다.”

엉뚱한 차를 탔는데 가서 보니 목적지였다는 인생의 또 다른 섭리를 가리키는 인도의 속담이다. 지역균형발전의 관점에서 보자면 김포를 서울에 편입하자는 ‘메가서울’ 논란이 여기에 해당할 수도 있다. 잘못 탄 기차(메가서울)가 목적지(지역균형발전 여론 환기)에 데려다주리라고 기대하는 이들이 있기 때문이다.

대통령 직속 지방시대위원회 위원으로 활동하는 마강래 중앙대 교수 같은 경우다. 그는 “김포시의 서울시 편입 문제가 이렇게 국민적 관심을 받게 될 줄 몰랐다”고 놀라움을 표했다. 다분히 정치적 계산에서 출발한 메가서울 논의가 역설적인 결과를 낳았다. 바로 ‘균형발전’에 대한 사람들의 ‘이해’와 ‘관심’이다.[193)]

158. 소통 부재와 집단사고

1961년 4월 J F 케네디 대통령은 쿠바의 피델 카스트로 정권 붕괴를 위한 작전을 승인했다. 쿠바인 망명자 1500여명을 중심으로 병력을 편성해 쿠바를 침공, 카스트로 정권을 무너뜨린다는 계획이었다. 미 중앙정보국(CIA)은 마이애미 군사기지에서 이들을 훈련시켜 게릴라전에 투입하고 공중지원을 통해 피그스만을 건너 공격하기로 했다. 케네디는 게릴라가 상륙하면 쿠바 내부에서 호응이 있을 것이란 CIA의 보고를 철석같이 믿었다. 결과는 실패였다. 망명자 부대는 해안에 상륙하자마자 곧바로 발견돼 맹렬한 반격을 받고 궤멸됐다. 쿠바 내 호응은 없었다. '피그스만 침공' 은 미국 역사상 가장 처참한 실패 사례 가운데 하나로 기록됐다.

당시 케네디의 참모들은 뛰어난 지성과 검증된 능력을 가진 쟁쟁한 인물들이었다. 하버드 비즈니스스쿨의 천재이자 미 공군의 '시스템 분석 귀재' 로 불린 로버트 맥너마라가 국방장관, 록펠러재단 이사장 출신의 딘 러스크가 국무장관이었다. 34세에 하버드대 문리대학장에 올랐던 맥조지 번디는 국가안보회의(NSC)를 지휘했다. 빠른 두뇌회전과 열정으로 뭉친 미국 최고의 엘리트가 케네디를 보좌했지만 이들의 판단은 틀린 것으로 결론났다.

여러 명의 똑똑한 사람이 모여 내린 결정은 매우 옳고 현명할 것으로 보는 게 일반적이다. 그러나 그게 꼭 그렇지만은 않다는 사실이 '피그스만 침공' 과 같이 여러 역사적 사례에서 입증됐다.

미국 예일대 심리학자 어빙 재니스는 '집단사고' (groupthink)라는 개념을 통해 이를 설명한다. 재니스에 따르면 집단사고는 '응집력이 강한 집단의 성원들이 어떤 현실적인 판단을 내릴 때 만장일치를 이루려고 하는 사고의 경향' 이다. '잘될 것' 이라는 낙관론을 바탕으로 이견 없이 하나의 결론에 이른다는 것이다. 구성원들은 다른 이에게 따돌림을 당하지 않을까 하는 우려, 또는 보상에 대한 기대감 때문에 반론을 제기하지 않는다. 만장일치에 도달하려는 이런 사고의 경향은 시간을 절약해주는 효과가 있지만 중요한 결정에서는 아예 잘못된 결론으로 이끌 위험성도 내포하고 있다.

윤석열 정부의 지난 1년 반 동안의 행보를 짚어보면 '집단사고' 와 무관치 않아 보인다. 지난달 부산 엑스포 유치 실패는 대표적 사례다. 두세 표도 아니고 무려 90표 차나 났는데도 투표일 직전까지 "근소한 표차로 선전" "2차 투표에서 역전"과 희망 섞인 얘기들만 흘러나왔다. 이미 여러 곳에서 부산의 유치가 어려울 것이란 정황이 드러났는데도 '드라마틱한' 뒤집기를 장담했다. 하지만 참패였다. 윤 대통령은 유치 실패 후 '예측이 많이 빗나갔다'고 인정하면서 대국민 사과를 했다. 참모와 각료들이 이길 것이란 낙관론에 사로잡히는 '집단사고'에 빠진 나머지 처음부터 잘못된 판세 예측을 대통령에게 보고했다는 얘기로밖에 해석되지 않는다. 일각에서는 사우디가 유리하다는 정보가 많았지만 대통령이 워낙 강력하게 밀어붙이다보니 부정적 내용이 차단됐을 가능성도 나온다. 서울 강서구청장 보궐선거 때도 그랬다. 국민 대다수가 여당의 패배를 예상하고 있었으나 참모들이 낙관론 속에 '승리 예상' 보고를 했을 가능성이 농후하다. 윤 대통령이 선거 패배 후 격노했다는 후문은 이를 뒷받침한다.

참모들이 집단사고에 빠지는 1차적 책임은 '소통부재'에 있다.

윤 대통령의 독선과 툭하면 화부터 내는 불같은 성격은 제대로 된 소통을 하기 어렵게 만든다. 다른 의견을 내거나, '노'(No)라고 할 수 없는 분위기가 형성된다. 이런 상황은 어떤 중요 사안을 결정하는 회의나 논의를 '답정너'로 몰고 간다. "결론은 이미 정해져 있으니 더 이상 왈가왈부하지 말라"는 얘기다. 쓴소리를 싫어하는 대통령에게 누가 반대 의견을 내놓을 수 있을까.

더 큰 문제는 이런 상황이 앞으로도 되풀이될 수 있다는 점이다. 더구나 윤 대통령 주변의 요직은 그의 뿌리나 다름없는 검찰 출신 인사로 다 채워놓았다. 검사들의 '엘리트 의식' '선민의식'은 집단사고로 치닫기 딱 좋은 여건이다. 엑스포 개최나 보궐선거 정도의 사안이라면 그나마 다행인지도 모른다. 외교와 안보, 중요 경제정책과 같이 국민의 안위와 실생활에 직결되는 문제라면 얘기가 달라진다. 참모들이 집단사고에 빠지지 않으려면 대통령이 바뀌어야 한다. 소통을 강조하지만 왜 소통이 안 되는지, 스스로에겐 아무 문제가 없는지 먼저 되돌아봐야 한다.[194]

159. 쾌락의 역설

현대는 욕망 긍정의 시대이다. 그 욕망이 나를 인간답게 하는가 인간답게 하지 않는가의 문제는 별로 고민하지 않는다. 마치 욕망은 절대적 선이어서 무슨 수를 쓰든 그 욕망을 충족시켜야 한다고 모두가 합의한 듯하다. 그런데 욕망이 자라는 속도는 늘 욕망을 충족시키는 현실적 여건이 마련되는 속도보다 빠르다는 데 문제가 있다. 예를 들어 30평 아파트에 이사하고 나면 몇 달 지나지 않아 40평 아파트를 희망하게 되지만 실제로 40평 아파트로 이사 가는 것은 몇 년이 걸릴 수도 있고 아니면 아예 불가능할 수도 있다. 욕망의 속도는 늘 현실의 속도를 추월하기 때문에 욕망을 추구하면 추구할수록 오히려 불행감이 커지게 된다. 철학자들은 이를 두고 '쾌락의 역설'이라 했다. 쾌락을 추구하면 추구할수록 오히려 불만족과 고통이 커진다는 것이다.

우리는 모두 평안한 마음을 원한다.

그런데 욕망에 시달리는 마음으로는 평안할 수 없다. 어떤 욕망은 충족하고 나서 만족감이 오래가고 어떤 욕망은 충족하고 나서 오히려 자괴감이 들기도 한다. 욕망 중에는 그 실현이 오히려 나의 인간적 가치를 감소시키는 그런 욕망이 있다. 약물을 하고 싶다거나 하는 식으로 중독에 빠지게 만드는 욕망은 나의 인간적 가치를 감소시킨다. 인간적 가치를 감소시키는 욕망은 그 실현에 노력이 들지 않는다는 특징이 있다. 오히려 그 욕망에 딸려가지 않는 데 나의 노력이 든다. 나의 인간적 가치를 높여주는 욕망을 실현하는 데는 노력이 들고 인간적 가치를 낮추는 욕망을 실현하는 데는 노력이 들지 않는다.

에피쿠로스학파는 쾌락의 역설을 얘기하고 아타락시아(ataraxia, 감정적인 혹은 정신적인 동요나 혼란이 없는 마음의 평정상태)를 지향한 것으로 유명하다. 이들 철학자는 우리가 욕망하는 모든 것이 행복한 삶을 위해 반드시 필요한 것은 아니며 오히려 어떤 종류의 욕망은 평온한 삶을 전적으로 불가능하게 만든다는 것을 강조했다. 나의 인간다움을 높이는 데 도움이 되는 욕망은 참된 욕망이고 나의 인간다움을 높이는 데 도움이 되지 않는 욕망은 참되지 않은 욕망이다. 당장은 노력이 들고 힘이 들어도 참된 욕망을 실현하려고 노력할 때 그런 자기 자신에게 만족하게 되고 만족스러운 인생을 살게 된다.

물질적 풍요를 누리는 데 집중하다 보면 쾌락의 역설에 빠지게 된다. 쉽게 딸려가게 되는 욕망에 휘둘릴수록 인간은 불행해진다. 결국 나에게 자괴감을 안기고 말 욕망에 부나방처럼 달려들어서는 안 된다. 부족한 것이 없어 보이는 사람들이 오히려 약물중독에 빠지거나 하는 이유는 결핍이 없기 때문이다. 결핍이 없으면 추구해야 할 것이 없고 추구하고자 하는 것이 없으니 삶에서 의미를 찾기도 어려워진다.

삶의 의미는 내가 타자의 인간다움에 기여하게 될 때 창출된다. 쾌락의 역설을 직시하고 긍정해야 할 나의 욕망과 절제해야 할 나의 욕망을 구분하는 지혜를 가질 필요가 있다. 어느 욕망을 긍정하고 어느 욕망을 부정하는가에 따라 나의 삶이 달라진다.[195]

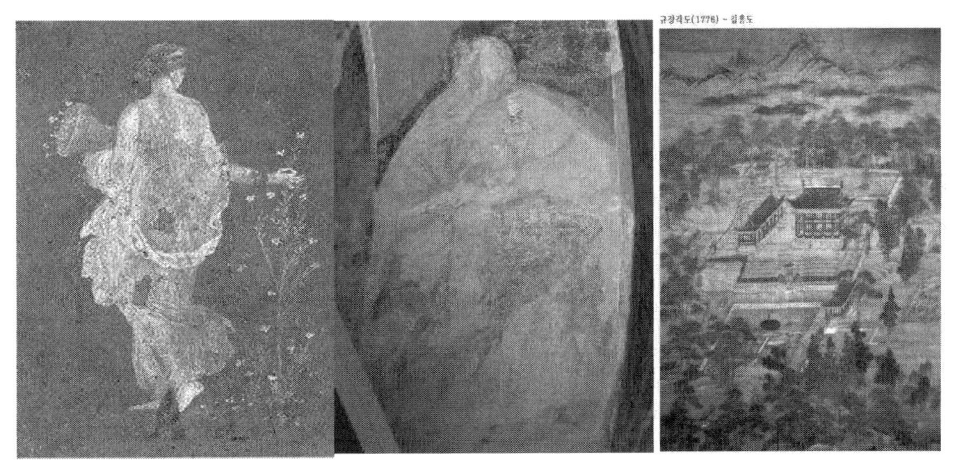

쾌락의 진원지는 바로 황제들이다. 성인으로 추앙받던 초대 황제 아우구스투스 역시 쾌락을 추구하는 데 후대 황제들에게 결코 뒤지지 않았다. 그는 남의 아내를 빼앗아 황후로 삼았고, 수많은 처녀를 침실로 불러들였다. 2대 황제 티베리우스는 노년에 카프리섬에 들어앉아 쾌락으로 날을 지새웠고, 잘생긴 외모로 백성들의 인기를 끌었던 젊은 황제 칼리굴라는 비정상적인 쾌락을 탐닉하다가 결국 암살당했다. 도미티아누스 역시 폭군 네로 황제에 버금가는 방탕한 나날을 보냈다.

원래 코라교회는 4세기 초 콘스탄티누스 대제가 건설한 성벽 바깥에 세워진 복합 수도원이었다. '시골의 성스러운 구세주 교회(The Church of the Holy Saviour in Chora)' 또 '야외에 있는 거룩한 구세주의 교회(The Church of the Holy Redeemer in the Fields)' 라는 뜻이다. 내 책 «술탄과 황제»에 자세히 설명한 5세기 초에 건립된 테오도시우스 2세의 육지성벽(QR코드 17) 안으로 들어오게 됐지만 '교외 · 시골(chora)' 이라는 이름은 그대로 유지가 되었다.

160. 윤희에게

○○고등학교 3학년 윤희 학생, 안녕하세요. 의대/간호대와 같은 보건의료계열 대학에서는 병원으로 실습을 나온 학생에게도 '선생님'이라는 명칭을 붙여주는 일들이 많아요. 그래서 정말 이상하게 들리겠지만, '학생선생님'이라는 이름으로 불리곤 하지요. 배우는 학생이면서도 의료기관 안에서는 예비 전문가로서의 태도와 윤리를 견지해야 하는 보건의료학생들에게 적합한 이름인 것 같기도 합니다. 하지만 윤희 학생은 아직은 고등학생이니까, 그냥 윤희 학생이라고 부를게요. 더 친근하기도 하고요.

윤희 학생이 다른 친구들과 함께 우리 의원으로 진로적성탐구차 왔던 게 2023년 5월이니까, 벌써 꽤 시간이 지났네요. 1년이면 수차례씩 나오는 여러 실습 학생 중 한명이라, 얼굴은커녕 이름조차도 기억할까 말까 했을 윤희 학생을 제가 기억하는 건, 윤희 학생이 저에게 보낸 편지 덕분입니다.

사실 윤희 학생과 친구들이 우리 의원을 방문했던 날은 제가 꽤 피곤했던 날이었어요. 처음엔 방문을 받지 말까도 생각했었습니다. 의대/간호대생 실습 받기에도 벅찬데, 고등학생까지 실습을 받아야 할까? 교육비를 주는 것도 아니요, 의원에 도움이 되는 것도 아닌데, 차라리 이 시간에 내가 잘 쉬는 게 환자분들에게 더 도움되지 않을까? 여러 생각들이 있었지만, 의원 바로 옆 고등학교이기도 하고, 또 진료가 끝난 저녁 시간에 오면 어떻겠냐는 얘기에도 흔쾌히 그러하겠다고 하여, 취미생활이라 생각하며 가벼운 마음으로 여러분들을 만났습니다. 열심히 듣는 표정이 좋았던 걸까요, 상기된 표정의 여러분들처럼 제 마음도 들떠서 의원 이곳저곳을 소개해주고, 방문진료도 소개하고 왕진가방도 보여줬습니다. 그리고 몇달 후 이 편지를 받았습니다.

“단지 간호사가 되고 싶었던 저에게 의료인의 역할은 무엇인지, 방문의료에서 사용하는 물품들은 어떤 것이 있는지 자세하게 설명해주신 덕분에 제 꿈에 한발 더 다가갈 수 있는 계기가 되었습니다. 의사로서 일하시면서 겪었던 다양한 이야기들, 욕창 사진, 병원 라운딩처럼 현장감을 느낄 수 있게 실습 준비해주셔서 정말 감사합니다. 제가 선생님을 뵌 이후로 단순히 병원에 온 환자를 치료하는 것만이 의료인의 일이 아니라, 지역사회의 환자들, 병원에 가고 싶지만 갈 수 없는 환자들까지도 치료하는 것이 의료인의 역할인 것을 알게 되었습니다. 또한 의사 따로, 간호사 따로 일하는 것이 아니라 항상 팀으로 일한다는 것, 많은 사람들과 의사소통해야 한다는 것을 배웠습니다. 제가 미래에 병원에 다른 동료들과 일할 때 갖추어야 할 마음가짐, 협동 정신을 배울 수 있었습니다. 아직 저는 많이 부족한 고등학생이지만 앞으로 열심히 노력해서 제 꿈을 이룰 수 있도록 최선을 다하겠습니다. 앞으로 선생님 같은 좋은 의료인이 될게요.”

보건의료 계열에선 선배의 존재가 참 중요합니다. 모든 것을 일일이 선배에게 배워나가야 하니까요. 그런데 윤희 학생의 편지를 읽고 든 생각은 후배의 존재도 참 중요하구나 하는 것이었어요. 내가 걷고 있는 이 길을, 걸어가 볼 만한, 배울 가치가 있는 길이라고 여기는 후배의 존재가 정말 감사하구나 싶었습니다.

좋은 의료인에게 필요한 역량은 여러 가지입니다. 보건의료 학문들이 기반한 과학에 대한 이해가 필요하고, 실제 진료/검사/간호/재활 등을 잘할 수 있도록 하는 임상적인 역량도 필요합니다. 환자를 우선시하고 전문가로서의 덕성을 유지할 수 있게 하는 윤리의식도, 환자/보호자와 공감하고 소통할 수 있는 역량도 갖춰야 합니다. 우리 사회를 더 건강하게 바꿔나갈 수 있게 할 힘도 필요합니다. 이런 역량을 갖춘 후배들이 많아지면 좋겠습니다. 그리고 저 스스로부터 존경하는 선배들께 존재만으로도 든든한 후배였으면 좋겠습니다. 윤희 학생의 입시를 응원합니다.[196]

161. 미움받을 용기

좋은 말만 전하고 사랑받고 싶은 건 생활인의 본능이다. 그러나 특정 시기에는 미움받을 용기가 필요할 때가 있다. 의료 일선 현장에 있는 의사가 대표적이다. 당장 암 수술이 필요한 환자에게 단지 곧 나을 것이라는 위안만 제공하면 어떻게 되나. 상태만 더 나쁘게 만드는 희망고문이 될 수밖에 없다.

요사이 정부의 전기요금 정책을 보고 있으면 드는 생각이 '딱' 그렇다. 암세포가 번지는 게 적나라하게 보이는데 정부도 정치권도 눈을 감고 있다. 정부는 200조원대 빚더미에 오른 한전 부채 문제를 해소하기 위해 전기요금을 올해 킬로와트시(kwh)당 51.6원 올려야 한다고 밝혔다. 그런데 상반기 요금 인상폭은 kwh당 21.1원으로 필요분의 절반 이하에 불과했다. 하반기 인상폭은 더 작았다. 주택용 전기요금은 동결한 채 산업용 전기에 대해서만 요금을 kwh당 10.6원 올리는 데 그친 것이다. 산업용만 뚝 떼어서 요금을 인상한 일 자체가 처음이기도 하거니와 이 정도 올려서는 적자를 덜어내기에 턱없이 역부족이다.

천문학적 부채를 짊어진 한전은 앞으로 5년간 이자비용으로만 24조원을 지출해야 한다. 매일 131억원씩 이자를 내야 하는 셈이다. 부채가 과다하게 누적되며 숨만 쉬어도 빚이 매일 불어나는 수렁에 빠졌다. 한전은 자산 매각 등 나름 자구책을 내놓고 있지만 부채가 누적되는 원인과는 동떨어진 곁가지 임시방편이다. 원가보다 싼 가격에 전기를 팔아서 생긴 한전 부채를 줄이기 위한 정공법은 결국 사용자 부담 원칙에 입각한 요금 인상뿐이다.

그런데도 필요한 수준에 턱없이 못 미치는 찔끔 인상만 되풀이한다. 한전 부실은 결국 국민 세금으로 메워야 한다. 이미 추가 투자 부족에 따른 전력 설비 노후화, 한전채 과다 발행에 따른 채권시장 교란 등 부작용이 나타나면서 국민 피해로 돌아오고 있다.

혈세 낭비를 막기 위해 요금 인상이 필요한 것을 알면서도 반쪽에 그친 것은 용기가 부족한 탓이다. 내년 4월 총선을 앞두고 유권자를 의식한 포퓰리즘이란 비판을 면하기 어렵다.

애초에 매년 수조 원씩 흑자를 내던 우량 기업 한전이 빚더미에 올라앉아 급격한 전기요금 인상이 불가피하게 된 것도 전 문재인 정부의 용기가 부족했기 때문이다. 감사원 분석 결과 한전 부채는 2017년부터 작년까지 5년 만에 59조6000억원이나 급증했다. 이 가운데 한전 자체 사업의 적자로 생긴 빚은 3%에 불과했고, 거의 전부인 97%가 전기요금을 올리지 못해 생긴 빚이었다. 탈원전 정책을 추진할 때 생긴 원전 발전 공백을 단가가 비싼 액화천연가스(LNG)로 채우면서 원가가 올라갔다. 여기에 러시아·우크라이나 전쟁발 연료 가격 급등이 겹쳤다. 에너지 원가가 급등했지만 탈원전으로 전기료가 올랐다는 비판이 두려워 요금을 인상하지 못했다. 그 후유증으로 우량 공기업이 부실해졌고 국민은 뒤늦게 요금이 연쇄 인상되는 부담에 시달리고 있다.

국민의 환심을 사기 위해 재정을 살포하는 것만 포퓰리즘이 아니다. 미움받을 용기가 부족한 것도 포퓰리즘이다. 정치적 이유로 요금 인상을 보류해 한전을 빚더미에 빠뜨렸다고 전 정권을 비난하던 여권과 정부가 포퓰리스트의 전철을 밟아서는 안 될 일이다.[197]

162. 블랙프라이데이 단상

1년 중 가장 큰 폭의 세일 시즌. 미국인들이 1년간 기다렸다가 닫았던 지갑을 열고 펑펑 쓴다는 바로 그날. 일명 블랙 프라이데이(블프)가 우리 일상에 자리 잡은 지 오래다. 코로나19 사태 이후 웬만한 건 온라인으로 구매하다 보니 최근에 "역대 최초, 최고, 최대" "1년에 단 한 번" 같은 고 자극 '블프 세일' 문자 폭탄을 받았다. 시도 때도 없이 들어오는 광고를 지우며 욕망과 절제에 관한 단상들이 스쳐갔다.

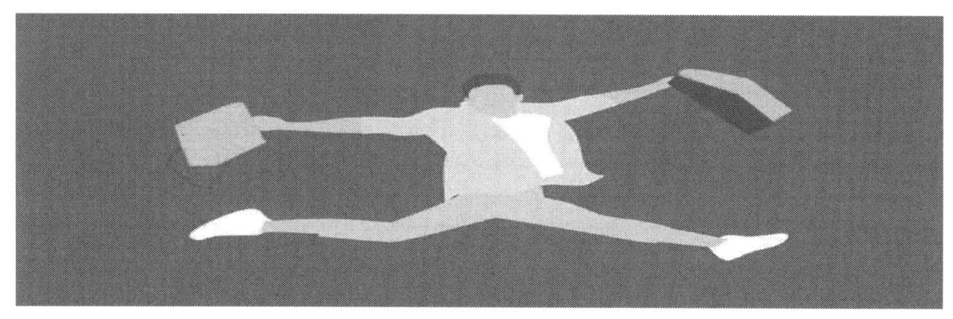

나는 미니멀·심플함을 지향하지만 비우고 버리는 것을 잘 못한다. 큰돈을 턱턱 쓰지는 않지만, 자잘한 걸 사는 데는 관대한 편이다. 조건이 되고 갈등이 없는 사람이라면 뭐가 문제겠냐만, 나는 그게 걸리는 사람이다. 물건 쌓이는 것도 싫고, 무엇보다 심플하게 살고자 하는 다짐과 자꾸 부딪치는 것 같아서다. 그런데 때로는 '의지' 보다 강력한 게 물리적 '공간' 이라는 걸 깨닫게 한 경험이 있다.

서울 인근 큰 평수의 아파트에 살았던 적이 있는데 그때 인생 최대의 소비를 했던 것 같다. 다시 서울로 오기 위해 아파트 평수를 확 줄이니 강제 정리가 되었다. 웬만한 이삿짐 분량만큼 버린 것 같다. 그런데 살림이 가벼워지니 자연스럽게 생활에 변화가 왔다. '조금씩, 그때그때' 로 소비패턴이 바뀐 거다. 먹거리도 산지 직송·생협 정기 배송으로 바꾸니 냉장고가 한눈에 들어왔다. 조금은 절제하면서도 헐렁함이 주는 안정감이 좋아 이 패턴을 잘 유지하고 싶다. 그런데 블프 같은 강력한 유혹이 나타나면 흔들리기 일쑤다. 이번엔 팬트리 없는 좁은 집의 틈새 공간까지 책임진다는 수납용품에 꽂혀 결제 직전까지 갔다가 중단했다. 자주 쓰지도 않는 물건들을 정리하기 위해 추가로 정리 용품을 살 게 아니라, 더 비워내는 게 우선이라고 생각했다.

돌이켜보면 아이들 키우고 바쁠 땐 이런 것이 필요했을지 모른다. 하지만 상대적으로 단출해진 중년의 시간에도 오랫동안 몸에 밴 관성 탓에 여전히 그러고 사는 것은 아닌지 반문하게 된다. 밥도 한꺼번에 많이, 무엇이든 쌀 때, 할인할 때 가득 사서 냉동실에 쟁여놓기. 신선할 걸 잔뜩 사서 냉동과 해동을 거쳐 먹는 것도 참 아이러니하다. 각종 소분 용기가 쌓이는 건 덤이고. 환경 실천을 외치면서 집집마다 텀블러가 넘쳐나는 것과 비슷하달까. 잘 소분하는 것이 곧 효율인 것처럼 부추기는 미디어 영향도 크다.

'안 사는 게 최고 할인' 슬로건을 내세운 프랑스 환경 에너지청이 만든 '반 블랙프라이데이' 캠페인 영상을 보았다. 찬성과 반대로 시끌시끌했지만, 내 시선을 끈 것은 "구매가 유일한 해결책이 아니다"라고 한 프랑스 생태 전환부 장관의 소신 발언이었다. 되지도 않을 가십거리로 피로를 주는 우리 정치와 비교하면 '소비 욕구 충족이냐, 소비 절제냐'의 논쟁은 상대적으로 건강해 보인다.

싱싱한 제철 야채를 바구니에 담아 파는 할머니들이 옹기종기 모여 있는 모습이 좋아 그 동네 아파트를 단번에 계약했다는 친구 J. 정보의 쓰나미 속에서도 이렇게 중심을 갖고 사는 사람들이 부럽다. 가끔은 귀도 얇고 호기심이 많은 나를 한 번씩 스톱시켜주는 소심함이 고맙기도 하다. 이 글을 쓰는 동안에도 블프 마지막 날, 장바구니에 물건 두 개를 담았다. 아, 그러고 보면 스마트폰이 제일 문제인 듯![198]

해외토픽 기사 속에서나 다뤄지곤 했던 블랙프라이데이가 남의 일이 아닌 세상이 됐다. 블랙프라이데이 직구(직접 구매)가 한국의 소비시장에 새로운 악재로 등장했기 때문이다. 블랙프라이데이 직구는 인터넷의 발달과 함께 갈수록 증가할 것으로 전망된다. 이에 맞서기 위해 울며 겨자먹기로 실시되는 한국판 블랙프라이데이까지 생겨나게 됐다.[199]

163. 돈의 정치학 '요물과 콩고물'

돈은 사람을 알아본다. 돈이란 무생물인데 사람을 알아본다면 생물이란 말이 되겠다. 돈이 생물이라는 말은 사람들 사이에 이미 오래 전부터 사용되어온 비유적인 표현이다. 물론 나도 돈이 생물이라는 데 의의가 없다. 돈은 생물처럼 감은 눈을 뜨기도 하고, 벌린 입을 닫기도 한다. 하지만 나는 한 걸음 더 나아가 돈이 생물이라기보다, 요물이라는 생각에까지 미친다. 생물은 한번 죽으면 생명이 끝나지만, 요물은 꿈틀거리며 살면서 쥐 죽은 듯이 죽고, 또 죽었다가는 다시 살아나기도 한다. 돈의 눈이 한번 멀게 되면, 천지 분간도 하지 못하면서 길길이 날뛴다.

사람과 사람이 모이고, 사람의 일들이 서로 이해관계를 맺으면서 겹겹이 다변화되면, 돈에도 이해관계가 복잡하게 얽혀진다. 돈이 공적 영역에 들어서면 흐릿해지면서 잘 순환되지 않는다. 이것은 역내(域內)의 요물로 꿈틀댄다. 역내의 돈 중에는 유독 눈먼 돈이 많다고 하지 않은가? 이럴 때는 돈이 사람을 알아보는 게 아니라, 정치를 꿰뚫어본다.

지난 정부의 상징적인 축조물(제도)은 두 가지로 집약된다. 하나는 약칭 '공수처'요, 다른 하나는 세칭 '한전공대'다. 이 두 가지를 만드는 데 엄청나게 공을 들인 것은 국민도 다 안다. 이 두 개의 제도를 정착하기 위해, 지난 정부는 5년 동안에 모든 것을 쏟아 부었다고 해도 과언이 아니다. 도대체 이 두 가지 일이 무엇이기에 모든 것을 걸었나? 국민이 우민이 아니라면, 모두 국가의 대의(大義)를 위한 제도가 아니라, 정파적인 목적의 작은 이익에 지나지 않았음이 밝혀질 텐데. 공수처는 영장 청구 5전5패다. 연전연패는 그렇다고 치자. 3년 동안 300억을 쓰면서 달랑 기소 세 건을 했다. 기소 한 건 당 무려 백억을 쓴 셈이다. 세상에 이런 고비용 비효율의 사례는 없다. 또 얼마 전의 국감에서 밝혀졌듯이, 200조 빚더미의 한전이 지원하는 허허벌판 위의 학교는 입학식을 위해 4억 이상을 썼다고 한다. 총장 연봉이 6억이요, 교수 평균 연봉이 3억이란다. 일반 국립대의 서너 배다. 돈 잔치도 이런 돈 잔치가 없다.

돈이 정치의 영역에 들어서면, 돈은 요물이 아니라 콩고물이 된다. 저 박정희 시대의 유력한 정객 한 사람은 떡을 만들다 보면, 손에 콩고물이 묻을 수밖에 없다고 했다. 돈의 정치학은 이처럼 정치의 수사학으로 변질된다. 정치를 비유한 말

중에서, 역사적으로 이 표현보다 적확하고도 빛나는 문채(文彩, figura)가 없다고, 나는 생각한다. 이 용기 있고 화려한 발언을 끝으로, 그는 정계에서 영원히 은퇴했다. 그는 칩거해, 돈이나 정치와 무관한 삶을 살았다. 또 다른 문채의 도자예술에 빠져듦으로써 뜬세상과 등을 질 수가 있었다. 자신의 과오를 인정하고 권력무상을 깨달았던 점에서, 그는 풍류 정객인지도 모른다.

요즘은 돈에 연루된 정치인 치고 반성하는 사람이 거의 없다. 잘못 걸리면 재수없다다. 몇 년간 정계 최대의 이슈가 되어왔던 토착비리 사건의 첫 판결이 나왔다. 대장동 개발은 정치와 유착된 비리다. 어디 대장동 뿐이랴? 백현동도 있고, 정자동도 있다. 참 오랜 만의 첫 발걸음이다. 이제 줄줄이 법원의 판단이 나올 것이다. 사건이 워낙 대형이어서 모든 판단이 나오려면 아직도 천릿길이다.

이처럼 돈이 정치적인 의도를 잘 알기 때문에, 지금처럼 정치화된 눈먼 돈은 '소리 없는 아우성' 을 치는 거다. 이 아우성은 민간 업자에게 천문학적인 액수의 돈을 안겨주어도 반성조차 하지 않는 우리의 정치 현실로 향한다. 이런저런 돈들이 요물로 꿈틀대다가, 향후 콩고물로 판명되면 정계를 요동치게 만들 거다.[200]

인류는 물물교환에 불편함을 느껴 지불수단으로 화폐를 발명해냈다. 문명이 발달하면서 돈의 흐름은 복잡해졌고 이에 맞춰 각국은 금융 시스템을 정교하게 발전시켜나갔다. 돈의 형태도 조개껍데기부터 구리, 금, 은, 종이, 플라스틱, 가상화폐까지 과학기술의 발전에 따라 변화를 거듭했다.

각 나라의 지도자들은 경제의 핵심인 화폐를 장악해 권력의 기반으로 삼았고, 그중 영국의 파운드, 미국의 달러, 일본의 엔화, 중국의 위안화 등 세계적으로 패권을 장악한 나라들의 화폐는 현재 세계 통용 화폐로 사용되고 있다. 글로벌 시대가 되면서 유럽연합의 유로화처럼 단일화폐를 만들어 지역 공동체의 경제적 이익을 도모하는가 하면, 전 지구인이 함께 사용할 '세계 단일 통화' 의 등장도 기대하고 있다.[201]

164. '눈에는 눈, 이에는 이'가 과연 정의일까

'이제부터 내가 다시 심판한다.' 시리즈물 <비질란테>의 포스터에 등장하는 문구다. 낮과 밤이 다른 두 얼굴의 다크히어로가 구멍난 법의 허점을 메우고 자신만의 방식으로 범죄자를 심판해 정의를 세운다는 내용이다. 억울한 개인을 등장시켜 법과 법 집행 현실의 괴리를 드러내고 제대로 작동하지 않는 사법 시스템을 고발하는 형식이지만, 정작 공론으로 이어지지 못한 채 사적 복수를 정당화하는 대중문화로 소비되고 있다. 이런 식의 사적 제재가 유행이다. 드라마나 영화뿐만이 아니다. 사회적 공분을 일으킨 사건의 가해자에 대한 신상 털기, 서비스나 맛에 불만족한 소비자의 평점 테러, 댓글 공격 등 우리 사회에 대리 응징이 일상화되었다. 유튜버까지 뛰어들어 법적 보호를 못 받는다고 느끼는 억울한 피해자의 복수심을 자극한다. 일단 가해자로 지목되면 법에 어긋나는 절차와 방식으로라도 피해자가 받은 만큼, 아니 그 이상으로 되갚아 주면서 환호하고 공감하고 카타르시스를 느낀다. 마음속 깊이 숨겨져 있던 '눈에는 눈, 이에는 이'라는 원시적 복수 감정이 꿈틀거리고, 문명사회에서 사적 복수의 관습이 되살아난 것이다.

왜 사적 제재가 넘쳐날까. 왜 개인이 직접 심판자로 등판하는 드라마에 열광할까. 공적 제재에 대한 불만 때문이다. 수사와 재판을 포함한 사법 시스템 전반에 대한 불신이 그 원인이다. 흉악한 범죄가 보도되면 국민은 가해자의 신상이 까발려지고 구속되고 엄한 형벌이 내려지길 바란다. 그러나 실상은 그렇지 않다. 신상 공개는 제한되고, 구속영장도 기각되어 자유롭게 나다니고 재판 결과는 대중의 기대와는 딴판이다. 그러니 다크히어로 같은 정의의 사도가 나타나 복수해 주면 통쾌감을 느끼고 열광할 수밖에 없다. 공권력에 대한 불만과 사법 시스템에 대한 불신을 대신 해소해 주기 때문이다. 흉악한 범죄 보도를 접한 국민은 자신을 피해자화하기 때문에 사법이 범죄 피해자를 보듬어 주지 못하고 피해자의 복수심을 다독여 주지 못하면 분노한다. 그래서 가해자를 응징하고 처단하는 드라마나 영화를 찾게 된다. 다소 불법적인 절차나 방식으로 가해자의 악행에 상응하는 형벌이나 불이익을 부과하는 것이 선이라고 느끼게 된다. 가해자를 응징하는 데 죄형법정주의나 적법절차가 거추장스럽다고 생각하게 되는 것이다.

법치국가에서 비문명적이고 원시적인 피의 복수에 열광하는 상황을 그대로 둬서는 안 된다. 픽션이라고 그대로 두면 사적 제재가 정상적인 것으로 오해할 수 있다. 설사 법에 구멍이 있더라도 개인이 메우게 해선 안 된다. 입법부가 국민의 목소리를 들어 메워야 하고, 법 적용에 구멍이 나 있으면 경찰과 검사나 판사가 그 구멍을 채워나가야 한다. 그래야 시민이 존중하고 지키는 살아 있는 법이 될 수 있다.

지금은 재판 지연이 사법 불신의 원인으로 지목받고 있다. 신임 대법원장은 취임사에서 신속하고 공정한 재판을 통하여 법치주의를 실질적으로 뿌리내리게 하는 것이 법원의 사명이라고 강조했다. 재판 지연도 문제지만 형량의 적절성에 대한 법원과 국민 사이의 틈이 더 문제다. 양형 기준제가 시행되고 실제 처벌 수위가 높아졌지만, 여전히 법 감정과 현실적 양형 사이의 괴리는 크다. 성범죄나 묻지마 살인 등 강력 흉악범죄가 보도되면 대중의 복수심은 불타오른다. 엄벌해야 한다는 생각으로 나름의 형량을 정해 놓고 판결과 차이가 나면 솜방망이라고 비난의 화살을 쏟아붓는다. 그러니 국민에게 판결 내용을 공개하지 않고 양형의 이유를 소상히 설명하지 않으면 불만이 쌓이고 사법 불신으로 이어진다. 언론이 관심을 두고 보도한 형사사건은 검사와 피고인, 피해자만이 당사자가 아니라 국민 개개인이 당사자처럼 느낀다. 그래서 그들 모두와 소통해야 한다. 신임 대법원장은 재판과 사법 정보의 공개 범위를 넓혀 재판의 투명성을 높이고 국민의 알 권리를 보장하여, 서로 간에 원활한 소통이 이루어지고 신뢰가 싹틀 수 있게 하겠다고 선언했다. 여야의 동의를 받은 만큼 사법부 수장에게 거는 기대가 크다.[202]

정의의 한자 正義를 해석해 보면, 진리에 맞는 올바른 도리를 뜻한다. 그리고 영어 justice를 해석해도 똑같이 "정의" 이다. 왜냐하면 동양의 정의라는 개념이 서양의 정의라는 개념을 도입하면서 다듬어졌기 때문. 서구의 문화의 기저에 깔려있는 기독교적 세계관을 잊으면 안된다. 신에게는 신의 정의를 구현하기 위한 방법이 있으나 인간들은 알기 어렵다. 그래서 불완전한 인간들이 최대한의 노력으로 정의를 구현하기 위해서 만들어 가고 있는 도구가 법이다.[203]

165. 지금 영성이 필요한 이유

올해의 수확이라면, '영성' 이라는 단어와 조금 가까워진 것이다. 불교학자 조성택 선생님, 기독교학자 정경일 선생님의 권유와 도움으로 <영성이란 무엇인가>(원제 Spirituality, 필립 셸드레이크 지음, 불광출판사)라는 짧은 책을 번역한 것이 계기이다. 영국 옥스퍼드 대학 출판부에서 나온 교양 시리즈(A Very Short Introduction)의 한 권인데 나 역시 영성에 대해 막연히 "어렵다" "나와는 상관없다" 라는 생각을 해왔기에 영성이 무엇인지 알아보자는 마음으로 번역을 맡게 되었다.

종교학자인 저자는 영성에 대해 '인간 정신이 최대한의 잠재력을 갖기 위한 전망을 구체화한 생활방식과 수행' 이라고 정의하지만, 사실 영성에 대한 서로 다른 스물일곱 가지 정의가 있다는 연구도 있다. 그래서 영성 자체를 정의하기보다 영성이 어떤 작용을 하는지 살펴보는 저자의 선택은 영리하다. 역사상 존재했던 다양한 영성은 세 가지로 구분된다.

첫째, 경험으로서의 영성은 흔히 생각하는 신비 체험이다. 신과의 대면, 의식 변화, 내면의 치유를 들 수 있다. 둘째, 삶의 방식으로서의 영성은 내적 경험에 그치지 않고 일상을 변화시킨다. 절제, 자발적 가난, 윤리적인 삶을 선택한다. 셋째, 사회에서의 영성은 20세기에 등장한 방식으로 일과 사회생활에서 영성을 추구한다.

예컨대 보건의료의 영성은 환자를 임상 증상이 아닌 유기체의 관점에서 바라보고 심리적 측면을 돌봄으로써 회복을 돕거나 불치의 고통을 완화한다. 스포츠에서 영성을 찾는 선수들은 훈련과 일상에서 금욕을 실천한다. 산악 등반, 황야 하이킹, 크로스컨트리 스키 등 자연 스포츠는 그 자체로 광대한 연결의 감각인 자기초월성을 준다. 도시계획은 유럽 성당 건축이나 동양의 풍수지리처럼 우주와 자연의 질서를 재현한다. 심지어 과학도 점점 발전할수록 더욱 신비에 개방된다.

세 가지 영성은 엄격히 분리되지 않는다. 종교를 가졌다면 윤리와 선행 같은 일상의 변화가 우선이다. 그러나 행위보다 내면이 더 중요하기에 기도나 명상을 통해 마음의 평화를 추구한다. 이런 상태가 된다면 어떤 일을 하든지 단순한 돈벌이나 명예가 아니라 그것을 통해 자신과 타인을 조화롭고 평화롭게 하도록 노력할 가능성이 크다.

사실 신비 경험은 성직자조차 하기 어렵다. 평생 인도 빈민을 위해 헌신했던 가톨릭 성녀 마더 테레사는 임종 무렵 하느님의 임재를 경험한 적이 없다고 고백해 화제가 되었다. 동학의 2대 교주 최시형도 초월 체험을 하지 못했다.(자신을 향해 제사 지낸다는 '향아설위(向我設位)'는 그래서 더 설득력이 있다. 인간 자신이 신성을 지닌 초월적 존재이다.) 불교에서 말하는 열반 역시 사후세계가 아니라 근심과 걱정이 없는 상태를 가리킨다.

결국 영성의 핵심은 삶의 의미와 만족을 얻는 것인데 현대인은 지나친 세속화, 탈권위, 물질주의 속에서 그 통로를 잃어버렸다. 철학자 한병철은 <리추얼의 종말>(전대호 옮김, 김영사)에서 '삶의 정처 없음'을 극복하는 방식으로 리추얼(의례, 축제)의 회복을 말한다. 개인의 독자성, 진정성 같은 나르시시즘에 집중된 '루틴'과 '챌린지'를 넘어 다시 공동체와 연결되어 기쁨, 슬픔, 감사, 위로의 잔치를 벌이라는 것이다.

마찬가지로 리추얼을 상실한 현대인을 위한 다른 제안도 있다. 루퍼트 셸드레이크는 <과학자인 나는 왜 영성을 말하는가>(이창엽 옮김, 수류책방)에서 영성을 회복하는 현대적 방식으로 명상하기, 감사하기, 식물과 관계 맺기, 자연과 연결되기, 의례와 연결되기, 노래(찬트)하기, 성지 순례하기 등 일곱 가지 활동을 권유한다. '식(植)집사'가 늘어난 것도, 산책하거나 노래를 부르면 기분이 좋아지는 것도, 따지고 보면 영성과 관련이 있다. 명상이나 성지 순례는 전통 종교에서 비롯됐지만 이제 무신론자에게도 열린 선택이다.

영성이 중요하다고 생각되는 이유는 나라 안팎에서 고통, 슬픔, 절망, 죽음이 실제로 많을 뿐만 아니라 시대정신이 됐기 때문이다. 한 해를 돌아보면 수많은 사건·사고와 대립, 분열, 갈등, 전쟁의 장면들이 주로 떠오른다. 가장 낮은 출생률과 가장 높은 자살률은 '소멸'이라는 말로 집약된다. 지식인들이 뽑은 올해의 사자성어 '견리망의(見利忘義)'는 정의가 사라졌다는 무서운 뜻이다. 내년이라고 해서 크게 달라질 것 같지 않다. 이런 세계에서 살아가려면 개인의 힘이 중요하다. 세심함, 명민함, 평온함 그리고 자비로움. 이런 개인의 특성을 길러 사회를 조금씩 바꾸는 것이 현대의 영성임을 배웠다.[204]

166. 결혼 생각하지 못하는 사회, 이대로 둬선 안된다

우리나라 20·30대 젊은이들이 결혼에 대해 긍정적으로 생각하지 못하는 세상이 된지 벌써 20년이 됐다. 특히 결혼에 대한 청년들의 긍정적인 태도가 매년 감소하고 있는 점은 심각하게 우려스럽다. 2008년 결혼에 대해 긍정적인 태도를 보이던 20대 여성의 경우 14년 사이 반토막이 나 52.9%에서 27.5%로 급락했다. 30대 여성은 좀 사정이 나은 편이지만 같은 기간 51.5%에서 31.8%로 크게 줄었고 2008년 70% 안팎이던 남성 청년의 경우도 30대는 48.7%, 20대는 41.9%로 줄었다.

통계를 보면 현재 20대 남성은 10명 중 4명 가량, 여성은 3명에 못미치는 상황이다. 이처럼 청년층이 결혼을 생각하기 어려운 이유는 '결혼자금 부족'이 가장 큰 이유였지만 결혼의 필요성을 느끼지 못한다는 답변도 적지않았다. 더 큰 문제는 혼자 사는 삶에 대한 긍정 인식이 꾸준히 높아지고 있다는 점이다. 물론 젊은 층에게 누구도 결혼을 강요할 수는 없다. 하지만 경제적 이유는 물론 여러 가지 이유로 청년들이 점점 더 결혼을 포기하는 상황은 지속가능하고 건강한 나라의 미래를 위해 매우 우려스럽다.

취업도 어렵고 취업을 하더라도 내집마련은 꿈도 못꾸는 사회가 돼버린 현실은 우리 청년들의 책임이 아니다. 일부 금수저가 아니고서야 결혼도 하기전 이미 주거비용 등으로 적지않은 부채를 떠안을 수 밖에 없다는 현실을 감안하면 우리 청년들이 너무나 안쓰럽다. 경제적 상황, 시대의 변화 등 여러 이유가 있겠지만 지금의 현실이 기성세대들의 책임이라는 점은 피할 수 없는 사실이다. 이 문제를 해결해야 하는 책임도 기성세대가 함께 나눠져야 한다.

정치권은 수많은 대책을 내놓았고 막대한 예산도 쏟아 붓고 있다. 하지만 현실은 더 악화되고 있다. 지난주 대전시는 청년 신혼부부가 살기 좋은 하니 대전 프로젝트를 내놓았다. 긍정적인 일이다. 하지만 지방자치단체 차원을 넘어 국가 차원에서 더 강력하고 파격적인 대책을 내놓지 않으면 쉽게 해결할 수 없는 문제다. 철길을 놓고 도로를 닦고 교량을 세우는 일도 물론 중요하다. 다만 그걸 이용할 인구가 소멸한다면 무슨 소용이 있는지 생각해야 할 때다.[205]

167. 여자도 군대 갔다면, 달라졌을까

76세이신 어머니는 명절을 제외하고도 1년에 여섯 번의 기제사를 준비하신다. 50년째다. 이제는 친척들도 돌아가셨거나 고령이시기에 찾아오시는 분도 거의 없다. 심지어 82세 아버지와 단둘이서 기제사를 지내시는 경우도 흔하다. 그래도 등장음식 만큼은 변함이 없다. 절하고 일어나는 것도 벅차하시지만, 새해 달력에는 언제나 제사일부터 적으신다.

할 만큼 했으니 이제 그만하자, 해야 된다면 파격적으로 횟수를 줄이자, 하더라도 음식을 간소하게 하자 등등의 논쟁이 간헐적으로 있었지만 아버지 평생의 가치관이 수정되진 않았다. 어머니가 너무 고생하시니 생각을 달리할 때가 되었음을 본인도 아시지만 엄숙하게 여겼던 평생의 기준을 끊어버리는 게 쉽지 않으신 듯하다. 그렇게 '성차별'은 일상이 되었다. 할머니 제사에서도 할아버지 술잔부터 따르는 게 원칙인 남존여비 유교행사가 어찌 성별 평등하게 준비되겠는가. 하지만 아버지 입에서 "여자는 군대를 안 가니까, 당연히 해야지"라는 말이 나온 적은 없다. 어머니의 체념 안에 "여자도 군대를 갔으면, 달랐겠지"라는 추론이 비친 적도 없었다.

선거 전에 여러 공약들이 난무하는 게 어제오늘의 일은 아니지만 병역과 가사노동이라는 결이 전혀 다른 두 개가 '성평등'이라는 키워드 안에서 비슷한 맥락을 지닌 것처럼 떠돌 줄은 몰랐다. 여성의 군복무야 생각하기 나름일 거다. 남성만의 징병제를 차별로 규정하고 여성 '도' 군대를 가는 게 공평하다고 주장할 순 있다. 철저히 안보적 관점에서 병력자원이 감소하니 지금은 성별 가릴 때가 아니라고 말할 수도 있다. 하지만 가정의 성평등을 위해 여성의 군복무가 필요하다는 건 도대체 어떤 발상인가.

전투에는 남성이 적합하다는 식의 여성배제 논리를 비판하면서 여성 '이' 군대에 가지 못할 이유가 없다고 주장하는 것이 아니라, 마치 '가는 게 있어야 오는 게 있지 않냐' 면서 여자도 군대에 가야 남자가 육아에 더 참여하는 정책이 효과가 있을 거라니 황당하다. 여러 정치지형의 교집합을 찾다 보니 지나치게 계산적이었다는 비판은 차치하고, 그 답이 실리라도 있을까. 지금처럼 남자 '만' 군대 간다는 표현을 그대로 흡수하면, '여자도 개고생 해봐라' 라는 징벌적인 성격으로 제도가 변할 뿐이다. 그러면 군대에서 드러날 수밖에 없는 여성의 신체적인 한계에 '그러니까 남자와 여자는 다르다' 는 딱지가 붙을 수밖에 없다. 가정의 성평등을 위해서는 모성, 엄마신화, 여성다움 등 문화적 편견이 깨져야 하는데 가능하겠는가?

남성 육아휴직 의무화 등 구조적 변화만큼 중요한 게 '그게 왜 필요한지' 에 관한 합의다. 그건 여성이 지닌 돌봄의 무게를 줄이지 않으면 결혼 기피와 저출산 같은 사회적 문제가 발생해 장기적으로 '모두에게' 부담이 되기 때문일 거다. 이 심각성에 이견이 없다면, 다음 수순은 어떻게 해결해야 하는지에 대한 고민이 되어야 한다. 여기에 '왜 남자만 군대 가냐!' 라는 추임새가 붙을 이유가 없다. 이건 동전의 양면이 아니라, 붙어서는 안 될 두 가지가 '그릇된 문화의 힘' 으로 접착되었을 뿐이다. '떼는 게' 정치의 존재 이유요, '붙이지 않는 게' 정치인의 기본자격일 거다.[206]

정책 영역뿐 아니라 "국가를 위해 남성은 군대에 가고 여성은 출산한다" 는 통념은 막강하다. 일상에서도 마치 자연의 이치인 양 회자되고, 징병제 문제가 나올 때마다 되풀이되는 이야기다. 물론 이는 어불성설이다. 실현되어야 할 바람직한 일도 아니다. 일단, 돌봄과 병역은 어느 성별이 수행하는가를 떠나, 자명한 인간사가 아니다. 두 가지 모두 인간이 만든 이데올로기다. 특히 징병제는 일시적이고 특수한 제도이다.

가장 큰 문제는 이것이다. 남성 징병제를 둘러싼 한국 사회의 문제 제기가 군인의 인권, 군축 혹은 군대 없는 사회에 대한 상상력까지는 아니더라도 현재보다 뭔가 나은 방식이 아니라 매번 약자끼리 싸우는 방식으로 논란이 된다는 점이다. 남성 문화의 심리는 이중적이다. 자신을 군대에 보내는 국가와 '안 가도 되는 계급' 에 저항하기보다, '못 가는 사람(장애인, 여성, 성소수자)' 을 비하하고 혐오한다. 이는 출구 없는 전략이다. 게다가 실제로는 '비(非)국민' 의 입대를 반기지 않으면서 "여자도 군대 가라" 고 주장한다.[207]

168. 필수의료, 무엇을 바라야 할 것인가

대한의사협회(의협)가 17일 정부의 의대 정원 증원에 반대하는 '총궐기대회'를 열었다. 의협이 의대 증원에 반발하며 집단 진료 거부에 나선 2020년과 달리 큰 열기는 없어 보인다. '총파업 찬반 투표' 결과는 공개되지 않았지만, 일단 2020년 집단 휴진의 주축이었던 대한전공의협의회가 적극적이지 않다. 필수의료를 추진할 수 있는 실질적 방안을 내놔야지, 의사 증원만으로는 대책이 되지 않는다는 견해 정도를 보인다.

개별 의대들 가운데는 의대 증원 자체를 반기기도 하니 통일된 집단행동은 어려울 거라고들 한다. 무엇보다 국민 여론이 압도적으로 의사 증원을 반기는 상황에서 실제 파업은 쉽지 않을 것으로 전망된다.

필수의료라는 말의 학문적 정의는 찾기 쉽지 않다. 임상의학 분야에서 이러한 말이 존재하는지 불분명하다. WHO가 말하는 필수의료기술을 필수의료로 간주 할 때 그 정의는 '건강문제들을 비용효과적으로 해결하는데 필요로 하는 근거기반 기술들'로 정의한다. WHO가 추구하는 보편적의료보장은 지나치게 과도한 재정적 곤란함에 빠지지 않고 모든 국민에게 필요로 하는 의료서비스를 받을 수 있게 하는 개념이다.

사실 한국인들의 의사에 대한 태도는 매우 복잡하다. 올해 5월 간호법 통과를 둘러싸고 다양한 직능단체들이 반대 파업에 들어갔을 때도, 의사들이 반대한다고 하니 많은 시민은 간호법의 내용을 자세히 몰라도 좋은 법안인 모양이라 짐작하기도 했다. 그만큼 한국 사회에서 의사들에 대한 불신은 골이 깊고, 그건 오랜 기간 의사들이 누적해온 업보의 결과이다. 그러면서도 의사들이 나오는 건강 프로는 인기이고, 그들이 판매하는 건강식품은 홈쇼핑을 뒤덮을 정도로 잘나간다. 성적이 가장 좋은 학생들은 모두 의대로 몰려가게 되었고, 자녀가 의대를 가는 게 많은 부모의 꿈이다. 의사는 문제지만 내 자식은 의사가 되기를 바라는 것이다. 물론 공공을 위해 지역의료나 필수의료를 하고 살라는 의도는 아닌 것으로 보인다. 이 불확실성의 시대에 그래도 의사가 안정되게 잘 먹고 잘사는 직업 아니겠느냐는 마음이 더 두드러지는 것이다.

이런 상황에서 한국의 필수의료는 어떻게 보장될 수 있고 지역의료는 어떻게 소생할 수 있을까. 아니 다른 거보다 한국의 일반인들이 원하는 다른 의료, 좋은 의료란 무엇일까. 의사나 병원에서 겪은 끔찍한 경험담 하나 없는 사람이 없을 정도로 현재의 한국 의료에 불만은 만연해 있지만, 그렇다고 대안적인 의료의 상이 있다고 보긴 어렵다. 코로나19로 공공의료의 필요성에 대해서는 공감대가 높아졌지만, 공공의료를 어떻게 실현해야 할지에 대해서는 의견이 엇갈린다. 공공의료를 요청하는 시민의 목소리 속에 싼값에 아무 때나 내가 원하는 의료의 혜택을 누리고 싶다는 불가능한 꿈이 섞여드는 장면도 종종 보게 된다. 사람의 목숨이 중하지 돈이 중하냐고들 하지만, 현실의 공공의료는 턱없이 부족한 예산과 인력의 문턱을 넘지 못하며, 공공병원이 아니면 갈 곳이 없는 감염병에 걸리기 전까지 시민들이 선호하는 병원은 공공병원이 아니다.

그 결과 코로나19로 적어도 의료분야에서는 공공성이 크게 강화될 줄 알았던 희망 섞인 예측은 이루어지지 않고 있다. 코로나19 당시 전담병원으로 지정되어 일반 진료를 하지 못하던 공공병원이 적자에 시달리고 있지만, 정부는 예산을 삭감했다. 감염병 위기가 다시 온다면 코로나19 이전보다 더 나빠진 상황에서 대응하게 될 가능성도 크다. 오히려 후퇴하고 있는 셈이다. 물론 여론은 공공병원이 정상화될 때까지 정부가 지원해야 한다는 의견이 지배적이지만, 거의 모든 분야의 예산을 삭감하는 과정에서 과연 공공병원 지원 예산이 확대될 수 있을지는 알 수 없다. 실제로 기존 의대 정원의 확대를 통한 의사 확보는 정부가 특별히 예산을 투여하지 않으면서도 뭔가를 하는 듯 눈가림할 수단인 면도 있다.

사실 많은 시민이 '빅5'라 불리는 초대형종합병원의 불친절에 치를 떨면서도 아프면 큰 병원을 찾고, 죽음에 이르기까지 최선을 다해 첨단의료를 원하며, 모두가 장벽 없이 빅5에 갈 수 있도록 전국 곳곳에 '빅5' 못잖은 병원이 세워져야 한다고 믿는 모순적 태도를 갖는다. 낮은 급여 수준에서도 동료 시민들을 헌신적으로 돌본다며 부러워하지만, 평등한 가난이나 시민적 연대를 원리로 한 쿠바식 의료보다는 빅5의 의료가 앞선 의료라 생각하는 것이다. 좋은 의료라 할 때 먼저 떠올리는 게 필수의료도, 공공의료도 아닌 게 한국의 문제다.

각 개인이 환자로서 원하는 것, 시민으로서 지향하는 바가 다른 경우가 많고, 의료를 하나의 생태계로 생각하기보다는 의사 개인의 품성이나 인도주의 문제 차원에서 한국 의료의 문제를 찾는 이들이 많기 때문이다. 심지어 지식인 중에서도, 아니 지식인일수록 국가적 차원에서 의료산업을 진흥하는 것은 바람직하지만 의사나 병원이 이윤을 추구하는 것만이 문제라는 사람들이 많다. 하지만 좋은 삶, 특히 좋은 죽음에 대한 고민 없이 필수의료를 이야기하게 되면 의사를 증원한다고 해도, 현재로서는 초대형종합병원의 확대로 이어질 수밖에 없을 것이다.[208]

169. 더 밝게 반짝이는 별빛을 그리며

히틀러가 인류에게 끼친 끔찍스러운 죄가 반인륜적 범죄라면, 이제는 이 범죄 못지않게 심각한 자연 파괴를 범죄로 걱정할 때가 되었다. 몇 주 전 나는 에티오피아 서울 아디스아바바에서 열린 국제적십자사연맹 아프리카 특별회의를 다녀왔다. 마침 중국의 후진타오 주석이 자원개발 외교차 아프리카를 순회하고 있었고, 아프리카 정상회의가 열린 지 얼마 되지 않았다. 그곳은 아직도 고질적 가난과 질병으로 고통받는 대륙이다. 21세기 세계와 인류가 평화를 누리려면 모두 힘을 모아 아프리카 문제를 다뤄야 할 때다.

그곳에 머물면서 교외에서 저녁을 먹고 밤하늘을 쳐다보았다. 시원한 가을밤 같은 하늘에는 별들이 반짝였다. 별 보기가 힘든 삭막한 서울 밤하늘이 새삼 생각났다. 그런데 아디스아바바 시내를 지날 때마다 온갖 고물차들이 마구 뿜어내는 독한 매연으로 내 목은 서울에서보다 몇 배 더 불편했다. 하기야 동남아와 남미의 도시들도 마찬가지다. 오염된 공기를 마시면서도 마치 그것이 개발의 당연한 대가나 징후로 보는 듯한 그곳 사람들의 느긋한 태도가 나를 더욱 불편하게 했다.

얼마 전 기후 변화에 대한 유엔 산하 국제회의가 열렸다. 수백 명의 전문가들이, 지금의 심각한 지구 온난화에 적절히 조처하지 않는다면 인류와 자연에 두루 끔찍한 결과가 미치리라 경고했다. 마침 국제적십자사연맹도 지진해일 같은 대형 재난에 대한 신속한 대응 조처를 긴요한 인도주의적 과제로 다루고 있어, 기후 변화에 의한 자연재난 문제를 개별 국가의 국지적 문제로만 볼 수 없게 되었다. 그것은 경제적 양극화와 함께 심각한 전지구적인 문제가 되고 있다.

한마디로 이것은 인간의 개발 탐욕이 빚어낸 재앙이다. 이것을 극복하려면 인간은 근본적인 자기 성찰을 해야 한다. 생명의 긴 진화 과정에서 가장 어린 신참자로 참여한 인간이 가장 짧은 기간에 가장 치명적으로 생태계를 파괴하고 있다. 생태계가 깨지면 결국 인류도 함께 무너지기 마련이다. 지구에서 인류가 사라지는 데는 아직도 십 만년이 남아 있으니 그렇게 염려 할 것 없다고 할지 모르나, 인간의 개발 탐욕이 지금처럼 급속히 진행된다면 십만 년은커녕 천년도 가지 못하고 인류는 재앙에 직면할 것이다.

에티오피아에서 동물들이 도시에서나 들판에서 자유롭게 거니는 광경을 보면서 문득 이런 생각을 했다. 만일 생물계 대표자 회의가 유엔 총회처럼 이곳에서 열린다면 어떻게 될까. 동식물 대표들은 자연 생태계 파괴 죄로 인간을 지구로부터 추방시키는 결의를 할 것 같다. 히틀러와 스탈린이 반인륜 죄로 역사에서 추방되듯이, 선후진국을 막론하고 반자연 범죄로 인류를 지구에서 추방시켜야 한다고 외치지 않을까.

귀국하는 날 새벽에 6자 회담도 타결되었다. 남북 경제협력이 활성화되면, 지난 60여 년 고스란히 보존되어 온 우리의 비무장지대가 앞으로 개발의 손때로 더럽혀지지 않을까. 이제 평화는 국가간에 중요한 문제일 뿐만 아니라, 인간과 자연 사이에 더욱 절박한 생명의 문제가 되었다. 이미 미국과 유럽은 전지구 배기가스 양의 40%를 뱉어내고 있어 그만큼 선진국의 책임이 크지만, 개발도상국도 그 책임에서 자유롭지 못하다. 개발이란 이름으로 인간과 자연의 목덜미를 더욱 빨리 죄고 있기 때문이다.

이제 한반도는 민족의 평화만이 아니라, 생태계의 평화를 꽃피우는 일에 앞장서야 한다. 우리는 개발 권위주의로 너무나 오랫동안 시달려 왔기에 이제는 정말 선진국의 참 모습을 자연과 생태계 앞에 당당히 보여 주어야 할 때다. 그래서 서울 밤하늘의 별빛이 유난히 더 반짝여야 하지 않겠는가.[209)]

명성산 삼각봉에서 담은 별 궤적. 북쪽 지역이라 별이 북극성을 중심으로 원형으로 돈다 (사진, 박정원).

깜깜한 밤이 아름다운 건 보석처럼 반짝이는 별과 달이 있기 때문이다. 항상 그 자리를 지키고 있어 달에게 소원을 빌고 북극성 덕분에 밤에도 길을 잃지 않을 수 있다. 또 하염없이 바라보며 상념에 빠지기도 한다.

겨울의 밤은 유독 빨리 찾아온다. 겨울밤이 깊어질수록 짙어지는 것은 입김과 별빛이 아닐까. 억새 품에서 마지막 가을밤을 보내려고 명성산을 찾았다. 반전으로 억세게 추운 밤이 기다리고 있었고 콧물을 훌쩍이며 우주 빛에 취하고 왔다.[210)]

170. 자연과 동물에 사죄

자연의 모든 동식물은 먹는 것의 성품을 닮았습니다. 식물은 착하죠. 자라면서 경쟁은 하지만 서로 공격하지는 않습니다. 태양과 물은 모든 식물에게 공평하니까요. 동물은 스스로 자연으로부터 영양분을 섭취하지 못해 남의 몸을 의지합니다. 공격적이고 자기중심적이죠. 그 꼭대기에 물론 사람이 있습니다.

소는 원래 들꽃과 풀과 냇가의 물을 먹는 동물로 조물주로부터 그것에 맞는 적당한 몸을 받았습니다. 부족한 영양분을 되새김질로 보충하기 위해 위를 더 가진 것이고요.

소가 그저 음식이 아닌 집안의 노동력으로 사람과 공생하던 시절, 초봄 논갈이에 거의 녹초가 된 소에게 아버지가 산낙지를 먹이는 것을 본 적 있습니다. 먹지 않으려는 소의 입을 억지로 벌려 마른 짚과 함께 넣으시며 '그래 고생했다'라고 말씀하셨습니다. 일 욕심보다 미안함 때문에 그러했으리라 짐작합니다만 효과는 분명 있습니다. 없이 살던 시절, 사람도 먹지 못하는 낙지를 그냥 주었을 리 없습니다.

소가 미치고 있습니다. 먹으면 안 되는 것, 먹을 수 없는 것, 흔히 말하는 동물성 사료를 먹은 소가 이상한 병에 걸렸고 사람들은 그것을 광우병이라고 합니다.

가. 인간의 탐욕이 부른 광우병

소 한 마리를 잡으면 우리 조상들은 동네잔치를 했습니다. 소뼈는 고아서 먹었고 내장은 잘 씻어 탕으로 먹었고 고기는 육회로 먹었고 가죽은 말려 북을 만들고 가죽 안쪽 껍데기는 잘 말려 술안주로 먹었습니다. 어느 것 하나 버릴 것이 없는 소를 서양 사람들은 살코기만 먹습니다. 비싼 사료를 먹여 기른 소인데 전체 중량의 반 이상을 버려야 하니 아까웠던 모양입니다. 내장과 뼈 등을 모아 말립니다. 가루를 내 다시 소에게 먹였습니다. 전에 풀만 먹던 소가 뼈와 내장을 먹으니 이전보다 잘 크고 고기도 더 맛있습니다.

그래서 더 많이 먹이게 됩니다. 결국 탈이 났습니다. 광우병이 사람에게 옮겨왔습니다. 병을 일으키는 프레온이라는 변형 단백질은 존재 사실 자체만 알려졌을 뿐 생성과정이나 퇴치 방법 등이 연구되지 않았습니다. 그래서 약이 없습니다. 걸리면 100% 죽는 병입니다. 비뚤어진 인간의 탐욕이 결국 지구상에 단 한번도 존재하지 않은 뒤틀린 위험물질을 만들었습니다.

스스로 복제하고 세포끼리 전염되는 이 물질은 사람들이 종교처럼 신봉하는 효율과 경쟁의 결과 위에 참담하게 군림합니다. 우리는 자연을 인위적으로 개조하는 것을 과학이라 말했고 필요 이상의 속도로 생산하는 것을 효율이라 했습니다. 경쟁은 계절과 환경과 토양과 심지어 태양까지 만들었고 그렇게 성공한 농업을 선진국 농업이라 했습니다.

그렇게 성공한 사람을 신지식인이라 했고, 지금도 경쟁상대인 미국 농민을 닮아야 하는 한국의 농민은 기준치 이상의 항생제와 입으로 담을 수도 없을 만큼의 성장 호르몬으로 소를 키우고 채소를 생산합니다. 겨울 난방비를 감당하기 위해 더, 더, 마지막에 그래도 하나 더 라고 외치며 하우스 밀식(密植) 재배를 합니다. 공기가 통하지 않는 곳에서 자라는 곰팡이와 해충은 고스란히 농약의 몫입니다. 많이, 빨리, 싸게 생산하는 미국 농업과 경쟁하기 위해 종자와 재배기술과 농약을 미국으로부터 수입하고 있습니다.

광우병의 심각함을 토론하는 자리에서 시민단체를 대표해서 나온 학무모의 질문을 받았습니다. "그럼 한우는 안전합니까?" "보리도 먹이고 옥수수 대를 직접 재배하여 먹이는 농민을 보았습니다. 그리고 우리는 최소한 뼛가루는 먹이지 않습니다"라고 말하면서 부끄러웠습니다. 그 많은 사료 중 내용물을 전부 국산으로 한다는 사료를 본 적 없고, 주재료는 옥수수인데 거의 미국산이며 유전자 변형농산물일 가능성이 높기 때문입니다.

나. 70년 우리농업 다시 시작하자

질 좋고 안전한 먹거리를 생산하는 것은 농민의 의무지요. 그렇지만 당장 먹고 살기 힘든 농민에게 생산자의 도덕성만 말하면 너무 가혹합니다. 지난 70년 동안 우리 농업은 철저하게 서구식 자연착취, 동물착취 농업으로 변화되어 왔습니다. 자연과 동물에게 사죄하는 심정으로 원상을 복구해야 합니다. 많은 비용과 시간과 용기가 필요합니다. 이제 논의를 시작해야 합니다.[211]

인구 급증과 식량의 산업화는 생물 다양성을 감소시켰고, 이는 야생 동물의 바이러스와 인간이 접촉할 확률을 증가시켰다. "우리 대신 자연이 인구 문제를 해결할 것이다." - 데이비드 애턴버러 (1926 ~현재) -

171. 이젠 '홍익자연' 이다

단군의 '널리 인간을 이롭게 한다' 는 홍익인간(弘益人間)은 뜻 깊은 말이지만, 이제 상황이 달라졌다. '널리 자연을 이롭게 한다' 홍익자연 (弘益自然) 개념으로 바뀌어야 할 것 같다.

인간을 자연과 분리하여 자연의 지배자로 위치 지우는 기독교적 인간중심주의는 결국 화석연료에 의한 산업화를 추진한 결과 지구온난화를 가져오게 되었다. 지구온난화는 기상 이변과 함께 생물 다양성의 급격한 파괴를 가져와 인간의 생존조건을 무너뜨리면서 남아있는 생물도 오염시켜, 이것이 인체의 오염으로 그것은 다시 자연의 오염으로 오염순환이 계속된다. 따라서 인간을 널리 이롭게 하는 것은 인간 밖의 생명을 널리 이롭게 하는 것과 연결될 수밖에 없어 '홍익자연' 개념이 불가피하다.

가. 인간과 동식물 불가분의 관계

리처드 도킨스의 '이기적 유전자' 에서는 인간과 동식물은 유전자의 이기적 본능에 의하여 움직이는 경쟁적 존재라는 사실을 보여주고 있고, 그와 반대로 요아힘 바우어의 '인간을 인간이게 하는 원칙' 에서는 인간과 동식물의 유전자의 신경학적 기능은 서로 협력적이라는 성격을 밝혀내고 있다. 결국 인간은 동식물과 생물의 네트워크 중의 한 가닥이며 그 전체 네트워크에 속해야 존재할 수 있다. 그 네트워크는 유전자적 공통성과 공유하고 있는 것이다. 말하자면 동양의 전통사상 내지 한국 전통사회의 인간과 자연의 일체화 사상의 과학적 타당성이 밝혀지고 있는 것이다. 한국의 전통사상이 인간과 자연의 일체화라고 하는 성격을 갖고 있다면 그것은 홍익인간 개념이 홍익자연이라는 개념으로 진화할 수 있는 통로가 있다는 것을 의미한다.

16세기 르네상스는 인간의 재발견으로 시작되었지만, 21세기 신르네상스는 자연의 재발견으로 일어날 것이다. 르네상스 때의 인간은 자연과 분리된 자연의 정복자였지만 신르네상스에서의 인간은 자연의 일부로서 자연의 관리자 내지 맏형으로서의 협력자로 위치 지워질 것이다. 우리는 김지하 시인 및 도법 스님의 생명·평화 사상을 주목하고 그러한 사상에서 인간이 자연에 저지른 범죄를 참회하며 자연에 용서를 구하는 수경 스님의 삼보일배행(三步一拜行)에 감동하여 그 대열 뒤를 따르기도 했다. 또 도롱뇽을 살리기 위한 지율 스님의 단식기도, 새만금이나 동강 살리기에 앞장선 최열씨, '우리 강산 푸르게 푸르게' 운동의 문국현씨, 함평을 '나비천국'으로 만든 이석형 군수 등을 높이 평가한다. 이 전체를 묶을 수 있는 개념이 홍익자연이다.

나는 '생명・평화' 사상에서 왜 생명평화 중간에 점을 찍느냐고 계속 이의를 제기하고 있다. 점을 뺀다는 것은 인간생명의 존중만이 아니라 뭇 생명의 존중에 의한 생명간 평화를 지향한다는 뜻이다. 그리하여 생명의 뫼비우스 띠로 인간의 몸과 몸 밖의 생명이 평화적으로 연결되고 인간존중이 인간안보로, 생물존중이 생물안보로, 인간복지가 생물복지로 연결되어 홍익자연 개념으로 통합된다.

나. 자연의 재발견 新르네상스를

홍익자연은 생물을 인간의 취향대로 변질시키고 길들이는 인간 본위의 자연사랑과는 다르다. 자연 자체의 개성을 인간이 돕는 것이 원칙이다. TV 광고문대로 '자연이 좋아하는 당신께 자연이 인사를 합니다' 하는 상생관계의 누적이 새로운 발전의 척도가 되어야 한다.

홍익자연 개념은 인간 본위의 자연관의 코페르니쿠스적 전환을 요구한다. 홍익자연 개념으로 갯벌을 보호하고 2008년 창원에서 개최되는 람사총회를 의미 깊게 개최할 수 있으며, 홍익자연 개념으로 생물다양성을 존중하고 생물산업을 일으키면서 2010년 혹은 2012년 유엔생물다양성총회, 그리고 2012년 리우+20 지구환경회의의 유치를 시도해보면 어떨까. 지금은 지구온난화에 대응하여 그린산업이 신성장산업이다. 그야말로 Green is green(그린백, 즉 달라)이다. 산업적으로는 그린테크, 신재생에너지, 생물산업 등에 의한 그린 산업혁명의 선도국가로 나가야 할 것이다.[212)]

172. 공을 앞세우지 말라

'지심귀재불기 입조당계희사(持心貴在不欺 立朝當戒喜事).'

58세의 퇴계가 안동의 도산서원에 머물고 있는 자신을 찾아온 23세의 율곡에게 건넨 가르침이라고 한다. '평소 마음가짐에서 가장 중히 여겨야 하는 건 속이지 않는 것이고, 벼슬을 했을 때 마땅히 경계해야 하는 건 공(功)을 세우려고 일을 벌이는 것' 이라는 뜻이다. 선비정신이 물씬 느껴져 오늘날에도 공직자들이나 사회지도층이 새겨야 할 덕목으로 자주 인용된다.

21대 국회 출범과 동시에 쏟아진 의원들의 언행에서는 이런 선비정신이 느껴지지 않는다. 오히려 개인적인 한풀이나 진영논리에 매몰된 충성 경쟁 같은 의아한 언행들이 쏟아진다. 김영진 의원 등 더불어민주당 의원 몇몇이 학술토론회에서 공직선거법 위반 혐의로 대법원 판결을 앞둔 이재명 경기지사가 무죄라고 주장한 것은 진영논리로 비친다. 이 지사는 2심에서 당선 무효형을 선고받았다. 이수진 민주당 의원은 지난 3일 양승태 전 대법원장 재판에서 이 의원의 인사불이익 논란에 대해 '판사 시절 업무역량 부족' 이라고 증언한 김연학 부장판사 등을 포함해 사법농단법관을 탄핵하겠다고 발언해 논란을 빚고 있다. 177석 여당의 의원들이 마음만 먹으면 무엇이든 다 할 수 있다는 자만심이 엿보인다.

거대 여당이 당 차원에서 대법원 판결 뒤집기에 나선 듯한 모습 또한 실망이다. 이미 수년 전에 대법원 판결로 복역을 마친 한명숙 전 총리의 정치자금법 위반사건을 선거가 끝나자마자 다시 들고 나온 건 어떤 정치적 셈법이 깔려 있는 건지 모르겠다. 21대 국회 개원 전인 지난달 20일 김태년 민주당 원내대표가 최고위원회의에서 재조사를 요구하면서 공론화됐다. 이해찬 민주당 대표는 왜곡된 현대사를 바로잡아야 한다며 KAL 858기 폭파사건 등과 함께 이 사건을 왜곡된 현대사로 비화시키는 모양새다. 서울중앙지검이 지난 1일 이 사건을 다시 들여다보는 절차에 착수한 것도 여당의 이런 분위기와 무관치 않을 것이다. 검찰 수사과정에서 인권침해 여부를 조사한다지만 사실상 한 전 총리의 정치자금법 위반사건 뒤집기가 본격 시작된 것이나 다름없다.

한 전 총리의 대법원 판결 뒤집기는 현실성이 없다는 지적도 많다. 그럼에도 여권에서 재조사 분위기를 띄우는 것은 당시 검찰의 강압수사를 문제 삼아 현 여권이 추진 중인 검찰개혁에 고삐를 죄려는 것일 수 있다. 그것도 아니면 노무현 전 대통령의 최측근이자 참여정부의 상징적 인물인 한 전 총리의 명예를 회복시키려는 과도한 충성심이 작용한 것은 아닐지. 이런 배경이라면 그야말로 진영논리에 매몰돼 공을 세우기 위해 일 벌이기를 즐기는 행위로 의심받아 마땅하다.

조해진 미래통합당 의원 등은 "민주당이 총선에서 177석을 얻고 곧바로 이 사건부터 들고나온 것은 국민들 눈에 권력의 힘자랑으로 보일 수 있다. 대법원 판결까지 난 것을 정치적으로 몰아서 다시 뒤집으려는 시도는 사법체계를 흔들 뿐 아니라 정의도 무너뜨릴 수 있는 위험한 시도"라고 비판했다. 이에 공감하는 국민도 적지 않을 것이다.

야권과 지지자들 사이에 남아 있는 선거불신 현상도 진영논리가 앞선 탓일 것이다. 4·15 총선이 두 달이나 지났지만 선거부정 의혹을 운운하는 목소리가 여전해 우려스럽다. 총선이나 대선 때는 극렬 지지층이 생겨나고 상대를 인정하지 않으려는 사람들의, 보고 싶은 것만 보고 믿고 싶은 것만 믿는 이른바 '확증편향성'이 도드라지게 마련이다. 이런 연유로 민경욱 전 의원 등 몇몇 낙선자들이 제기한 재검표가 이뤄진다고 해도, 선거부정 의혹이 말끔히 없어질지는 의문이다. 지난 2003년 대선 때는 1100만표를 재검표했지만 투개표 부정 의혹을 종식시키지는 못했다. 총선 전 불거진 청와대의 울산시장 선거개입 의혹, 김경수 경남지사의 댓글조작 의혹, 친여권 인사의 선거관리위원 임명 등도 선거 불신에 영향을 끼쳤을 수 있다. 2년 앞으로 다가온 대선에서는 또 어떤 불신 현상이 국민을 혼란스럽게 할지 모를 일이다.

사법체계와 선거제도를 위협할 수 있는 작금의 논란들은 여야 정치인 모두가 신중히 살펴야 한다. 물론 논란은 민주적인 절차에 따라 검증되고 규명될 수 있으리라 믿지만 진영 간 세 대결을 부추기고 갈등과 분열을 심화하는 일은 자제돼야 할 것이다. 자신의 명예나 진영의 공을 앞세우려 국민에게 불편을 안겨 준다면 사회지도층으로서의 자질을 의심받을 수밖에 없을 것이다.[213]

173. 나고 자란 곳서 배우고 일하는 나라가 되면… 'in 지방' 하겠습니다

최정아씨(50·가명)는 1990년대 초 지방에서 고등학교를 졸업한 후 인근 도시에서 굴지의 한 은행에 취업했다. 고교 시절 성적이 상위 5% 안에 들었고, 당시에는 은행권 취업이 지금처럼 어렵지 않았다고 했다. 하지만 최씨는 수십년간 일하면서 취업시장이 변하고 있음을 온몸으로 느낀다.

신규 직원들은 거의 대학교 졸업이고 특히 서울 소재 대학 출신들이 대부분이다. 20여년 전만 해도 거점 국립대를 나오면 지역에 있는 대기업이나 은행에 어렵지 않게 들어갔지만 이제는 서울의 주요 대학을 나와도 취업이 안 돼 재수, 3수를 마다하지 않는다. 이로 인해 그는 자녀들이 서울로 대학을 가겠다고 했을 때 적극 찬성했다고 한다. "저는 지방에서 나고 쭉 살았지만 '말은 제주로, 사람은 서울로' 라는 말이 괜히 있는 게 아니더라고요. 딸아이는 거점 국립대에 동시 합격했는데도 서울로 갔죠."

김형식씨(38·가명)는 부산 토박이다. 부산의 한 국립대를 졸업하고 중견기업에 취직했다. 일자리를 구할 때만 해도 모교에 대한 인식은 꽤 괜찮았고 자부심도 있었다. 그러나 최근 들어 부쩍 '지방 명문대' 라는 인식이 희미해지고 있는 것을 느낀다.

"총무과서 일하는데 이력서를 받아보면 과거와 달리 우수한 자원을 가진 학생들이 중견기업에 지원하지 않아요. 그런 학생들은 모두 수도권으로 가거든요. 게다가 지방대의 경우 의대 등 몇몇 과를 제외하면 명문 지방 국립대였더라도 현재는 그냥 다 지방대로 인식될 뿐이고요"

수도권 집중을 막기 위한 균형발전 정책이 추진된 지 20여년이 흘렀다. 그러나 지방 거주자들은 이제 고향을 등지고 수도권으로 향한다. 지방 토박이 부모조차 자식에게 '고향살이' 를 추천하지 않고 있다. 지방은 점점 일자리와 교육은 물론 향유할 문화 공간도, 즐길 거리도 없는 텅 빈, 활력 없는 공간이 돼버렸다.

지방이 다시 활기를 찾기 위해선 청년들이 고향에서 그들의 꿈을 이룰 수 있도록 해줘야 한다. 그들의 꿈을 지켜주고 실현시켜주기 위해선 지역이 경제·문화·정치적으로 발전해 양질의 일자리와 다양한 체험 기회를 제공해야 한다. 좋은 일자리는 4차 산업혁명 시대에 맞춰 신지식을 연구해 산업기술로 발전시키는 유수의 대학이 있어야 나올 수 있다. 경쟁력 있는 대학 확보→산학연 클러스터를 통한 양질의 일자리 확충→지역발전의 선순환 구조를 만들어야 한다는 것이다.

한국의 대학 생태계는 기형적이다. 전체 대학 중 국·공립대는 15%에 불과하고 85%가 사립대다. 경제협력개발기구(OECD) 주요국 교육지표를 보면 일본만 제외하고 대부분 나라의 국·공립대 학생 비중은 70~90%다. 한국과는 정반대다. 이는 해방 직후 이승만 정권에서 농토나 건물 등만 있으면 대학을 인가해주는 방임적 정책을 시행해 사립대들이 우후죽순 들어섰기 때문이다.

전두환 정권 시절에는 사립대 지방분교·개방대 설립 등까지 더해지면서 사립대 숫자는 폭발적으로 증가했다. 사립대의 홍수 속에서 사학 재단 비리는 끊이지 않았고, 급기야 학령인구 감소까지 겹치면서 지방에선 스러져가는 사립대들이 속출하고 있다.

결국 참여정부 때인 2004년 대학 구조조정에 나서 지원금을 통해 사립대의 자율적 통폐합을 유도하고 국립대는 학부 정원의 15%를 감축하도록 했다. 이명박 정부도 평가 하위 15%에 속한 대학에 대한 재정지원을 끊고 퇴출을 유도했다. 박근혜 정부도 이 기조를 유지했다.

그러나 역설적으로 대학 구조조정 이후 지방대 위기는 심화됐다. 2008년부터 2013년까지 3만6100여명의 입학정원을 감축했는데 지방대에서 2만8400명(78.5%)이 줄었다. 박근혜 정부(2013~2017년) 시절 대입정원은 6만1000명 감축됐는데 전체 감축 인원의 76%인 4만6000명이 지방대에서 줄었다.

문재인 정부서 기존 '대학구조개혁평가' 명칭을 '대학기본역량 진단'으로 바꾸고 평가 항목과 기준을 개선했지만, 여전히 정책의 본질은 지방대 폐교와 인원 감축에만 초점이 맞춰져 있다.

김종영 경희대 교수는 "해방 후 한국 대학정책은 무분별한 확장만 있었을 뿐 계획이 전혀 없는 '완벽한 엉망진창' 상태"라며 "역대 정권들의 균형발전 정책들이 실패한 것은 지역에 세계적인 대학이 없기 때문"이라고 말했다. 이어 "윤석열 정부가 제아무리 지역발전을 외쳐도 세계적인 대학이 없다면 결국 실패할 것"이라고 밝혔다.

전문가들은 지방이 활력을 얻기 위해서는 거점 국립대를 중심으로 '지방대 살리기'부터 실현되어야 한다고 강조한다. 새로운 얘기는 아니다. 2003년 정진상 경상대 교수는 '국립대 통합 네트워크' 방안을 제안했다. 서울대를 포함한 전국의 국·공립대와 일정한 조건을 갖춘 사립대를 하나의 네트워크로 통합하는 방안이다. 학계와 정치계에서 반응이 뜨거웠으나 제대로 실현되진 못했다.

최근 김종영 교수가 내놓은 '서울대 10개 만들기' 방안도 주목을 받고 있다. 강원대·경북대·경상대·부산대·전남대·전북대·제주대·충남대·충북대 등 9개 거점 국립대 위상을 서울대 수준까지 끌어올리자는 게 핵심이다. '국립대 통합 네트워크'와 방향은 비슷하나 서울대만큼의 정부 예산 투입과 연구중심 대학 육성을 강조한 부분이 큰 차이점이다.

김 교수는 "현재 미국에서 가장 산업적으로 뜨는 곳이 텍사스인데, 교통도 안 좋은 이곳에 반도체·컴퓨터 클러스터가 자리 잡은 배경에는 '퍼블릭 아이비'(아이비리그 수준에 버금가는 명문 주립대를 일컫는 말)로 불리는 오스틴대학이 있기 때문"이라며 "미국이 20세기 이후 독일을 제치고 세계경제 중심이 될 수 있었던 배경에는 막대한 경제적 가치를 창출하는 연구중심 대학을 전국 곳곳에 만들고 대대적인 지원을 한 게 주효했다"고 말했다. 대학이 교육기관을 넘어 새로운 지식을 개발하고 산업의 흐름을 바꾸는 창조권력이 된 만큼 한국도 대학에 집중 투자해야 한다는 것이다.

대학도 돈이 있어야 좋은 교수와 인재가 몰린다. 반면 지방대학의 재정구조는 심각한 왜곡 상태다. 대학알리미 공시자료를 보면, 지난해 서울대 학생 1인당 교육비는 4861만원으로 거점 국립대 9곳 평균인 1851만원의 2.6배에 달한다. 서울의 9개 주요 사립대 평균 교육비(2149만원)도 거점 국립대보다 300만원가량 높다.

김영록 강원대 교수는 공공성이 담보돼야 할 국립대가 사립대보다 정부 재원 투입이 적다는 모순을 지적했다. "지역 국립대는 점점 소외되는데도 정부는 서울 사립대에만 지나칠 정도로 지원을 많이 해요. 제 자식도 못 챙기면서 남의 자식 챙기고 있는 상황인 겁니다."

2020년 대학재정지원사업 현황을 보면 서울대가 5928억원으로 가장 많았고, 연세대 4196억원, 고려대 3414억원 순이었다. 교육부는 거점 국립대를 살리기 위해 2018년 800억원이던 예산을 확대해 2019년부터 매년 1500억원을 들이고 있다. 그러나 이미 벌어진 수도권과의 격차를 줄이려면 이 정도 예산은 턱없이 부족하다.

이 때문에 지방교육재정교부금 제도를 개편해 지방대학 육성 재원을 마련해야 한다는 대안도 제시되고 있다. 지방교육재정교부금이란 국가가 지방자치단체 교육행정을 지원하는 돈인데, 여기에는 유치원과 초·중등 교육만 포함된다. 김영록 교수는 "출생아 수가 100만명을 넘었을 때 만든 제도를 아이들이 4분의 1로 줄어든 지금도 그대로 유지하는 건 문제가 있다"고 지적했다.

지방교육재정교부금을 나눠 쓰기보다는 고등교육특별세를 새로 만들어 거점 국립대에 투자하고, 연구·개발(R&D) 비중을 높여 대학별 산업 클러스트를 형성해야 한다는 대안도 나오고 있는 만큼 정부와 정치권의 대안 마련 논의가 시급한 시점이다. 지방 사립대를 어떻게 지원해야 하는가를 두고는 견해가 엇갈린다. 사립대에 대해선 등록금을 자율화해 시장 경쟁을 시키는 한편 그 재원으로는 국립대에 더 투자해야 한다는 의견도 있다.

김태훈 사교육걱정없는세상 정책위원회 부위원장은 "재원 마련은 정부 의지 문제"라고 강조했다. 그는 "한 해 우리나라 시민들이 지출하는 사교육비가 20조원을 넘는다"며 "정부가 5조~10조원을 투자해서 대학 서열화 문제를 완화하고 대학의 질을 높인다면 오히려 국가적인 이익"이라고 말했다.

"제가 대학 다닐 때만 해도 지방에서도 취업이 잘됐어요. 보너스도 두 달에 한 번씩 600% 받았고, 명절 보너스는 별도로 받았어요. 그런데 외환위기 때부터 한 10여년간 급여가 제자리걸음을 하더니 그 이후는 올라도 크게 오르지 않으면서 수도권 기업들과 큰 차이가 나더군요."

경북에서 대학을 졸업하고 지방의 한 중견기업에 다니는 민재식씨(55・가명)의 말이다. 그는 국제통화기금(IMF) 사태를 거치면서 지방과 수도권의 일자리 격차가 크게 벌어졌다고 진단했다. 틀린 지적이 아니다.

IMF 사태 후 신자유주의가 득세하면서 정부는 국제 경쟁력 강화를 명분으로 수도권 규제를 완화했다. 이명박 정부는 수도권 산업단지 내 공장의 신・증설을 전면 허용하고, 기업 R&D 센터의 설립까지 지원했다. 문재인 정부도 리쇼어링(해외공장의 국내 복귀) 정책과 소・부・장(소재・부품・장비) 산업활성화를 목표로 수도권 규제 완화를 추진했다.

수도권에는 전체 일자리의 54%가 몰려 있다. 100대 기업 본사의 91%는 서울에 있다. 정보통신기술(ICT)・바이오・의료 등 새로운 일자리는 수도권에서만 생겨난다. 중소벤처기업부가 발표한 '벤처 스타트업 일자리 동향'에 따르면 2020년 코로나19로 고용 상황은 악화됐지만 벤처투자를 받은 기업의 고용증가율은 전년보다 30.9% 늘었다. 특히 전체 고용증가의 82%가 수도권에 집중됐다.

반면 역대 정부는 지방에 일자리를 늘린다는 약속과 달리 오히려 기업들의 수도권 진출을 돕는 엇박자를 연출했다. 이상호 한국고용정보원 연구위원은 "그간 비수도권에 일자리를 창출하려는 정부의 시도는 대부분 공모사업을 중심으로 이뤄진 탓에 성과 위주, 단기성 사업에 집중할 수밖에 없었고 사업 간 연계가 부족했다"고 말했다.

전문가들은 지방에 좋은 일자리를 만들기 위해선 우선 지방의 산업구조 고도화가 먼저라고 말한다. 청년들이 수도권으로 가는 이유는 첨단산업과 ICT 등 선호하는 일자리들이 지방에 없기 때문이라는 것이다. 이민원 광주대 교수는 나주혁신도시에 추진 중인 '한전공대 에너지산업 클러스터'가 지방 일자리 정책의 새로운 모델이 될 수 있다고 강조했다. 한전공대는 단순 교육기관이 아니라 에너지분야의 역량을 한데 모아 '에너지 클러스터'를 조성하는 핵심 기관의 역할을 담당한다.

그는 "한전공대가 세계 최고의 에너지 전문가를 모셔 와 전문인력을 양성하고, 이 전문가들이 연구성과를 바탕으로 다시 에너지 밸리에서 세계적인 기업들을 키워낸다면 자연스럽게 지역 균형발전의 선도 지역이 될 것"이라고 말했다. 이어 "한전공대의 연구성과를 전남대·조선대 등 인근 대학들과 공유해 네트워크화하면 일자리는 더욱 늘어날 것"이라고 조언했다.

장용창 경남대 교수는 첨단기업들의 지방행을 유도하려면 수도권과 비수도권의 법인세에 차등을 둬야 한다고 제안했다. 그는 "조세특례제한법 개정을 통해 지방에 있는 기업들에 대한 법인세율을 수도권 기업들과 달리 적용해야 한다"고 말했다. 여성 청년들의 지역 유출을 막기 위해선 일자리 구조의 균형을 맞추는 것도 중요하다.

최근 여성의 경제활동 참가율이 높아지고 있지만 지방에선 남성 중심의 제조업 위주라서 여성들이 지방에서 좋은 일자리를 찾기가 힘들다. 김유현 경남연구원 연구위원은 "수도권은 산업구조가 서비스·ICT 중심이어서 여성들의 선호도가 높다"며 "남녀가 차별 없이 일하려면 지방의 제조업 공정을 고도화하고 이 과정에서 ICT 기반의 다양한 서비스업을 창출하면 일자리 선순환 구조가 만들어질 것"이라고 덧붙였다.[214]

https://blog.daum.net/sang7981?page=2(2021. 4. 17)

174. 기부 강요하는 사회

지난 어린이날이었다. 사회적 거리 두기가 해제되면서 오랜만에 가족들과 밖에서 식사를 했다. 식사를 마치고 개인적으로 인근에 볼일이 있어 홀로 횡단보도 쪽을 향하던 중 어느 비영리기구의 직원과 맞닥뜨렸다. 30대로 보이는 그 남성 직원은 미혼모들이 낳은 아이들을 돕기 위해 어린이날 거리에 나왔다며 "한 달 2만원, 하루 700원 커피 한 잔 값도 안 되는 돈으로 아이들을 도울 수 있다" 며 당장 정기후원 신청서를 작성해 줄 것을 요청했다. 가계운영에 부담되는 금액도 아니고, 기부가 남을 돕는 일을 넘어 개인의 삶을 충만하게 만든다는 점에서 반대할 이유는 없었지만 문제는 타이밍이었다.

다른 볼일이 급했던 터라 "해당 홈페이지를 통해 알아보고 추후 결정하겠다" 고 했으나 직원은 막무가내였다. "나중에 하겠다는 분들치고 하시는 분들 없다. 오늘 한 건도 못했으니 가입하고 가시라" 고 말했다. 무슨 신용카드 발급처럼 기부 참여를 길거리에서 강요받나 싶어 마음이 상했다. "알아서 하겠다" 고 하자 남성은 일그러진 표정으로 "그럼 그러시라" 며 휙 돌아섰다.

자식을 낳고 어미가 돼 나이 드신 어머니에게서 자주 들었던 말 중 하나가 "남에게 많이 베풀고 살아라" 였다. 일이 바쁘다는 핑계로 자원봉사는 엄두를 못 냈지만 아이들 학교와 지인 권유 등을 통해 정기후원을 하고 있고, 인터넷에서 우연히 딱한 사연을 접하면 비정기 후원도 가끔씩 하던 차에 마주한 그때의 상황은 지금도 상당히 불쾌한 기억으로 남는다.

국내 기부 참여율은 점차 낮아지는 추세다. 통계청 사회조사에 따르면 기부 참여율은 2009년 32.3%, 2011년 36.4%로 증가했다가 이후 감소세를 보이면서 2019년 25.6%에 그쳤다. 그런데 시기가 묘하다. 기부 참여율이 고점을 찍고 감소세로 돌아서는 전환기인 2011년은 사회복지공동모금회의 공금 유용 비리가 터진 다음 해이다.

이를 보면 기부율이 낮아진 원인은 여러 가지가 있겠지만 기부금 운영 단체에 대한 신뢰도와 연관이 있지 않나라는 것은 쉽게 유추할 수 있다. 사실 국내 비영리단체에 대한 투명성 문제는 잊을 만하면 터져나왔다. 근래에는 2020년 정의기억연대의 피해자 할머니 후원금 논란이 있었다.

다행인 점은 기부금액은 해마다 늘고 있다는 것이다. 아름다운재단 기부문화연구소의 기부조사 리포트인 '기빙코리아 2020'은 이를 정기기부율 증가에 따른 것이라고 분석했다. 특히 기부만 한 경우보다 기부와 자원봉사를 모두 한 사람의 기부금액이 최대 2배 이상 더 높았다고 했는데 이는 의미심장하다. 실제로 재능기부 등을 통해 봉사를 오래 한 사람들을 만나 보면 그들은 하나같이 "남을 돕기 시작한 후 삶이 행복해졌다"고 입을 모은다.

남에게 도움이 되고 기부자들도 행복해지는 기부 방법에 대해 기빙코리아 2020은 이 같은 해답을 내놓았다. "모금만 독려할 게 아니라 사회 전반의 투명성과 신뢰성을 높이는 노력과 함께 나눔 교육을 통해 (구성원들의) 사회적 책임감을 강화할 수 있는 문화를 조성해야 한다"고 말이다. 그리되면 길거리에서 기부를 시민들에게 강요하지 않더라도 기부 참여율은 더 높아질 것이다.[215]

개인이 가진 전문성을 발휘해 사회 발전에 기여하는 봉사활동이다. 초창기엔 각 분야의 전문가가 전문지식과 기술을 이용해 벌이는 봉사활동을 뜻했다. 근래에는 전문가에 한정하지 않고 일반인의 재능을 통한 봉사활동까지 포괄하는 의미로 쓰인다.

175. 문화예술의 힘과 역할

문화예술(文化藝術)은 문화와 예술을 융합한 복합어이다. 문화라고만 하기에는 범위가 너무 넓고, 예술이라고 하기에는 범위가 너무 좁기 때문에 문화와 예술을 융합하여 예술 활동이 있는 문화를 나타내는 것이다. 문화예술은 문학예술, 영상예술, 공연예술, 전통예술, 음악예술 등 예술 및 문화 활동, 모두를 포함하는 것을 말한다.

코로나19로 모든 분야가 어려움을 겪었지만 문화예술은 직격탄을 맞았다고 해도 과언이 아니다. 공연, 전시가 올스톱되면서 문화예술인들은 멘붕상태에 빠졌다. 예술인 실태조사를 보면 코로나 시국의 예술작품 발표 횟수는 그 이전에 비해 3분의 1 토막이 났고. 예술인들이 예술활동으로 벌어들인 수입은 절반 가까이 줄어들었다.

문화예술인에게 수입 감소보다 고통스러운 것은 예술혼과 창작열을 쏟아내 공들여 만든 작품을 선보일 기회를 잃어버린 것이다. 경제적 어려움은 감내할 수 있다 하더라도 대중과의 소통과 교감이 없으면 살아갈 수 없기 때문이다.

일부 아티스트는 코로나 장기화로 인한 기약 없는 기다림에 지쳐 비대면 행사로 돌파구를 찾고자 했으나 물리적인 제약이 있었다. 아무리 좋은 장비를 쓰더라도 온라인으로는 공연장에서 연주자·배우의 생생한 목소리·표정·몸짓, 전시장에서 미술품의 섬세한 선·색감·질감을 제대로 구현할 수 없다. 특히 공연자에게 객석에서의 환호와 박수가 없는 무대는 메아리 없는 공허한 외침일 뿐이어서 대면을 향한 욕구는 오히려 강해졌다. 그렇게 2년이 훌쩍 넘는 긴 시간이 지나고 어두운 터널에도 끝이 보이기 시작했다. 코로나19 사회적 거리 두기가 전면 해제됨에 따라 문화예술도 점차 활기를 되찾고 있다.

각종 행사·집회의 인원 제한이 없어지면서 도내 주요 공연장과 갤러리에는 문화예술행사가 봇물을 이루고 있다.

하지만 대중의 호응은 그에 못미치고 있다. 일부 오페라·뮤지컬과 대중문화공연에만 관객들이 몰릴 뿐 순수예술 공연·전시장은 여전히 썰렁하다.

외부활동과 사람과의 접촉을 최소화하는 사회적 분위기가 형성된 데다 이른바 '코로나블루' 로 인해 깊이 있는 문화예술을 즐길만한 심적 여유가 없기 때문으로 보인다. 몇몇 문화예술인들은 코로나 이전에도 외면당했기에 지금이라고 해서 특별히 나아진 것은 없다는 자조 섞인 얘기를 한다. 그런 말을 들을 때마다 안타깝다. 지금이야말로 문화예술이 쓸모 있는 시기이기 때문이다.

주옥같은 클래식 명곡은 고단한 일상에 치친 이들의 삶에 새로운 활력을 불어넣고, 아름다운 그림 한 점은 시공을 초월한 감동을 주며, 잘 만들어진 연극 한 편은 마음속에 쌓인 답답함을 정화시킨다. 그런 예술의 위대한 힘은 감당할 수 없는 재앙에 불안, 우울증, 무기력증 등 정신건강 악화를 호소하는 사람들을 치유하고 달래주는데 부족함이 없다.

장기간 인간관계 단절로 고립감, 소외감, 외로움을 겪는 이들에게도 문화예술은 특효약이다. 가족·연인·지인들과 공연·전시 관람은 유대감을 높여주고, 문화예술 체험이나 모임 활동은 공동체의식과 사회성 회복에 도움이 된다.

코로나19는 엄청난 충격으로 우리 사회 전반을 변화시킨 만큼 문화예술도 새로운 패러다임으로 포스트 코로나시대를 맞이해야 한다.

공연·전시장에 사람들이 오지 않는다고 푸념할 것이 아니라 찾아 나서야 한다. 그들이 부담 없이 문화예술을 접할 수 있도록 문턱을 낮춰야 한다.

문화예술은 힘든 시기를 버텨내게 해주는 등불이며 시린 가슴 한편에 희망의 불씨를 지펴주는 존재다. 문화예술인들이 사명감을 갖고 그 역할을 해주었으면 한다.[216]

Ⅱ. 나가는 글

필자들이 들려주는 에피소드에는 그때 그 시절을 환기하는 따뜻한 이웃들과 친구들의 이야기, 자신의 성장 이야기가 고스란히 담겨 있다. 그 따뜻하고 유쾌함에 배꼽 잡으며 웃기도 하고, 어이없는 웃음을 짓기도 하고, 함께 슬퍼하며 아파하기도 한다.

넙데데한 얼굴에 바른 새빨간 구찌베니가 인상적이었던 이웃집 형섭이 엄마, 일 원에 네 권 볼 수 있던 만화책을 더 보려고 친구들과 짜고 속였던 만화방 아저씨, 하얀 블라우스에 멜빵 달린 진남색 주름치마가 예뻤던 첫사랑 경옥이, 라면 한 봉지씩 손에 흔들며 희섭이가 앞장서 부는 트럼펫 소리에 맞춰 희섭이네 골방 아지트로 몰려다녔던 우리들, 유신 철폐를 외치다 가게 된 징역살이에서 만난 수많은 인연들……. 이 모든 사람들과 맺은 관계와 기억들이 지금의 나를 만든 시간들이었음을 작가와의 시간 여행을 마치고 나서야 알게 된다.
이렇게 젊은 날을 되돌아보며 자신이 꿈꾸었던 세상에 대한 가치들을 꺼내 놓는 작가의 옛날이야기는 그 시절을 함께 겪어냈던 지금의 동년배들에게 위로와 용기를 준다. 그 시절의 따뜻했던 이야기들, 친구들 간의 우정, 민주주의에 대한 열망……과 같은 그 당시의 가치들이 앞으로 살아가는 데 큰 힘이 될 거라는 작가의 고백은 그래서 더 유의미해 보인다.

1970~80년대에 청년기를 보내면서 산업화의 격랑에 휘말리고 민주화 운동에 적극적으로 참여하고, 세상을 바꿀 수 있다는 희망을 가져본 세대에게 이런 생각들은 특히 더 간절하다. 점점 커져 가는 빈부의 차이, 여전히 얼어붙은 남북 관계……와 같은 젊은 날 고민했던 거시적인 문제들은 가뿐히(?) 넘겨 버릴 수 있을지 몰라도, 실제 삶에 해당하는 일상의 무게는 버겁기만 하다. 자꾸 주변부로 밀어내려고만 하는 사회, 경제적 부담, 가족 간의 소통, 주변의 시선들……, 어느 것 하나 녹록한 게 없다. 긴 인생, 자칫 낙오...하는 거 아냐, 라는 염려가 가슴 끝을 파고들기도 한다.

1960년대 가족 공동체 · 농촌 공동체가 온전하게 작동하던 시절 그 무렵부터 시작한다. 외할매와 함께 지내며 그 쏟아붓는 듯하던 사랑을 받았던 기억, 외갓집 초가지붕에 새 이엉을 얹기 위해 마을 사람들이 와서 도와주던 그날의 풍경, 동네 아낙들 앞에서 맛깔스런 솜씨로 이야기보따리를 풀어 놓던 외할매, 그리고 큰

댁에서 사촌 형제들과 자치기, 연날리기에 하루해가 짧았던 에피소드 들은 모두가 따뜻하고 그리운 정이 넘치는 풍경들이다. 이웃 간에 문을 꼭 걸어 잠그고 사는 각박한 현대인들에게 "우리가 예전에는 이렇게 살았었지." 라고 환기시킬 수 있는 그런 모습들이다. 마치 낡은 앨범을 후루룩 넘길 때 색 바랜 흑백 사진들이 흰색과 검은색, 뿌연 회색으로 점점이 지나가다 다시 천천히 넘겨보면, 그 안에 지금은 옛 모습을 찾기 힘든 아버지, 어머니, 할머니, 할아버지, 삼촌, 고모 들이 풋풋함과 촌스러움으로 수줍게 손 흔드는 모습을 만날 때처럼 향수를 자극하는 아련하고도 따뜻한 기억들이다.

국민학교에 입학하고 나서 중·고등학교 시절을 보낼 때까지, 작가가 경험한 꼭 그 나이에 걸맞은 학창시절 에피소드들은 복고 박물관을 구경한 것 같은 기분이 들 만큼 생생하다. 일흔 명이 넘어 콩나물시루를 방불케 했던 교실 풍경, 신간 만화 《카르타》 표지가 걸려 있던 만화방 유리창, 50원 하던 자장면의 잊을 수 없는 맛, 고구마 삐득이 먹던 기억……. 최근 쎄시봉 열풍을 보며 그때를 추억하고, 한 시대를 풍미했던 검정 교복, 책가방, 교련복, 도시락, 버스, 택시, 흑백텔레비전, 엘피판……과 같은 작은 소품의 풍경들을 떠올리며 희미한 웃음을 짓던 독자라면 누구나 작가가 복원한 옛 기억에 무릎을 칠 것이다. 그리고 이 무렵 이야기들은 마치 영화 〈친구〉에 나오는 사내애들을 보는 기분이 들만큼 유쾌하고 청춘의 힘이 끓어 넘친다. 희섭이네 골방 아지트에서 우정을 논하고, 친구들과 음악회를 개최하며, 문예반 활동으로 좌충우돌하는 모습들은 경쟁에 찌든 요즘 사회와는 다른 낭만이 느껴지기도 한다.

필자들이 살아온 너무나 평범한 이야기는 그 평범함으로 인해 같은 시기 청춘을 불태웠던 동년배들에게 의미 있게 다가갈지 모른다. 되돌아본 시간이 앞으로 살아갈 시간과 맞닿아 있음을 역설하며, 현재의 삶을 좀 더 끌어안을 수 있기를 바라는 작가의 이야기는 그래서 더 진정성이 있어 보인다. 작가와 함께 그때 그 시절을 함께 돌아보며 치기어리지만 그 시절의 향수를 느껴보길 바란다. 그리고 앞으로 살아갈 날들에도 새로운 힘과 용기를 얻기를…….

남부민동 희섭이네 집이 우리 아지트였다. 마침 그때 희섭이가 고물 트럼펫을 하나 구해서 뿜빰빠라빰빠 소리를 밀어내는 연습을 하던 중이기도 해서 우리가 거기에 모이는 날이면 버스 정류장에서부터 한 줄로 서서 희섭이가 앞장서 부는 트럼펫 소리에 맞춰 제 먹을 라면 한 봉지씩을 흔들어 대며 그 집으로 몰려가고는 했다. 동네 사람들이 흘깃거리며 웃었고 우리도 마주 웃었다.

우리는 자주 소풍도 다녔다. 선들선들 바람이 불어 놀기 좋아하는 머슴애들 콧

구멍이 빵처럼 부풀면 어김없이 무슨 구실을 붙여서라도 해운대로, 송도의 혈청소 부근 해안으로, 범어사 계곡으로 몰려다녔다. 때로는 자전거를 타고 가기도 하고 때로는 마라토너처럼 달려서 가기도 했다. 해운대 백사장에서 모래를 쌓아 상처럼 만들고 작은 홈을 파서 간장을 담은 비닐봉지를 그 안에 넣고 봉지의 입구를 잘 벌려 놓으면 작은 종지처럼 되었다. 시장통에서 사 온 튀김이나 부침개에다 소주를 돌리며 '예술'과 '혁명'을 주워섬기던 그때, 드물게 누리는 좋은 시절이었다.

만반의 준비를 끝내고 드디어 7월 6일 밤 11시 50분쯤, 도서관에서 향학열을 불태우고 쏟아져 나오는 선량한 학생들을 거슬러 학교로 숨어들었다. 괴괴한 정적만이 감도는 컴컴한 본부석에서 나는 팔을 움직여 쓸 수 있는 최대한의 크기로 또박또박 격물을 써 나갔다.

유신 철폐 / 교련 반대 / 박정희 물러가라

글자의 크기가 1미터가 넘고 격문의 전체 폭이 10미터가 넘는 대형 벽서였다. "치익, 치익" 하는, 페인트 내뿜는 소리가 굉음처럼 들리고 다리는 후들거렸지만 그것도 잠깐, 우리는 점점 간이 커졌다. 페인트 통을 흔들어 보니 아직 한참이나 남은 게 아닌가. 기왕에 시작한 거, 페인트가 바닥 날 때까지 닥치는 대로 써 갈기고 싶은 충동이 와락 생겼지만 후퇴하기로 했다. 그래도 아쉬운 김에 운동장 옆 개구멍으로 나가기 전에 야구장 백네트와 관람석도 두 친구가 각각 큼직한 필적을 남기고 무사히 빠져나와 택시를 탔다. 통금 시간인 밤 12시를 막 넘긴 시간이었다.

다음 날 아침 평소보다 일찍 학교로 가 보니 우리가 쓴 벽서는 커다란 종이에 가려 보이지 않았고 짭새들 대여섯 명만이 그 앞을 지키고 있었다. 이럴 수가! 학생들이 그 앞에 구름 떼처럼 몰려서 웅성거리며 주동자만 나서기를 기다리는 그런 장면을 상상했는데 이런 허무한 일이 있단 말인가! 나는 순간적으로 맥이 탁 풀렸다. 오전 10시쯤 짭새들이 지키는 가운데 페인트공이 밀대 붓을 들고 전지를 한 장 한 장 떼어 내며 글씨들을 쓱쓱 문대 버렸다. 그곳에서 간밤에 어떤 일이 벌어졌는지 알지 못한 채 학생들은 무심히 그 곁을 지나다녔고 흉하게 덧칠한 자국만이 관중석 벽에 남았다.

1970년대로 접어들면서 산업화가 시작되고, 유신이라는 암흑의 사회 체제가 공고해지던 시절, 작가가 풀어 놓는 이야기들에는 세상을 향해 오만 가지 촉수를 뻗쳐 날 선 비판 의식을 가져 보려던 나름의 세상 읽기가 담기기 시작한다. 군사 문화의 잔재로 폭력이 난무하던 고등학교의 살풍경들, 불공정한 학생회장 선거를 겪으면서 느끼게 된 부조리, 부정한 독재 권력에 저항했던 대가로 영어의 세월을 보내야 했던 합천 아재 사건 들에서 비폭력, 공명정대, 민주주의와 같은 가치의 소중함을 깨닫고 조금씩 성장하는 작가는 이때의 기억을 떠올리며 잊고 있던 청춘의 꿈을 다시금 꾸었을지 모른다. 먹고사는 문제에 매몰되느라 잊었던 가치, 더불어 사는 삶에 대한 생각들 말이다. 대학에 가서 학생운동을 하느라 감옥에 가고, 그 과정에서 만난 수많은 인연들과의 관계 속에서 인생에 대해 큰 가르침을 얻었다는 작가의 고백은 지천명의 나이에 갑작스럽게 얻은 깨달음은 분명 아닐 것이다. 자유와 정의, 평등의 깃발 아래 무리 지어 흐르는 은하수가 있다면 그 은하수를 노래하겠다던 젊은 시절의 결기를 다시 떠올린 덕분일 것이다.

지나고 나면 따뜻함으로만 기억되는 그 시절로의 시간 여행에서 우리는 잊고 있던 자유, 평등, 정의, 가족 · 이웃 간의 정, 우정……과 같은 기본적인 가치의 소중함을 다시 되돌아볼 수 있었다.

80년대 반독재, 민주화 운동에 참여하며 청춘을 불살랐던 세대, 세대 구분으로 뭉뚱그리고 통틀었을 때에는 이 사회의 주류로 대접받지만, 개인별로 봤을 때 인생 2막을 준비해야 하는 사람들, 이들에게 삶의 목표 · 희망을 되찾아 줄 따뜻한 위로와 용기가 필요하다.

출판 일을 평생 업으로 삼아 밥을 벌던 작가 역시 똑같이 이 시기에 용기와 위로가 필요했다. 어느 날 자신의 글을 써야겠다고 결심하고, 탈 서울을 감행할 때 주류 사회의 질서와 시선에서 마냥 자유로울 수만은 없었던 것처럼, 사회, 회사, 가정에서 자꾸 등 떠밀리는 동년배들에게 나를 만든 시간들을 만나는 과정이 인생 2막을 시작하는 데 밑바탕이 될 수 있음을 말하고 싶었을 것이다. 자신의 인생 전반전을 갈무리하는 과정에서 얻은 깨달음, 우리를 옥죄는 기존 질서와는 다른 새로운 가치들, 앞으로의 인생에 이러한 생각들이 삶을 풍성하게 만드는 소중한 힘이 될 것이라는 확신은 작가에게 큰 축복이었다. 아마 작가는 이런 의미 있는 시간들을 독자들과 함께 나누고 선물하고 싶었던 것 같다.

작가가 살아온 너무나 평범한 이야기는 그 평범함으로 인해 같은 시기 청춘을 불태웠던 동년배들에게 의미 있게 다가갈지 모른다. 되돌아본 시간이 앞으로 살아갈 시간과 맞닿아 있음을 역설하며, 현재의 삶을 좀 더 끌어안을 수 있기를 바라는 작가의 이야기는 그래서 더 진정성이 있어 보인다. 작가와 함께 그때 그 시절을 함께 돌아보며 치기어리지만 그 시절의 향수를 느껴보길 바란다. 그리고 앞으로 살아갈 날들에도 새로운 힘과 용기를 얻기를……. [217]

참고문헌

곽삼근. 《착한 선진화 교육의 방안》, 한국선진화포럼, 2015. 10.

곽수근. 《경제 양극화 해소를 위한 동반성장정책의 역할》, 동반성장위원회, 2014.

경제사회발전노사정위원회. 《하르츠 박사 초청 강연 (독일의 노동개혁)》, 2015.

김낙년. "한국의 소득 불평등, 1963-2010: 근로소득을 중심으로", 〈경제발전연구〉, 제18권 제2호, 2012.

김세중. 《한국기업 CSR 활동의 공유적 성과에 관한 연구》, 고려대학교 박사학위논문, 2012. 8.

김용하. 《정신적 풍요와 함께 하는 착한 선진화: 실천방안》, 한국선진화포럼, 2016.

김윤형. 《다함께 가는 '착한' 선진화, 어떻게 할 것인가?》, 한국선진화포럼, 2015.

김용섭. 『라이프트렌드 2014: 그녀의 작은 사치』, 유랑형 임대족 '하우스 노마드'의 탄생. 부키, 2013.

김준형. 「전쟁과 평화로 배우는 국제정치 이야기」, 서울: 책세상, 2008.

김종래. 『CEO 칭기스칸』, 삼성경제연구소, 2002: 138~139.

김태훈. 「이순신의 두 얼굴(평범에서 비범으로 나아간 진정한 영웅)」, 서울: 도서출판 창해, 2005.

네이버사전 지식백과. 「민주주의 이념과 원리」, NAER corp.

노병천. 「도해손자병법」, 서울: 연경문화사, 2006.

네이버 지식백과] 노마드 [Nomad] (콘셉트커뮤니케이션, 2014. 4. 15. 이현영.

대한상공회의소. 《정년 60세 시대의 기업대응실태》, 2016.

동반성장위원회, 《2015 동반성장백서》, 2015.

동아일보. 〈이재용 '뉴 삼성', 투명경영과 고용확대 책임 막중하다〉, 2015. 7.18.

박기성. 《노동개혁, 핵심은 빠졌다》, 자유경제원, 2015.

박준. 《한국의 사회갈등과 경제적 비용》, 삼성경제연구소, 2009.

박우희・이어령. 《한국의 新자본주의 정신》, 박영사, 2005.

부즈앤드앨런.《21세기를 향한 한국경제의 재도약》, 1997
배한철. 에세이집 '시프트…' 펴낸 오세훈 서울시장, ≪매일경제≫, 2009. 9. 24.
백승기.「 정책학원론」, 서울: 도서출판 대영문화사, 2011.
백형찬.『글로벌 리더-세계무대를 꿈꾸는 젊은이들이 알아야 할 아홉 가지 원칙: 살림지식총서 312』, ㈜살림출판사, 2007.
사단법인 혁신경제. 「제2회 혁신경제 토론회: 혁신성장 정책의 성과와 방향」, 2019. 6.
서진우. 특정시간 할인 좇는 '핫딜 노마드족' 뜬다, ≪매일경제≫, 2014. 1. 12.
서울사회경제연구소.《 노동시장 취약계층의 현실과 정책 과제》, 한울아카데미, 2012.
시론. 21세기를 이끌어갈 '노마드族' 황광웅(건화 대표이사 회장), ≪건설경제신문≫, 2014. 2. 2.
아가페. 「큰글자 성경전서」, 재단법인 대한성서공회, 2014.
아나톨 칼레츠키. 《 자본주의 4.0》, 컬처앤스토릭, 2011.
안충영. 《한국경제의 위기- 동반성장이 해답이다》,인간개발연구원, 2015.
양병무. 《 한국기업의 인적자원개발과 관리》, 미래경영개발연구원, 2006.
양병무. 《 행복한 논어읽기》, 21세기북스, 2009.
여성가족부. 《 가족이 행복한 즐거운 일터》, 여성가족부, 2016.
원종학・이형민・홍성열.《 주요국의 상속・증여세제 현황 및 최근동향》, 한국조세연구원, 2012.
유장희. 《이타주의(利他主義: Altruism)와 한국적 자본주의》, 학술원논문집(인문•사회과학편) 제52집1호, 2013.
이정원 외 7인. 「국가안보론」, 서울: 박영사, 2004.
이재정・박은경.『라이프 스타일과 트렌드』, 예경, 2004.
이장원・전명숙・조강윤. 《격차축소를 위한 임금정책 : 노사정 연대임금정책 국제비교》, 한국노동연구원, 2014.
이충남.「 대통령과 국가경영(이승만에서 김대중까지) 」, 서울: 서울대학교출판문화원, 2012.
장문학・하상군.「 지방자치행정론 」, 서울: 도서출판 대영문화사, 2013.
장하성, 「한국의 자본주의(경제민주화를 넘어 정의로운 경제로)」, 경기도 성남: 헤이북스, 2014.
장석만. 한국 근대성 연구의 길을 묻다: 우리에게 근대성 공부는 무엇인가. 경기:

돌베개, 2006.
전국경제인연합회(전경련). 《2014년 주요 기업·기업재단 사회공헌백서》, 2014.
정영호·고숙자. 《사회갈등지수 국제비교 및 경제성장에 미치는 영향》, 한국보건사회연구원, 2015.
정옥자 외. 《시대가 선비를 부른다》, 효형출판, 1998.
조동성. 《 공유가치창조(CSV)》, 인간개발연구원, 2014.
조동철 외 8명. 《우리 경제의 역동성: 일본과의 비교를 중심으로》, 한국개발연구원, 2014.
조준모. 《 9.15 노사정 대타협과 향후 과제 》, 경제사회발전노사정위원회, 2015.
최광. 《 국가 번영을 위한 근본적 세제개혁 방안》, 한국경제연구원, 2008.
천정환. 한국 근대성 연구의 길을 묻다: 근대의 문학, 탈근대의 문화. 경기: 돌베개, 2006.
차배근(1996). 「사회과학연구방법」, 전정판, 서울: 세영사.
차하순(편). 「사관이란 무엇인가」, 증판. 서울: 청람문화사, 2001.
최재근(1995). 역사철학강의, 도서출판 동풍.
탁석산(2004). 한국의 주체성, 서울: 책세상.
호사카 유지. 《조선 선비와 일본 사무라이》, 김영사, 2007.
한진주. 격동하는 집의 경제학① 집, 노마드族 시대. ≪아시아경제≫, 2014. 1. 2, 14면 TOP.
pmg 지식엔진연구소. 『시사상식사전』, 박문각, 2012.
斗山東亞百科事典硏究所 編. 『두산세계대백과사전』, 두산동아, 2002.
Alvin Toffler, POWER SHIFT. 1990, 이계행 감역, 「앨빈토플러 권력이동」, 서울: 한국경제신문사, 1992.
Alvin Toffler·Heidi Toffler, REVOLUTIONARY WEALTH, New York: Curtis Brown Ltd., 2006, 김중웅 역, 「앨빈 토플러 부의 미래」, 파주: 청림출판, 2006.
Blaine Lee, The Power Principle, New York: Simon & Schuster, 1997, 장성민 옮김, 「지도력의 원칙」, 서울: 김영사, 1999.
Carl von Clausewitz, VOM KRIEGE, 1842, 류제승 역, 「전쟁론」, 서울: 책세상, 2003.
Edward T. Hall(1983). 최효선 옮김(2009a), 생명의 춤, 서울: 한길사.
Edward T. Hall(1983). 최효선 옮김(2009b), 침묵의 언어, 서울: 한길사.

Ha-Joon Chang, Globalizaion, Economic Development and the Role of the State, London: Zed Books, 2003, 이종태·황해선 옮김, 「국가의 역할」, 서울: Bookie(부·키), 2006.

Michael J. Sandel, JUSTICE, 이창신 옮김,「정의란 무엇인가」, 파주: 김영사, 2013.

Nicholas Wapshott, KEYNES HAYEK: The Clash That Dwfined Modern Economics, 김홍식 옮김, 「케인스 (세계 경제와 정치 지형을 바꾼 세기의 대격돌) 하이에크」, 서울: Bookie(부·키), 2011.

Renato Rosaldo(1989). 권숙인 옮김(2000). 문화의 진리(Culture and Truth). 서울: 아카넷.

Thomas Hofffs, LEVIETHAN, 1651, 박완규 풀어씀,「리바이어던, 근대국가의 탄생」, 파주: (주)사계절출판사 2007.

Chambers, William Nisbet.(1963). Political Parties in a New Nation. New Yo가: Oxford University Press.

Pollard, Sidney. (April1965). Economic History-A Science of Society?. Past and Present, 30: 3-22.

Wickers, Rhiannon. (1997). Using Archives in Political Research. In P. Burnham. (ed.). Surviving the Research Process in Politics, 167-176. London; Washington(D.C.):Pinter.

Wilson, Woodrow.(June 1887). The Study of Administration. Political Science Quarterly, 2: 241-256.

Lee-Jay Cho, Yoon Hyung Kim, 《Korea's Political Economy》, 1996

Anatole Kaletsky, 《Capitalism 4.0: The Birth of a New Economy in the Aftermath of Crisis》, 2011.

Era Dabla-Norris, Kalpana Kochhar, Nujin Suphaphiphat, Frantisek Ricka, Evridiki Tsounta, 《Causes and Consequences of Income Inequality : A Global Perspective》, IMF, 2015.

Umair Haque, 《The New Capitalist Manifesto: Building a Disruptively Better Business》, Harvard Business, 2011.

OECD, 《Divide We stand : Why Inequality Keeps Rising》, 2011.

Michael E. Porter and Mark R. Kramer, 《Created Shared Value》, Harvard Business Review, Jan, 2011.7

(주석)

1) 송명복.「강아지 눈망울에 스쳐 가는 인간 세상 이야기」,『국민발언대』, 2021년 2월 14일. https://cafe.daum.net/eejanggun/jzm4/65?svc=cafeapiURL.
2) 이상경.『갈팡질팡하더라도 갈 만큼은 간다』, 서울: 양철북, 2011년 7월 22일.
3) 송명복.「강아지 눈망울에 스쳐 가는 인간 세상 이야기」,『국민발언대』, 2021년 2월 14일. https://cafe.daum.net/eejanggun/jzm4/65?svc=cafeapiURL.
4) 오찬호.「아프간 난민, 한국 오지 마라」,『경향신문』, 2021년 8월 23일.
5) 나경희.「한국 땅 밟은 아프간 사람들, 왜 '난민' 이라 부르지 못할까」,『시사IN』, 2021년 9월 6일.
6) 안희곤.「인터넷 혹은 '리바이어던'」,『경향신문』, 2021년 8월 26일.
7) 박영환.「포스트 코로나 시대 선거와 좌파 바람」,『경향신문』, 2021년 10월 4일.
8) 박성진.「국방부 앞마당은 스파이들의 '놀이터?'」,『경향신문』, 2021년 11월 9일.
9) 오창은.「윤창호법 위헌과 '괴물의 시간'」,『경향신문』, 2021년 12월 3일.
10) 서울경제.「국민연금 개혁 안하면 90년생부터 한푼도 못 받는다」, 2022년 1월 14일.
11) 송평인.「누가 야윈 돼지들이 날뛰게 했는가」,『동아일보』, 2021년 7월 14일.
12) 임창용.「오징어게임을 향한 복잡한 시선」,『서울신문』, 2021년 10월 14일, 31면.
13) 최재목.「희망의 인문학」,『경북일보』, 2015년 11월 13일, 19면.
14) 오창익.「윤석열 후보의 위험한 혐오 선동」,『경향신문』, 2022년 2월 4일, A27면.
15) 김태권.「즐겁지만은 않은 디지털 신세계」,『경향신문』, 2022년 2월 10일.
16) '더 높은, 초월한' 이란 뜻을 가진 그리스어 접두사에서 유래한다.
17) 닐 스티븐슨의 소설, 현재 우리가 아는 개념의 '아바타' 라는 단어도 이 책에서 가장 먼저 사용하였다.
18) 천지우.「투수가 제일 문제였다」,『국민일보』, 2022년 5월 2일.
19) 장택동.「미성년자 논문 공저」,『동아일보』, 2022년 4월 27일.
20) 황규인.「'충무공' 이순신 장군과 '심청전' 심학규의 공통점은?」,『동아일보』, 2022년 4월 18일.
21) 박구용.「동물농장의 일기」,『경향신문』, 2022년 5월 9일.
22) 전주희.「베테랑의 실수」,『경향신문』, 2022년 5월 9일.
23) 강호원.「눈을 부릅뜨고 역사를 보라」,『세계일보』, 2021년 7월 12일.
24) 김태희.「텅텅 비고 허허벌판…공공기관뿐인 도시에 '정착' 할 삶은 없다」,『경향신문』, 2022년 5월 3일.
25) 천정환.「'저거들' 의 블루스」,『경향신문』, 2022년 5월 19일.
26) 이호준.「원래 국산 주류 식재료였던 밀, 99% 수입에 의존하게 된 이유」,『경향신문』, 2022년 5월 24일.
27) 김지진.「반지성주의와 개돼지론의 공통점」,『한겨레』, 2022년 5월 17일.
28) 강연주·유경선.「"대학입시용 논문, A4 1장당 18달러"…논문 대필 시장의 '국제분업 구조'」,『경향신문』, 2022년 5월 26일.
29) 하수정.「안보 제일주의에 길 잃은 이상주의」,『경향신문』, 2022년 5월 30일.
30) 송경재.「포털뉴스 정부 정책, 시작부터 권위주의?」,『경향신문』, 2022년 5월 30일.
31) 김재중.「총기 문제와 미국의 실패」,『경향신문』, 2022년 6월 1일.
32) 장유승.「조선은 풍수 때문에 망했다」,『국민일보』, 2022년 5월 18일.
33) 장호영.「'나중에 정권' 에 이은 '자가당착 정권'」,『경향신문』, 2022년 5월 13일.
34) 엄치용.「교수 식당이 대학을 죽인다」,『경향신문』, 2022년 6월 15일.
35) 안병익.「메타(Meta), 우리에게 필요한 가짜」,『제민일보』, 2022년 6월 14일.
36) 박원익.「더밀크 뉴욕플래닛장메타, 33조 적자에도 가상현실 투자 총력」,『신동아』, 2023년 12월 16일.
37) 장하나.「어린이여, 활동가가 되자」,『경향신문』, 2022년 6월 21일.
38) Daum 상식,「악플」, Daum, 에듀윌 시사상식, 2012년 1월 17일.
39) 승재현.「형사미성년자 나이에 대한 현실적 제언」,『경향신문』, 2022년 6월 24일.

40) 박정훈.「복지를 읽기 어려운 사람들」,『경향신문』, 2022년 6월 28일.
41) 박선웅 외.「복지 제도, 2012년」, 고등학교 사회 문화, 금성출판사, 163쪽.
42) Daum 백과.「기업가 정신」, Daum, 2023년 1월 12일.
43) 한윤정.「대통령 부인과 옷의 정치」,『경향신문』, 2022년 7월 2일.
44) 박구용.「죽거나 말거나」,『경향신문』, 2022년 7월 4일.
45) 정병기.「대중은 진보하는데 진보정당은 퇴보?」,『경향신문』, 2022년 7월 4일.
46) 박훈.「'면종복배'를 헌법 전문에 넣자」,『경향신문』, 2022년 7월 7일.
47) 정제혁.「실패가 예정된 사정정국」,『경향신문』, 2022년 7월 18일.
48) 김서중.「예정된 방송장악 수순? 제도 개혁이 우선이다」,『경향신문』, 2022년 7월 18일.
49) 송기호.「군 작전권을 넘긴 비밀협정」,『경향신문』, 2022년 7월 20일.
50) 정은정.「마늘꽃도 못 보고 짓는 마늘농사」,『경향신문』, 2022년 8월 5일.
51) 정희진.「'헤어질 결심', 군 위안부, 김건희님의 다운로드」,『경향신문』, 2022년 8월 10일.
52) 김종진.「재벌 유통기업의 '노예의 길'을 선택할 것인가」,『경향신문』, 2022년 8월 12일.
53) 정열.「재벌 총수는 정치적 발언 안 한다?..금기 깨는 정용진」,『연합뉴스』, 2021년 11월 27일.
54) 박한희.「사람 중심의 방역이 필요하다」,『경향신문』, 2022년 8월 22일.
55) 이용욱.「용산이 흉지?」,『경향신문』, 2022년 9월 8일.
56) Daum 백과,「그루밍(Child Grooming)」, Daum, 2023년 1월 7일.
57) 석종훈.「탄압과 보복」,『시니어매일』, 2022년 9월 2일.
58) 김태헌.「檢,'尹 명예훼손' 뉴스버스 대표 압수수색… "보복적 탄압" 반발」,『CBS노컷뉴스』, 2023년 12월 26일.
59) 송지원.「두 여성에 들썩인 영국」,『경향신문』, 2022년 9월 14일.
60) 장덕진.「인플레이션 감축법이 드러낸 한국의 정책역량」,『경향신문』, 2022년 9월 20일.
61) 강남규.「민주노총만 지켜주는 노란봉투법?」,『경향신문』, 2022년 9월 20일.
62) 이진우.「제3의 정치 세력이 필요하다」,『경향신문』, 2022년 9월 21일.
63) 세계일보.「여야 전직 대표 신당 가속도…새 정치 비전 없인 민심 못 얻어」, 2023년 12월 29일.
64) 김흥규.「태평성대가 저물어가는 시대의 외교전략」,『경향신문』, 2022년 9월 23일.
65) 최종렬.「프로당구협회와 가치 영역」,『경향신문』, 2022년 9월 23일.
66) 김창금.「'게임체인저' 프로당구 PBA, 스포츠산업 대상 수상」,『한겨레』, 2022년 12월 2일.
67) 김잔디.「열 번 찍어 안 넘어가는 나무 있다」,『국민일보』, 2022년 9월 27일.
68) 소진형.「미신 타파하던 조선 정치가들의 미신」,『경향신문』, 2022년 9월 28일.
69) 김준기.「그 길이 쉽기 때문이 아닙니다」,『경향신문』, 2022년 9월 30일.
70) 문주영.「여가부 없애면 지역균형발전?」,『경향신문』, 2022년 10월 11일.
71) 장덕진.「아마겟돈의 가능성」,『경향신문』, 2022년 10월 11일.
72) 문성진.「아마겟돈」,『서울경제』, 2022년 10월 10일.
73) 이현종.「아마겟돈 전범(戰犯)」,『문화일보』, 2022년 10월 10일.
74) 미류.「기어이 동행하자시면」,『경향신문』, 2022년 10월 11일.
75) 조희원.「다른 시선이 보고 싶다」,『경향신문』, 2022년 10월 25일.
76) 박상인.「온라인 플랫폼 자율규제의 실상」,『경향신문』, 2022년 10월 21일.
77) 장유승.「무한책임은 '책임 없음'과 같다」,『경향신문』, 2022년 11월 10일.
78) 박래군.「빅 브러더의 신어와 대통령의 '자유'」,『경향신문』, 2022년 11월 22일.
79) 정은정.「농업 문제라 쓰고 농협 문제라 읽는다」,『경향신문』, 2022년 11월 25일.
80) 정희진.「사진과 총, 캄보디아에서의 대통령 부인」,『경향신문』, 2022년 11월 30일.
81) 정유진.「국제에디터 미래의 이름으로 현재를 착취할 때」,『경향신문』, 2022년 12월 1일.
82) 서정홍.「명당이 따로 있는 게 아니다」,『경향신문』, 2022년 12월 12일.
83) 김영삼 전 대통령이 퇴임 이후 회고록에서 남긴 말이다. 민주 투사로서는 끝내 민주화를 쟁취하며 성공한 혁명가가 되었으나, 정작 대통령이 되어서는 1997년 외환 위기 대처에 실패한 대통령이 되어 초라하게 떠난 것을 일컬어 한 말이다.
84) 이정철.「개혁과 기득권」,『경향신문』, 2023년 1월 26일.
85) 오건호.「연금전문가들은 왜 의견이 갈릴까」,『경향신문』, 2023년 2월 2일.
86) 경향신문.「여당발 '국민연금 500명 공론화위' 제안에 주목한다」, 2023년 2월 1일.
87) 김태일.「국민연금 재정 추계와 개혁안」,『경향신문』, 2023년 2월 3일.
88) 혹은 사고로 장애를 입거나 죽은 경우도 포함(자살한 경우에도 지급한다. 단, 자해는 지급 거부 사유).
89) 남찬섭.「국민연금 세대 간 형평론, 무엇이 문제인가」,『경향신문』, 2023년 2월 8일.
90) 김민아.「윤석열 정권, 미국은 겁내고 국민은 겁주나」,『경향신문』, 2022년 9월 26일.
91) 신예슬.「사라진 동물들의 목소리」,『경향신문』, 2022년 10월 8일.
92) 안호기.「선진국이라기엔 부끄러운 한국과 대통령의 품격」,『경향신문』, 2022년 11월 16일.
93) 김희원.「대통령 권한 절제하는 품격」,『한국일보』, 2023년 12월 26일.
94) 김태일.「세대 간 계약의 공정성」,『경향신문』, 2023년 3월 10일.
95) 김기석.「희망은 과거로부터 온다」,『경향신문』, 2023년 3월 18일.

96) 이고은.「과거-현재-미래를 대하는 태도, 속담에 담겨 있네- 시간을 바라보는 다섯 마음-」,『한겨레』, 2019년 10월 19일.
97) 장지연.「과거의 망령은 꺼져라」,『경향신문』, 2023년 4월 6일.
98) Daum 백과.「학생인권조례(學生人權條例)」, Daum, 2023년 1월 7일.
99) 남웅.「동성애를 조장해드립니다」,『경향신문』, 2023년 4월 3일.
100) 전동혁.「학생인권조례 폐지 제동‥조례 공존‘혼선’?」,『MBC』, 2023년 12월 20일.
101) 오찬호.「이상한 저출생 대책 회의」,『경향신문』, 2023년 4월 3일.
102) 민서영.「저출생의 핵심은 ‘일자리 성별격차’ · · · “미혼 청년 여성 위한 노동개혁 필요”」,『경향신문』, 2024년 1월 2일.
103) 석재은.「연금개혁으로 파국을 막아낼 것인가,『경향신문』, 2023년 4월 7일.
104) 김윤.「대한민국 의사는 무엇으로 사는가」,『경향신문』, 2023년 4월 7일.
105) 서의동.「바이든의 미소에 속고 있다」,『경향신문』, 2023년 4월 12일.
106) 임아영.「화장실을 보면 알 수 있다」,『경향신문』, 2023년 4월 20일.
107) 오은.「제대로 번복하고 반복하기」,『경향신문』, 2023년 4월 20일.
108) 오건호.「내가만드는복지국가」,『경향신문』, 2023년 4월 27일.
109) 김수아.「다양한 가족구성권, 더 적극적으로 논의해야」,『경향신문』, 2023년 5월 1일.
110) 장하윤·엄성원.「“가족 구성권 3법 발의”…동성결혼 법제화 길 열릴까,『법률N미디어』, 2023년 6월 15일.
111) 안호기.「폭력적 성장에 감춰진 돌봄노동」,『경향신문』, 2023년 5월 3일.
112) 이희경.「건강이 신(神)이 되어버린 사회」,『경향신문』, 2023년 5월 4일.
113) 경향신문.「대한민국 어린이는 오늘 안녕한가요」,『경향신문』, 2023년 5월 4일.
114) 이갑수.「어린이날에 생각해 보는 주어」,『경향신문』, 2023년 5월 5일.
115) 문주영.「교통, 복지를 넘어 균형발전까지」,『경향신문』, 2023년 5월 8일.
116) 강준만.「정당은 ‘증오·혐오를 선동하는 공장’ 인가」,『경향신문』, 2023년 5월 10일.
117) 이병천.「전환기의 도전과 위험한 반동정치」,『경향신문』, 2023년 5월 15일.
118) 변재원.「공공성을 강화하라」,『경향신문』, 2023년 5월 16일.
119) 박명림.「결혼·출산파업…인구절벽 넘어 국가소멸로 치닫는다」,『경향신문』, 2023년 5월 18일.
120) 박명림 교수는 연세대에서 정치학을 가르치고 있다. 제주 4·3(석사)에 이어 한국전쟁에 대한 연구(박사)로 학문의 길에 들어선 이래 평화 문제를 중심으로 정치현상 연구에 천착해왔다. 정치학자로서, 역사학자로서 전쟁과 평화, 생명과 인간, 그리고 국가에 대해 끊임없이 질문하고 답하고 있다. 주요 저서로 〈한국전쟁의 발발과 기원 1, 2〉 〈다음 국가를 말하다〉 〈역사와 지식과 사회〉 〈한국 1950: 전쟁과 평화〉 등이 있다.
121) 정병기.「타락한 진보는 깨끗한 보수조차 못 된다」,『경향신문』, 2023년 5월 22일.
122) 김윤철.「진정한 보수에서 새 진보의 실마리 찾기」,『경향신문』, 2023년 5월 23일.
123) 김윤철은 경희대 교수 및 실천교육센터장. 경희대 후마니타스칼리지에서 ‘세계와 시민’ ‘정치의 인문학적 탐색’ 등의 과목을 가르친다. 참여사회연구소 부소장, ‘시민과 세계’ 편집위원, 한국사회여론연구소 소장, 노회찬정치학교 교장 등을 역임했다. 〈정당〉 〈헬조선 3년상〉 등의 저서와 ‘노동존중 정치와 노회찬의 6411정신’ ‘한국 불평등 민주주의의 정치사적 기원’ 등의 논문이 있다.
124) 백영경.「형평사 100년, 차별과 인권을 되씹다」,『경향신문』, 2023년 5월 23일.
125) 천정환.「노동 없는 ‘자유’ 민주주의」,『경향신문』, 2023년 5월 25일.
126) 송재현.「피의자의 일방적 진술이 넘쳐나는 세상」,『경향신문』, 2023년 5월 26일.
127) 김만권.「하인을 거느리는 가족국가」,『경향신문』, 2023년 5월 29일.
128) 최성용.「피해자 탓하는 정권」,『경향신문』, 2023년 5월 30일.
129) 브릿지경제.「어쩌면 그럴지도 몰라, 지금 우리의 극단적인 근미래 그리고 희망 ‘슈뢰딩거의 소녀’」, 2023년 11월 14일, 11면.
130) 나원준.「혁신과 평등, 진보의 좁은 길」,『경향신문』, 2023년 5월 31일.
131) 김준기.「민주주의의 위기」,『경향신문』, 2023년 6월 1일.
132) 한숭희.「인구절벽과 비수도권 대학 구조조정」,『경향신문』, 2023년 6월 8일.
133) 세계일보.「국가가 정치논리로 국민 죽음 왜곡하는 일 다신 없어야」, 2023년 12월 7일.
134) 김민하.「이상하기 짝이 없는 정치논리」,『경향신문』, 2023년 6월 13일.
135) 나무위키, 국립국어원 표준국어대사전, “복지(福祉)「명사」 행복한 삶. ≒지복.” , 고려대학교 한국어대사전, “복지(福祉) 「명사」 좋은 건강, 윤택한 생활, 안락한 환경들이 어우러져 행복을 누릴 수 있는 상태.” Daum, 2023년 1월 7일.
136) 송현숙.「복지까지 시장화하겠다는 위험천만한 대통령」,『경향신문』, 2023년 6월 15일.
137) 김윤.「의료위기 부르는 기형적 의료체계」,『경향신문』, 2023년 6월 15일.

138) 안영진.「줄줄 새는 건강보험재정 '밑빠진 독' ?」,『한겨레』, 2005년 1월 26일.
139) 박명림.「'진영공화국' 의 고착 막아, 나라의 살 길 틔워야 한다」,『경향신문』, 2023년 6월 15일.
140) 박명림 교수는 연세대에서 정치학을 가르치고 있다. 제주 4·3(석사)에 이어 한국전쟁에 대한 연구(박사)로 학문의 길에 들어선 이래 평화 문제를 중심으로 정치현상 연구에 천착해왔다. 정치학자로서, 역사학자로서 전쟁과 평화, 생명과 인간, 그리고 국가에 대해 끊임없이 질문하고 답하고 있다. 주요 저서로 〈한국전쟁의 발발과 기원 1, 2〉〈다음 국가를 말하다〉〈역사와 지식과 사회〉〈한국 1950: 전쟁과 평화〉 등이 있다.
141) 김택근.「'민주화 역사의 기생충' 이 될 것인가」,『경향신문』, 2023년 6월 17일.
142) 김명희.「밀실 거래가 아닌 사회적 논의로」,『경향신문』, 2023년 6월 19일.
143) 주은선.「균형 잃은 사회복지와 국민연금」,『경향신문』, 2023년 6월 20일.
144) 차준철.「한 달 가짜 인생을 살다」,『경향신문』, 2023년 6월 22일.
145) 오창익.「'영장 자판기' 라는 오명」,『경향신문』, 2023년 6월 23일.
146) 남경아.「관계를 유지하는 사소한 예의」,『경향신문』, 2023년 6월 29일.
147) 김예선.「모기와 평화 협정 맺기」,『경향신문』, 2023년 7월 1일.
148) 류동민.「재현의 권력과 권력의 재현」,『경향신문』, 2023년 7월 3일.
149) 이정호.「차라리 '인류애' 라고 해라」,『경향신문』, 2023년 7월 4일.
150) 박성진.「"중일, 후쿠시마 오염수 전문가 협의 내년 조기 개최 조율"」,『경향신문』, 2023년 12월 31일.
151) 이은희.「내면이 단단한 어른, 몸만 큰 어린아이」,『경향신문』, 2023년 7월 6일.
152) 홍경한.「'쇼를 하라'」,『경향신문』, 2023년 7월 13일.
153) 김윤.「국민 여러분, 아프면 큰일 나요」,『경향신문』, 2023년 7월 13일.
154) 김수아.「노동 보도서 반복되어온 형식과 언어 바꿔야」,『경향신문』, 2023년 7월 17일.
155) 이상호.「1605년 안동 대홍수」,『경향신문』, 2023년 7월 20일.
156) 오창익.「불가능에 도전하는 교도관들」,『경향신문』, 2023년 7월 21일.
157) 하승우.「누구를 위한 관료제인가」,『경향신문』, 2023년 7월 25일.
158) 김태일.「퇴직연금을 연금화하려면 '호갱' 은 면하게 해야」,『경향신문』, 2023년 7월 28일.
159) 한민.「동방예의지국의 '비밀'」,『경향신문』, 2023년 7월 29일.
160) 류동민.「유머와 폭력」,『경향신문』, 2023년 7월 31일.
161) 박정훈.「국가의 보험사기」,『경향신문』, 2023년 8월 1일.
162) 박태근.「나를 일깨운 '책으로 비즈니스'」,『경향신문』, 2023년 8월 3일.
163) 김홍규.「디리스킹의 세계와 냉전장화하는 한반도」,『경향신문』, 2023년 8월 3일.
164) 김기석.「학습된 무기력을 떨쳐버리고」,『경향신문』, 2023년 8월 4일.
165) 조광희.「의사소통이 불가능한 사회」,『경향신문』, 2023년 8월 6일.
166) 김형기.「통일부 흔들면 미래도 잃는다」,『경향신문』, 2023년 8월 8일.
167) 남가희.「통일부, '북한이탈주민 일자리 박람회' 정례화 추진」,『데일리안』, 2024년 1월 4일.
168) 김종표.「사이렌이 울리면」,『전북일보』, 2023년 8월 7일.
169) 김준기.「'개탄스러운 사람들' 과 '미래가 짧은 분들'」,『경향신문』, 2023년 8월 9일.
170) 김명희.「유급 병가, 그땐 맞고 지금은 틀리다」,『경향신문』, 2023년 8월 13일.
171) 오찬호.「전체주의 싫어하는 대통령님께」,『경향신문』, 2023년 8월 20일.
172) 남경아.「잘 징징거린다는 것」,『경향신문』, 2023년 8월 23일.
173) 류동민.「이데올로기와 물질적 이해관계」,『경향신문』, 2023년 8월 27일.
174) 한승희.「도시라는 회집체」,『경향신문』, 2023년 8월 30일.
175) 김기석.「물이 흘러가는 곳마다」,『경향신문』, 2023년 9월 1일.
176) 송현숙.「시민이 동료 시민에게, 어떤 역사를 만들겠습니까」,『경향신문』, 2023년 9월 6일.
177) 이지문.「청탁금지법, 엄격하게 적용해야 하는 이유」,『경향신문』, 2023년 9월 19일.
178) 김윤.「우리는 어떤 죽음을 맞게 될까」,『경향신문』, 2023년 10월 4일.
179) 전중환.「독한 살충제」,『경향신문』, 2023년 10월 6일.
180) 안호기.「한국이 망해가고 있다는 '합계출산율 0.7명'」,『경향신문』, 2023년 10월 17일.
181) 류동민.「민생으로 돌아가라?」,『경향신문』, 2023년 10월 29일.
182) 김세훈.「"이대로 살 수 없다, 민생법안 처리하라" · · ·주말 여의도 대규모 정부규탄 집회」,『경향신문』, 2022년 12월 3일.
183) 김관욱.「인간보다 더 '사람' 다운 이태원」,『경향신문』, 2023년 10월 30일.
184) 이일영.「세계적 대혼란 시대를 돌아보며」,『경향신문』, 2023년 10월 31일.
185) 미류.「정의가 시작될 자리」,『경향신문』, 2023년 10월 30일.
186) 김재윤.「가족보다 식구」,『경향신문』, 2023년 11월 1일.
187) 김종철.「왜 근로조건 기준은 인간 존엄성인가」,『경향신문』, 2023년 11월 2일.
188) 백영경.「돌봄, 예산 복원 넘어 전환의 의제로」,『경향신문』, 2023년 11월 20일.
189) 성현아.「무해함에 햇살 비추기」,『경향신문』, 2023년 11월 22일.

190) 보일 스님.「변해야 하는 것과 변하지 않아야 하는 것 사이에서」,『경향신문』, 2023년 11월 24일.
191) 이동국.「손잡고 더불어」,『경향신문』, 2023년 11월 30일.
192) 황규관.「‘떴다방 정치’의 시대에」,『경향신문』, 2023년 12월 3일.
193) 박성현.「메가서울이 일으킨 지역균형발전 ‘나비효과’」,『월간중앙』, 202312호(2023년 11월 17일).
194) 조홍민.「소통 부재와 집단사고」,『경향신문』, 2023년 12월 7일.
195) 박은미.「쾌락의 역설」,『국민일보』. 2023년 11월 25일.
196) 추혜인.「윤희에게」,『경향신문』, 2023년 12월 12일.
197) 홍혜진.「미움받을 용기」,『매일경제』, 2023년 12월 8일.
198) 남경아.「블랙프라이데이 단상」,『경향신문』, 2023년 12월 13일.
199) 업다운뉴스.「블랙프라이데이, 남의 일인줄 알았는데...」, 2014년 11월 27일.
200) 송희복.「돈의 정치학 ‘요물과 콩고물’」,『경남일보』, 2023년 12월 13일.
201) 현대지성.「돈의 기원부터 비트코인까지, 큰 부자는 “돈의 역사”를 공부한다! 」,『돈의 탄생』, 2021년 3월 12일.
202) 하태훈.「‘눈에는 눈, 이에는 이’가 과연 정의일까」,『경향신문』, 2023년 12월 14일.
203) 나무위키.「正義(justice)」, Daum, 2023년 1월 6일.
204) 한윤정.「지금 영성이 필요한 이유」,『경향신문』, 2023년 12월 15일.
205) 충청투데이.「결혼 생각하지 못하는 사회, 이대로 둬선 안된다」, 2023년 12월 18일, 19면.
206) 오찬호.「여자도 군대 갔다면, 달라졌을까」,『경향신문』, 2023년 12월 17일.
207) 정희진.「국민의 조건과 인간의 조건」,『경향신문』, 2023년 12월 27일.
208) 백영경.「필수의료, 무엇을 바라야 할 것인가」,『경향신문』, 2023년 12월 18일.
209) 한완상.「더 밝게 반짝이는 별빛을 그리며」,『한겨레』, 2007년 2월 28일.
210) 김정화·박경섭.「김기자가 보GO놀GO, 별사진」,『월간 아웃도어』, 2013년 12월 23일.
211) 강광석.「자연과 동물에 사죄」,『경향신문』, 2007년 1월 5일.
212) 김영호.「이젠 ‘홍익자연’이다」,『경향신문』, 2007년 9월 11일.
213) 이동구.「공을 앞세우지 말라」,『서울신문』, 2020년 6월 11일, 31면.
214) 김태희·강은.「나고 자란 곳서 배우고 일하는 나라가 되면… ‘in 지방’ 하겠습니다」,『경향신문』, 2022년 5월 17일.
215) 문주영.「기부 강요하는 사회」,『경향신문』, 입력 : 2022년 6월 7일.
216) 양영석.「문화예술의 힘과 역할」,『경남신문』, 2022년 6월 14일.

https://blog.daum.net/sang7981/4892?category=3987(2019. 8. 14)

THE MARKET OF KORE

THE MARKET OF KORE

(ｲ751)
Eastern sm ll gate, seoul
(門化惠)門小東城京
(景風鮮朝)

DOKURITSUNON SEOUL
(門恩迎)門立獨城京
(所名鮮朝)

京城名所　獨　立　門　The Dokuritsumon at Keijo.

西大門外義州通りにあり明治廿七八年戰役の結果完全なる獨立國となり永く支那の羈絆を脱したるを以て記念の爲建設したる雄壯なるものなり

朝鮮風景(京城鐘路ヨリ南大門通ヲ望ム)

市街に見る

大半島政治の中樞としてこゝに重きをなす京城は、政治、經濟、軍事、教育、其の他の施設機關をこゝに集め、また大會社大工場等をも數多包容して名實共に大都の風格をこゝに示してゐる。繪は市街に見る百貨店和信。【京城大觀】

THE CENTRE OF EDUCATION AND POLITICS AT KOREA, KEIJYO.